Andrea Cotti

Il cinese

Rizzoli

Pubblicato per

Rizzoli

da Mondadori Libri S.p.A.
Proprietà letteraria riservata
© 2018 Mondadori Libri S.p.A., Milano
Published by arrangement with Loredana Rotundo Literary Agency

ISBN 978-88-17-10167-7

Prima edizione: settembre 2018

Il cinese

Per Patrizia, mia madre,
con il cuore che scoppia.
Te ne sei andata poco prima
che questo romanzo fosse pubblicato,
ma sei riuscita a leggerlo.
E se io leggo, se io scrivo
è perché sei tu che mi hai fatto così.

«Io non vi lascerò mai.»

SEVERINO CESARI

Per Barbara, la Riccia:
sei l'amore più grande,
l'amore più bello.

Per Lamberto, mio padre.
Per Alex, mio fratello. Per Sam.
Noi siamo qui, assieme, sempre.

Per Riccardo, Hilde, Raffaele.
I tre dottori.
Siete il bene, l'accoglienza, la gioia.

Il dolore, la paura

痛苦
恐惧

Non sono le stelle troppo lontane,
sono le scale per raggiungerle troppo corte.

Quarantacinque giorni prima

Dolore e paura.

Un dolore vasto e profondo come un abisso, una paura buia e soffocante.

Questo è tutto ciò che sente la ragazza. Il suo mondo è soltanto dolore e paura.

Però è ancora viva. Il cuore continua a battere, lei continua a respirare, e a poco a poco il perimetro del suo mondo si allarga fino a comprendere le altre due ragazze nella stanza.

Sono cinesi come lei, e sono arrivate lì nel suo stesso modo. Sa che provano il suo dolore e la sua paura.

Tutte e tre sono sedute a terra, rannicchiate sul pavimento, la schiena contro il muro, le braccia che stringono le ginocchia al petto.

Immobili e mute.

La stanza è spoglia e bianca.

Il bianco è il colore del lutto.

Il Demone è venuto, il volto nascosto dal cappuccio nero, il corpo nudo, magro, liscio, i muscoli appena accennati, la pelle priva di increspature, senza età. Le mani forti, le nocche dure, le dita nodose, simili ad artigli. Con le mani ha compiuto su di loro il suo rito.

Le mani impugnano le lame, e le lame portano il dolore e la paura.

Quando il Demone si china su di loro, da sotto il cappuccio qualcosa luccica.

Lei e le altre, però, chiudono subito gli occhi. Perché il dolore e la paura sono inaffrontabili a occhi aperti. Nessuna di loro pensava potessero esistere così tanto dolore e così tanta paura. Nessuna di loro aveva mai creduto potesse esistere un luogo così terribile, una pianura in fiamme che riecheggia di grida disperate. Eppure è lì che il Demone le ha condotte.

Poi se n'è andato.

È trascorso del tempo.

E ora la ragazza sente distintamente il rumore di una chiave che gira in una serratura. L'Uomo delle Chiavi ha chiuso la porta dell'appartamento, ma non si è preoccupato di farlo con quella della stanza.

Ha smesso da un po', perché non esistono catene più forti del dolore e della paura.

La ragazza, però, si alza in piedi. Non è qualcosa che decide, è qualcosa che accade. Lenta, a fatica, si tira su e resta dritta. Trema, il corpo è una tela squarciata dai tagli, ma dalle ferite non stilla neppure una goccia di sangue. Perché prima di andarsene, come ogni volta, il Demone ha arrestato le emorragie, ha pulito e disinfettato lei e le altre con gesti delicati, leggeri. Quando tornerà, potrà riaprire le ferite appena chiuse, e tracciarne di nuove per completare il disegno inciso nella loro carne.

Per completare il rito.

Ma adesso, come poco fa, il suo cuore batte, lei respira, ed è ancora viva.

È ancora viva.

E questo fatto, che prima era solo un dato biologico, diventa consapevolezza. E con la consapevolezza arriva la possibilità di scegliere.

Allora la ragazza sceglie. Fa un passo. Un singolo passo per uscire dalla stanza. E così scopre che il dolore e la paura sono le catene più resistenti, ma che quel passo è sufficiente a spezzarle.

Le altre due ragazze la seguono. La consapevolezza di essere viva, cominciata in lei, risuona anche in loro.

In tre, tutte assieme, tagliate, lacerate, aperte, lasciano la stanza, attraversano l'appartamento chiuso, ed escono sul terrazzo. Sotto di loro c'è il vuoto, e alla fine del vuoto c'è una strada, macchine che corrono, persone che passano. Alle loro spalle, l'appartamento e la stanza dove erano prigioniere.

Possono restare. Il Demone tornerà, e loro moriranno.

Oppure possono saltare.

La ragazza guarda le altre due. Un attimo. Nessuna pronuncia una parola. Non serve.

Saltano.

UNO

La rapina, il duplice omicidio

抢劫
双重谋杀

Se vai a spegnere un incendio,
non indossare un abito di foglie secche.

1.

Adesso, 24 gennaio

Il cellulare suona, e io mi sveglio di colpo annaspando nell'oscurità. Spalanco la bocca, non respiro, sono cieco. Poi, con uno spasmo improvviso, inghiotto aria. Ansimo, mentre gli occhi iniziano a mettere a fuoco, e il nero si dirada in una penombra soffusa.

Una sveglia, le cifre luminose: sono le 2.23.

L'affanno rallenta, e dalla penombra emergono sagome e profili. Mi guardo attorno e non so dove sono. La stanza da letto non è la mia, e dalla porta aperta intravedo un salotto e l'ingresso di una cucina che non riconosco.

Una casa che non riconosco.

Anna e Giacomo non ci sono, seppure stordito avverto con chiarezza la loro assenza.

Il cellulare continua a suonare. Rispondo e sento: «Dotto', sono Missiroli». E finalmente mi ricordo.

Accendo la luce. Sul comodino, accanto alla sveglia, ci sono il mio tesserino e la pistola.

Sono a Roma, dirigo il Commissariato di Tor Pignattara, e Domenico Missiroli è l'ispettore superiore a capo della squadra di polizia giudiziaria.

Questa è la casa dove abito, alla Garbatella. Da solo. Perché mia moglie e mio figlio, Anna e Giacomo, sono rimasti a Bologna.

«Dotto', è lì?»

«Sto qua, Missiro'. Che c'è?»

«Due morti, duplice omicidio...»

Mi alzo dal letto. «C'è qualcuno dei nostri?»

«Sì, ma c'è anche la Mobile. La prima volante intervenuta era della Questura, e hanno chiamato loro.»

«Vabbe', noi stiamo d'appoggio.»

Mi sposto in bagno e apro l'acqua fredda, mentre continuo a tenere il cellulare all'orecchio.

«Il magistrato però ha chiesto espressamente di *lei*, dotto'. Passo io a prenderla, sto in macchina, dieci minuti e sono lì.»

Mi blocco davanti al lavandino, con l'acqua che scorre. Da quando sono arrivato, è Missiroli che mi ha fatto da balia, ma è pur sempre un ispettore superiore, ha un ruolo investigativo, e se si muove lui, invece di mandarmi un'auto con un agente in divisa, significa che il pm ha insistito. Molto.

E io non sto capendo nulla.

«Chi sono i due morti?»

«Un uomo e una bambina di quattro anni, sua figlia. La moglie ha assistito.»

Un ago gelido mi si conficca nella nuca. Giacomo ha cinque anni.

«Sono cinesi...»

«Va bene. Dieci minuti.»

Adesso ho capito.

Chiudo il cellulare, infilo la testa sotto il getto dell'acqua, poi la sollevo, fisso il mio riflesso nello specchio, e la risposta è lì, sulla mia faccia. I capelli neri e lisci, il pigmento della pelle, la forma del viso, e il taglio allungato degli occhi.

Sono il vicequestore aggiunto Luca Wu, ho trentaquattro anni, e sono nato in Italia da genitori cinesi.

Sono italiano *e* sono cinese.

2.

Mio padre si chiama Wu Wenhua, detto Silenzioso Wu, e ha sessant'anni. Mia madre si chiamava Wu Jianling, detta Luminosa Wu, ed è morta quando io avevo quindici anni.

Con mio padre sono rimasti in Italia i genitori di mia madre: mio nonno, Li Dingfu, detto Forte Li, che ha settantanove anni, e mia nonna Li Meyu, che ha settantasette anni e un tempo tutti chiamavano Bellissima Li.

In Cina cento cognomi soltanto coprono quasi l'ottantasette per cento della popolazione, quindi per distinguere le persone tra più di un miliardo e mezzo di abitanti vengono usati soprannomi che enfatizzano il significato del nome: un aspetto fisico o un tratto del carattere. È la tradizione, e vale anche per i componenti della mia famiglia.

Nel 1982 mio padre è un *silenzioso* giovane *zhencha yuan* della *Renmin jingcha*, è un ispettore della Polizia del Popolo, è sposato da poco con mia madre, che fa la maestra d'asilo, e vivono vicini alle loro famiglie a Caoping, un piccolo centro nella provincia di Wenzhou, all'interno della regione dello Zhejiang.

Mio padre e un suo collega vengono mandati dai loro capi a svolgere un'indagine sulle condizioni di un *Laogai*, un campo di lavoro dove sono rinchiusi i dissidenti politici. È un fatto del tutto inusuale, ma deve essere in atto uno scontro tra i vertici del ministero della Sicurezza e quelli della Commissione militare centrale che con la *loro* polizia, la *Zhongguo renmin wuzhuang jingcha budui*, gestiscono i *Laogai*.

Per quanto fuori dall'ordinario, comunque, per mio padre inizialmente è un compito come un altro. Se ci sono delle irregolarità nella condizione del campo di lavoro, lo scopriranno. D'altra parte, però, è un poliziotto, un uomo dell'ordine, e crede che sia giusto che chi vuole sovvertire quell'ordine venga rinchiuso e punito.

Ma non è pronto all'orrore.

Dentro il campo, i prigionieri sono incatenati, privati del sonno e del cibo, percossi e torturati con la corrente elettrica. Le donne vengono stuprate.

Nel 2013 il governo cinese ha chiuso i *Laogai*, ma quando mio padre e il suo collega sono mandati a indagare, in tutta la Cina ce ne sono più di millequattrocento, e la tortura non è proibita.

Nessuna legge viene violata, quindi per mio padre non dovrebbe essere un problema. Invece, benché la sua fiducia nel sistema sia solida, qualcosa dentro di lui si spezza. Tutti sanno cosa succede nei *Laogai*, lui lo sa, ma vederlo con i propri occhi lo sconvolge.

A metà del 1982, mentre compiono gli accertamenti, Silenzioso Wu non è più solo silenzioso: è pallido, triste e tormentato.

Lui e il collega stendono un rapporto.

Ma a Silenzioso Wu non basta, vuole andare più a fondo. È intenzionato a scoprire – non solo in quel campo, ma in tutti – se la pratica della tortura applicata con tale crudeltà e senza alcun intento rieducativo, venga incentivata da chi controlla i *Laogai*, o se invece segua precise direttive. Se è il governo a decidere, lui può sopportare e andare avanti con i suoi fantasmi dentro, ma se quello scempio è dovuto a singole persone, allora non può tollerarlo.

Il governo e il Partito vogliono il bene della Cina, le persone, prese una a una, sono avide e immorali.

Il suo collega cerca di farlo ragionare. Si chiama Yun Heng, hanno frequentato assieme l'Accademia per entrare nella *Renmin jingcha*, e Silenzioso Wu lo considera il suo migliore amico. Fino a che non sono stati mandati nel *Laogai*, i loro percorsi sono stati pressoché identici. Ma mentre mio padre sta crollando, Yun Heng sembra indifferente. Dal suo punto di vista, anche loro sono prigionieri in quel campo, e lui vuole soltanto consegnare la relazione e uscire di lì. Vuole fare carriera.

Yun Heng consiglia a mio padre di fare ciò che è nella

sua indole, quella che gli ha portato il soprannome di Silenzioso Wu, ossia tacere. Lo rimprovera. Nessuno, e meno che mai un poliziotto, si fa venire certi scrupoli e certi dubbi. Nessuno.

Silenzioso Wu è più di una mosca bianca. È una mosca bianca con due teste.

La sua crisi di coscienza giunge alle orecchie dei suoi capi, gli stessi che lo hanno mandato nel *Laogai*. I vertici lo convocano e gli intimano di piantarla con le sue farneticazioni. A loro basta avere in mano il rapporto che lui e Yun Heng hanno preparato. È un'arma, nel caso in cui certe politiche dovessero cambiare.

Ma Silenzioso Wu insiste. Devono ampliare l'indagine, il Partito deve avere un resoconto completo. Dopodiché, se dal Partito non verrà intrapresa nessuna azione, lui lo accetterà.

I suoi capi scuotono la testa: Silenzioso Wu non capisce, è stato il Partito a chiedere di convocarlo, il Partito sa già tutto ciò che deve sapere, e se non chiude la bocca ci saranno delle ripercussioni su di lui. E su sua moglie.

Mio padre ci prova, fa come gli è stato detto, tace, smette di insistere e torna al suo lavoro.

Ogni mattina si sveglia a Caoping, si mette in macchina, guida fino a Wenzhou, fino alla Questura, e trascorre il suo turno di servizio come un sonnambulo.

Resiste per qualche mese, poi non ce la fa più, e ne parla con mia madre.

Vuole lasciare la polizia e andarsene dalla Cina. Subito.

Per la legge cinese, chi si congeda dalla pubblica sicurezza deve attendere tre anni prima di poter avere un passaporto ed espatriare. Quei tre anni dovrebbero servire a dimenticare informazioni riservate o compromettenti.

Ma mio padre non può aspettare. E non può dimenticare.

Luminosa Wu è dalla sua parte. È disposta ad abbandonare il suo di lavoro, all'asilo, ad abbandonare i bambini che adora, perché se mio padre non se ne va, l'orrore del *Laogai* e la sua impotenza lo consumeranno. E dell'uomo che lei ama non resterà più niente.

La famiglia di Silenzioso Wu, invece, contesta duramente quella scelta, rifiuta di parlargli, lo giudica un folle. Nessuno molla la polizia e un lavoro sicuro con molti vantaggi. Lui però non desiste, e mia madre rimane al suo fianco. Anzi, gli propone una soluzione: alcuni suoi parenti sono emigrati prima in Francia, poi in Italia già alla fine della Prima guerra mondiale, attorno al 1920. E in Italia la comunità cinese è quasi per intero composta da gente che viene dalla loro stessa zona, dalla regione dello Zhejiang, e dall'area di Wenzhou. Possono cercare contatti e appoggi.

Mio padre accetta.

Dopo poco più di due mesi, Luminosa Wu riceve una risposta da Tsu Min, un cugino in Italia che ha un ristorante a Bologna e può procurarle dei permessi di lavoro.

Per uscire dalla Cina, per il viaggio, e per entrare in Italia, però, dovranno trovare un modo. Mio padre è ancora un poliziotto, e il modo lo trova.

Subito dopo, dà le dimissioni dalla polizia, parte assieme a mia madre, e alla fine del 1982 arrivano a Bologna.

Entrambi lavorano per Tsu Min, e con il permesso di lavoro ottengono in breve quello di soggiorno, infine la residenza. Mio padre detesta il ristorante, ma nel 1983 mia madre rimane incinta e nasco io, il loro primo figlio, per cui ancora una volta tace e sopporta. Anche perché guarda Luminosa Wu, che mai come ora splende. È luccicante di gioia.

Nel 1992, però, quando io ho nove anni, mia madre si ammala, comincia a stare male. Silenzioso Wu non può starle vicino perché – seppure continui a detestare quel mestiere – dopo aver mollato Tsu Min, sta per aprire un ristorante tutto suo. Il Giardino dell'Imperatore. Allora si attiva per il ricongiungimento famigliare in Italia, muove qualche aggancio che ha ancora in Cina, e ottiene di far arrivare a Bologna i suoceri, i genitori di mia madre, così che possano assisterla e aiutarla con il bambino.

Io.

Quando mia madre muore, nel 1998, ha solo trentotto anni, e nonostante la malattia, è ancora Luminosa Wu.

Io sono un adolescente, mi credo già grande e solido, ma la sofferenza mi invade, mi rimpicciolisce, e mi sbriciola come terra secca. Piango, e sono sicuro che non passerà mai.

Mio nonno e mia nonna rimangono in Italia per stare con me. In Cina hanno lasciato una parte della famiglia – una sorella di Forte Li, un fratello di Bellissima Li, alcuni nipoti, altri cugini – ma io sono il figlio di loro figlia, il loro *sunzi*, il nipotino adorato. Mio padre lavora, io cresco coi nonni.

E ogni giorno, poco alla volta, la sofferenza cambia e si trasforma. C'è, ma non m'invade più, si ritira ai margini. È come una piccola carie in un dente, te ne accorgi solo se ci passi sopra la lingua.

Poco alla volta mi ricompatto.

Vado a scuola, torno a casa, faccio sport, ho degli amici, mi innamoro per la prima volta, mi metto assieme alla mia prima ragazza, una biondina con le lentiggini, e vengo lasciato. Soffro di nuovo, ma di nuovo mi innamoro di un'altra.

Devo vivere, quindi vivo.

A diciotto anni mi diplomo alla scuola alberghiera che mio padre ha voluto che frequentassi, ho studiato inglese, francese, spagnolo, parlo mandarino e scrivo e leggo in cinese, perché sempre mio padre mi ha fatto seguire fin da piccolo delle lezioni tenute dalle associazioni cinesi di Bologna, e naturalmente conosco il dialetto di Wenzhou che si parla a casa mia. Da quando ho cinque anni, poi, pratico arti marziali, più precisamente *Ving Tsun*. Uno stile di Kung Fu. *Ving Tsun Quan*, il Pugilato dell'Eterna Primavera.

Davanti a me ho tre scelte.

Una scelta logica: andare a lavorare al Giardino dell'Imperatore con mio padre, visto che è per questo che mi ha fatto studiare.

Una scelta intelligente: iscrivermi all'università, a Lingue Orientali, perfezionare il mio mandarino parlato e il mio cinese letto e scritto, e con quella laurea trovare lavoro. E adesso che la Cina è il primo mercato al mondo, sarei stato avanti rispetto ai concorrenti.

E una stupida.

Io, ovviamente, opto per la scelta stupida.

3.

Sotto casa monto in auto, mentre Missiroli sta chiudendo il cellulare.

«Novità?»

«M'hanno appena chiamato, dotto'. I mobilieri al solito fanno gli stronzi, non dicono niente e tengono tutti lontani. Per fortuna c'è già la Scientifica e lì abbiamo un paio d'amici.»

«Quindi?»

«Un uomo, una donna e una bambina. La donna sta bene. L'uomo e la bambina, uccisi.» Per un istante, ripenso a Giacomo, mio figlio. «Colpi d'arma da fuoco. Dai bossoli rinvenuti, pare calibro .7,65.»

Le forze di polizia usano in genere proiettili calibro .9. Il .7,65 è un calibro molto diffuso, e dà poche indicazioni.

Faccio segno a Missiroli. Lui mette in moto la macchina e parte.

«Cinesi» dico.

«Sì, è l'unica cosa che sappiamo. Marito, moglie e figlia. Tutti cinesi.»

Missiroli imbocca Circonvallazione Ostiense e si avvia verso la Cristoforo Colombo in direzione Tor Pignattara.

«C'è altro?»

«Niente. Ma se vuole richiamo io, dotto'. Pure tra quelli delle volanti arrivati subito c'abbiamo uno o due amici. Magari a loro mezza informazione in più l'hanno data.»

«No, Missiro', lasciali stare i volantini, va bene così.»

«Come crede.»

Dalla Colombo infiliamo lo svincolo per l'Appia, quindi prendiamo via Cilicia e attraversiamo piazza Galeria. Di solito da Garbatella a Tor Pignattara in auto ci si impiegano quasi tre quarti d'ora, ma sono le tre di mattina, e il traffico è scarso.

Missiroli guida concentrato e in silenzio. Ha quarantanove anni, il viso magro, gli occhi scavati, i capelli radi e spettinati. Al Commissariato dirige la squadra di polizia giudiziaria, ma prima che arrivassi io era lui che mandava avanti la baracca. Il precedente dirigente sosteneva che bisogna saper delegare. Insomma, era un imboscato che lasciava il lavoro agli altri.

Via Acaia, piazza Armenia, e continuiamo su via Britannia.

Con il mio arrivo, Missiroli avrebbe potuto sentirsi sminuito, invece è stato lui che mi ha aiutato più di tutti. È tornato a fare quello che gli piace davvero: seguire le indagini. Del resto non gli importa nulla. È uno che pensa, tranquillo, moderato.

Via Magna Grecia, via Taranto, sbuchiamo sulla Casilina e proseguiamo. Dopo due chilometri e mezzo, a destra incrociamo via di Tor Pignattara. Siamo dentro il quartiere. Tor Pignattara. Che per tutti, qui, è solo "Torpigna".

Il primo giorno al Commissariato, Missiroli mi ha portato in giro e mi ha spiegato un po' di cose. Altre le ho lette io.

Ho fatto i compiti a casa.

Prima di tutto, il nome singolare, che viene dal mausoleo di Sant'Elena, madre dell'imperatore Costantino, costruito su quella che era l'antica via Labicana, adesso la Casilina, usando vari materiali, tra cui scarti di anfore. Le pignatte.

La gente chiama il monumento "Torre delle pignatte", e da lì il nome si estende alla zona circostante.

Tra il 1943 e il 1945 a Tor Pignattara si concentra la Resistenza contro l'occupazione tedesca di Roma. È un quartiere popolare e combattente.

Tra la fine degli anni Quaranta e l'inizio degli anni Cinquanta il quartiere si allarga con l'arrivo dalla Ciociaria dei carpentieri che lavorano a Cinecittà. Costruiscono il sogno della Hollywood sul Tevere, e intanto si costruiscono le loro casette: piccole, ben fatte, ordinate e gradevoli.

Sembra tutto perfetto.

Ma negli anni Settanta compare l'eroina, e spazza via un'intera generazione di giovani. Negli anni Ottanta il quartiere è in mano alle bande criminali, soprattutto alla banda della Marranella, che è legata a quella della Magliana.

Non c'è più niente di perfetto. Il quartiere popolare e combattente barcolla di fronte a dei nemici che non sa come sconfiggere. Eppure, come ovunque, c'è ancora adesso chi dice che si stava meglio allora, che almeno sapevi da che parte stare.

«Ci siamo, dotto'.»

Missiroli ferma l'auto in via Carlo della Rocca. Siamo a meno di un chilometro e mezzo in linea d'aria da via Gino dall'Oro, dove sta il Commissariato. È una strada stretta, soffocata dal frastuono costante della Casilina. All'inizio della via, i palazzi sono bassi e ben tenuti, ma appena la strada supera l'incrocio con via Rovetti, si alzano fino a diventare casermoni enormi e squadrati con le facciate annerite dallo smog e dall'umidità. In fondo, incongruente con tutto il resto, s'intravede il profilo antico dell'Acquedotto Alessandrino.

«Andiamo» dico a Missiroli.

Smontiamo dall'auto e subito, come ogni volta che mi sono trovato sulla scena di un omicidio, un'onda elettrica mi investe.

4.

Volanti, ambulanze, la Scientifica, la Mortuaria. Lampeggianti che sfarfallano, persone in movimento, voci che si sovrappongono, ordini, le radio che gracchiano, incessanti, frasi metalliche e spezzate. Le fotoelettriche illuminano tutto con una luce bianca e piatta.

La tensione è solida, un muro vibrante.

Davanti ai due cadaveri è stato montato un telone per nasconderli alla vista. I tecnici della Scientifica filmano e fotografano ogni dettaglio, fanno i primi rilievi, raccolgono le tracce biologiche. Diverse lettere dell'alfabeto su dei supporti di plastica indicano i reperti. Alcuni operatori indossano la tuta integrale, altri solo un fratino, ma tutti portano i guanti, la mascherina e i soprascarpe.

Dietro il telone, intravedo il cranio pelato di Olivieri, il medico legale, che sta esaminando i corpi. Tocca a lui certificare il decesso.

Uno della Omicidi in borghese, un uomo sulla cinquantina, segue le operazioni. Poco più in là, altri due della Mobile – una donna sui trentacinque, e un tizio sui quaranta – parlano con una signora sulla sessantina. Una testimone, probabilmente.

A preservare il perimetro più esterno della scena delimitato dal nastro segnaletico ci sono gli agenti che hanno effettuato l'intervento sul posto.

Fuori dall'area, stazionano già giornalisti e telecamere, e c'è la gente del quartiere attirata in strada dalla confusione. Riconosco il tipico miscuglio colorato di facce straniere e italiane.

Nel Duemila qui entra massiccia l'immigrazione straniera. Ci sono cinesi, marocchini, pakistani, bengalesi, indiani, egiziani. Con l'eroina prima, e le bande dopo, i prezzi di affitti e vendite degli immobili sono ai minimi, così gli stranieri possono trovare casa e avviare delle attività.

Il quartiere, però, anziché esplodere, incredibilmente ritrova un equilibrio, la convivenza tra stranieri e residenti – forse perché anche molti di questi non hanno origini romane – regge. E Tor Pignattara viene citata come esempio di integrazione realizzata.

Sembra di nuovo tutto perfetto.

Più defilate ci sono anche due gazzelle dei carabinieri della Compagnia Casilina. Tra i CC ne noto uno in particolare. È in divisa, come gli altri, ma tra lui e gli altri c'è una differenza.

È cinese. Come me.

Missiroli sa tutto di tutti e conosce tutti. «Quello?» gli chiedo.

«Tenente Roberto Chen. È del ROS.»

Quindi non è della Compagnia Casilina, è un investigatore. E si trova sul luogo di un duplice omicidio sul quale non ha alcun titolo per investigare.

Estraggo il tesserino dalla tasca, tolgo la placca, la infilo nella custodia con la catenella e me la appendo al collo. In situazioni come questa, è un gesto automatico. Ci sono molti colleghi che non ho mai visto prima, e civili. Io sono cinese, ma non indosso la divisa come il tenente Chen.

Un altro sguardo alla folla accalcata dietro il nastro. Missiroli è concentrato su un folto gruppo di cinesi.

«A che pensi, Missiro'?»

«Che ci sono troppi cinesi, in questo quartiere. E io dei cinesi non ci capisco niente, dotto'.» Si volta verso di me e sorride. L'ironia del mio ispettore non mi infastidisce e alleggerisce la pressione. «E penso pure che qua è appena cominciato un gran casino.»

5.

Raggiungiamo i nostri del Commissariato. Se ne stanno in un angolo in attesa di istruzioni da quelli della Mobile, e non sembrano contenti.

La prima a venirci incontro è l'ispettore Valeria Fresu. Ha quarant'anni, mora, magra, e prima che arrivassi io, con Missiroli che doveva supplire alle mancanze del dirigente, era lei che conduceva le indagini. Con la mia presenza il suo ruolo si è in parte ridimensionato, e so che questo non le piace. Ma sta cercando di adattarsi.

«Dottore, qua nessuno ci fa sapere niente» dice.

«Infatti, dotto'. La Mobile ci fa aspettare come camerieri per la comanda» aggiunge Libero, accanto a lei. L'assistente capo Saverio Liberati ha cinquantadue anni, alto, imponente, con una grande pancia che gli tende la divisa. Sa come far funzionare le cose dentro il Commissariato, si accolla i lavori pesanti, raccoglie le deposizioni, e va in strada a caccia di informazioni.

«Ho capito» dico io.

Il sovrintendente Scaccia fa un mezzo passo avanti. «Sì, ma 'sta cosa nun va, dotto'. D'accordo sta' de supporto ai mobilieri, ma così famo la figura dei ridicoli.» Nella voce c'è una sfumatura di rabbia. E mi fissa.

Missiroli interviene: «Scaccia, calmo!».

Damiano Scaccia ha trentadue anni, un berretto di lana perennemente calcato in testa, tatuaggi sulle braccia, orecchino e barba lunga. Non molto alto, massiccio, occhi azzurri, sorriso furbo. Piace a tutti.

«Ho capito, Scaccia» ripeto sostenendo lo sguardo e scandendo le parole.

Tra tutti, è lui quello che ha preso peggio il mio arrivo al Commissariato. Ma adesso, a me non frega un cazzo. Lo ignoro e rivolgo lo sguardo agli altri. Dietro la Fresu, c'è il vicesovrintendente Chiara Longo. Trent'anni, bionda, formosa, è la secchiona del Commissariato. Due profonde occhiaie nere le segnano il viso. Ha un bambino di un anno e mezzo che la sfinisce, e un compagno che le contesta il lavoro che fa, e la vorrebbe a casa a tempo pieno.

La Longo resta in silenzio.

Tace anche l'agente semplice Angelo Pizzuto. Pizza. È anche lui in divisa, come Liberati, ha ventiquattro anni, è il pinguino appena entrato in polizia, entusiasta, sempre pronto a eseguire qualunque ordine gli arrivi da chiunque gli stia sopra di grado.

«Va bene» dico ai miei, «adesso vediamo di capire qualcosa di più.» Poi, a Missiroli: «Sentiamo il magistrato».

6.

Il pm se ne sta dall'altra parte della strada, accostato al muro, e fuma una sigaretta lunga e sottile. Missiroli conosce anche lui e me lo presenta. Guido Caruso è un napoletano eccentrico e originale. Deve avere più o meno cinquant'anni, ha i capelli brizzolati, lunghi e spettinati, indossa una giacca rossa e occhiali con la montatura rosa.

«Ha chiesto di me, dottore?»

Caruso mi squadra. «Infatti, Wu. Prima di chiamarla, ho sentito alcuni colleghi a Bologna e anche il dottor Santangelo, il procuratore capo. Non erano contenti di essere svegliati a quest'ora, ma mi hanno tutti parlato bene di lei.»

«Posso sapere perché ha chiesto *proprio* di me?» È la mia zona, il mio Commissariato, ci sono due morti: sarei comunque stato presente.

Il sost. proc. continua come se non mi avesse sentito: «In più, le due vittime sono cinesi. Ci serve un interprete, ma può farlo lei. Posso chiedere la sua assegnazione in via temporanea alla Mobile».

Scambio un'occhiata con Missiroli, che resta zitto. «D'accordo» dico, anche se sono sicuro che ci sia dell'altro oltre alla questione dell'interprete. «Al momento però non so molto dei fatti.»

Al contrario di quanto accade di solito, è il magistrato a ragguagliarmi. «Un uomo e sua figlia uccisi. La madre sopravvissuta. La bambina ha, *aveva*, quattro anni. L'età l'ha stabilita il medico legale.»

Tutti cinesi, appunto.

Poi Caruso aggiunge un dettaglio: «La Scientifica dice che il padre teneva in braccio la bambina quando hanno sparato. Sette colpi che hanno attraversato il corpo della figlia e centrato l'uomo».

Missiroli ha un moto spontaneo di pena: «Dio mio, povera creatura».

In testa mi si forma l'immagine nitida del piccolo corpo trapassato dai proiettili, e sento una stilettata al cuore. Mi sforzo di continuare: «La dinamica, dottore?».

Il pm si concede un momento prima di rispondere: «Una testimone si è affacciata alla finestra dopo i primi spari e ha visto una macchina ferma, due uomini con le felpe e i cappucci sollevati, entrambi armati di pistola. Uno stava accanto all'auto, l'altro di fronte alla madre. Il padre e la bambina erano già a terra. Il secondo uomo stava tornando verso l'auto, e in mano aveva una grossa sacca. La testimone non ha visto chi ha sparato».

Deve essere la signora con cui parlavano i due della Omicidi, prima.

«Un altro testimone è arrivato subito dopo, in macchina, e ha visto i due uomini risalire a bordo di una FIAT Punto grigia, un modello recente, e allontanarsi velocemente. Nient'altro.»

«I telefoni?»

«Già fatto.»

Caruso ha chiamato il suo ufficio per acquisire i tabulati dei cellulari della donna e del marito – ammesso che ne posseggano uno – e di tutto il traffico della cella di Tor Pignattara.

«La Mobile che dice?»

«La prima ipotesi è una rapina finita male. I due arrivano, bloccano la coppia con la bambina, si fanno consegnare qualcosa che infilano nella sacca, poi per qualche motivo si innervosiscono. Forse il padre tenta una reazione, partono gli spari, e i due scappano.»

Annuisco poco convinto e il magistrato se ne accorge. Anche lui deve avere molte perplessità.

«Posso parlare con i colleghi?»

«Certo.»

Faccio per muovermi, ma Caruso ha qualcos'altro da dirmi: «Wu, domani in televisione e sui social parleranno di una povera bambina cinese di quattro anni uccisa a colpi di pistola. La comunità cinese a Roma *conta*. E tanto». Ancora mi squadra. «Soprattutto, i cinesi-italiani di seconda o terza generazione. L'economia emersa cinese muove milioni di euro. Quella sommersa, *miliardi...*»

Io accenno un sorriso. Questa inchiesta sarà un circo. E tra le righe il sost. proc. sta ammettendo che non gli serve solo un poliziotto che faccia da interprete e segua le indagini, ma un poliziotto *cinese* da mettere in mostra con i cinesi.

È quello che mi aspettavo.

7.

Io, Missiroli e Caruso ci accostiamo al telone che nasconde i due corpi. Quelli della Mobile sono lì e stanno parlando tra loro. Quando ci vedono, quando scorgono *me* con la placca al collo, si interrompono. Loro tengono il tesserino "squadernato", rivoltato e infilato alla cintura. Fa più fico.

Mi fissano incerti. Devono avere saputo del mio arrivo a Roma, ma a loro devo sembrare uno strano animale esotico: uno sbirro cinese, vicequestore aggiunto, che dirige un Commissariato.

Sono abituato a queste reazioni. Ogni volta che mi qualifico come poliziotto, chi mi sta davanti rimane spiazzato.

Tocca di nuovo a Missiroli fare le presentazioni. I tre della Omicidi sono l'ispettore capo Corrias, il più anziano, il viceispettore D'Angelo, e il sovrintendente Elena Polidori.

Caruso chiede a Corrias di ripetere per me che cosa hanno accertato finora. L'ispettore capo comincia a parlare, ma lui, D'Angelo e la Polidori sono infastiditi.

Loro sono i mobilieri, la Sezione Omicidi della Squadra Mobile di Roma, l'élite della polizia. Io sono sempre un cinese che comanda un Commissariato di quartiere in periferia. E adesso il magistrato mi sta dando il permesso di andare a pisciare nel loro recinto. È impossibile che io possa piacere a Corrias e ai suoi. Ma come per Scaccia me ne frego. Ci sono delle cose che non mi tornano, troppe, fin da quando Missiroli mi ha svegliato.

«La donna» domando a Corrias «ha detto qualcosa?»

«Niente.»

«Non parla italiano?»

«Non parla e basta, neanche una parola.»

«Allora come facciamo a saperlo?»

«A sapere cosa?»

«Il mio ispettore mi ha riferito che la donna era la moglie dell'uomo ucciso e la madre della bambina, e che l'uomo era il padre. Anche il dottor Caruso» indico il magistrato, «m'ha detto lo stesso. Per cui qualcuno deve averlo verificato. Ma se la donna non ha parlato, come facciamo a saperlo? Come facciamo a sapere che non fossero, non so, zio, zia e nipote?»

Il sost. proc. segue lo scambio tra me e Corrias che non sa cosa rispondere, perché semplicemente lui e i suoi hanno dato un elemento per scontato. Dunque hanno fatto una cazzata. Anche Corrias lo sa, e per un istante distoglie lo sguardo.

«Documenti?» insisto io.

«L'uomo non aveva il portafogli, non aveva niente in tasca, nemmeno un cellulare.»

«La donna aveva una borsa? Avete provato a chiederli a lei, i documenti?»

«Non aveva nessuna borsa. Forse è stata presa durante la rapina, come il portafogli dell'uomo, o il telefono.» Corrias sembra compiaciuto della spiegazione.

Ma io non ho finito: «Se non ci sono documenti, allora non sappiamo nemmeno se l'uomo, la donna e la bambina sono cinesi».

«Che vuol dire, *dottore*?» Corrias non è più compiaciuto. Potrà pure appartenere all'élite della polizia, ma è un ispettore capo, mentre io sono un funzionario. Mi deve chiamare "dottore", anche se gli costa.

Resto impassibile. «Se non ci sono documenti, non c'è nemmeno la certezza che siano cinesi. Se ci limitiamo ai tratti somatici, potrebbero essere giapponesi, coreani, o vietnamiti.»

Corrias e i suoi hanno dato per scontato anche questo. Seconda cazzata.

Guardo di nuovo al di là del nastro segnaletico dove è accalcata la gente del quartiere, e vedo ancora visi cinesi tra la folla. Questa è zona di cinesi. Coreani e vietnamiti qua non ci stanno. E i giapponesi – turisti o residenti – non si spingono fino a Tor Pignattara.

La perfezione apparente dei primi anni Duemila non può durare. E infatti non dura. La droga torna a circolare. Lo spaccio in strada è gestito soprattutto dai nordafricani. I cinesi comprano interi capannoni e li riempiono di merce contraffatta. Aprono sale slot, e nel retro dei bar si stipano macchinette videopoker illegali. La crisi genera disperazione, e la disperazione genera contrasti. Oggi il quartiere combattente e operaio cerca una sua identità perduta e stenta a ritrovarla. L'integrazione procede a strappi, alla calma s'alterna lo scontento, la rabbia esplode e si spegne in fretta, poi torna a fermentare sottopelle.

Tor Pignattara con i suoi quasi centomila abitanti è un colosso che a volte barcolla. Ma nonostante tutto, in generale rimane un posto pacifico. Molto più di altri. La criminalità è quasi esclusivamente di piccolo taglio, bassa manovalanza. Al Pigneto, sul lato opposto della Casilina, lo spaccio è molto più invasivo e massiccio, attirato dai locali alla moda e dai ragazzi che li frequentano. Il Quadraro, dietro via Tuscolana, è governato dal clan dei Casamonica. Per chi sgarra, scattano i raid punitivi, i pestaggi e le gambizzazioni. Al Tuscolano e alla Magliana le gang sudamericane si stanno facendo spazio seminando morti. A Ostia e sul litorale le co-

sche mafiose portano avanti una guerra tra loro che si estende fino al centro storico, e sparano e ammazzano.

Qui non accade.

A Tor Pignattara negli ultimi anni gli omicidi sono stati
rari e isolati. Quindi, un duplice omicidio è un evento eccezionale. E quelli della Mobile l'hanno preso sottogamba.

«C'è qualcosa che sappiamo per certo?» chiedo senza
dare respiro a Corrias.

Il mobiliere guarda Missiroli, in cerca di sostegno. Non
so se e quanto siano amici, ma il mio ispettore non ha intenzione di fargli da sponda. È consapevole anche lui delle due
cazzate.

«È al dottore che devi rispondere, Corri'» ribatte.

«No, non le sappiamo 'ste cose» dice Corrias masticando
tra i denti.

Caruso, che ha assistito allo scambio in silenzio, si rivolge
a me vagamente spazientito: «Questo l'abbiamo appurato,
Wu. Mo che vogliamo fare?».

«Posso sentire la donna» dico. «Se davvero è cinese, forse riesco a farla parlare.»

Il sost. proc. si limita a un cenno della testa.

Guardo Corrias e i suoi. Sono furenti, li ho appena sputta-
nati davanti al magistrato. Non infierisco oltre. Non sono qui
per dimostrare che sono più bravo di loro. Dobbiamo trovare
chi ha ucciso un uomo e una bambina di quattro anni.

8.

La scelta stupida che faccio dopo la fine della scuola è
che mi metto a insegnare arti marziali in una palestra.

La palestra è divisa in due, una metà per i pesi, l'altra
per aerobica, step, cardio, e appunto le arti marziali. Il primo anno funziona, ci sono iscritti al mio corso, io insegno il
Ving Tsun, mi diverto e guadagno qualche soldo.

Il secondo anno non funziona più. Il proprietario della palestra mi prende da parte e mi spiega che non riesce a starci dentro con le spese, che è costretto a tagliare qualcosa, e che sta pensando di eliminare alcuni corsi, tra cui il mio. Intanto, però, in palestra si è iscritto un tipo che si è fatto male a un ginocchio giocando a calcetto, si è operato al menisco, e viene a fare pesi per rinforzare la gamba. Si chiama Carmelo. Carmelo Pecora. Ha una decina d'anni più di me, è siciliano d'origine, simpatico, sveglio, sorridente, e di mestiere fa il poliziotto. È ispettore capo e lavora alla Scientifica.

Diventiamo amici.

Quando gli spiego che il proprietario della palestra probabilmente mi caccerà, e che non so cosa fare, mi porta fuori a bere una birra. Per un po' cazzeggia, scherza sul suo infortunio al ginocchio, sulla lenta agonia degli esercizi ai pesi: «*Morti che m'hai a ddari, lestu sia*». Se devi uccidermi fai in fretta.

Poi d'un tratto si fa serio, scosta i bicchieri sul tavolo, mi guarda e dice: «Perché non entri in polizia? Con il diploma puoi farti il corso per viceispettore, hai uno stipendio decente, ferie, pensione, e magari ti piace».

A Carmelo ho raccontato di mio padre e del suo passato da poliziotto, in Cina, e deve averci pensato. Quello che non ci ha mai pensato sono io.

Ma, sorprendentemente, l'idea mi sembra perfetta. Naturale. Ne parlo a casa. Prima con i miei nonni, e va tutto bene. Dopo con mio padre. E va tutto male. Lui sa *com'è*, e non vuole che io faccia il poliziotto. È assolutamente contrario. Io, come ha fatto lui all'epoca, decido. Però in modo opposto.

A vent'anni, nel 2003, faccio il concorso. Lo vinco, ed entro in polizia.

Mi assegnano al Reparto Mobile, a Bologna. Di solito, lì ci vanno gli agenti, o i graduati con una certa esperienza, mentre un viceispettore fresco di concorso finisce in Questura. Io invece, forse per qualche disguido burocratico, mi ritrovo a menare gente allo stadio, oppure a fronteggiare i cortei.

Non mi piace, non è quello che mi ero immaginato entrando in polizia, e ne parlo ancora con Carmelo. Anche lui ha trascorso un periodo al Reparto Mobile, subito dopo essere stato alle Volanti a Roma, poi s'è stancato, e si è rimesso sui libri perché voleva passare alla Scientifica. Quindi mi spinge a imitarlo, a riprendere a studiare, perché con una laurea posso passare di grado, e chiedere di essere riassegnato.

Così, a ventun anni, mi iscrivo all'università, a Giurisprudenza.

Dopo un anno, durante una manifestazione in cui noi del Reparto facciamo pubblica sicurezza, mi nota il dottor Di Marco, che è il dirigente a capo della Mobile di Bologna, e mi porta in Questura.

Di solito i dirigenti ragionano in modo o del tutto illogico o del tutto lineare. Nel mio caso, italiano di origine cinese, Di Marco ragiona dritto per dritto, e appena passo alla Mobile mi mette alla II sezione, che a Bologna copre criminalità diffusa extracomunitaria e prostituzione.

Mi ritrovo a indagare sui cinesi. Scopro un traffico di clandestini. Mio padre disapprova ancora. Nonostante sia stato un poliziotto, pensa sia sbagliato che io investighi sulla mia gente, su poveretti che arrivano in Italia cercando una vita migliore. Tra noi due molto rimane non detto, però lui non è più un poliziotto, io invece sì, e faccio il mio lavoro.

Continuo a seguire il caso e arresto i responsabili del traffico di clandestini. Quindi passo a un'indagine sulla prostituzione e chiudiamo una trentina di centri massaggi cinesi. Poi un'altra inchiesta su una banda di quattro usurai che prestano soldi ai cinesi che si indebitano nelle sale giochi. I "Mangiapelle", così li chiamano le vittime. Li seguiamo, li fotografiamo, li riprendiamo mentre passano di mano il denaro, e alla fine li incastriamo.

Trascorro quasi quattro anni alla II sezione, intanto proseguo con lo studio e le indagini, in prevalenza sui cinesi, e in particolare sull'immigrazione clandestina. In alcune occasioni particolari, specie se ci sono di mezzo dei minori, decido di chiudere tutti e due gli occhi. Forse mio padre sarebbe contento, ma non gliene parlo.

Nessun omicidio, comunque. Non è compito mio.

Finché quelli della III sezione, la Omicidi, vengono a chiedermi di tradurre alcune intercettazioni che riguardano i gestori cinesi di un bar dove è di base un italiano con precedenti sospettato di avere ammazzato un piccolo spacciatore. I proprietari sono a loro volta sospettati di avere fornito un alibi fasullo al pregiudicato.

Quelli della Mobile hanno passato le captazioni telefoniche a un loro interprete, che però conosce solo il mandarino. In Cina, oltre al mandarino, il *putonghua*, che è la lingua ufficiale, si parlano altre sei lingue, almeno: cantonese, *wu*, *xiang*, *gan*, *hakka* e *min*. E ognuna dà origine a un numero quasi incalcolabile di dialetti, talmente diversi da essere incomprensibili l'uno con l'altro.

I due gestori comunicano in un dialetto che ha origine dalla lingua *wu*, la stessa che si usa nella regione dello Zhejiang. I due, in più, parlano in una variante della lingua *wu* da cui deriva anche il dialetto *oujiang* di Wenzhou, il *wenzhouhua*, che per la sua complessità è detta "la lingua del diavolo".

Ma è il dialetto che si parla a casa mia.

E io li capisco.

Così traduco le intercettazioni e le ripasso alla Mobile, in particolare all'ispettore capo Giulia Vita che conduce l'indagine. Lei è soddisfatta, le conversazioni confermano che l'alibi del pregiudicato non regge, ma non sono sufficienti per ottenerne il fermo, e mi chiede uno sforzo in più. Il gip ha acconsentito per un'ambientale direttamente sull'auto dell'uomo. Io torno al bar, parlo con i due gestori, li convinco che, se mi danno una mano, forse possono cavarsela, e mi metto dietro il bancone fingendo di essere un barista.

Appena arriva, il pregiudicato si siede a un tavolino, appoggia sul ripiano il cellulare e le chiavi della macchina, e ordina un caffè. Glielo porto con il vassoio. Lui nemmeno mi guarda, sono soltanto un altro barista cinese. Gli passo la tazzina posando il vassoio sul tavolino, e quando lo riprendo ho le chiavi della sua macchina in mano. Esco dal locale, piazzo due cimici nell'auto, torno dentro, ritiro la tazzina vuota con il vassoio mentre lascio le chiavi sul tavolino, e raggiungo il bancone.

Il pregiudicato non si accorge di nulla.

Dopo due giorni lo intercettano proprio quando sta minacciando un altro spacciatore di ammazzarlo come ha fatto con il suo amico.

Arrestato, sotto processo.

Un paio di settimane più tardi, Di Marco, il dirigente della Mobile, mi offre *lui* un caffè, ammette di avermi assegnato alla II sezione forse per un pregiudizio, e mi informa che alla Omicidi c'è uno scoperto in organico. Se voglio, quel posto è mio.

A ventiquattro anni, nel 2007, trasloco in pianta stabile alla Omicidi. Lavoro soprattutto con Giulia Vita, ma anche con Carmelo. Finché stavo alla II sezione, accadeva di rado, adesso, a ogni omicidio me lo trovo di fianco. Carmelo è molto amico di Giulia Vita, io sono molto amico di Carmelo, e le cose vanno bene.

A ventisette anni, passati i sette anni obbligatori, passo di grado da viceispettore a ispettore, e intanto finisco gli studi in Giurisprudenza. Da ispettore, con la laurea in tasca, partecipo al concorso per commissario capo, e di nuovo lo vinco.

Lascio Bologna, vado a Roma per la prima volta, frequento il corso per funzionari riservato ai laureati alla Scuola superiore di polizia, e mi classifico tra i primi cinque. A questo punto, potrei venire mandato ovunque, ma faccio domanda per essere riassegnato alla mia sede operativa di provenienza. Grazie alla mia posizione in graduatoria e a una spintarella di Di Marco, torno a Bologna, alla Omicidi. All'improvviso sono più alto in grado sia di Carmelo sia di Giulia Vita, entrambi ispettore capo. Nessuno dei due, però, ci bada troppo. Se do un ordine lo eseguono e basta, senza gelosie o rancori, e continuano a trattarmi come al solito, perlopiù sfottendomi.

«Non sei male come sbirro, Wu» mi concedono solo una volta. Stiamo bevendo vodka al bar sotto la Questura. È sera tardi, abbiamo appena chiuso un'indagine brutta con un ragazzino ucciso, e vogliamo toglierci il sapore cattivo dalla bocca.

Poi subito ricominciano a sfottermi.

«Ma adesso non ti esaltare, eh!» dice Giulia Vita.

«Fa' finta che siamo ubriachi, e straparliamo» dice Carmelo.

Io sorrido: «Certo».

In totale, a Bologna ho indagato su diciassette casi di omicidio.

E li ho risolti tutti.

9.

Per la prima volta guardo la donna. E appena la guardo, so che è cinese.

Ha meno di quarant'anni, ma come per molte cinesi è difficile darle un'età esatta. L'ovale del volto è perfetto, ha la pelle liscia, le labbra carnose, i capelli neri e lucidi. È molto bella.

Se ne sta immobile, a duecento metri dal telone che copre i cadaveri, accanto a una poliziotta in divisa. Gli occhi scuri sono asciutti. Non ha versato nemmeno una lacrima.

Mentre la raggiungo, non riesco a non pensare ad Anna e Giacomo.

La maggior parte dei cinesi in Italia proviene dalla regione dello Zhejiang, e in particolare da Wenzhou e dai dintorni, quindi confido nella statistica e, anziché in mandarino, mi rivolgo a lei in dialetto. «Vicequestore Luca Wu» traduco in maniera approssimativa il grado, «vorrei parlare con lei.»

La donna comprende, e sbatte le palpebre. Come i tre della Mobile – per ragioni uguali e contrarie – è sorpresa di trovarsi davanti un cinese italiano che fa il poliziotto e le parla nella sua lingua.

«Signor vicequestore» mormora deferente, anche lei nel dialetto di Wenzhou.

Guardo la poliziotta in divisa, che intuisce e si scosta di qualche passo.

«Come si chiama?» domando alla donna.

Alla maniera cinese, lei antepone il cognome al nome. «Wang Xinxia» risponde cauta.

La capisco. Sono un poliziotto, sono cinese, e sono italiano. Le tre cose messe assieme la confondono e la rendono diffidente.

«L'uomo e la bambina erano suo marito e sua figlia?»

È impossibile porre la domanda con gentilezza.

La signora Wang annuisce.

«Come si chiamavano?»

«Mio marito Wang Jiang, ma lo chiamavano Abile Wang. Mia figlia Wang Fanfang.»

Il nome della bambina in cinese significa "profumata".

Gli occhi di Wang Xinxia rimangono asciutti.

«Parla l'italiano?»

«Sì.»

«Allora perché prima non ha risposto alle domande dei miei colleghi?»

Wang Xinxia esita per un secondo.

«Non ero pronta» dice poi.

«Adesso è pronta?»

«Sì.»

Comincia a raccontare. Parla con un tono piatto, incolore, come se l'accaduto riguardasse qualcun altro.

Lei, il marito e la figlia stavano tornando a casa. Indica il civico 19, poco distante, quasi all'inizio della strada. È una costruzione a un piano, rossa, con le imposte e un cancello verdi. È ben tenuta, e sta addossata a un'altra palazzina appena più alta e altrettanto curata. Anche queste sono case tirate su dai carpentieri ciociari. Poco più in là ci sono un centro musulmano, un alimentari pakistano, un barbiere indiano, una pizzeria-disco pub, un autolavaggio e il ristorante cinese Fuhai.

Italiani, arabi, indiani, pakistani, cinesi.

Wang Xinxia e il marito stavano rientrando dal lavoro, e la bambina era con loro. «Abbiamo un laboratorio tessile.» Usa il plurale, lei e il marito, e usa ancora il presente. Il laboratorio sta a Tor Tre Teste, in via del Fosso. Erano con la loro auto, da qui sono circa venti minuti di strada. Una volta arrivati, hanno parcheggiato in via Francesco Baracca, e si sono avviati a piedi percorrendo i pochi metri che mancavano a casa loro.

Era l'una passata, avevano dovuto rivedere dei conti e avevano fatto tardi.

«E poi?» la sollecito.

Poi un'auto ha frenato bruscamente, ha accostato, e sono scesi due uomini armati, con la faccia nascosta dal cappuccio di una felpa. «Nazionalità, età, tratti particolari?»

Wang Xinxia scuote la testa. Tutto quello che può dire è che non erano cinesi.

Completa però il resoconto fornito dai due testimoni: il primo aggressore è rimasto accanto all'auto, il secondo è andato verso di loro con la pistola spianata e si è fatto consegnare il pacco che ha infilato nella sacca.

«Che pacco?» domando io.

«Un pacco con dei soldi. Domani dovevamo spedirli in Cina.»

Subito dopo, il tipo con la sacca le ha preso anche la borsa, insieme al portafogli e al cellulare del marito.

Almeno su questo Corrias e i suoi ci hanno visto giusto.

«Che cosa c'era dentro la sua borsa?»

«Il mio portafogli, il mio telefono, e altre cose. Cose da donna.»

Mi faccio dare dalla signora Wang marca e modello dei loro telefonini, e i loro numeri.

L'uomo con la sacca si è voltato, ed è tornato verso l'auto. L'altro, che era rimasto sempre accanto alla macchina, ha sparato colpendo Wang Jiang e Wang Fanfang. Quindi ha puntato la pistola contro la signora Wang. In quel momento, è arrivata la macchina del secondo testimone, e ha illuminato la strada con i fari. I due rapinatori sono rimontati sulla loro auto e sono fuggiti.

Studio Wang Xinxia. Ha appena perso il marito e la figlia, eppure sul suo viso non riesco a leggere niente. È una vittima, è traumatizzata, ma non so cosa pensare.

Sto per rivolgerle altre domande quando un medico del 118 si avvicina e dice che la signora adesso deve essere portata in ospedale per i controlli.

Acconsento. Più tardi metterò a verbale le sue dichiarazioni.

Sul volto di Wang Xinxia finalmente passa un'emozione, un'ombra di sollievo che si ritrae rapida.

Io le dico che dovremo parlare ancora con lei domattina e negli occhi scuri passa un'altra ombra, paura, ma anche questa scompare subito.

10.

Torno da Caruso. Davanti a Corrias e ai suoi, e a Missiroli, adesso sono io a ragguagliarlo. Riferisco i nomi della signora Wang, del marito e della figlia, confermo la provenienza e la parentela dei tre, e ricapitolo i fatti per come me li ha raccontati Wang Xinxia, compreso il rientro a casa dal laboratorio tessile intestato alla coppia, gli orari e il civico dell'abitazione. Infine sottolineo il particolare del pacco con i soldi che dovevano essere spediti.

Corrias presta attenzione soprattutto a ciò che sembra

avvalorare le tesi che ha già formulato. Guarda me e Caruso con un mezzo ghigno sulle labbra.

«Allora, dottore, non c'eravamo andati tanto lontano...»

«Qua non c'entra se eravate vicini o lontani, Corrias. Avete approcciato l'indagine in modo superficiale. Avete riportato come fatti ipotesi che *prima* andavano verificate, rischiando di incasinare tutto.»

Il viceispettore Polidori si fa avanti: «A me sembra che sia lei a voler incasinare tutto».

Corrias si rivolge ancora a Caruso: «Dottore, secondo me stiamo solo perdendo tempo».

«Eh no, Corri'» interviene Missiroli, «il tempo lo perdiamo perché dobbiamo fare quello che *voi* non avete fatto.»

Adesso ci si mette anche D'Angelo: «Missiro', ma che ne sai te? Da quanto non segui un'indagine per omicidio?».

«Parecchio, ma ne ho fatte sempre più di te.»

Missiroli si difende da solo, però la regola è che un superiore copre i suoi, e non posso permettere che qualcuno parli così al mio ispettore.

«Corrias, se avete problemi, parlate con me!» Quindi fisso la Polidori e D'Angelo: «È chiaro anche per voi?».

Caruso ci interrompe: «Basta così, tutti!». Il tono non ammette repliche. «Wu, venga con me.»

Il sostituto procuratore mi prende in disparte. «Non l'ho convocata perché si mettesse a discutere con i colleghi.»

«E io, dottore, non sono qui per rimediare agli errori che commettono gli altri. I colleghi hanno cominciato col piede sbagliato. Se si calmassero, sarebbero i primi ad ammetterlo.»

Caruso tace per un istante, prima di squadrarmi di nuovo. Parlandogli in questo modo, sto prendendo un rischio.

«Che cosa vuole?»

Corro un altro rischio, e alzo la posta: «L'indagine».

«Non so com'era abituato a Bologna, Wu, ma qui è il magistrato che decide.»

«Certo, dottore. Però lei lo sa perché sono stato chiamato, proprio io, a dirigere questo Commissariato di zona.»

Due mesi fa, Rinaldi, il questore di Bologna mi convoca nel suo ufficio, e con lui c'è il suo omologo di Roma. Il dottor Lanfranchi è arrivato per un vertice su un caso che coinvolge l'Antidroga delle due città, e ne ha approfittato per incontrarmi e parlarmi di persona.

I carabinieri hanno già da tempo, tra i loro effettivi, alcuni italo-cinesi, come il tenente Chen del ROS. Io, invece, a quanto ne so, sono il primo e unico poliziotto di origine cinese.

Lanfranchi mi lascia intendere che vuole riequilibrare i pesi in campo. Vuole un poliziotto cinese a comandare uno dei tre commissariati "cinesi" di Roma, che sono l'Esquilino, Porta Maggiore e Tor Pignattara. A me propone Tor Pignattara. La sua è una precisa mossa politica.

Rinaldi ha già dato il suo assenso, e io ho le mie ragioni per accettare.

Perché io abbia il grado necessario, vengo promosso da commissario capo a vicequestore aggiunto per meriti straordinari di servizio, con tanto di consegna di una medaglia d'argento al valore civile in una cerimonia formale e sbrigativa.

Viene ripescato un episodio che risale a quando stavo ancora alla II sezione, e mi occupavo di stranieri. Una notte un senegalese ubriaco si mette sul cornicione fuori da una finestra del suo appartamento e minaccia di buttarsi, io salgo in casa e parlo con lui per più di due ore, cercando di convincerlo che la vita è bella e non vale la pena fare scemenze. Un cinese che parla con un senegalese; da fuori, in strada, il quadretto doveva essere surreale. Comunque, lo convinco a desistere, ma quello rientrando in casa perde l'equilibrio, io lo afferro al volo e lo trascino dentro. Il senegalese, in realtà, non ha mai rischiato di cadere davvero di sotto, semmai all'interno della stanza, però *tecnicamente* io l'ho salvato, e mentre lo agguantavo mi sono pure strappato una spalla.

Come motivazione bastava. Promosso e trasferito.

E adesso, da circa un mese, sono a Roma.

Al momento del mio insediamento, Lanfranchi ha poi

fatto in modo che la notizia venisse riportata da giornali e notiziari. La voce è trapelata rapidissima nel nostro ambiente. Per cui Caruso, come gli altri della Mobile, sapeva già del nuovo vicequestore aggiunto cinese a Roma quando è arrivato qui e ha iniziato a capire cos'era successo… il resto è venuto da sé.

Il pm continua a squadrarmi. Mi sta valutando con più attenzione, perché in fondo, anche lui, chiamandomi, ha fatto una mossa politica. E lo sappiamo entrambi.

«È il signor questore che mi ha voluto qui, e se lei, con un duplice omicidio di cinesi in questo quartiere, pretende che io venga aggregato alla Mobile, allora la mia nomina non ha più senso.»

Voglio questa indagine perché sono stanco di essere usato – da Lanfranchi, prima, e da Caruso, ora. Devo dimostrare di non essere solo un pupazzetto cinese messo lì per fare bella impressione. E se devo stare dentro al circo, tra i leoni, voglio starci a modo mio.

Faccio segno verso i miei. Si sono accostati al telone che copre Abile Wang e sua figlia, ma stanno sempre aspettando che Corrias e i suoi si degnino di dare loro una qualche informazione o delle direttive.

«Sono appena arrivato» dico, «ma i miei conoscono il territorio, hanno i contatti, sanno con chi parlare e dove andare a cercare. E sono in gamba.»

Caruso scoppia in una risata sincera. Non sembra essersi offeso o irritato per il mio giochino. «D'accordo, Wu, mi ha convinto. Appena torno in ufficio, mi muovo per assegnarvi il caso. Ora, come vuole procedere?»

Cerco di nascondere la soddisfazione. «Domattina, appena la faranno uscire dall'ospedale, vorrei ascoltare la signora Wang in Commissariato.»

«Va bene» risponde Caruso. Poi si fa più serio. «Sa, Wu, a me piacciono le sottigliezze. Sono napoletano. Ma cerchi di non abusarne.»

Ok. Il mio giochino l'ho fatto, ho ottenuto quello che

volevo, ma se penso di poterlo prendere per il culo mi sbaglio.

Annuisco, in silenzio.

Il cellulare di Caruso squilla e lui si allontana per rispondere.

Io vado dai miei, e li informo che l'indagine è nostra. Prima faticano a crederci, poi vorrebbero cominciare subito e
devo tenerli a freno. Secondo le statistiche, la soluzione dei
casi si trova nelle prime quarantotto ore, scadute queste il
rischio è di trascinarsi per mesi. Bisogna essere rapidi. Ma
bisogna anche sapere quando tirare il fiato per non andare
subito a sbattere.

Sono quasi le quattro, nessuno ha dormito, e prima di
ogni altra cosa bisogna attendere che Caruso parli con i tre
della Omicidi. Dobbiamo anche aspettare i permessi per i
tabulati, e i referti della Scientifica e del medico legale.

Le attese, proprio come le corse, sono parte essenziale
del lavoro investigativo.

«Quindi» dico, «chi non è di turno, adesso se ne va a
casa, si riposa un paio d'ore, e poi torna direttamente in
Commissariato. Come me. Gli altri restano e ci rivediamo
più tardi.»

Tanto comunque nessuno riuscirà a distrarsi.

Scaccia protesta: «Dotto', ma come? C'avemo l'indagine
e annamo a fa' a pennichella?». Mi guarda come se fossi un
coglione, o un lavativo.

Questa volta, prende la parola la Longo. Di solito è timida e riservata, parla poco. «Scaccia, le cose bisogna farle
bene» scandisce senza alzare la voce.

Il sovrintendente è sorpreso, e ammutolisce. Io lo ignoro
e guardo i cadaveri di Abile Wang e Profumata Wang.

Un tecnico della Scientifica sta prendendo le impronte,
mentre un altro scatta le ultime fotografie prima che Caruso
dia il via libera alla Mortuaria per rimuovere i corpi.

I miei seguono il mio sguardo, e anche i tre della Omicidi
li stanno osservando. Gli occhi di tutti si soffermano sulla

bambina. È gente abituata ai morti ammazzati, eppure vedo facce tirate e commosse. Per quanto siano duri, e per quanto potranno incazzarsi appena sapranno che l'indagine è passata di mano, persino Corrias e i suoi sono turbati.

Il tecnico della Scientifica continua a scattare.

Flash: il volto del padre.

Poi, flash: il volto della bambina.

11.

Pizzuto mi riaccompagna a casa. Salgo nel mio appartamento. Mi sfilo la catenella con la placca dal collo, ricompongo il tesserino e lo rimetto sul comodino della camera da letto. Se con me ci fossero Anna e Giacomo, non terrei mai l'arma in vista, ma loro non ci sono.

Porto la pistola in una fondina da fianco con una tasca per il caricatore di riserva agganciata alla cintura, assieme a una custodia per le manette. Tolgo anche la fondina e le manette, e le lascio sul cassettone della biancheria.

La pistola è una Beretta 92FS standard, con caricatore bifilare da quindici colpi, calibro .9x21. Di solito, i poliziotti rispetto alle pistole si dividono in due gruppi: i fanatici e i riottosi. Io, come tutti i cinesi, sono pragmatico. So sparare bene, ma non ho mai chiesto l'autorizzazione per portare un'arma diversa dalla 92FS, non mi interessa avere munizioni più potenti, o caricatori con più colpi. Se quindici non ti bastano, più quelli del caricatore di riserva, sei nella merda a prescindere. Però non sono nemmeno come certi dirigenti che non amano girare armati. Io la pistola la porto con me, sempre.

Il letto è ancora disfatto. Dovrei riposare, come ho raccomandato ai miei, ma l'onda elettrica che mi ha attraversato sulla scena del delitto continua a friggermi i nervi.

Senza pensarci, riprendo pistola e tesserino, ed esco di nuovo.

Circonvallazione Ostiense. Vengo attratto dalle luci del ponte Settimia Spizzichino sopra i binari della metro, lo attraverso e mi trovo su via Ostiense, all'altezza di via Libetta.

È la zona dei locali notturni. Discoteche, pub, disco-bar. La gente inizia a sciamare per tornare a casa. Molti sono ubriachi, o fatti. Io non ci bado, non è un problema mio.

Però noto tre donne sulla trentina, anche loro alticce. Due uomini in stato di pesante alterazione le seguono. A occhio, un mix di droga e alcol. Uno indossa una tuta Adidas arancione, l'altro un piumino nero lucido, di quelli che sembrano sacchi della spazzatura. Stanno infastidendo le donne, le braccano da vicino, fanno commenti pesanti, le palpeggiano. Le tre si divincolano, cercano di mantenere un tono calmo per convincerli a smettere. Dall'accento direi che sono venete. E adesso iniziano a spaventarsi.

Allora io mi metto in mezzo.

«Adesso basta» dico ai due. «Lasciate in pace le signore.»

Loro non la prendono bene.

«A cinesi', levate dar cazzo!» abbaia quello in tuta. Tenta di spingermi via.

L'alcol, o qualunque altra sostanza abbia ingerito, lo fanno sentire forte e sicuro. Ma è lento.

Gli blocco il polso, do uno strattone, lo colpisco con una percussione del palmo della mano al fianco, *Pak Sao*, per fargli perdere l'equilibrio, poi sempre tenendogli bloccato il polso applico una rotazione al suo braccio e lo immobilizzo.

Ving Tsun.

L'uomo grugnisce per il dolore, ma non può muoversi. L'altro, quello con il piumino tipo sacco dell'immondizia, si fa avanti.

Io mostro il tesserino.

«Sentite, qui possiamo fare in due modi. Modo facile, voi vi levate dal cazzo, subito! Modo difficile, io vi arresto. Allora?»

«Sei una guardia...» dice Sacco della Spazzatura. Tuta

Adidas continua a lamentarsi con il braccio in trazione. Mugugna qualcosa che non capisco. Il miscuglio di sostanze stupefacenti e alcolici inizia a calare, e loro sono disorientati. Non si aspettavano che uno sbirro si intromettesse, e meno che mai uno sbirro cinese.

«Sì, sono una guardia. Quindi?»

«Niente, niente, andiamo via» dice Sacco della Spazzatura. Stanno capendo di essersi infilati in una situazione che non porta a niente di buono. Hanno esagerato, e forse non avevano nemmeno intenzioni così brutte con le donne.

Lascio andare Tuta Adidas che si massaggia il polso e il braccio.

«Chiedete scusa alle signore.»

«Scusate, signori'» dice Sacco della Spazzatura.

«Sì, scusatece, nun volevamo fa' gnente...» aggiunge Tuta Adidas.

Io porto via le tre, e le accompagno a un bar vicino a Piramide che è aperto tutta la notte. A quest'ora potrebbe andare bene un ultimo cocktail, o il primo cappuccino. Suggerisco il cappuccino. Se devono rientrare dove sono alloggiate, meglio che siano sobrie.

Le tre mi ringraziano. Sono turiste, vengono dalla provincia di Verona, e sono a Roma per l'addio al nubilato di un'amica. Che non c'è. Erano in discoteca, ma dopo un po' lei si è stancata ed è andata via. Loro sono rimaste, e hanno bevuto troppo. Avevano solo voglia di divertirsi, ma sono state sciocche.

Una delle tre mi guarda. Ha i capelli rossi, occhi verdi, pelle chiara. È magra, tonica, evidentemente fa palestra. «Sì, volevamo divertirci. La nostra amica si sposa, e una inizia a pensare a tutte le cose che non potrà più fare...»

Le altre due tacciono.

Lei prosegue. È rimasta impressionata da come ho neutralizzato Tuta Adidas, e dice che anche lei ha preso lezioni di difesa personale ma io sembro molto più bravo del suo istruttore. «Magari potresti insegnarmi qualche mossa...» aggiunge sempre guardandomi.

È chiaro quello che vuole. E io mi lascio agganciare dal desiderio di lei come un pesce all'amo.

Quanto tempo è passato da quando ero sulla scena del crimine? Tre quarti d'ora? Un'ora? Non smetto di vedere il corpo di Abile Wang sull'asfalto, e accanto a lui il corpicino di Profumata Wang, lo scempio dei proiettili .7,65.

Molliamo le amiche al bar, e finiamo a scopare nella stanza del B&B dove sta lei. La sua voglia ancora mi trascina. Tocca la pistola, la eccita. «Fa paura...» Si spoglia, si fa ammirare, poi si china e mi slaccia i pantaloni. I suoi capelli mi sfiorano. E io per qualche istante riesco a non pensare ai morti.

Dopo, mi rivesto e me ne vado. La donna non dice nulla. Su al Nord deve avere un fidanzato. Il suo cellulare, abbandonato tra le lenzuola, si illumina di messaggi WhatsApp.

Dice soltanto: «È stato bello».

Non so nemmeno come si chiama.

12.

A casa, di nuovo. I nervi non friggono più, i muscoli sono piacevolmente indolenziti. Mi metto in cucina, prendo il computer portatile e apro le mail.

La prima è di Anna.

Ogni giorno me ne manda una. Il campo dell'oggetto è vuoto, e nello spazio del testo c'è solo il link di una canzone. Può avere un significato per entrambi, per la nostra storia, oppure solo per lei. È il suo modo per parlarmi.

Con il pollice della mano sinistra, quasi senza accorgermene, sfioro la fede che ho all'anulare, la ruoto. È un semplice cerchietto di oro bianco, con dei piccoli intarsi. Non l'ho mai tolta, non la tolgo neanche ora che Anna e Giacomo non sono più con me.

Clicco sul link. La canzone di oggi è *My Babe Just Cares for Me*, nella versione di Nina Simone. Era nella colonna sonora del film *Io ballo da sola* di Bernardo Bertolucci, che abbiamo visto insieme, una sera.

Conosco Anna nel 2011, al pronto soccorso dell'Ospedale Maggiore, a Bologna. Sono alla Omicidi, ma con alcuni colleghi fuori servizio, per non farci mancare nulla, interveniamo a sedare una rissa tra ubriachi in piazza Verdi, e io mi prendo una bottigliata in un occhio. Anche se non voglio, Di Marco, il mio dirigente alla Mobile, mi spedisce in ospedale perché mi refertino sette giorni di infortunio.

Anna è psicologa alla ASL, e sta seguendo una paziente che è stata appena ricoverata.

È alta poco più di uno e sessanta. È piccola. È intensa e piena d'energia. Ha i capelli castani con delle sfumature rosse, gli occhi nocciola, le tette tonde e il culo tondo. La luce nel suo sguardo è viva, ironica e calda.

Io la vedo, e mi innamoro. Anche lei, non so come e non so perché, si innamora.

«Ciao, io sono Wu.»

«Wu?»

«Luca? Meglio?»

«No, va bene "Wu". Mi piace. Ciao, Wu.»

Ci incontriamo, ci innamoriamo e ci sposiamo. Vogliamo un figlio, e un anno dopo arriva Giacomo.

Io, però, la tradisco. Sempre. E sempre con altre donne italiane. Non ho mai avuto una donna o una ragazza cinese, e se un'italiana mostra di desiderarmi, non riesco a tirarmi indietro.

Anna per lavoro decifra la testa delle persone, e per lei è facile comprendermi. Sono italiano, nato in Italia, ma sono anche cinese. Per molti cinesi sono troppo italiano e per quasi tutti gli italiani sono soltanto un cinese. Parlo e penso in italiano, ma spesso sogno in cinese. Ho un nome italiano, ma fin da quando ero piccolo, a scuola, tutti mi chiamano per cognome. E in servizio è uguale. Io stesso, del resto, come tutti i cinesi mi presento con il mio cognome. Quasi mai "Luca", quasi sempre "Wu". Quando vado con una donna italiana, cerco una conferma, una *definizione* di me stesso.

Anna avverte fin dal primo momento questa mia spaccatura, questa mia frizione costante tra due parti diverse. È come stare perennemente in piedi, in bilico, su un confine. Un margine sottile che negli anni si è allargato, si è trasformato in una voragine. Io ho perso l'equilibrio e ci sono caduto dentro.

So chi sono, ma se provo a circoscrivere questo sentimento, qualcosa continua a sfuggirmi.

Anna capisce, e sopporta, forse perché sa di essere un'eccezione, sa che in lei – a differenza delle altre venute prima o dopo – non ho mai cercato nulla, e che di lei amo cose basilari e semplici: come mangia lo yogurt la mattina, come ride, come s'addormenta con la schiena premuta contro di me, come fa l'amore in modo sfrenato e gioioso.

Anna sa che la amo.

Ma non è sufficiente.

E così, dopo l'ennesimo tradimento, smette di perdonarmi. Senza scenate mi caccia di casa.

Io faccio le valigie in un momento in cui Anna ha portato fuori Giacomo, e trovo una stanza dove stare in un residence.

Due settimane più tardi ricevo la proposta di trasferirmi a Roma. E a quel punto ho buoni motivi per dire di sì.

Tre giorni prima della mia partenza, Carmelo viene al residence. Ho di nuovo le valigie pronte e sto per scrivere un sms ad Anna per informarla.

Carmelo si siede su una poltrona. È il mio migliore amico, e al tempo stesso un fratello maggiore. È sposato con Sandra da quando erano ragazzi, si amano ancora alla follia, hanno due bellissimi figli, Luigi ed Eleonora, a loro volta sposati, ed Eleonora gli ha dato due nipoti, prima Viola, poi Tommaso.

Carmelo è impazzito per i nipotini.

Ma anche io, Anna e Giacomo siamo parte della sua famiglia. E Carmelo aveva intuito da tempo che cosa stava succedendo tra me e mia moglie.

Adesso ha deciso di parlarmi, ed è tormentato.

«Sai che voglio bene ad Anna come se fosse figlia mia, e che per me Giacomo è un altro nipote. E a te neanche devo dirtelo il bene che ti voglio, le sai tutte queste cose. Quindi, adesso *basta*. Devi smetterla di trattare tua moglie in questo modo. Non se lo merita. E tuo figlio non si merita un padre così. Che ci insegni a quel *picciriddu*, eh?» Si alza. «Guarda che le tentazioni ce le hanno tutti, mica siamo santi. Maschi o femmine, uguale. E ci può pure stare l'errore, una volta. Ma tu, così, Anna la *umili*, lo capisci?»

Sì, lo capisco.

Carmelo nota le valigie e si interrompe. Io non ne ho avuto ancora il tempo e solo ora gli dico del trasferimento.

Lui, per la prima volta da quando è arrivato, sorride.

«Bravo, hai fatto bene ad accettare. Incarico nuovo, salto di carriera, il comando di un Commissariato tutto tuo. Ma soprattutto, te ne stai lontano per un po'...» mi dà una manata sulla fronte, «e fai pulizia qua dentro.»

Una pausa, poi riprende, di nuovo serio: «Che faresti se qualcun altro facesse soffrire Anna? O Giacomo?».

«Io farei soffrire lui.»

«Ecco, pensaci.» Mi fissa per un attimo, quindi se ne va. Io invio l'sms ad Anna e la prego di dare un bacio da parte mia a Giacomo.

Adesso sfioro un'altra volta la fede all'anulare, e chiudo il link mentre la voce di Nina Simone sfuma sulle note della canzone.

Il mio amore si prende cura solo di me.

Mi sposto nel microscopico salotto dell'appartamento, e mi stendo sul divano. Ho la testa colma di immagini della turista veneta, e di Anna e Giacomo, ma per un'ora riesco finalmente a dormire.

Poi il mio cellulare squilla di nuovo. È Lanfranchi, il questore, e vuole vedermi.

13.

Via di San Vitale 15, la sede della Questura di Roma, in pieno centro, a metà strada tra il Viminale e il Quirinale.

Il questore mi riceve di persona, senza nessuna segretaria a fare da filtro, e mi accompagna nel suo ufficio. Sono appena passate le sei e, nonostante l'ora, appare fresco e riposato nel suo completo grigio ben stirato.

Lanfranchi ha una sessantina d'anni, è basso, stempiato e sovrappeso, e di certo, anche quando stava in servizio, era uno che passava più tempo dietro la scrivania che non sul campo. Tuttavia ha la scaltrezza e l'esperienza di un operativo. Nel suo ruolo, è il responsabile di tutte le forze dell'ordine e della sicurezza pubblica della Capitale, una metropoli che conta più di tre milioni di abitanti e ha un'estensione tra le più grandi d'Europa. Lanfranchi sa muoversi tra le esigenze della politica e quelle della sicurezza pubblica, e presta un'attenzione maniacale a ogni dettaglio.

Mi fa accomodare, mentre lui resta in piedi, così che possa guardarmi negli occhi, ma dall'alto in basso.

Un dettaglio.

«Allora, Wu, come si trova col suo nuovo incarico?» mi domanda. Ha scelto di prenderla alla larga.

«Bene, signor questore» rispondo io, vago.

«Qualche problema in particolare? Qualcosa che io possa fare per aiutarla?»

«No, la ringrazio.»

«I colleghi?»

Ne avrei da raccontare, a cominciare da Scaccia. Ma a meno di gravi infrazioni, chi sta al comando non scredita i suoi.

«I colleghi sono bravi.»

«Mi fa piacere» commenta Lanfranchi. Poi, aggiunge: «Certo, è da poco che lei sta a Tor Pignattara, e le capita questo pasticcio del cinese e sua figlia ammazzati».

«Troveremo chi è stato.»

Lanfranchi si avvicina a una delle grandi finestre della stanza che danno sulla strada e sui palazzi di fronte. Da lì si possono intravedere i giardini del Quirinale.

«Ne sono certo, Wu» dice, guardando fuori per qualche istante. Quindi torna a voltarsi verso di me: «Anche perché sono stato informato della sua chiacchierata con Caruso».

È evidente che il questore ha deciso che i convenevoli sono finiti.

«So come è riuscito ad avere l'inchiesta. Lei è stato fortunato. Caruso è un tipo particolare, ma come pm sa quel che fa. È uno che si affida ai poliziotti e non ha smanie di protagonismo. Al contrario di lei, a quanto pare...»

«Non era mia intenzione, signore.»

«Ha contestato l'operato dei colleghi della Mobile davanti a un magistrato, e mi ha coinvolto direttamente.»

Se per Lanfranchi sono finite le formalità, allora vale anche per me. «Credevo che lei mi avesse voluto apposta a Tor Pignattara, per seguire casi come questo.»

Il questore mi si avvicina, restando sempre in piedi e costringendomi ad alzare la testa per incrociare il suo sguardo.

Un altro dettaglio.

«È vero» ammette. «Ma lei mi ha esposto, Wu. Mi ha messo in una posizione scomoda. Se in questa indagine otterrà dei risultati, dimostreremo che ho avuto ragione a volerla al comando del Commissariato di Tor Pignattara. In caso contrario, non ne verrà nulla di buono.»

Per me, intende. Il messaggio è chiaro: se le cose marciano per il verso giusto, Lanfranchi è pronto a dividere il merito con il sottoscritto, altrimenti sarà altrettanto rapido a smarcarsi dalla posizione scomoda e scaricare su di me ogni responsabilità.

Si sistema il nodo della cravatta, il colloquio è finito. Mi ringrazia per essere venuto. Quando sono sulla porta, però, mi richiama. «Sa, Wu, prima di proporla per il nuovo incarico, avevo controllato il suo stato di servizio a Bologna.»

«Sì...»

«Non l'ho voluta a Tor Pignattara *solo* perché è cinese. L'ho voluta anche perché è un ottimo poliziotto.»

Rimango in silenzio.

«Risolva questo caso, Wu» conclude Lanfranchi.

Più che un'esortazione, ha l'aria di una minaccia.

14.

L'edificio che ospita il Commissariato di Tor Pignattara è una palazzina discreta di tre piani, con terrazzi, balconi, e alcune porzioni dei muri esterni in mattoni a vista, rossicci. È probabile che risalga alla fine degli anni Settanta, e la vista delle insegne della polizia produce un effetto bizzarro, perché è evidente che lo stabile era stato costruito per ospitare famiglie, padri, madri, bambini.

Dalla parte opposta di via Gino dall'Oro si distingue una serie di case basse, simili a quella della famiglia Wang. A pochi metri di distanza, in piazza Zambeccari, c'è il liceo classico Kant, con la sua facciata scrostata e fatiscente.

Nei dintorni ci sono grandi alberi, piante e siepi, e in certi momenti si ha l'impressione di essere in un paese di campagna. La zona circostante, nonostante la vicinanza della Casilina, è silenziosa.

Ma appena varco l'ingresso del Commissariato, il caos m'assale. Nella guardiola all'ingresso, la radio collegata alla sala operativa crepita e distorce il suono delle comunicazioni tra l'agente di turno e i volantini fuori in servizio.

Il piantone mi fa il saluto con la mano alla tesa del cappello. I telefoni suonano senza sosta. Davanti all'Ufficio stranieri sono in fila diversi cinesi e cingalesi, alcuni senegalesi, e qualche magrebino. Dentro l'ufficio qualcuno urla, ma le grida vengono coperte dalle voci attorno. Intravedo il sostituto commissario Artibani, il responsabile, che fa *sì sì* con la testa con l'aria di chi ha sentito quelle stesse cose un milione di volte, mentre una donna marocchina di fronte a lui parla in modo concitato agitando le mani. Si sentono chiacchiere e risate ad alto volume.

È così in ogni Questura, Commissariato o posto di polizia. Chi entra, porta con sé un dramma, un problema – grande o piccolo che sia. I poliziotti, per reazione, per sopravvivere, fanno i cazzoni. Scherzano tra loro, si insultano, e fanno battute oscene che in qualunque altro contesto sarebbero inaccettabili.

Salgo al secondo piano e incrocio Liberati, che ha con sé un tablet. Sullo schermo la homepage di un quotidiano riporta in apertura la notizia del duplice omicidio. «Siamo già famosi, dotto'. Stamattina stavamo pure al telegiornale. E non sa quanti sono i giornalisti che continuano a chiamare al centralino.»

«Non voglio l'assedio, qua, e non voglio fughe di notizie. Libero, lo dico a te per tutti: nessuno fiati. Se mezza informazione esce, m'incazzo.»

«Non si preoccupi, dotto'. Ci penso io, si fidi.»

Mi fido.

«Però se gli diamo un contentino, magari si calmano» continua Liberati, «e per un po' smettono di insistere.»

«Un "contentino", tipo?»

«Chiedono che nome abbiamo dato all'inchiesta. Per fare i titoli.»

«L'inchiesta si chiama "inchiesta".»

«Lo sa che vojo di', dotto'.»

Sì. Da qualche anno dare nomi fantasiosi alle operazioni di polizia è diventata una moda, un piccolo show a favore dei media, e in genere è la Procura che se li inventa.

«Tu hai in mente qualcosa, Libero?»

«Non lo so. Padre e figlia, le vittime, erano cinesi. La moglie è cinese. "La Grande Muraglia"?»

«Originale. Poi ci sono pure io che sono cinese.»

Liberati coglie il mio sarcasmo. «Dotto', io nun so' bravo co 'ste cose. Faccia lei.»

«No. Vada per "la Grande Muraglia". Parlaci tu con i giornalisti.»

Dal secondo, salgo al terzo piano, dove c'è il mio ufficio. Sulle scale mi intercetta Missiroli. Ha già staccato dal turno, ma è rimasto.

«Dotto', buongiorno. Tutto bene? Ma che è venuto da solo?»

Non dico nulla del mio incontro con Lanfranchi. «Buongiorno anche a te, Missiro'. Tutto bene, e sì, sono venuto da solo, ancora sono capace. Piuttosto, tu ancora qua stai?»

Missiroli coglie al volo e, a differenza di Scaccia, non fa storie. «Me ne vado tra un minuto, dotto'. Il magistrato ha mandato le autorizzazioni. Mi sono permesso di incaricare Scaccia dei tabulati. Prima quelli dei Wang, poi il traffico della cella.»

«Hai fatto bene, Missiro'. Le telecamere di sorveglianza?»

«Ho mandato qualcuno dei nostri a farsi un giro a partire dalla casa dei Wang per vedere se c'erano TLC. Abbiamo già qualche filmato, e ci ho messo la Longo.»

Il vicesovrintendente non è solo timida e riservata, è anche diligente, pignola, ed esperta di informatica. Quello che serve.

«E hai fatto bene di nuovo. La signora Wang è già arrivata?»

«Sì, la sta aspettando. Ma non è sola.»

«E con chi è?»

Missiroli fa per spiegare, ma io alzo una mano: «No, mi arrangio da solo. Minuto passato. Mandami la Fresu, e vattene».

Lui scende, io riprendo a salire le scale.

Di fronte al mio ufficio, c'è Wang Xinxia, insieme a un

uomo e una donna, entrambi cinesi. Lui un po' più giovane di me, è sulla trentina, magro, giacca e cravatta eleganti, capelli tirati indietro col gel. Lei è sotto i trenta, tailleur scuro, camicetta chiara. Il viso è irregolare, il naso troppo grande, gli occhi troppo distanti, ma appena mi vede accenna un sorriso, seppur di cortesia, ed è come se sbocciasse. Un fiore che schiude i petali.

Wang Xinxia deve averli avvisati, perché sono i primi a non avere reazioni particolari trovandosi davanti a un poliziotto cinese.

L'uomo si chiama Alberto Huong, e si presenta come imprenditore e presidente della A.G.I.ICI., l'Associazione Giovane Impresa Italia-Cina, che riunisce giovani imprenditori italiani – lo sottolinea – di origine cinese, come lui, ma anche giovani imprenditori cinesi o giovani imprese cinesi che operano regolarmente – sottolinea anche questo – in Italia.

«La signora Wang e suo marito sono sempre stati membri attivi dell'associazione, dunque mi sono incaricato di fornirle assistenza legale.»

Huong indica la donna, che mi stringe la mano. «Sofia Sun, sono l'avvocato della signora.»

Wang Xinxia rimane dietro ai due.

Missiroli sostiene che lui dei cinesi non ci capisce niente. Ma non è *lui*. Per un italiano, poliziotto o meno, è pressoché impossibile penetrare in certe dinamiche.

«*Guanxi*» dico io.

Huong non dice nulla, lui sa.

Guanxi è una parola semplice che in mandarino rimanda a un concetto molto complesso. Significa "rapporto, relazione, legame". Per i cinesi è fondamentale. È una vera e propria arte: quella di mantenere le relazioni maturate durante tutta una vita. Ci sono genitori che scelgono le scuole per i figli in base alle amicizie che vi potranno stringere. E questi legami sono vincolanti. *Guanxi* è chiedere aiuto agli amici quando hai bisogno. Agli amici degli amici. Che ti sostengono, ti prestano soldi, danno una mano alla tua attività.

Nella concezione cinese esistono tre tipi di famiglie: quella naturale che comprende moglie, marito e figli, la famiglia estesa che raggruppa più nuclei famigliari, e poi c'è la *Jia*. È la famiglia "economica", che ruota attorno a un bene messo in comune, come può essere un negozio, o una qualche attività commerciale. Una sorta di associazione di imprenditori, appunto. Le persone che hanno a che fare con questo bene comune sono legate dal *Guanxi*, che si estende anche alla loro vita privata, alla loro salute, ai loro problemi personali.

In Cina, quasi tutto è *Guanxi*.

«La signora, comunque, è qui per una SIT.»

«La "Sommaria informazione testimoniale". Viene ascoltata in qualità di persona informata dei fatti» chiarisce Sofia Sun a Huong.

«E non è prevista la presenza di un avvocato» aggiungo io.

Se è una professionista anche solo decente, la Sun doveva averlo già detto a Huong, ma lui ha deciso comunque di scortare qui la signora Wang.

Il giovane imprenditore si finge ignaro: «Capisco». Ma dopo un attimo rilancia: «L'avvocato Sun, però, potrebbe lo stesso assistere per assicurarsi che la signora Wang comprenda le domande».

«Sono certo che capisce l'italiano» ribatto io. «E se occorre, tradurrò io per lei nel dialetto di Wenzhou.»

«Allora forse l'avvocato Sun può rimanere per verificare che la traduzione sia corretta. Anche la sua famiglia viene dallo Zhejiang e dalla provincia di Wenzhou. Qui siamo tutti originari della stessa regione della Cina...» Huong non intende cedere, e rimarca la provenienza comune per creare una maggiore confidenza. «Lei parlerà perfettamente il dialetto, vicequestore Wu, ma le sfumature sono tantissime, dico bene?»

Huong comincia a irritarmi, e la presenza di un avvocato

per la deposizione di una testimone è quantomeno inusuale. D'altra parte, potrebbero davvero contestare le mie traduzioni, e io non voglio grane.

«D'accordo» acconsento, «l'avvocato Sun può assistere.» Quindi torno a rivolgermi al giovane imprenditore: «Lei invece può andare, signor Huong».

«Aspetto la signora Wang.»

«No. Può andare» ribadisco.

Huong stavolta abbozza, e va via. Una piccola rivincita.

Io guardo Wang Xinxia e l'avvocato Sun. «Venite, cominciamo.»

15.

La Fresu avvia un registratore digitale, accende il computer e si prepara a stendere il verbale. Siamo nel mio ufficio, Wang Xinxia e l'avvocato Sun sono sedute di fronte a me.

Io chiedo alla signora Wang di ripetermi ciò che mi ha già raccontato sulla scena.

La signora Wang lancia uno sguardo all'avvocato, che risponde con un cenno d'assenso, come a darle il permesso.

Io penso di nuovo che Wang Xinxia è davvero molto bella, col suo ovale perfetto e la pelle candida, eppure accanto a lei Sofia Sun sembra risplendere.

La signora Wang ripercorre ciò che è accaduto a lei, al marito e alla figlia. Come pensavo, parla un italiano abbastanza corretto, e se di tanto in tanto non trova la parola giusta, l'aiuto io traducendo dal dialetto di Wenzhou. L'avvocato Sun non trova da obiettare.

I fatti che per ora emergono più chiari sono: al momento della rapina/omicidio Wang Jiang, Abile Wang, teneva in mano un pacco – più o meno settanta centimetri per settanta – con dentro i soldi che avrebbero dovuto spedire oggi con un Express Money. Nel frattempo, la signora Wang teneva la borsa a tracolla e la figlia in braccio. Quando sono stati fermati dai due uomini, ha appoggiato la piccola a terra.

I due di sicuro non erano cinesi.

L'uomo con la sacca ha intimato di consegnare prima il pacco, poi la borsa, e infine il portafogli e il telefono di suo marito.

Wang Fanfang si è agitata e ha cominciato a piangere, e Abile Wang l'ha presa in braccio per calmarla.

A quel punto, l'uomo accanto all'auto ha sparato colpendo sia la bimba sia il padre.

La signora Wang ha urlato.

Quindi l'aggressore che aveva sparato ha puntato la pistola contro di lei, ma non ha esploso nessun colpo.

Quando è sopraggiunta l'auto con a bordo il secondo testimone, i due sono fuggiti.

È già più di quanto sapevamo.

«Quanti soldi c'erano nel pacco?» chiedo.

Wang Xinxia ha una breve esitazione. «Circa cinquemila euro.»

«A chi era destinato il denaro?»

«Ai nostri famigliari, miei e di mio marito, che sono rimasti in Cina.»

«Da dove facevate le spedizioni?»

Ci fornisce l'indirizzo di un'agenzia affiliata all'Express Money in via Eratostene, dall'altra parte della Casilina.

«E ogni quanto ci andavate?»

«Una volta al mese. Due al massimo.»

«Sempre negli stessi giorni?»

«No.»

Sofia Sun interviene: «Dottore, non capisco il senso di queste domande».

Non dovrebbe essere qui, e non dovrebbe intromettersi, ma le rispondo lo stesso: «Sto cercando di stabilire se i movimenti della signora Wang e di suo marito con il contante sono stati notati da qualcuno». Poi a Wang Xinxia: «Chi era a conoscenza degli invii?».

Wang Xinxia esita ancora: «Forse qualche amico. I nostri parenti in Italia».

«E al laboratorio? Qualche impiegato?»

«Non abbiamo impiegati, solo le operaie.»

«Loro ne erano a conoscenza?»

«No.» Il tono di Wang Xinxia si raffredda. «Non ne avevano motivo.»

La guardo. «Ci serve comunque un elenco completo di tutti coloro che potevano essere informati delle vostre spedizioni» dico poi, stavolta includendo anche Sofia Sun.

«Glielo faremo avere al più presto» risponde l'avvocato.

«Signora Wang, i due uomini che vi hanno aggrediti non erano cinesi, esatto?»

«Esatto.»

«Erano italiani?»

«Non lo so.»

«Quello che l'ha minacciata, parlava in italiano?»

«Sì.»

«Ma dall'accento sembrava italiano o straniero?»

Wang Xinxia riflette. «Straniero, forse.»

«Età? Erano giovani? Vecchi?»

«Giovani, credo.»

«Anni?»

«Meno di trenta, ma non sono sicura.»

Altri dati che si aggiungono.

«Sarebbe in grado di riconoscerli, se li rivedesse?»

«No. Portavano il cappuccio della felpa sollevato.»

«L'uomo con la sacca. Si è fatto consegnare *prima* il pacco e *dopo* la sua borsa, il portafogli e il cellulare di suo marito. Giusto?»

«Sì.»

«In questo preciso ordine?»

«Sì.»

Voglio essere sicuro della sequenza.

«Invece l'altro, dopo aver sparato a suo marito e a sua

figlia, ha puntato la pistola contro di lei, prima che arrivasse l'altra auto.»

«Sì.»

«Crede che intendesse spararle?»

Per la terza volta, Wang Xinxia esita: «Non lo so».

«Non lo sa?»

«No.»

Sofia Sun s'inserisce di nuovo: «Mi perdoni, dottore, ma la signora Wang come può conoscere le intenzioni dell'aggressore?».

«D'accordo, avvocato. Non può saperlo.»

O forse sì. Forse là, in quell'attimo preciso l'ha capito, ma per qualche ragione non vuole dirlo.

Torno a concentrarmi sulla donna. Ha rivissuto l'omicidio del marito e della figlia, eppure neanche adesso ha versato una lacrima. Come quando le ho parlato la notte scorsa, non riesco a farmi un'impressione definita di lei.

«C'è altro?» chiede l'avvocato Sun.

No, non c'è. Avverto Wang Xinxia che il magistrato potrebbe volerla risentire, e le lascio andare.

Poi mi volto verso la Fresu. Per tutto il tempo non ha aperto bocca, stendendo il verbale, ma so che non si è persa neppure un passaggio.

«Che dici?»

«Dico che ho dei dubbi, dottore.»

«Anche io. E molti.»

16.

I dubbi li espongo a Caruso, dopo avergli riassunto il contenuto della SIT, assieme a Missiroli. Che a casa non ha resistito due ore, ha chiamato la Fresu, s'è fatto dire com'era andata con la signora Wang, e mi ha raggiunto in Procura, dal magistrato.

I dubbi, inevitabilmente, si esprimono con altre domande.

La rapina ai danni della famiglia Wang è stata casuale, oppure i rapinatori sapevano del pacco?

Forse i due erano stranieri, ma *non* cinesi, quindi non appartenevano, almeno in teoria, alla cerchia stretta di conoscenze dei Wang. Dunque, *se* sapevano del pacco, *come* l'hanno saputo? Da chi?

«Lavoreremo sulla lista di persone che potevano essere a conoscenza degli invii di denaro, appena la signora Wang ce la fornirà» dice Caruso.

Sì, certo. Però: se i due uomini avevano già preso il denaro, perché prendere anche la borsa di Wang Xinxia, e il portafogli e il cellulare del marito? Avidità? Volevano impedire che chiamassero qualcuno? O cosa?

E se avevano già ciò che volevano, perché hanno sparato? L'auto del secondo testimone è arrivata dopo i colpi di pistola, ma loro forse l'hanno sentita avvicinarsi? Si sono fatti prendere dal panico? O hanno ucciso per qualche motivo diverso?

E ancora: se è stato l'arrivo dell'auto del secondo testimone a gettarli nel panico, perché non hanno sparato pure alla signora Wang? Non hanno avuto tempo? Cioè, sentono arrivare la macchina, black-out, fanno fuoco, colpiscono Abile Wang e la bambina, poi stanno per colpire Wang Xinxia, ma rinunciano perché l'auto è troppo vicina?

Oppure, al contrario, è stato proprio l'arrivo della macchina a dissuaderli. Se è così, però, torniamo al momento in cui hanno aperto il fuoco colpendo il marito e la bambina, cancelliamo l'idea che l'auto c'entri qualcosa, e torniamo a quei motivi diversi. Che ignoriamo.

Ma soprattutto: i due uomini volevano *davvero* sparare alla signora Wang?

Caruso si appoggia contro lo schienale della poltrona e si toglie gli occhiali. Oggi ha una montatura verde fluo. Deve avere una fissazione per occhiali strani e cravatte sgargianti.

«Sono tante domande» dice. «Per avere qualche risposta, dobbiamo trovare quei due uomini.»

È banale, ma è vero.

«Intanto, dottore, vediamo se esce qualcosa dalle telecamere di sicurezza e dai tabulati» dico io.

«E con il poco che sappiamo dei due possiamo inserire una segnalazione generica nello SDI» aggiunge Missiroli. Intende il Sistema d'Indagine, uno dei database a cui accedono tutte le forze dell'ordine.

Qualcuno bussa alla porta, un giovane agente in divisa si affaccia nella stanza e dice al pm che ci sono quattro signori in attesa di parlare con lui. «È per i cinesi morti» specifica.

Si accorge della mia presenza. «Chiedo scusa. Non sapevo…» Rimane imbambolato per un istante. Poi precisa ancora, per Caruso: «Comunque, anche i signori sono cinesi».

Il magistrato solleva un sopracciglio. Non è insolito che qualcuno si presenti in Procura per rendere una testimonianza spontanea, anche se normalmente si fa precedere almeno da una telefonata, e si rivolge a un avvocato per prendere accordi.

Una situazione bizzarra, ma come io ho deciso di far assistere Sofia Sun al colloquio con Wang Xinxia, Caruso acconsente a incontrare i quattro.

«Falli passare» dice, e il giovane in divisa si scosta, lasciandoli entrare. Una volta dentro, due di loro avanzano, mentre gli altri rimangono un po' più indietro.

Il primo a presentarsi è il più anziano. «Buongiorno, mi chiamo Zhao Zhongwu, ma tutti mi conoscono come Vecchio Zhao.» Può avere sessanta come ottant'anni, ma più probabilmente è sulla settantina. Non è molto alto, è magro e ancora tonico, indossa un vestito pulito ma economico, e sorride con aria gioviale.

L'uomo accanto a lui, ci dice, è suo figlio Zhao Dongbo, Piccolo Zhao. Ha poco meno di quarant'anni, è magro quanto il padre, porta un paio di occhialetti senza montatura, non sorride e tace.

Uno sorride e l'altro no, uno è amichevole ed espansivo, e l'altro sta zitto, ma al di là di questo la somiglianza tra padre e figlio è notevole. È una postura, una posa del corpo incredibilmente simile.

«La ringrazio per averci ricevuti, signor procuratore» dice ora Vecchio Zhao.

Se è qui per l'omicidio di Abile Wang e sua figlia, deve aver letto in qualche sito d'informazione il nome del magistrato che si occupa dell'indagine. Allo stesso modo deve avere appreso del vicequestore cinese che guida il Commissariato di Tor Pignattara. Infatti, il suo sguardo mi inquadra senza tradire il minimo stupore. Invece i suoi occhi si soffermano più a lungo su Missiroli, che a sua volta lo fissa. È chiaro che i due si sono già visti, si conoscono.

«E i signori che sono con lei, chi sono, signor Zhao?» domanda Caruso.

«Oh, solo due accompagnatori» risponde l'altro sempre sorridendo. «Sono brutti tempi, questi, e un uomo della mia età spesso ha bisogno di qualcuno che gli stia vicino.»

Caruso sembra incuriosito. Aspetta che Vecchio Zhao arrivi al punto.

«Sa, signor procuratore» continua l'anziano cinese, «io sono il presidente di un'associazione culturale, il Cerchio Felice, *Xingfu Quan*, che si occupa di favorire i rapporti tra Italia e Cina.»

«Che genere di rapporti?»

«Be', relazioni culturali, appunto. Ma anche economiche e commerciali. Il Cerchio Felice si fa carico di mantenere i contatti tra le varie associazioni imprenditoriali cinesi presenti in Italia.»

«Come l'A.G.I.C.I. di Alberto Huong?» chiedo io.

Vecchio Zhao sembra preso in contropiede. Smette di sorridere, e il viso si indurisce. «Lo ha già conosciuto?»

«Sì.» Spiego in breve a Caruso della presenza di Huong, e dell'avvocato Sun, quando prima abbiamo preso a verbale la signora Wang. Il magistrato non commenta.

«Comunque, sì. Teniamo rapporti anche con quella associazione» riprende Vecchio Zhao. «Ma a volte è difficile pensare che il signor Huong e gli altri come lui siano davvero cinesi.»

«Lei, però, non è solo il presidente della sua associazione culturale» fa notare Missiroli.

«Certo, mi occupo pure dei miei modesti affari» ammette Vecchio Zhao. «Anche se ormai ho lasciato quasi tutto nelle mani di mio figlio.»

Piccolo Zhao si limita ad annuire.

«E quali sarebbero questi *modesti* affari?» chiede il sostituto procuratore.

Vecchio Zhao torna a sorridere. «Con il Cerchio Felice facciamo incontrare le persone, negli affari invece facciamo muovere le cose. Import-export.»

Caruso rinforca gli occhiali. Ha esaurito la pazienza e non ha più voglia di aspettare. «Senta, signor Zhao, lei fa incontrare le persone, e ci siamo incontrati. Adesso mi dica cosa vuole.»

«Volere, signor procuratore? Io non voglio niente. Anzi, sono venuto a offrire qualcosa. Come dicevo, questi sono tempi difficili, ed è appena accaduta una tremenda tragedia.» Il tono di Vecchio Zhao si fa grave. «Quella povera bambina, suo padre, la madre rimasta sola...»

Vecchio Zhao si offre di aiutarci in qualunque modo ci sembri utile. Lui conosce tutti, e tutti conoscono lui. Anche questo è *Guanxi*.

Caruso comincia a innervosirsi. «Sì, ma in che modo crede di poterci aiutare, signor Zhao?»

Per un momento, il sorriso di Vecchio Zhao prende una piega maliziosa. «Ad esempio, se non ne siete già stati informati, posso dirvi che il signor Huong e l'A.G.I.ICI. hanno deciso di organizzare, nel tardo pomeriggio, una manifestazione in piazza Vittorio per esprimere solidarietà nei confronti della famiglia Wang, e per chiedere che anche i cinesi residenti in Italia siano tutelati dalle istituzioni.»

Caruso e Missiroli mi guardano. No, non ne eravamo ancora stati informati. Perché a me, Huong, della manifestazione non aveva detto niente.

17.

Vecchio Zhao, Piccolo Zhao e gli altri due uomini sono andati via, e Caruso vuole una boccata d'aria, un caffè e una sigaretta. Così usciamo dalla Procura.

Vicino piazzale Clodio, troviamo un bar un po' defilato, dove diminuisce il rischio di incontrare altri sostituti procuratori, procuratori aggiunti, giudici, cancellieri, avvocati, imputati o poliziotti, e ci mettiamo seduti ai tavolini esterni.

Ordiniamo tre caffè.

Nella carriera di un poliziotto dovrebbe esserci una specie di indennizzo-salute per i caffè che beve: con i colleghi, i superiori, gli avvocati, i magistrati e i sospettati. Per far parlare qualcuno, per una pausa, per riprendere fiato o riordinare le idee.

Come adesso.

Caruso si accende una sigaretta, fa un paio di tiri lunghi e gustosi, dopodiché si concentra su di me e Missiroli. «Vabbuo', signori miei» dice. Ora che siamo in un contesto più informale si lascia un po' andare, e qualcosa della cadenza napoletana d'origine affiora. «Voi che ne pensate della sceneggiata a cui abbiamo appena assistito?»

Il pm confessa che in carriera ha seguito poche indagini "cinesi", non aveva mai visto Vecchio Zhao e dunque vuole comprendere il senso della sua visita.

«Io questo Vecchio Zhao già lo conoscevo, dottore» dice Missiroli. Come pensavo. «Lui. Il figlio è nuovo pure per me.»

«E come lo conosci, Missiro'?»

«Perché al Commissariato ogni volta che abbiamo inda-

72

gato sui cinesi, anche pe 'na cosa piccola, di poco conto, compariva Vecchio Zhao.»

«Ma che faceva?» chiede Caruso.

«Niente, dottore, l'ha visto pure lei. Veniva, domandava, si offriva di dare una mano. Se c'era un cinese che doveva parlare e non parlava, succedeva che poi diventava un uccellino canterino. Se non riuscivamo a trovare una persona, quella all'improvviso saltava fuori.»

«Allora una mano la dava sul serio» osserva Caruso.

«Dipende da come la vede. Chiedeva informazioni, ma in realtà ne aveva ogni volta più lui di noi, e se ce le dava, era sempre col misurino. La gente si lasciava trovare e parlava, ma è capitato anche che dovevamo sentire un testimone, e quello se n'era tornato in Cina senza avvertire nessuno. A un certo punto, ci siamo messi *noi* a prendere qualche informazione su Vecchio Zhao.»

È stato prima che io arrivassi. Missiroli e gli altri del Commissariato fanno una ricerca, e risulta che Vecchio Zhao è residente in un piccolo appartamento di settanta metri quadri, a poca distanza da piazza Vittorio, ha altre due case intestate fuori dai quartieri cinesi, una a Prati e l'altra a Borgo Pio. Oltre all'associazione culturale, come lui stesso ha dichiarato, è titolare di una ditta di import-export, la Zhao Trade Company, che ha la sede legale in zona Termini. Alla ditta, e dunque allo stesso Vecchio Zhao, sono collegate – in modo più o meno diretto – altre società che operano in diversi settori: ristorazione, lavanderie, sale gioco, vendita al dettaglio. Gli affari di Vecchio Zhao, dunque, sono tutt'altro che modesti. A una stima approssimativa, si parla di milioni di euro.

Caruso spegne la sigaretta. «Oggi s'è presentato con due specie di sgherri al seguito, oltre che con suo figlio. Voglio sapere chi sono i suoi amici. Con chi si muove, chi frequenta, chi ha attorno.» Ci guarda. «Insomma, Vecchio Zhao è mafioso?»

Missiroli non lo sa. La loro ricerca si è fermata a quanto

ha già elencato. «Quello che si dice dei cinesi è vero, dottore. Stanno per conto loro, e tendono a non rompere le palle.»

Si volta verso di me, come a giustificarsi, ma io gli faccio cenno di continuare. «Vecchio Zhao ha fatto qualche manovra ambigua, però finora non c'è stato bisogno d'approfondire oltre.»

Il mio ispettore ha ragione, ma adesso è cambiato tutto. E la domanda rivolta da Caruso resta in sospeso.

Il magistrato mi fa cenno: «Wu?».

Tocca a me rispondere.

Venti giorni dopo la brillante operazione a Bologna che m'ha portato alla Omicidi, uno dei gestori cinesi del bar viene ritrovato ammazzato a coltellate, e io per la prima volta mi trovo a indagare su un omicidio che riguarda *direttamente* un cinese. E *indirettamente* la mafia cinese. Il gestore, infatti, deve dei soldi a un tizio, sempre cinese, che glieli ha prestati a titolo personale. Ma il tizio in questione, assieme ad altri connazionali, ha avviato un'organizzazione criminale che traffica in articoli di lusso – vestiti, scarpe, borse – tutti contraffatti.

Di questa indagine a casa racconto lo stretto necessario. Forte Li e Li Meyu, mio nonno e mia nonna, si dicono orgogliosi di me. Hanno lavorato tutta la vita, e non tollerano che altri cinesi guadagnino soldi con la truffa, infangando il nome di tutti. Mio padre, invece, come al solito tace. Provo a chiedergli qualcosa sulla mafia cinese, ma lui reagisce infastidito, e io smetto.

Per me indagare su dei cinesi o sulla criminalità organizzata cinese non fa differenza. Se fossi nato in Italia da genitori italiani, e dovessi indagare su mafiosi italiani, sarebbe lo stesso.

Tuttavia, quando l'inchiesta per omicidio si allarga all'associazione a delinquere di stampo mafioso, il procuratore capo di Bologna, Santangelo, mi chiama nel suo ufficio e mi spiega che il dottor Di Marco, il dirigente della

74

Squadra Mobile, ha una buona opinione di me. Dopodiché mi passa un libro e un fascicolo. Il libro racconta la storia della mafia cinese, dalle origini ai nostri giorni. Il fascicolo, invece, proviene dalla Questura di Milano e traccia un quadro dei reati commessi negli ultimi anni dai cinesi, in Italia.

Santangelo mi raccomanda caldamente di leggere il libro e il fascicolo, e io lo faccio. E dopo non mi fermo. Leggo tutto quello che trovo sulla mafia cinese. In Italia, in Cina, a Hong Kong e Taiwan. Le Triadi e le Società Nere. Leggo altri volumi, altri documenti da altre Questure, informative dei Servizi, studi statistici ed economici. In quella mole di materiale, trovo illuminanti i titoli e gli articoli pubblicati da Francesco Sisci. È forse il maggiore esperto di Cina che ci sia in Italia, è stato presidente dell'Istituto di cultura italiana a Pechino, e il primo straniero ammesso alla Scuola superiore dell'Accademia cinese delle scienze sociali. Nessun italiano meglio di lui è capace di far comprendere la natura, le forme, i metodi, gli interessi e le ambizioni delle Triadi.

E quello che non imparo leggendo, lo apprendo sul campo, alle prese con altre indagini che in qualche modo mi portano sulla pista della mafia cinese. Io, cinese ma anche italiano, cresciuto conoscendo la mafia italiana, devo rivedere molti dei miei parametri di riferimento.

Le Triadi sono poco interessate ai codici e ai rituali mafiosi, e non mirano a esercitare un controllo del territorio come invece fanno Cosa Nostra, la Camorra e la 'Ndrangheta. Codici, rituali e controllo del territorio sono un *mezzo*. Perché alle Triadi importa una cosa sola: fare soldi. Si entra nelle Società Nere per arricchirsi, e il potere è utile soltanto a fare *più* soldi.

I soldi sono al centro di tutto.

I moderni mafiosi cinesi ambiscono a diventare uomini d'affari. È così che vogliono essere visti, è così che loro si considerano. E nella loro evoluzione, in realtà lo sono.

In Italia sono attivi diversi gruppi, come ad esempio, nel Lazio, l'Uccello del Paradiso o l'Alleanza Orientale. Hanno rapporti più o meno stretti con le Triadi a Hong Kong, in Cina e nel resto dell'Asia, e pur con tutte le differenze possibili rispetto alle mafie italiane, hanno al loro interno una struttura verticistica e piramidale.

Ogni ruolo, nella struttura, ha un nome, ed è identificato da un numero che comincia sempre con 4. Poiché la pronuncia è molto simile a quella della parola "morte", in Cina il numero 4 è considerato di malaugurio, tanto che nei palazzi il quarto piano viene di solito indicato come "3B", e nessuno vuole una targa dell'auto o un numero di cellulare che cominci con 4.

Ma le Triadi si rifanno alla numerologia taoista, e a una tradizione ancora più antica in cui il 4 ha invece una connotazione positiva, e simboleggia i quattro mari che, secondo la mitologia cinese, circondavano il mondo. Ossia il mare Occidentale, il mare Orientale, il mare Settentrionale e il mare Indico.

È uno dei pochi codici e rituali che ancora resistono.

Alla base della Piramide, ci sono i 49: i soldati ordinari.

Immediatamente dopo, viene il 415, *Pak Tsz Sin*, Ventaglio di Carta Bianca, il contabile.

A questo segue il 426, *Hung Kwan*, Bastone Rosso o Placche di Ferro, l'incaricato della Sicurezza e della Disciplina.

Poi il 432, *Cho Hai*, Sandalo di Paglia, il portavoce, colui che trasmette le informazioni.

Poi ancora i 438, gli Alti Consiglieri. *Fu San Chu*, il Vicario del Capo; *Heung Chu*, Maestro d'Incenso, l'addetto ai cerimoniali; *Mengzheng*, il Garante delle Alleanze; *Sinfung*, Guardiano del Vento, il Responsabile della Sorveglianza Interna.

Prima di oggi io non ho mai visto Vecchio Zhao. Però nelle indagini che ho fatto a Bologna ne ho incontrati altri come lui. Vecchio Zhao, poco fa, è venuto da noi parlando e comportandosi in un modo preciso. E stando a Missiroli, lo ha già fatto. Quindi, alla fine, mi decido a rispondere: «Secondo me Vecchio Zhao è mafioso».

Non so a quale gruppo appartenga, non so se anche Piccolo Zhao sia affiliato o se abbia un ruolo, ma so chi è Vecchio Zhao.

È il 489, *San Chu*, la Testa del Drago.

È il boss.

18.

Caruso rimane di nuovo in silenzio, assorto, mentre io e Missiroli aspettiamo. Possiamo indovinare a cosa sta pensando. Se crediamo che Vecchio Zhao sia mafioso, e se crediamo che in qualunque modo possa entrarci con la morte di Abile Wang e sua figlia, il magistrato dovrebbe riferirlo all'Aggiunto che supervisiona il suo lavoro, il fascicolo dovrebbe passare alla Direzione Distrettuale Antimafia, e lui sarebbe estromesso. Lo stesso succederebbe a noi del Commissariato, perché l'indagine verrebbe affidata alla Direzione Investigativa Antimafia, e coordinata dal Servizio Centrale Operativo.

DDA, DIA e SCO ci farebbero fuori tutti.

Il pm però si scuote, si alza, e si limita a dire che queste su Vecchio Zhao sono solo supposizioni, e che non sappiamo neppure *se* abbia a che fare con il duplice omicidio.

«Dunque, da voi, signori, mi attendo dei riscontri, e soprattutto novità sui due uomini che stiamo cercando.»

Al procuratore aggiunto, è sottinteso, racconterà solo ciò che ritiene opportuno, e come lo ritiene opportuno.

Per ora l'indagine se la tiene lui.

E a questo proposito ci suggerisce di concentrarci sui tabulati dei cellulari dei due Wang.

Abbiamo dato la precedenza agli altri tabulati, al traffico telefonico transitato sulla cella di Tor Pignattara al momento degli omicidi. Però adesso ci chiediamo se la rapina sia stata casuale o se invece dietro non ci sia dell'altro. Abbiamo dei dubbi sulla dinamica e sul movente. E cerchiamo, appunto, riscontri su eventuali legami tra Vecchio Zhao e l'aggressione subita dai Wang.

Quindi, ripartiamo dalla base. I cellulari delle vittime.

19.

La Longo è al lavoro sui filmati delle telecamere di sorveglianza che abbiamo requisito, circoscrivendo un quadrilatero tra la Casilina, la Prenestina, la Circonvallazione Tiburtina e il GRA. Roma è immensa. A un certo punto siamo stati costretti a fare una scelta. Se i due uomini dalla Casilina si sono diretti verso via Appia Nuova, cioè dalla parte opposta, sono oltre il quadrilatero che abbiamo delimitato, e significa che dovremmo ricominciare da capo. Le probabilità di individuarli si ridurrebbero in maniera drastica.

Anche così, limitandoci alla zona che abbiamo marcato, gli uomini mandati da Missiroli a battere i dintorni della casa dei Wang si sono dovuti rivolgere a ogni singolo locale, negozio, banca o benzinaio dotato di TLC, e prendere in consegna i video. Che sono tutti registrati in formati diversi. La quantità di filmati da convertire e visionare è impressionante. Per questo, alla Longo si è affiancata la Fresu.

E Liberati si è aggiunto a Scaccia per i tabulati. Perché essendoci anche quelli dei Wang, è un'altra mole enorme di lavoro.

Mentre io e Missiroli eravamo da Caruso, Libero e Pizza sono tornati in via Carlo della Rocca e hanno parlato con i vicini di casa dei Wang. Alcuni erano cinesi, però Libero è riuscito comunque a spiegarsi, e in ogni caso nessuno ha visto niente.

I due testimoni oculari – la donna anziana e l'uomo arrivato con la sua auto – erano già stati ascoltati sulla scena, ma li abbiamo convocati lo stesso, perché vanno presi a verbale. Io sento l'uomo arrivato con l'auto, e Missiroli la donna anziana. Nel frattempo Pizza ci informa che la Scientifica ha trasmesso il rapporto. Da intendersi come preliminare.

Io e Missiroli, nel mio ufficio, lo esaminiamo. Innanzitutto, troviamo la descrizione dei due cadaveri al momento dei rilievi: posizione dei corpi, degli arti, numero e aspetto delle ferite presenti. Poi una ricostruzione sommaria dell'"atto omicidiario", partendo dalla BPA – la *Bloodstein Pattern Analysis*, l'analisi delle macchie di sangue fotografate e misurate sulla scena – attraverso la quale si evince punto e distanza da cui, in via ipotetica, i colpi dovrebbero essere stati esplosi. Quindi la classificazione esatta dei bossoli rinvenuti *in situ*: .7,65 parabellum. E ancora l'identificazione di tracce recenti di pneumatici: misura 185/60, marca Michelin, modello Energy Saver+, in dotazione a numerose autovetture di categoria medio-piccola, come la FIAT Punto, almeno fino al 2013. Tutto conferma il racconto dei due testimoni, e quello di Wang Xinxia. In coda al rapporto, ci sono le fotografie di Abile Wang, e di sua figlia, Profumata Wang. Ancora a terra.

Pizza non l'ha neppure aperto, il rapporto. E adesso, d'istinto, dirige altrove lo sguardo. Io e Missiroli non possiamo. Sento le voci di Scaccia e Liberati, al telefono con gli operatori per farsi mandare i tabulati, e sento la Longo e la Fresu che discutono davanti al pc con i filmati delle telecamere.

Ci stiamo facendo il mazzo, ma la stanchezza non conta, quando sai cosa ti spinge.

C'è un uomo ucciso. E c'è una bambina di quattro anni, anche lei morta ammazzata.

Chiudiamo il rapporto. E in quel momento, la Longo e la Fresu ci chiamano: «Forse li abbiamo beccati».

Ci stipiamo alla postazione della Longo, e lei avvia sul pc uno dei filmati presi dalle telecamere di sorveglianza. «Siamo andate subito sul facile, dottore» dice la Fresu.

A partire dal quadrilatero che abbiamo circoscritto, i due assassini, per fuggire, avrebbero potuto prendere la Casilina o la Prenestina. Oppure tagliare per una delle due consolari, e imboccare l'Appia Nuova o decine di altre strade.

Ma la Fresu ha immaginato che i due seguissero un percorso più lineare. Quindi ha convinto la Longo a esaminare per primi i filmati delle TLC sulla Casilina. Anche se a volte sbaglia, l'ispettore non è una che si accontenta di fare il minimo, ma rischia e prende iniziative.

E stavolta ha fatto centro.

I criminali, come la maggior parte delle persone, in fondo sono abitudinari e pigri, e di fronte a molte opzioni tendono a scegliere quella più semplice. Infatti, i due sono stati inquadrati da una telecamera proprio sulla Casilina, all'altezza di Torre Maura.

Culo.

Fatica, un'intuizione, una decisione presa, e una sana botta di culo.

La Longo digita sulla tastiera per rallentare e ingrandire le immagini. I due sono sullo spiazzo di un benzinaio. Devono aver controllato che lì non ci sono telecamere di sorveglianza, e in effetti non ce ne sono. Ma non si sono accorti di un Compro Oro che sta pochi metri più in là, che invece una telecamera ce l'ha, e li ha ripresi.

Due uomini, sui trent'anni, forse meno, entrambi con una felpa con cappuccio. Per quanto fosse vaga, corrispondono alla descrizione riportata dalla signora Wang.

Smontano dall'auto, proprio la FIAT Punto grigia indicata dai testimoni, si scambiano qualche parola indecifrabile, dopodiché si dividono. Uno rimonta sulla Punto, l'altro raggiunge una seconda macchina parcheggiata, una Renault Clio blu scuro, vecchia di cinque o sei anni, e sale a bordo.

Non vediamo la sacca, e deduciamo che sia ancora dentro la prima automobile.

La Longo blocca il filmato su un'immagine, stringe e ingrandisce. Scendendo dall'auto, i due si sono tolti i cappucci delle felpe e la telecamera del Compro Oro ha immortalato i loro volti. Visi duri, squadrati, tratti netti, occhi chiari e acquosi, capelli biondicci, corti. Uno appena più vecchio dell'altro. Il secondo uomo, quello un po' più giovane, ha dei baffetti radi sopra il labbro.

«Parono du' slavi» dice Scaccia.

«Sì. Serbi o croati» concorda Missiroli.

«È possibile» dico io. «Però non facciamo le stesse cazzate della Mobile, e non diamo per scontato niente. Non sappiamo nemmeno se sono i due che stiamo cercando.»

«So' loro, dotto'» insiste Scaccia, carico.

«*Possono* essere loro» lo correggo. Non voglio smorzare gli entusiasmi, ma dobbiamo procedere con ordine. «Prima non avevamo niente, adesso invece abbiamo due facce. Usiamole!»

Quindi facciamo tre cose.

Uno, portiamo il filmato alla Scientifica per vedere se loro scovano altri dettagli utili. Dallo stesso video stampiamo l'immagine con i volti dei due uomini, e consegniamo pure quelle, richiedendo una ricerca nell'AFIS, l'Archivio digitale con le impronte e le fotografie dei fermati, per verificare se sono schedati.

Due, con la stessa immagine diramiamo un'altra segnalazione allegando anche la descrizione della seconda auto.

E tre: sempre con le due facce, andiamo in giro a sentire gli informatori. È questo il momento di braccarli. Lavoriamo di testa e gambe, incontriamo persone, e le facciamo parlare.

Per suddividere i compiti, mando Scaccia e Libero a incontrare gli informatori, e con loro mando ancora Pizza. Stare in strada serve al pinguino per farsi le ossa. La Longo e la Fresu alla Scientifica.

«Conosco l'ispettore che ha firmato il referto» dice Missiroli. «Si chiama Bellucci, stava già sulla scena. Se vuole, dottore, lo chiamo e lo avviso, così ci pensa lui a sveltire la procedura.»

«Chiama, Missiro'.»

Io da parte mia telefono a Caruso e lo informo sulle novità. Il magistrato prende nota, commenta che è un buon primo passo, quindi mi ricorda della manifestazione a piazza Vittorio.

«Pensa di andarci?»

«Sì.»

Senza dubbio.

20.

Siamo tutti in movimento. Prima, però, parlo alla Longo e alla Fresu: «Avete fatto un ottimo lavoro».

È vero, e voglio che lo sappiano. Non passo il tempo a lisciare i miei, ma nel nostro mestiere si prendono più sputi in faccia che elogi, quindi se qualcuno se lo merita, glielo dico.

La Longo arrossisce, mi ringrazia e abbassa gli occhi. Missiroli le dà la sveglia: deve salvare su un cd il filmato e i due volti da mandare alla Scientifica.

La Longo va, la Fresu invece rimane. Mi osserva, seria. «Anche lei, dottore, sta facendo bene, sa? Mi è piaciuto come ha condotto la SIT con la signora Wang.»

«Sono contento, Fresu. Pensavi che non sapessi prendere a verbale un teste?»

La sto punzecchiando.

«Non intendevo questo.»

«Lo so.» Adesso vado al punto: «E so anche che con il mio arrivo ti sei sentita sminuita».

Lei, come il resto della squadra, si è vista precipitare dall'alto un nuovo dirigente, per di più cinese.

«Sì, è così» ammette.

«Ma lo stesso, non mi hai preso di punta.»

«Come Scaccia, dice?»

82

«Esatto.»

«Guardi, dottore, che Scaccia è un buon poliziotto, e anche un bravo ragazzo.»

Lo difende, e a me fa piacere.

«Ne sono convinto anch'io. Per questo non lo faccio trasferire a calci.»

Lei annuisce.

«Fresu, il nostro è un gioco di squadra. Le qualifiche e le mansioni importano il giusto. Puoi essere quella che comanda, però se non chiudiamo l'indagine hai perso. Se invece la chiudiamo, abbiamo vinto. Tutti. Anche tu.»

Lei mi osserva per un momento, quindi raggiunge la Longo. Io rientro in ufficio e prendo la giacca per andare alla manifestazione. In quel momento Missiroli si affaccia nella stanza.

«Dove sta andando, dotto'?»

«Piazza Vittorio, da Huong.»

«C'è qualcuno che vuole vederla. Adesso.»

«Chi?»

«Il tenente Chen.»

«Il tenente Chen?»

Lo stesso carabiniere che era sul luogo dell'omicidio. Missiroli allarga le braccia.

A quanto pare, oggi è la giornata delle visite inattese. Prima Vecchio Zhao col figlio e il suo seguito, e ora Chen. Un tenente del ROS che viene a trovare un poliziotto in Commissariato. Come Caruso, anche io voglio capire.

«Ok, vediamolo.»

«Come dice lei, dotto'. Però in piazza Vittorio la accompagno io. L'aspetto di sotto.»

Missiroli scompare, e un istante dopo sulla porta compare Chen. È in borghese, adesso, e mi porge la mano. «Le presentazioni possiamo saltarle, credo. Buongiorno, Wu. Spero di non disturbarti.»

Si rivolge a me in italiano, mi dà del tu – lui tenente, io vicequestore, siamo entrambi funzionari – e sorride.

Solo ora che ce l'ho di fronte, mi rendo conto di quanto siamo simili. Entrambi italiani d'origine cinese, entrambi sbirri, anche se con divise diverse; entrambi abbastanza in alto nella scala gerarchica. Ma non è solo questo. Lanfranchi non ha mai fatto alcun riferimento, e io sto tirando a indovinare, però sono abbastanza sicuro che Chen è uno dei motivi per cui sono stato portato a Roma.

«No, non disturbi» rispondo. Sta disturbando, ma devo essere gentile.

Chen si siede, ancora sorridendo, e anche se è stato lui a venire, non accenna a parlare.

«Hai chiesto di me» lo incalzo io.

«Sì. Per l'indagine su Abile Wang e la bambina. Volevo solo accertarmi che tu sia sicuro di come ti stai muovendo.»

Mi infastidisce. «Che significa, Chen?»

«Niente. Solo che vorrei darti una mano, se posso.»

Non solo oggi è la giornata delle visite inattese, ma pare proprio che tutti vogliano aiutare.

«Non mi serve la mano di un tenente del ROS. Facciamo da soli.»

«Vedi che ti sfugge il punto? Qui non è carabinieri contro polizia. Guardati allo specchio, Wu. Qui si tratta di noi.»

Continua a infastidirmi. E sì, mi sfugge il punto. «Siamo tutti e due italo-cinesi» dico. «E allora?»

«In verità, i miei sono arrivati in Italia da Taiwan, non dalla Repubblica Popolare» specifica Chen.

A maggior ragione non capisco. «Prima mi dici che siamo uguali, poi che non lo siamo.» Mi sto stancando di essere gentile. «Chen, o ti spieghi, o te ne vai.»

«Mi spiego. Taiwan o Repubblica Popolare Cinese non cambia. Io e te, per gli altri, siamo due gialli che fanno gli sbirri. E tu, adesso, sei nel mezzo di un'indagine che riguarda altri cinesi. Te l'ho detto, voglio darti una mano. Puro egoismo. Se tu, sbirro cinese, ci fai una bella figura, io, sbirro cinese, ci guadagno.»

Mi sembra di sentire Lanfranchi. Ma se verso il questore

ho qualche obbligo, verso Chen non ne ho. E mi sono davvero stufato.

«Vaffanculo, Chen. Ne ho pieni i coglioni di gente che mi tira da una parte o dall'altra. Mancavi solo tu.»

«Io posso spiegarti il contesto, Wu.»

Spiegarmi?

Mi sforzo di mantenere la calma: «Quale contesto, Chen?».

«La mafia cinese. So che hai già fatto indagini, a Bologna, e sono sicuro che come me ti sarai informato a fondo. Sono anche sicuro che appena sei arrivato a Tor Pignattara, Missiroli ti avrà portato in giro per spiegarti un po' il quartiere.»

Tutto giusto, ma a lui non lo dico.

«Però non basta» prosegue Chen. «Non parliamo dell'Italia o di Tor Pignattara. Parliamo di Roma. Io sono qui da più tempo di te, e in un certo senso mi sono specializzato. I dati ufficiali dicono che ci sono quasi quindicimila cinesi residenti, e dal 2010 sono aumentati del quindici per cento. Gli irregolari sono talmente tanti che non riusciamo a contarli. Si parla spesso della Chinatown di Milano, o di Prato, ma a Roma di Chinatown ne abbiamo almeno quattro o cinque, e tu guidi il Commissariato di una di queste. Se poi pensiamo alle imprese cinesi – *regolari*, intendo – i numeri fanno girare la testa. A Roma ne nasce una nuova ogni giorno, e ce ne sono quasi tremila. Negli ultimi dieci anni l'incremento è stato del duecentocinquanta per cento. Di quelle irregolari non abbiamo dati ufficiali, ma sono ancora più impressionanti. E in mezzo a tutto ciò, ci sono le Triadi. *Questo* è il contesto.»

«Ho conosciuto Vecchio Zhao e suo figlio.»

«Quindi avrai già intuito chi è.»

«Sì.»

«Bene. Se vuoi che ne parliamo, chiamami.» Lascia sulla scrivania un biglietto da visita con il numero del cellulare. «Di Vecchio Zhao e tutto il resto.»

«Il contesto» dico io.

«Il contesto» ripete lui. Poi se ne va.

Io prendo il biglietto da visita, e sto per stracciarlo e buttarlo nel cestino. Invece me lo infilo in tasca.

21.

È inverno, il sole è ormai tramontato. Migliaia di fiammelle, nel buio, illuminano piazza Vittorio. Sono più di tremila i cinesi che si sono radunati qui, e ognuno di loro porta al braccio una fascia bianca e tiene in mano una candela accesa. Stanno fermi, formano un grande cerchio, al centro del quale sono stati messi due grandi cartelloni con le foto di Abile Wang e Profumata Wang. Intonano ripetutamente un unico slogan in italiano e in cinese mandarino: «Viva la sicurezza, no alla violenza». Suona quasi infantile.

Attorno ai cinesi, gli agenti del Commissariato locale e quelli del Reparto Mobile hanno formato un cordone. Oltre il cordone, le telecamere dei telegiornali stanno riprendendo. Ai margini, in borghese, si muovono quelli della DIGOS.

All'inizio, la manifestazione non era autorizzata, ma poi Lanfranchi ha capito che negare il permesso sarebbe stato impopolare e, d'accordo con il prefetto ha dato il suo benestare.

Io e Missiroli ci siamo sistemati sul lato della piazza che dà su via Principe Eugenio. Proseguendo, si arriva a via di Porta Maggiore, e quindi alla Casilina. Fino a Tor Pignattara. La Via della Seta di Roma.

Una voce ci fa voltare: «Missiro'!».

Sono due, entrambi poliziotti, anche loro in borghese. Salutano Missiroli con abbracci e pacche sulle spalle, dopodiché l'ispettore me li presenta. Mauro Bozzo e Antonio Gambetta. Non hanno l'aria da DIGOS, e infatti sono colleghi dell'Esquilino.

Missiroli spiega che ci troviamo qua perché siamo noi di Tor Pignattara a seguire l'indagine del duplice omicidio.

«Abbiamo saputo» dice Bozzo, il più anziano dei due, fissandomi. Lo sguardo di uno sbirro esperto che cerca di valutarne un altro.

«Qua, comunque, sta andando tutto liscio» aggiunge Gambetta, riferendosi alla manifestazione.

In effetti, sembra tutto molto tranquillo. Persino troppo.

Io lascio Missiroli con Bozzo e Gambetta. Ho visto arrivare Wang Xinxia, assieme a Huong e Sofia Sun, e li raggiungo.

Non l'ho ancora fatto, e ora mi sembra l'occasione per esprimere le mie condoglianze alla signora Wang. «È bello quello che stanno facendo queste persone per lei e la sua famiglia.»

«Sì» risponde lei.

«Non è solo per la signora Wang, suo marito e sua figlia che siamo qui» dice Huong. «È per tutti noi cinesi, vicequestore Wu.»

«Io non sono incluso?»

«Che intende dire?»

«Se è per tutti noi cinesi, allora poteva dirmelo questa mattina, al Commissariato, che aveva organizzato la manifestazione.»

Huong scrolla le spalle, innocente. «Questa mattina non era ancora stata presa una decisione.»

«Certo…»

Huong non commenta. «Dobbiamo andare» si limita a dire scambiando un cenno d'intesa con Sofia Sun, poi porta Wang Xinxia al centro del cerchio formato dai manifestanti, dove stanno le gigantografie di Abile Wang e Profumata Wang. Le luci delle candele proiettano ombre tremolanti sui due volti.

L'avvocato, ancora vicina a me, guarda la marea di fiammelle. «Sono venuti davvero in tanti.»

«Siamo cinesi, siamo tanti.»

Sorride e mi si mette di fronte. «Lei non si sente parte di tutto questo, vero?»

Se potessi dare una risposta precisa, non mi sentirei sempre spaccato a metà, e tutto per me sarebbe più semplice. Scelgo una mezza verità: «Io sono un poliziotto».

«Capisco.»

«Davvero?»

«Sa quante sono le donne avvocato di origine cinese che esercitano Italia?»

Non lo so, in effetti.

«Tre. E io sono una.»

Vuole farmi capire che nemmeno per lei è facile. Donna, avvocato, cinese. Deve essere complicato, ogni volta, trovare una collocazione, un punto di equilibrio. Prima di allontanarsi sorride ancora.

Intanto la veglia prosegue. I partecipanti reggono le candele e continuano a intonare il loro slogan. Scorgo una decina di ragazzetti, tra i diciassette e i vent'anni, con i capelli tagliati e acconciati in creste colorate, e coperti di tatuaggi. Sono le Lanterne Blu. Non proprio affiliati alla Triade, e grosso modo paragonabili agli "avvicinati" di Cosa Nostra. Manovalanza criminale.

Alcuni di loro mi piantano gli occhi addosso. Io non mi fermo e vado a mettermi sotto il portico che costeggia il lato opposto della piazza, accanto a una delle fermate della metro.

Da qui vedo Vecchio Zhao e Piccolo Zhao, assieme ad alcuni uomini, tra cui i due sgherri che stamattina li hanno accompagnati in Procura. Vecchio Zhao ci ha informato della manifestazione organizzata da Huong, ma lui, a sua volta, ha dimenticato di dire che vi avrebbe partecipato.

In realtà, per come lui e i suoi si sono posizionati, sembrano assistere più che partecipare. E dal centro della piazza numerose persone si staccano per andare da Vecchio Zhao a parlargli. Se Vecchio Zhao è il 489, il *San Chu*, il boss, gli altri che sono con lui possono essere membri della Piramide, o affiliati.

Le Triadi sono poco interessate al controllo del territorio, è vero. Ma ciò non significa che poi, di fatto, non lo esercitino.

Anzi.

L'Italia, tra l'altro, è un granello di polvere rispetto alla Cina, è molto più semplice da governare. E le Società Nere esercitano un controllo assoluto sulle comunità cinesi. Tutte le attività, lecite e illecite, sono in qualche modo gestite dalla mafia con la forza, l'intimidazione, il ricatto, ma allo stesso tempo con il supporto e la protezione. Ogni contrasto viene appianato. "C'è il modo morbido, e c'è il modo duro, ma c'è sempre una soluzione." Persino nella vita privata, se ci sono dissapori famigliari, o liti tra coniugi, interviene la Triade a sedare in silenzio i contrasti.

Ma la mafia cinese, in Italia, non è un'entità compatta. Ci sono almeno due parti e la separazione tra le due non è stagna.

La prima: i Draghi senza Testa e senza Coda, gruppi di cinesi perlopiù di seconda generazione, di solito non più di dieci o quindici per gruppo, ma possono arrivare a comprendere fino a duecento elementi, come gli Yuhu, a Milano. Vestono una sorta di divisa, sono feroci, e giovani. Assomigliano alle Lanterne Blu, però sono del tutto autonomi. Gestiscono il livello basico delle attività illecite: rapine, estorsioni, sfruttamento della prostituzione. Si spostano in tutto il Paese, agiscono soprattutto all'interno delle comunità cinesi, ma se necessario colpiscono anche al di fuori.

Spesso, i Draghi senza Testa e senza Coda vengono ingaggiati come killer da chiunque debba regolare una questione in modo drastico. In particolare, vengono ingaggiati dall'altra parte della mafia cinese in Italia: i Draghi con la Testa e con la Coda. Le associazioni mafiose vere e proprie, strutturate a piramide, appunto, che il territorio a loro modo lo tengono in pugno. Organizzate sulla base di precise regole e codici di omertà, con il *Guanxi* che unisce i membri, con il senso della famiglia e dell'appartenenza che è più o meno lo stesso delle mafie italiane. Sono le "propaggini nere" delle Triadi asiatiche, e con Cosa Nostra, Camorra e 'Ndrangheta tengono rapporti di collaborazione e buon vicinato.

Osservo ancora Vecchio Zhao, Piccolo Zhao e il gruppo di uomini che è con loro, mentre prosegue la processione di quelli che rendono omaggio. Un tipo si avvicina a Vecchio Zhao e gli sussurra all'orecchio. Evidentemente è il momento sbagliato, perché il viso di Vecchio Zhao si indurisce. Sotto l'aspetto di anziano bonario, quasi dimesso, s'intravede qualcosa di molto più pericoloso. Gli uomini di Vecchio Zhao si avvicinano al tizio che lo ha infastidito, e quello se ne va in fretta.

E io so che sto vedendo un Drago con la Testa e con la Coda.

22.

Un attimo dopo, qualcuno mi spinge contro una colonna del portico.

«Che cazzo guardi? Chi cazzo sei?»

È una Lanterna Blu che prima mi fissava in mezzo alla manifestazione. Sulla testa ha una vistosa cresta gialla.

Assieme a lui, ce ne sono altri due, uno con la cresta rossa, l'altro con la cresta verde. Tutti e tre hanno parte della faccia, il collo e le braccia tatuate con dragoni, tigri, fenici e con i caratteri di "longevità", "forza", "coraggio".

«Non guardo niente» rispondo. «E non sono nessuno.»

Tengo le mani alte e parlo con voce tranquilla. Non voglio che la situazione degeneri.

«Mi prendi per il culo?» incalza Cresta Gialla.

«No» replico, sempre in tono calmo. «Stavo qua, e basta.»

«Qua non ci puoi stare.»

«Perché?»

Cresta Gialla si consulta con gli altri, uno scambio di sguardi. «Perché non sappiamo chi cazzo sei.»

Questi non sono come i due mezzi ubriachi e mezzi fatti a via di Libetta. Se tiro fuori il tesserino, non so come potrebbero reagire. Ci sono le persone radunate in piazza, e altre che passano sotto il portico, ma a loro sembra non fregare niente.

«Va bene, allora vado via.»

«No, adesso resti» dice Cresta Gialla.

La situazione sta *già* degenerando. È inutile essere sensati.

Cresta Gialla avanza verso di me, e capisco che sta per cominciare una rissa. È un attimo, non posso fare niente, solo prepararmi. Le gambe mi tremano. Mi succede sempre prima di uno scontro. Mi succede perché ho paura. È una reazione chimica del cervello che ho imparato a conoscere, e non me ne vergogno. È qualcosa di scritto nel DNA.

Gli uomini, in fondo, erano solo scimmie. Scimmie che dovevano confrontarsi con predatori molto più grandi, forti e letali. Per questo le prime reazioni dell'organismo umano di fronte al pericolo sono la paura e la fuga.

In tutto il mio addestramento al *Ving Tsun*, però, io ho imparato ad andare contro questi impulsi. A gestirli e neutralizzarli. Ho imparato a disobbedire al mio stesso organismo.

Perciò quando Cresta Gialla fa un passo avanti, le gambe mi tremano e ho paura. Ma appena il ragazzo apre la spalla per caricare un pugno largo, il mio corpo si mette automaticamente in azione come gli è stato insegnato a fare, e sovverte tutti gli impulsi della parte più profonda del mio cervello che sta gridando di fuggire.

Non fuggo, e mentre controllo il pugno di Cresta Gialla con un semplice *Tan Sao* del braccio sinistro, lo centro al plesso solare.

Non ho più paura, e le gambe hanno smesso di tremarmi.

Cresta Gialla barcolla all'indietro buttando fuori il fiato.

Uomini e donne continuano a passare sotto il portico. Cinesi che solo ora stanno arrivando alla manifestazione, e italiani incuriositi. Quasi tutti tirano dritto. O non si accorgono di nulla, o preferiscono non accorgersene. I pochi che si fermano si tengono a distanza.

Sento uno scambio di battute.

«Ahó, ma che stanno a fa'?»

«So' cinesi, se stanno a mena'.»

«Hai capito Bruce Lee...»

Nessuno interviene.

Cresta Rossa e Cresta Verde sono rimasti sorpresi dalla mia reazione. Ma non possono darlo a vedere, quindi sfottono Cresta Gialla che torna all'attacco caricando un altro pugno con tutto il suo peso.

Nel *Ving Tsun* non esiste difesa, e non ci sono vere e proprie parate simili alle altre arti marziali. C'è solo il controllo del colpo dell'avversario e il contrattacco. In contemporanea.

Quindi, di nuovo, devio il pugno di Cresta Gialla piegando di scatto il braccio e il gomito in *Bong Sao*, poi ruoto le anche, e con lo stesso braccio gli tiro un *Fak Sao*, un colpo secco con il taglio della mano, alla base del collo.

Cresta Gialla va giù.

Per un istante, Cresta Rossa e Cresta Verde rimangono spiazzati.

Una donna grida.

Poi, un altro urlo: «Dottore!».

Missiroli mi sta raggiungendo di corsa.

Mi giro e noto, sulla piazza, Piccolo Zhao. Anche lui sta osservando la scena. Ha visto tutto. E continua a fissarmi.

«Adesso ti rompiamo il culo.»

Cresta Rossa e Cresta Verde mi si fanno sotto minacciosi, e io sono costretto a concentrarmi su di loro. Cresta Verde mette una mano in tasca, e intravedo l'impugnatura di un coltello a serramanico. Potrei strapparglielo, ma lottare a mani nude contro qualcuno armato, a meno di non essere costretti, è una sciocchezza. Allora, visto che anche io ho un'arma, scosto la giacca per mostrare la pistola al fianco, e tiro fuori il tesserino.

«Polizia, teste di cazzo!»

Cresta Verde e Cresta Rossa si bloccano. Si guardano

intorno. Solo in questo momento, forse, si rendono conto davvero di essere di fronte a qualche migliaio di persone. E io sono uno sbirro. Iniziano a realizzare di aver pisciato fuori dal vaso.

Dovrei arrestarli, ma al massimo si prenderebbero un'aggressione a pubblico ufficiale. Se poi sono minorenni e incensurati – e potrebbero esserlo – un avvocato qualunque li tiene fuori di galera.

Più di tutto, però, non voglio – io cinese – arrestare tre ragazzi cinesi mentre si sta svolgendo la manifestazione in memoria di Abile Wang e Profumata Wang.

«Dài, forza! Prendete il vostro amico e sparite!»

Cresta Verde e Cresta Rossa aiutano Cresta Gialla a rialzarsi, e lo portano via.

Missiroli arriva trafelato. «Dotto', l'ho chiamata al cellulare e non rispondeva.» Si accorge di Cresta Rossa e Cresta Verde che sorreggono Cresta Gialla, e da sotto il portico svoltano su via Mamiani. «Ma che è successo?»

«Niente. Una discussione.» L'ispettore non approfondisce. «Tu, piuttosto?»

«C'hanno segnalato una macchina in fiamme presso parco Madre Teresa di Calcutta, zona Palmiro Togliatti. Una Renault Clio blu.»

L'area è sempre tra la Casilina e la Prenestina, e il modello della macchina corrisponde alla seconda auto che abbiamo visto nel video dei due rapinatori.

«Andiamo, Missiro'!»

23.

Quando arriviamo al parco Madre Teresa di Calcutta, ci sono già Scaccia, Libero e Pizza. E ci sono anche i vigili del fuoco insieme ai colleghi del Commissariato Tuscolano. Sono loro che hanno avvertito Missiroli, dopo aver visto la segnalazione diramata. Sanno che quella è roba nostra, e quando arriviamo noi si ritirano in buon ordine.

I vigili del fuoco stanno spegnendo le fiamme che avvolgono l'auto.

A piazza Vittorio erano le candele a illuminare il buio, qui sono le lamiere incendiate. Il fuoco si alza ancora con bagliori rossi e viola, ed emana una colonna di fumo nero. Si sente un puzzo acre di plastica e gomma fuse.

Anche se sappiamo che non ci sarà quasi niente da rilevare, dico a Scaccia di avvertire la Scientifica. Poi un caposquadra dei vigili del fuoco avverte noi. C'è qualcosa che dovremmo vedere. Dentro l'auto hanno trovato un cadavere. È semicarbonizzato, irriconoscibile. Si intuisce soltanto che si tratta di un uomo.

Ma un dettaglio non possiamo fare a meno di notarlo: ha la gola tagliata. Recisa così a fondo che la testa è quasi staccata dal collo.

«Madonna santa, dotto'!» sbotta Libero.

Pizza sbianca e si allontana rapido. Ha sopportato la vista dei cadaveri di Abile Wang e Profumata Wang, ma adesso non regge. Vomita. Nessuno gli dice niente, perché è capitato a tutti, almeno una volta.

Al puzzo di gomma e plastica, ora si mescola un odore di carne cotta alla griglia.

Scaccia fa arretrare anche la squadra dei vigili del fuoco. Questa, adesso, è la scena di un crimine.

Chiamo Caruso e lo aggiorno sul regalino che abbiamo trovato dentro l'auto.

«È il nostro secondo uomo?» chiede il pm.

«Ancora non lo sappiamo, dottore. Ma l'auto è la stessa con cui l'abbiamo visto andare via dal benzinaio: la Renault Clio blu. O c'è salito sopra qualcun altro, dopo, o è lui.»

Dovrebbe essere il più giovane, quello coi baffetti biondicci e radi.

Chiudo con Caruso.

Dopo mezz'ora, arrivano quelli della Scientifica. I tecnici

fanno quello che possono con l'auto, cercano reperti, ma il fuoco ha distrutto praticamente tutte le tracce utili, ed è impossibile prelevare impronte. Recuperano pure il cellulare del morto, ma è pressoché liquefatto.

In contemporanea arrivano il medico legale e la Mortuaria. Il medico legale è ancora Olivieri, e appena vede la macchina bruciata bofonchia tra sé. Marcello Olivieri è un genovese scostante e ombroso, ma nel suo campo ce ne sono pochi bravi come lui. Adesso si lamenta che con gli "arrosti" è sempre un problema.

Date le condizioni del corpo, infatti, non effettua nessun esame preliminare, e la Scientifica non lo tocca. Si limitano ad avvolgergli le mani dentro gli appositi sacchetti di plastica. Vista l'assenza di impronte sull'auto, quelle del cadavere diventano essenziali, almeno per cercare di identificarlo.

In ogni caso, per ora noi ragioniamo come se il morto dentro la Clio fosse il secondo uomo.

Quello che non sappiamo è chi l'ha ucciso. È stato il compare per non spartire il bottino? Oppure qualcun altro, per qualche altro motivo?

Mi apparto con Missiroli e gli racconto ciò che ho visto a piazza Vittorio. La processione di gente che omaggiava Vecchio Zhao. Il Drago con la Testa e con la Coda.

«Al magistrato l'ha detto?» mi chiede.

Ancora una volta sappiamo tutti e due quali sono le implicazioni.

«No» rispondo.

Caruso ha chiesto riscontri su Vecchio Zhao, e la scenetta a cui ho assistito – anche se *so* cosa ho visto – non è un riscontro.

I pompieri se ne vanno. Il cadavere è già stato caricato sul furgone della Mortuaria, e anche Olivieri è in procinto di abbandonare la scena.

Io ordino ai miei di staccare.

È notte, l'una passata, e da quando stamattina abbiamo

preso a verbale Wang Xinxia, al Commissariato non ci siamo mai fermati.

«Dotto', se lei è stanco, ce potemo pensa' noi» dice Scaccia. Mi sta sfidando.

So che è cresciuto in un quartiere difficile. E so che è entrato in polizia perché è stato molto vicino a passare dall'altra parte, ma non voleva dare un dispiacere alla sorella maggiore che l'ha allevato mentre i genitori si spaccavano la schiena a un banco di frutta al mercato. Ha una sua forma di lealtà verso i colleghi e i superiori, e un suo codice d'onore. Si fa spesso i servizi antidroga perché non sopporta gli spacciatori. Per lui chi tocca donne, vecchi e bambini è un infame che non merita pietà, meglio i rapinatori che almeno se la rischiano.

Secondo il suo senso di lealtà, rimosso il precedente dirigente, il comando doveva andare a Missiroli, anche se non ha la qualifica. Dal suo punto di vista sono solo un cinese che arriva da Bologna e prende il posto che sarebbe giusto occupasse un suo amico che stima e rispetta.

Per certi versi, lo ammiro. Ma è la terza volta che mi dà contro apertamente. Due volte l'ho ignorato, adesso non posso.

Lo affronto.

«Avete qualche novità dagli informatori?» chiedo a Liberati e Pizzuto. Pizza è sempre pallido, sembra *lui* una salma.

«No, dotto'» risponde Libero per entrambi.

«E tu, Scaccia? I tuoi informatori t'hanno detto niente?»

«No, dotto'.»

«C'è qualche altro accertamento investigativo che mi è sfuggito?»

«No, dotto'» è costretto a ripetere.

«Allora, a che cosa *ce potete pensa'* voi, Scaccia?»

Il sovrintendente tace.

«Hai rotto le palle» gli dico.

Scaccia stringe i denti, chiude i pugni, e mi viene sotto. Io ho ancora in circolo l'adrenalina per lo scontro con Cresta Gialla, e rimango immobile. Pronto.

«Vogliamo risolverla così? Per me non è un problema. Ci dimentichiamo le mostrine sulla divisa, solo io e te, e vediamo come va a finire» lo provoco.

Con il suo passato, Scaccia sa distinguere un bluff. Io non sto bluffando. E lui si tira indietro.

Prende un respiro, poi un altro. Infine china appena la testa.

«Se pensi di continuare così, non va» lo incalzo, duro. «Se pensi di metterti sempre di traverso a me, è meglio se chiedi di essere riassegnato. Perché io da qui non mi muovo. Ho intenzione di fare il mio cazzo di lavoro, e ho intenzione di venire a capo di questa cazzo di indagine!»

Anche perché adesso c'è un altro morto.

Decapitato.

24.

Pizzuto mi lascia sotto casa mia in via Ignazio Persico. Il pinguino è ancora pallido, ma sembra essersi ripreso. Mentre sto scendendo dalla macchina, intuisco che vuole domandarmi qualcosa.

«Dimmi, Pizza» lo incoraggio.

«Mi chiedevo, dotto'… Ma prima davvero lei era pronto a fare a botte con Scaccia?»

Ora sono io che lo guardo. «Tu che pensi?»

Pizza capisce. «Penso che io non vorrei mai farla incazzare, dottore.»

«Ragazzo saggio» gli dico. Poi lo mando via.

Io invece rimango per qualche minuto in strada. Ho bisogno di decomprimere un attimo.

A quest'ora di notte la Garbatella è silenziosa. Intravedo le prime villette dei Lotti, la parte più antica. Come Tor Pignattara, anche questo quartiere nasce popolare e operaio, e anche qui tra gli anni Settanta e Ottanta c'è stata una storia di batterie criminali e di droga. La banda della Magliana aveva uno dei suoi ritrovi in un bar di via Chiabrera, ma proprio per questo, e anche perché le famiglie di alcuni componenti della banda vivevano qui, la Garbatella è sempre stata, nel complesso, zona franca.

Oggi è un buon posto dove vivere, tranquillo e con molti meno contrasti di Tor Pignattara. Ci sono i vecchi romani residenti e gli studenti di Roma Tre; ci sono i centri sociali, come La Casetta Rossa, che uniscono vecchi e giovani; ci sono i locali alla moda, come al Pigneto, però si alternano alle osterie tradizionali, e non creano l'effetto "Villaggio Alternativo". Lo spaccio si limita a un po' di erba e fumo.

Ma soprattutto, non c'è mai stata nessuna invasione di stranieri.

Io, cinese e italiano, sono uno dei pochi. E alla Garbatella ci sono finito per caso.

Appena arrivato a Roma, mi metto a cercare una palestra, una scuola, qualcuno con cui allenarmi al *Ving Tsun*. La maggior parte delle scuole, in Italia, insegnano robaccia scadente, che il *Sifu* – il maestro – sia italiano o cinese. Se è "pensato" e praticato nel modo sbagliato, il *Ving Tsun* diventa inutile e grottesco.

Poi trovo il sito del Ving Tsun Roma, guardo alcuni filmati, vedo che tengono il gomito nella posizione corretta, e dalla posizione del gomito si capisce subito se il *Ving Tsun* che uno fa è spazzatura o roba seria. Seguono il *lineage*, la linea d'insegnamento di Wong Shun Leung e Philipp Bayer.

Conosco sia Wong che Bayer, e mi convinco.

Tra i contatti del sito trovo quello di Alessandro, lo chiamo e lui, abitando fuori Roma, mi dà appuntamento alla Garbatella, dove vivono i suoi genitori.

Finito il nostro primo allenamento assieme, anziché tornare a Tor Pignattara e all'alloggio in Commissariato, dove mi sono sistemato in via provvisoria, faccio un giro per il quartiere. Mi piace, e d'impulso decido di viverci. Poi è Missiroli, con i suoi mille agganci, che mi trova casa. Anche se la Garbatella è distante da Tor Pignattara, e ogni giorno mi tocca fare avanti e indietro, a Roma non vorrei stare da nessun'altra parte.

Adesso varco l'ingresso del mio palazzo, passo nel piccolo cortile interno. Tutte le finestre sono buie. Anche le mie.

Nessuno mi sta aspettando.

Appena entro in casa, mi libero subito della pistola e delle manette. Accendo il computer, e vedo che ho ricevuto un messaggio su Skype. È da parte dei miei nonni, e li richiamo. Nonostante l'ora, so che li troverò svegli.

Quando ho annunciato il mio trasferimento a Roma, si sono preoccupati. Li Meyu ha iniziato a dire che erano vecchi e non mi avrebbero più visto.

Allora, prima di partire, ho preso un pc portatile, ho installato Skype, e ho spiegato loro come usarlo. Il soprannome di mio nonno, Forte Li, risale a quando in Cina faceva il contadino, e in paese dicevano che nei campi poteva tirare l'aratro da solo, senza bisogno del trattore. Ma oltre alla forza straordinaria, e alle mani enormi, ha sempre avuto un cervello fino. Dunque, pure con i suoi settantanove anni, ha imparato subito. Li Meyu no, però non le importa, basta che possa guardarmi in faccia.

Come in questo momento.

«*Sunzi*. Come stai?» mi domanda in dialetto appena mi vede.

Sunzi, nipotino.

«Sto bene, Bellissima Li.»

«Smettila» sorride mia nonna, «nessuno mi chiama più così.»

«Io sì.» È un piccolo gioco solo nostro. «Mio padre?»

«Sempre il solito.» Li Meyu sa che non serve aggiungere altro.

Sono stati lei e Forte Li a raccontarmi tutto ciò che so di Silenzioso Wu: il passato in polizia, la scelta di lasciare la Cina. Loro due e mia madre, prima che lei morisse.

«Sicuro che stai bene?» insiste Forte Li. «Hai bisogno di qualcosa?» Come se da lì potessero aiutarmi. Se glielo chiedessi, però, per me sarebbero pronti a tutto.

All'improvviso sento un groppo in gola, e sbatto le palpebre per ricacciare indietro le lacrime. Forse è la stanchezza.

«Sì, sto bene» ripeto. «Ho solo molto lavoro.»

Li Meyu mi domanda di Anna e Giacomo.

Mio padre con Giacomo si trasforma. Ride e gioca. E Li Meyu e Forte Li adorano il loro bisnipote come una divinità. Mio figlio, a sua volta, ama i «nonni gialli», come li chiama lui. Anche a me, a volte, mi chiama «papà giallo». In Giacomo i tratti cinesi sono riconoscibili solo nella forma degli occhi, appena più allungata rispetto a quella dei bambini italiani. Ma quando i coetanei lo hanno visto con me, con mio padre o con Forte Li e Li Meyu, lo hanno preso in giro. Lui, a cinque anni, ha reagito dissacrando la presa in giro, e trasformandola in una cosa bella.

Poi c'è Anna. Con lei Silenzioso Wu è gentile, ma intimorito. Dice che è una donna intelligente, più di me. E su questo non sbaglia. Dice anche che una donna intelligente può farti stare o molto bene, o molto male. I miei nonni, invece, ne sono innamorati per il semplice fatto che gli ha dato quel bisnipote che venerano. È un innamoramento reciproco, perché anche Anna vuole bene a Forte Li e Li Meyu per il semplice fatto che venerano suo figlio. Per mio padre prova affetto, lo so, ma proprio perché è una donna tanto intelligente non può non vedere alcune ombre dietro i suoi silenzi. Di conseguenza, anche lei mantiene una certa distanza.

Dall'altra parte, i genitori di mia moglie mi hanno accettato. Sono persone istruite e aperte, che a modo loro hanno cercato di conoscermi, e con me hanno un rapporto cauto ma benevolo. Con la mia famiglia sono cordiali. Non so se posso chiedere di più.

Nessuno di loro sa della situazione tra me e mia moglie. Io non ho detto nulla, e nemmeno Anna.

Nessuno di loro sa che mi ha cacciato di casa prima che io venissi a Roma, che questo è stato il vero motivo per cui ho detto sì al trasferimento, mentre lei e Giacomo non mi hanno seguito. Nessuno di loro sa che in tutti questi anni l'ho sempre tradita.

Perciò, adesso, mento alle domande di mia nonna.

Mi sento un vigliacco, e mi vergogno, ma non sopporterei di vedere negli occhi di Forte Li e Li Meyu il disprezzo nei miei confronti. Racconto che parlo con Anna e Giacomo tutti i giorni, che anche loro stanno bene, che non ci sono problemi.

In realtà, da quando sono a Roma ho parlato con mio figlio solo due volte, al telefono. Anna me lo ha passato senza salutarmi né aggiungere altro.

La mia assenza lo fa soffrire, ma ancora non ha prodotto danni. Però, se non sistemo le cose, il male che prova diventerà sempre più profondo, si anniderà in lui, e comincerà a intaccarlo e cambiarlo.

«È tutto a posto» ripeto a Li Meyu e a Forte Li.

Sono contenti, e mio nonno dice che ora è meglio se vanno a letto. Le nostre conversazioni su Skype sono sempre brevi, come se Forte Li non si fidasse abbastanza di questa diavoleria moderna.

Sorrido.

Prima d'interrompere il collegamento, mia nonna dice: «Ti vogliamo bene, sai?».

E di nuovo, mi si riempiono gli occhi di lacrime.

Chiudo Skype. Scarico le mail, e apro solo quella di Anna. Al solito, il campo dell'oggetto e quello di testo sono vuoti.

Al solito, sfioro e rigiro la fede all'anulare.

Al solito, clicco sul link della canzone. Stavolta è *Spaccacuore* di Samuele Bersani.

"So come son fatto io / ma non riesco a sciogliermi / ed è per questo che son qui / e tu lontana dei chilometri.

Ma non pensarmi più / ti ho detto di mirare / l'amore spacca il cuore…"

Mando un sms ad Alessandro, chiedendogli se domattina possiamo allenarci. All'alba. Poi vado a letto anch'io, e mi addormento ascoltando la canzone che mi ha mandato Anna.

L'amore spacca davvero il cuore.

25.

La mattina dopo, quando Alessandro mi chiama, io sono pronto. Scendo e lo trovo già di sotto. Ci alleniamo sempre sul terrazzo in cima allo stabile dove abitano i suoi genitori, che si trova proprio di fronte al mio palazzo.

Il sole sta sorgendo, e il cielo inizia a tingersi di rosso. In lontananza risuonano le campane della basilica di San Paolo. Dal forno al piano terra, sale l'odore del pane appena cotto. Tira un vento leggero, e si sta bene.

Alessandro si mette davanti a me.

Gambe divaricate, ginocchia leggermente flesse, piedi appena rivolti verso l'interno, pugni chiusi all'altezza delle spalle.

Eseguiamo la prima forma del *Ving Tsun*.

Siu Lim Tao.

È stato mio padre a insegnarmi per primo il *Ving Tsun*. Io ho quattro anni e lui comincia ad allenarmi. Non mi ha mai detto perché. Lui è *Silenzioso* Wu, dunque non perde tempo a darmi conto delle sue motivazioni, mi allena e basta. Mi addestra allo stesso *Ving Tsun* che ha appreso in polizia, un *Ving Tsun* "bastardo", nel quale si mescolano tecniche di leve, prese e rotture. *Chin Na.*

Nel *Ving Tsun* puro, mi spiega, queste tecniche non ci sono. Il *Ving Tsun*, in sintesi, è tirare pugni, manate e calci. Un solo tipo di pugno, il diretto; affondi con il taglio e il palmo della mano; niente gomitate perché un pugno arriva prima; calci sempre bassi, mirati al ventre dell'avversario, alle ginocchia o alle caviglie; gomiti stretti, protezione della linea centrale del corpo, controllo dei colpi che si ricevono e contrattacco, sempre in simultanea.

Semplice, efficace, ed economico.

Io e Alessandro terminiamo l'esecuzione della *Siu Lim Tao*.

A tredici anni mio padre mi dice che sono grande abbastanza per scegliere: continuare a praticare il *Ving Tsun* o provare un'altra arte marziale. Forse solo per dispetto, scelgo di cambiare. Mi cimento con la *Thai Boxe*, il *Ju Jitsu*, il *Penkak Silat*, e vari altri stili di Kung Fu: il *Choy Lee Fut*, il *Ba Gua*, lo *Xin Yi*.

Ma alla fine torno da mio padre e gli dico che voglio continuare con il *Ving Tsun*, perché ho capito che è la *mia* arte marziale. Mi aderisce come un abito tagliato su misura, e il mio corpo agisce senza alcuno sforzo.

Silenzioso Wu, allora, mi porta da un *Sifu* che possa insegnarmi il migliore *Ving Tsun*. Si chiama Ha Ja, sta a Bologna, però ha vissuto a Hong Kong ed è stato allievo di Wong Shun Leung, più o meno nello stesso periodo in cui lo è stato anche Philipp Bayer. Dopo la prima forma, passiamo al *Chi Sao*, l'esercizio braccia contro braccia, lo scambio di forza che potenzia la struttura. Il *Ving Tsun* è struttura. La potenza di ogni singolo colpo viene dal corpo intero. E la struttura è fatta di angoli. Ogni volta che Alessandro penetra con le sue braccia tra le mie e sferra il colpo, mi mostra un angolo che ho lasciato scoperto, una falla nella mia struttura.

«Lo vedi che te buco? Tieni il *Wu Sao* troppo largo, e tiri su in ritardo il *Bong Sao*» dice, pronunciando i nomi cinesi delle mosse con la sua cadenza romanesca.

Lui scova la falla, e io devo correggermi. Ogni tanto io buco lui. «Sei molle col *Fook Sao*, non tieni il mio pugno.» E lo obbligo a fare lo stesso.

Wong Shun Leung è stato una leggenda, allievo di Yip Man – il più grande maestro di *Ving Tsun* di tutti i tempi –

colui con il quale si allenava Bruce Lee da ragazzo. Lo chiamavano *Gong Sao Wong*, "Il Re delle mani che parlano", per la sua incredibile abilità nei combattimenti.

Ha Ja mi allena e io apprendo *quel Ving Tsun*. Pugilato cinese: pugni, soprattutto pugni, velocità e forza esplosiva nell'esecuzione dei colpi, ore e ore a fare *Chi Sao*, lavorando sulle posizioni, limando e correggendo differenze di centimetri per rendere la struttura *incrollabile*. Ripetere in maniera estenuante le tre forme finché i movimenti diventano automatici, e a memorizzarli non è la testa, ma i muscoli.

E intanto continuo ad allenarmi anche con mio padre nel *Chin Na*. Imparo ad afferrare, torcere, proiettare l'avversario. Imparo a slogare articolazioni e a rompere ossa.

Però, al termine di ogni allenamento, mio padre vuole che faccia *Chi Sao* e che ripeta le tre forme anche con lui. Intanto, sempre senza dire nulla, spia ogni variazione che posso aver appreso da Ha Ja.

Siu Lim Tao, la Forma della Piccola Idea.

Chum Kiu, Attraversare il Ponte.

Biu Jee, le Dita Affilate.

Come allo specchio, uno di fronte all'altro, io e mio padre eseguiamo movimenti che dovrebbero essere identici, ma che invece differiscono per tanti piccoli particolari. In fondo è così che siamo, io e lui. Ma quelli sono anche i momenti in cui siamo più vicini.

Con Alessandro passiamo allo *sparring*.

Lui attacca, io controllo e cerco di rispondere in simultanea. Se non ci riesco, devo indietreggiare.

Nel *Ving Tsun* puro è più bravo di me. Alessandro boxa molto bene, si muove agile e fluido, e i suoi pugni sono veloci e pesanti. Philipp Bayer ha esasperato l'aspetto pugilistico del *Ving Tsun* di Wong Shun Leung, e se si combatte, come stiamo facendo noi, è lo stile migliore.

Combattere e lottare, però, sono due cose diverse. Se combatti, ti scontri contro qualcuno pronto a fare lo stesso, e si seguono delle regole. Se lotti, invece, l'altro vuole solo farti male, ti salta addosso, graffia, morde, sputa, tira testate, sferra colpi violenti e casuali.

Per lottare, meglio usare il *Chin Na*.

Wong Shun Leung diceva che il *Ving Tsun* è un sistema. E un sistema non è una gabbia, piuttosto è una casa della quale tu hai le chiavi. Puoi decidere di uscire quando vuoi, e poi rientrare.

Adesso, decido di uscire di casa, sposto lo *sparring* con Alessandro dal combattimento alla lotta. Uso il *Chin Na*.

Blocco un suo pugno con un *Tan Sao*, ma anziché colpirlo a mia volta con un pugno, gli afferro il braccio, tiro, ruoto, uso l'inerzia della rotazione come energia cinetica e lo proietto a terra.

La mano afferra la perla del Drago. E il grande pitone ruota le sue spire.

Da terra, gli tengo ancora il braccio, applico una contro-rotazione e lo porto al punto di tensione massima oltre il quale i legamenti di gomito e spalla si strappano.

Spedire il Diavolo in Paradiso.

Poi lo mollo.

Alessandro la prende bene. Ride. «Così nun vale.»

È vero, così non vale, in un certo senso io ho barato. Però lui è a terra, e io no. Perché lui sa soltanto combattere, io so combattere *e* lottare.

E ho imparato nel modo più brutale.

Da sempre, in Cina le diverse scuole di arti marziali organizzano degli incontri tra i loro allievi per stabilire quale sia la migliore. I *Beimo* sono clandestini e avvengono sui tetti – come il mio *sparring* con Alessandro – nei vicoli bui, in aperta campagna. Nessuna divisione per peso, nessun limite di tempo, nessuna proibizione per l'uso delle tecniche. I due contendenti si battono a mani nude finché uno dei due non sconfigge l'altro.

I *Beimo* continuano tuttora in Cina, e ovunque nel mondo ci siano comunità cinesi. Anche in Italia.

A quindici anni, poco dopo la morte di mia madre, partecipo al mio primo *Beimo*.

In quasi tutti i Paesi fuori dalla Cina, ci sono scuole di arti marziali per i *laowai*, gli "altri". È così anche in Italia, e queste scuole possono essere pessime, o ottime come il Ving Tsun Roma, però restano pur sempre per i "barbari". Poi ci sono le scuole cinesi, con un *Sifu* cinese che insegna solo a cinesi, ad esempio Ha Ja. Le scuole di arti marziali *cinesi* organizzano *Beimo* in cui gli allievi si sfidano.

Mio padre mi porta ai *Beimo*, Ha Ja assiste, e io combatto. Mi batto in scantinati umidi, nel retro di ristoranti cinesi dopo la chiusura, in parcheggi deserti e periferici, sempre di notte. Mi batto a Bologna, a Milano, a Venezia, a Torino, a Prato, a Genova, a Firenze. Mi batto contro sfidanti più giovani, più vecchi, più grossi, più forti, ma anche più deboli. Mi batto contro avversari che praticano il *Ving Tsun*, e contro altri che usano stili diversi.

Alla fine di ogni *Beimo*, mio padre mi riaccompagna a casa in macchina. Non commenta mai l'incontro, non mi dà consigli di nessun genere. Ha Ja dice che ho talento, e lui ha cieca fiducia in Ha Ja. Però, ogni volta, prima di mettersi al volante, mi posa una mano rassicurante sulla spalla, e mi concede un sorriso.

Quel gesto è la sua vicinanza.

Wong Shun Leung ha disputato e vinto più di mille *Beimo*. Io ne ho fatti più o meno quaranta.

Ho indagato su diciassette casi di omicidio, e li ho risolti tutti.

Ho combattuto in quaranta *Beimo*. E li ho vinti tutti.

Alessandro si rialza e si scrolla i vestiti. È in ritardo per il lavoro, fa il tecnico informatico in un'azienda, e deve sbrigarsi. Dice di chiamarlo quando voglio. «Ma alla prossima te ce metto io col culo per terra.»

Mentre usciamo assieme dal palazzo dei suoi genitori, il mio cellulare squilla.

È Missiroli. Sta andando alla Scientifica.

«Dotto', lei che fa? Viene?»

26.

Raggiungo Missiroli alla Scientifica, alla Direzione centrale Anticrimine, nella nuova sede sulla Tuscolana. La Fresu e la Longo sono ancora con Bellucci, l'ispettore amico di Missiroli, e stanno cercando nell'AFIS. Sono più di ventiquattr'ore che ci lavorano, quasi senza sosta.

L'AFIS funziona in maniera egregia se parti da un'impronta digitale. Scannerizzi l'impronta, la inserisci nel sistema, e quello in automatico esegue un confronto con tutte le altre impronte inserite in archivio e ne ricava un cartellino foto-segnaletico. Lì ci sono il nome e il volto che stai cercando.

Noi invece siamo partiti da un'immagine con due facce, e dobbiamo arrivare a due nomi. La Longo, la Fresu e Bellucci hanno inserito nell'archivio digitale alcuni dati antropometrici dei due – età, altezza e peso presunti; colore degli occhi e colore dei capelli – per restringere il campo di ricerca. Restano comunque centinaia di cartellini segnaletici da esaminare.

Quando arrivo, però, li trovo tutti e tre euforici.

«Ci siamo, dotto'!» esclama Missiroli.

«Sì, cazzo!» si lascia andare la Fresu.

«Dottore, guardi» la Longo mi mostra il risultato della ricerca.

I due sono nel sistema. Arrestati più volte e schedati. Rapina, rapina a mano armata, riciclaggio e spaccio. Hanno passato un periodo a Regina Coeli, poi sono usciti in seguito a un indulto. Hanno anche ricevuto il "foglio di via", che li obbliga a lasciare il territorio italiano entro trenta giorni, ma non se ne sono mai andati. Ogni volta, al momento dell'arresto, hanno fornito un'identità diversa, spacciandosi per croati, serbi, bosniaci e macedoni.

Quando abbiamo azzardato le nostre ipotesi, dopo aver visto le immagini della telecamera di sorveglianza, non ci siamo andati troppo lontani.

Il primo uomo, il più vecchio dei due, risulta schedato

come Bosko Antić/Stevan Hristić/Milan Suker/Denis Halilovic/Ferhan Hasani.

Il secondo, il più giovane e coi baffetti, risulta come Matija Stulac/Ivo Smoje/Rade Bogdanović.

Ok, adesso è il momento di ricominciare a correre.

Mentre rientriamo in Commissariato, Missiroli chiama Scaccia, che a sua volta avverte Libero e Pizza. Devono tirare giù dal letto i loro informatori e risentirli. Oltre alle due facce, ora abbiamo una serie di nomi, e dobbiamo fare l'accoppiata.

Io passo dal mio ufficio, un secondo dopo bussa alla porta la Longo ed entra. Ha in mano una cartella. Mentre eravamo alla Scientifica, Medicina Legale ha consegnato il referto delle autopsie su Abile Wang e sua figlia.

Nello stesso istante sul cellulare mi arriva una chiamata. È il medico legale.

«Sì?» rispondo.

Olivieri vuole accertarsi che io abbia ricevuto i referti. Per completare le autopsie in tempi così rapidi, deve avere scavalcato decine di altri casi in attesa.

«Mancano ancora i tossicologici, per il resto non ci sono state sorprese» dice Olivieri. Aggiunge che s'è già messo al lavoro sull'altro cadavere.

Sono in debito con lui, e glielo faccio capire. Dopodiché lo saluto, e apro i documenti.

Anche qui, come nel rapporto della Scientifica, c'è una disamina delle ferite di Abile Wang e Profumata Wang. I termini medici sono di una precisione cruda e impassibile. Sono descritte le lesioni d'ingresso, il tramite, le lesioni alle ossa e agli organi, e infine il foro d'uscita. I sette proiettili sono stati estratti dal corpo di Abile Wang, in cui erano penetrati dopo aver trapassato la figlia.

Alla descrizione delle ferite, ne segue un'altra sulle condizioni generali di salute di Abile Wang e Profumata Wang al momento del decesso. L'uomo aveva i polmoni consumati da troppe sigarette. Profumata Wang era sana come solo una bambina di quattro anni può essere.

Questa volta evito di osservare le fotografie. Alzo lo sguardo dalla perizia, e solo adesso mi rendo conto che la Longo è ancora qui.

Chiudo la cartella. Non so se e cosa abbia sbirciato. Lei si scusa: «Mi dispiace, dottore. Non volevo».

Le occhiaie che ha sempre sul viso sono ancora più nere e scavate per le ore che ha passato sull'AFIS, è stanca e tesa.

«Non è facile seguire un'indagine simile con un bambino piccolo a casa» le dico. «Lo so, Longo.»

«Sì, non è facile.»

«Il tuo compagno ti dà sempre il tormento?»

«Sempre. Non capisce che mi sbatto tanto proprio perché anche noi abbiamo un figlio.» Parla, accalorandosi. «Se c'è qualcuno che ammazza i bambini, lo voglio prendere.»

«Lo so» ripeto io.

«Anche lei ha un figlio, vero, dottore?» mi domanda. Poi arrossisce. La timida e riservata Longo teme d'avere osato troppo.

«Sì.»

Ripenso ad Anna e Giacomo. Qui in Commissariato sanno solo che ho una famiglia a Bologna. Nient'altro. «Più grande del tuo, e un anno più grande di Profumata Wang.»

La Longo abbassa la voce. «Non riesco a smettere di vedermi davanti agli occhi quella bambina.»

27.

Dopo che la Longo esce dal mio ufficio, la Fresu mette al volo la testa dentro per dirmi che l'avvocato Sun ha fatto diverse telefonate per sapere delle autopsie. Io indico i referti ancora sulla mia scrivania.

«Ricontatta lei l'avvocato, dottore?»

«Ci penso io.»

Chiamo Sofia Sun e la informo che gli esami autoptici

sono terminati. Ma le tante telefonate non si spiegano. Dovrebbe sapere che ci sono tempi tecnici.

«Avvocato, lei è mai stata coinvolta in un'indagine per omicidio?» le chiedo.

Un istante di silenzio. «No, mai» ammette.

Poi si schiarisce la voce e con tono professionale mi chiede quando la signora Wang potrà riavere i corpi dei suoi famigliari, per le esequie.

È una delle sole tre donne cinesi avvocato in Italia, e non ci sta a farsi mettere i piedi in testa.

«Come lei *sa*, dipende dal magistrato» rispondo. «Comunque dovrebbe essere questione di un paio di giorni al massimo.»

Sofia Sun si accontenta.

«Il funerale si terrà in Italia?» chiedo.

«Sì. Il signor Huong si è offerto di partecipare alle spese.»

Naturalmente. *Guanxi.*

Chiudo la telefonata con l'avvocato Sun. Subito dopo arriva anche Missiroli.

«Dotto', dovrebbe venire giù.»

Scendiamo al piano terra, appena in tempo per scorgere un uomo che sgattaiola fuori dall'uscita laterale.

Scaccia e Liberati mi spiegano che quello è Marko, un loro confidente. È serbo, e sa tutto dei serbi che stanno a Roma. Ma sa tutto anche dei croati, dei bosniaci, e dei macedoni. Di chiunque provenga dall'ex Jugoslavia.

Al primo giro con gli informatori, Marko non aveva aperto bocca. Ma questa volta, Scaccia e Libero sono andati a prenderlo direttamente a casa, se lo sono portati qui, e lo hanno piazzato davanti alle immagini dei due che stiamo cercando e all'elenco degli alias con la minaccia di far sapere che se la stava cantando.

Questa forma sottile di persuasione ha funzionato.

Marko conosce i due. Ha detto che sono croati e ha fornito i loro veri nomi.

Milan Suker, quello appena più vecchio.

Ivo Smoje, baffetti.

Ancora non sappiamo se il cadavere semidecapitato è di Suker o di Smoje, però Marko ha aggiunto un particolare che nel sistema non c'era.

Cioè che i due, in realtà sono *tre*.

Suker e Smoje spesso lavorano con un terzo croato, Davor Čop, che ha uno sfasciacarrozze a Ponte di Nona, sempre in direzione Casilina-Prenestina, fuori dal Raccordo.

Lo sfascio di questo Čop serve soprattutto per "tagliare" auto rubate e rivenderne i pezzi sul mercato nero dei ricambi. A volte funziona anche da deposito per la refurtiva delle rapine, o come magazzino per la droga.

Fino a oggi, però, Čop risulta incensurato.

Missiroli ha già avvertito Caruso, e il sost. proc. sta preparando un decreto di perquisizione per lo sfascio.

Ora Missiroli raduna tutti: la Longo, la Fresu, Scaccia, Liberati e Pizzuto. Quindi prende la parola e si complimenta con la squadra per il lavoro svolto. «In poco più di quarantott'ore abbiamo individuato i responsabili degli omicidi. Neanche nei film» dice. «Uno l'hanno ammazzato, ma a 'sti altri due gli stiamo addosso.»

Mentre parla, fissa per un attimo Scaccia. Anche io mi sono complimentato con la Fresu e la Longo, ma l'ispettore non è uno che fa discorsi, quindi tutti afferrano il senso delle sue parole. Chi dubitava delle mie scelte – come e quando muoversi, quando rallentare, quando spingere – si sbagliava. Io invece ero nel giusto.

«E mo che li abbiamo individuati, becchiamoli!» conclude.

Basta cazzate.

«Sono d'accordo» dico. «Intanto che aspettiamo il decreto di perquisizione, cominciamo ad andare allo sfascio, troviamo Čop, ce lo portiamo in Commissariato e sentiamo cosa ha da dirci.»

«Dotto', mi scusi un momento...» mi interrompe Libero. «Non è per fare il cacasotto, ma se con Čop ci sta pure

Suker? O Smoje? Quello che non hanno affettato e arrostito. Questa è gente che ha già sparato e ammazzato.»

Libero ha ragione, potrebbe essere pericoloso.

Io guardo i miei. «Se dovesse esserci l'altro compare, prendiamo anche lui. Andiamo tutti, e li prendiamo.»

Ora Scaccia fissa me. Sorpreso.

«Dottore, anche noi?» mi chiede la Fresu, indicando se stessa e la Longo.

«Ho detto tutti.»

Non so se lei e la Longo abbiano mai estratto l'arma. Ma non m'interessa. Anzi: in situazioni di forte stress, spesso le donne ragionano in modo più lucido e razionale degli uomini. E con le armi sono anche più precise.

«L'idea è di non farci sparare addosso, e che noi non spariamo a nessuno, a meno che non sia necessario. Comunque, per sicurezza, controllate le vostre pistole.»

Posso quasi sentire i battiti dei cuori che accelerano. Compreso il mio.

28.

Niente lampeggianti e niente sirene. Fermiamo le auto davanti allo sfascio, e scendiamo.

Indossiamo i giubbotti antiproiettile sotto le pettorine con la scritta POLIZIA.

Pizza è andato e tornato dalla Procura come un fulmine, e abbiamo il decreto.

Il cancello d'ingresso è aperto, entriamo.

Lo sfascio si estende per centinaia di metri. Le macchine da demolire sono accatastate in colonne alte più di cinque metri, e tra una colonna e l'altra c'è una corsia larga circa due metri e mezzo. Le corsie sono dieci.

Nell'angolo sinistro dello sfascio c'è il compattatore, e accanto una gru con una pinza gigante per sollevare le vetture.

La cabina della gru è vuota, e il compattatore non è in funzione. Il posto sembra deserto.

Dall'entrata non riusciamo a vederlo, ma deve esserci un fabbricato o una baracca che funge da ufficio.

Le nostre priorità sono: trovare Čop; trovare quello ancora vivo tra Suker e Smoje; rivoltare lo sfascio da cima a fondo e individuare qualunque "evidenza utile all'accertamento dei fatti oggetto d'indagine". Insomma, qualsiasi cosa possa servirci.

Armi in mano per tutti, sicura disinserita, impugnatura di sicurezza con l'indice disteso lungo la canna.

Scaccia ha un mitragliatore M12.

Al di là delle battute, non siamo in un film. Nella realtà, se sei un poliziotto e spari a qualcuno è un guaio. Verbali, accertamenti, verifiche sulla reale necessità dell'impiego dell'arma. Se poi lo uccidi, è un calvario: inchiesta, rischio d'iscrizione al registro degli indagati, rischio di rinvio a giudizio per eccesso nell'uso della forza, o per omicidio colposo. Un processo da cui non sai mai come ne esci, e *se* ne esci. E a cui si aggiungono il rimorso e il senso di colpa.

D'altra parte, tra gli sbirri c'è un detto: "Meglio un brutto processo che un bel funerale".

«Quindi» ripeto per tutti, «cautela con le armi. E soprattutto non facciamo i coglioni e cerchiamo di non spararci tra di noi.»

Una mezza risatina stempera la tensione. Ma in un attimo siamo di nuovo concentrati.

Ci dividiamo. La Fresu con Scaccia. La Longo con Missiroli e Libero. Io con Pizza. È il pinguino, e lo tengo con me.

Io e Pizzuto prendiamo una delle corsie centrali. Ai lati, le colonne di auto sembrano sculture mostruose. Si avvertono scricchiolii e cigolii. Si sente il vento che fischia, infilandosi tra le carcasse metalliche.

Arriviamo in fondo alla corsia e sbuchiamo su uno spiazzo. Quasi in contemporanea, spuntano anche Missiroli, Liberati e la Longo.

Al centro dello spiazzo c'è una baracca bassa in lamiera. L'ufficio.

Faccio segno, e avanziamo insieme, silenziosi.

La porta d'entrata del gabbiotto è socchiusa. Dall'interno, nessun rumore. Nessuna voce.

Un'occhiata a Missiroli, a Libero e alla Longo. Sono io che li ho portati qui, sono il dirigente, dunque vado per primo.

Alzo tre dita e conto.

Tre. Due. Uno. Spalanco la porta con un calcio.

Dentro!

La baracca è costituita da un'unica stanza. Una scrivania con sopra un vecchio computer, uno schedario, un lavandino in un angolo e un fornelletto a gas. Al centro c'è una poltrona girevole, malandata. Seduto sulla poltrona c'è un uomo.

Dalle immagini delle TLC e dai cartellini segnaletici che abbiamo visto, capiamo che non può essere né Suker né Smoje.

Quindi deve essere Čop.

Ma a lui non possiamo chiederlo. Perché anche lui è morto. Decapitato, questa volta di netto. La sua testa giace sotto la poltrona girevole in una pozza di sangue.

A terra, sulle pareti e persino sul soffitto della baracca ci sono altri larghi schizzi.

Rinfoderiamo le armi.

Pizza, come alla vista dell'altro cadavere, sbianca, però stavolta riesce a trattenersi. La Longo fa un singhiozzo involontario, ma anche lei resiste. Libero e Missiroli assorbono la botta.

Sulla soglia della baracca compaiono la Fresu e Scaccia, che d'istinto arretra: «Ahó, ma che è, ancora?!».

La Fresu si porta una mano alla bocca, però mantiene lo sguardo fisso.

Missiroli si volta verso di me. Un morto con la testa tagliata può essere un caso, due no. E sappiamo entrambi cosa può significare.

Usciamo dalla baracca senza toccare nulla. Facciamo arrivare la Scientifica. Bellucci s'è risparmiato il cadavere al parco Madre Teresa di Calcutta, perché stava facendo la ricerca nell'AFIS, ma stavolta era di turno e gli tocca.

Subito dopo arriva Olivieri, e sempre bofonchiando mi comunica che sta terminando l'autopsia sul cadavere semibruciato.

Se gliene lasciamo il tempo, grazie.

Poi passa a occuparsi di *questo* cadavere.

Da una prima valutazione superficiale, stabilisce che le modalità della "decollatura" dei due cadaveri presentano analogie.

«Può essere la stessa mano?» gli chiedo.

Difficile a dirsi. Deve studiare i tagli sui due corpi e confrontarli. L'unica ipotesi che si sente di avanzare riguarda l'ora del decesso: stando alle condizioni del cadavere, e alla coagulazione del sangue a terra, sulle pareti e sul tetto, Čop è stato ucciso tra le ventiquattro e le trentasei ore fa.

Olivieri continua il suo esame.

Bellucci e i suoi iniziano a repertare dentro l'ufficio. Sarà una faccenda lunga. Siamo in presenza di una "massiva aspersione di materiale ematico", ogni singola goccia o schizzo vanno fotografati e indicizzati con una lettera sul supporto di plastica.

Io, intanto, mando i miei a perlustrare ancora lo sfascio. Abbiamo un decreto di perquisizione, usiamolo bene.

Passati dieci minuti, Pizzuto ci chiama: «Dottore, l'altra macchina!».

«Che macchina, Pizza?»

«La FIAT Punto grigia.»

Ci raduniamo tutti dietro la gru che sta accanto al compattatore, dove il pinguino ha trovato l'auto.

«Bravo, Pizza» dice Missiroli.

«Ma siamo sicuri che è questa?» chiede la Fresu. «Qui attorno ce ne saranno duecento uguali.»

No, il colore e il modello corrispondono alle descrizioni dei testimoni e alle immagini delle telecamere. Deve essere quella. Poi Suker e Smoje lavoravano con Čop, e se volevano disfarsi dell'auto, quale posto migliore dello sfascio?

«È questa» confermo.

Dentro l'abitacolo non c'è nulla. Il posacenere è pulito. C'è solo qualche cartaccia sui tappetini. Se ne occuperà la Scientifica.

La sacca non c'è.

«Apriamo il bagagliaio» dico.

«Dottore, ma possiamo?» chiede Pizzuto.

«Possiamo, Pizza» risponde Libero.

Missiroli spiega al pinguino che ci vorrebbe un altro decreto specifico per la macchina, ma che spesso succede che noi *prima* facciamo le cose, e *poi* ci facciamo dare l'atto dai magistrati. E se non si fanno casini, sono tutti felici e contenti.

Apriamo il bagagliaio.

La sacca è lì.

Apriamo la sacca.

Dentro, c'è la borsa della signora Wang. Si è rovesciata, e il contenuto è sparpagliato: fazzolettini di carta, assorbenti, salviette, chiavi, un animaletto gommoso, forse di Profumata Wang. Ci sono anche il portafogli e il cellulare, ma mancano quelli del marito, Abile Wang.

C'è il pacco, però. All'interno ci sono i soldi.

La Fresu li conta.

La signora Wang ha detto che c'erano circa cinquemila euro.

Invece ce ne sono cinquantamila.

Uno sguardo tra di noi.

La prima che parla è la timida e riservata Longo. «Che cazzo sta succedendo?»

DUE

Il laboratorio, le ragazze

实验室
女生

Una canna da zucchero
non sempre è dolce in tutte le sue parti.

1.

Fine gennaio-inizio febbraio

La Fresu mi chiama al cellulare mentre sto entrando in Procura assieme a Missiroli. «Dottore, ce l'ha un momento?»

«Sì. Veloce, però.»

Negli ultimi tre giorni, subito dopo l'operazione allo sfascio, lei e la Longo hanno fatto la spola tra la Scientifica e Medicina Legale.

Ma adesso c'è un intoppo. «I tabulati dei Wang. Il loro operatore, la Vodafone, ha avuto un problema con i server. Un *bug*. Un responsabile dell'area tecnica ci ha appena avvisati. Si è scusato, e ci ha chiesto di essere discreti, perché ci tengono che non si sappia in giro. Fatto sta che i file che ci hanno inviato risultano incompleti.»

«Incompleti?»

«Sì. Ma stanno rimediando.»

Hanno rimandato i file integrali, ma per noi significa prendere quelli già "normalizzati", divisi in singoli allegati leggibili, e buttarli via.

Respiro a fondo. Molto a fondo. «Va bene, Fresu. Non succede mai, e invece stavolta è successo. Ricominciamo e basta.»

Riattacco e riferisco a Missiroli, che invece sbotta: «Ma che cazzo, dotto'. 'Ste cose già farle una volta è pesante, due volte è un supplizio».

Saliamo nell'ufficio di Caruso.

Oggi il pm indossa occhiali con la montatura gialla, intonati a una cravatta su cui sono disegnate delle api.

«Abbiamo qualche conferma, dottore.»

Dal cellulare liquefatto del cadavere semicarbonizzato non si è potuto ricavare niente, ma Scaccia e Libero hanno finito di controllare gli altri tabulati del traffico sulla cella di Tor Pignattara, e tra *tutti* i numeri che si sono agganciati hanno notato che *due* di questi risultano intestati a una stessa persona, un certo Nino Dubec.

«Anche lui croato» dice Missiroli. «È in Italia da vent'anni e a suo nome risultano più di trenta utenze. Una "testa di legno", un prestanome. Lo stiamo sentendo e ha già ammesso di conoscere Smoje e Suker. Giura di non sapere altro, ma forse gli ha fornito dei cellulari...»

«Quindi, la prima conferma è che Smoje e Suker erano sul luogo della rapina» dico io.

Caruso metabolizza la notizia. Significa – a meno di immaginare scenari improbabili – che ormai non restano dubbi. Sono stati loro a uccidere Abile Wang e Profumata Wang.

La seconda conferma è sull'identità del cadavere semicarbonizzato. Bellucci e Olivieri hanno fatto ancora gli straordinari. Hanno terminato la complessa procedura con il metanolo e l'idrossido di sodio che si utilizza con i corpi ustionati, e sono riusciti a rilevare le impronte. Che corrispondono a Ivo Smoje.

«Allora se Smoje e Čop sono i morti, il terzo, quello che ancora non riusciamo a trovare, è Suker» riassume Caruso.

«Esatto.»

«Ne siamo certi?»

«Sì, dottore.»

«Allora dispongo subito un decreto d'arresto.»

«Intanto, possiamo inserire una terza segnalazione nello SDI, solo con la faccia, il nome e i dati di Suker» suggerisce Missiroli. «E allertiamo anche i colleghi per controllare aeroporti, porti e stazioni. Nel caso al nostro amico venisse voglia di scappare all'estero o di tornarsene a casa sua, in Croazia.»

«D'accordo. Però ancora non sappiamo se a sparare ad Abile Wang e a sua figlia sia stato Suker o Smoje.»

«No, non lo sappiamo» dico. «Su Smoje è già stata un'acrobazia rilevare le impronte digitali. Impossibile accertare se avesse sparato lui o meno.»

«E l'arma non l'avete ritrovata?»

«No. Nell'auto bruciata non c'era. Non era nella FIAT Punto grigia, e nemmeno nella baracca di Čop. O se ne sono liberati dopo il fatto, o ce l'ha ancora Suker.»

Caruso tace. E metabolizza anche questa informazione. Abbiamo il delitto, abbiamo gli autori del delitto, manca l'arma.

Poi chiede: «C'è altro?».

«Sì» rispondo. Non abbiamo la pistola, però abbiamo qualcos'altro. L'ultima conferma.

Non potendo esaminare i tessuti consumati dalle fiamme nella ferita sul corpo di Smoje, Olivieri è passato ai segni sulle vertebre del collo. Il fuoco, però, ha modificato anche la struttura delle ossa, e dunque il medico legale non ha potuto eseguire una comparazione esatta con i segni sulle vertebre del cadavere di Čop. Ma ha comunque rilevato una rassomiglianza notevole. E assieme a Bellucci hanno ipotizzato che tutte e due le vittime siano state colpite da una persona destrorsa, che ha usato un'arma piatta e affilata, abbastanza lunga, "tipo un machete".

Colpite.

Un dettaglio che ci induce a rivedere la nostra prima impressione sulla morte di Smoje. Non gli hanno tagliato la gola. Lui, come Čop, è stato *colpito da un fendente.* Hanno cercato di tagliare la testa a entrambi. Con uno ci sono riusciti, con l'altro quasi.

«Comunque, dottore» riprendo, «Olivieri ha rilevato nelle due ferite particelle d'acciaio, Bellucci le ha analizzate, e sono risultate identiche.»

Particelle identiche, stessa arma, stessa persona che la impugna.

Due morti, un solo assassino.

Caruso sfrega nervoso le mani. Ha voglia di fumare, e si vede.

Si alza dalla scrivania, prende un pacchetto di sigarette, ne sfila una e si avvicina alla finestra. In teoria, in tutto il palazzo della Procura è vietato fumare.

Il pm guarda me e Missiroli con la sigaretta in mano. «Che fate, se l'accendo? M'arrestate?»

L'accende, apre la finestra, prende un tiro e soffia fuori il fumo. È teso. Ogni conferma è un passo avanti, ma ci costringe anche a tornare indietro. Dobbiamo ripeterci domande già poste, e farcene di nuove.

È stato Suker a eliminare gli altri due, o qualcun altro?

Se è stato Suker, e ha agito per i soldi, perché non ha preso il pacco?

Si è tenuto lui il cellulare di Abile Wang? Se sì, perché?

«Fin dal principio, questo caso aveva delle anomalie, dottore» dico.

Quindi, di nuovo: i due croati – o tre, considerando Čop – sapevano che i Wang avevano con loro i soldi?

Sapevano che in quel pacco c'erano *cinquantamila*, e non cinquemila euro?

Se lo sapevano, lo hanno scoperto da soli?

«Liberati sta andando all'Express Money usato dai Wang» interviene Missiroli. «Verifichiamo quante spedizioni hanno fatto e per quali importi, e scopriamo se gli impiegati riconoscono i tre croati.

Caruso aspira un'altra boccata di fumo. «Se non lo hanno scoperto da soli, dei cinquantamila euro, è ovvio che qualcuno glielo ha detto.»

Smoje e Suker potrebbero essere stati *mandati*, e la rapina/omicidio potrebbe essere stata compiuta su commissione.

2.

Facciamo qualche ipotesi.

«Qualcuno sa che i Wang, la sera della rapina, hanno il pacco con i soldi che vogliono spedire. E forse conosce anche la cifra esatta contenuta nel pacco» comincio. «Questo qualcuno manda i due croati, Smoje e Suker. Questo qualcuno può essere uno, o più di uno. Uno o più mandanti.

Vista la dinamica, forse il mandante o i mandanti non vogliono solo i soldi, ma anche far fuori Wang Xinxia e suo marito. O soltanto lui, Abile Wang. Non lo sappiamo. Ma considerando i fatti con le ultime conferme, la rapina ha sempre più l'aria di *un'esecuzione*.

In quest'ottica, l'uccisione della bambina, di Profumata Wang, potrebbe essere stato un "danno collaterale".»

«Poi?» chiede Caruso. «Poi come succede che troviamo due croati morti decapitati, e il terzo sparisce?»

Altre ipotesi.

«Anche se lo abbiamo valutato, escludiamo Suker come potenziale assassino di Smoje e Čop.

Il mandante o i mandanti, che stanno dietro ai croati, vogliono il pacco, però vogliono anche eliminarli, togliere di mezzo i due esecutori. Il mandante o i mandanti agiscono in prima persona, oppure, di nuovo, si servono di altri sicari.

Ma Smoje e Suker si sono divisi. Solo Smoje va a incontrare il mandante o i mandanti. Probabile che non si fidino, e hanno ragione. Infatti, Smoje viene ucciso. Prima, comunque, riescono a farlo parlare.

Intanto Suker è andato allo sfascio, e lascia lì la macchina con il pacco. È vero che spesso lavorano con Čop, ma la rapina/omicidio l'hanno compiuta da soli, e forse a Čop non hanno detto nulla. Un modo per recuperare l'auto, in seguito e tenendo sempre Čop all'oscuro, lo troveranno.

Quando Suker raggiunge Smoje, però, lo trova già morto. Oppure assiste alla sua uccisione. E decide di fuggire. Il cellulare di Abile Wang, che non abbiamo ritrovato, lo ha gettato via, o per qualche ragione l'ha ancora con sé.

Quasi in contemporanea, il mandante, i mandanti o chi per loro, arrivano allo sfascio dove c'è Čop. Ma Čop, appunto, non sa niente, *non può* dire niente, e ammazzano anche lui. Cercano la macchina con il pacco, non la individuano, e allora rinunciano e se ne vanno.

Olivieri ha valutato che Čop è stato ucciso tra le ventiquattro e le trentasei ore prima che noi ritrovassimo il corpo. I tempi combaciano.»

Caruso dà un ultimo tiro e lascia cadere la sigaretta in una bottiglietta di plastica con due dita d'acqua sul fondo.

«La teoria torna. È una *bella* teoria. Ma mancano giusto due passaggi: *chi* ha montato questo casino con i croati. E *perché*.»

Informo Caruso sulla questione dei tabulati dei Wang, e sul problema coi server. Il pm non si smonta. «Mentre risistemate i file, vi preparo un altro decreto, ci facciamo dare anche i tabulati dei cellulari che Dubec ha "prestato" a Suker e Smoje, incrociamo i dati, e magari peschiamo qualcosa di buono.»

«Certo, dottore.»

Però.

Missiroli mi fa un cenno. Non possiamo più rimandare.

«Però, c'è un altro elemento che dobbiamo considerare» dico. «È il secondo morto decapitato che troviamo. Prima Smoje, poi Čop. Sono questi i riscontri che lei ci aveva chiesto su Vecchio Zhao. Non c'è un legame diretto, certo, ma ci portano in una certa direzione. Due cadaveri con la testa tagliata sono un *modus operandi*.»

Caruso resta in piedi, immobile nel quadro della finestra.

Non avendo come obiettivo principale il controllo del territorio, le Triadi, in Italia, a differenza di Cosa Nostra, Camorra e 'Ndrangheta, non dispongono di un vero e proprio esercito organizzato. Per le azioni di forza, quando è necessario usare la violenza, si rivolgono ai Draghi senza Testa e senza Coda, oppure reclutano uomini dalle palestre di arti marziali. Sia i Draghi senza Testa e senza Coda che quelli reclutati dalle palestre sono più abili nell'uso delle armi da taglio che non di quelle da fuoco. Senza contare – come è nella tipica mentalità utilitaristica delle Triadi, basata sull'equazione tra rischio, sforzo e beneficio – che procurarsi una lama è molto più semplice che procurarsi un'arma da fuoco. E costa meno.

«È un marchio, dottore» dico io. «È la mafia cinese che uccide in questo modo.»

3.

Caruso cede all'evidenza. Si rimette seduto, sfila gli occhiali con la montatura gialla, e si strofina gli occhi.

«D'accordo, avete ragione.» Stende le mani sulla scrivania e le fissa. «Avete ragione» ripete. «Fatemi parlare col mio aggiunto, poi trasferiamo l'incartamento alla DDA.»

Se c'è la mafia di mezzo, la competenza passa alla Direzione Distrettuale Antimafia.

Il pm sa che è così che deve andare.

Ma il pensiero di dover passare la mano gli brucia. Alla Procura di Roma ci sono più di ottanta pubblici ministeri, e un'indagine come questa capita una volta nella vita. E quando ci entri dentro, ti fai prendere, ti metti in gioco. È umano.

Anche Caruso è umano, e ora ha l'impressione di stare perdendo qualcosa che gli appartiene.

Lo capisco, perché mi sento allo stesso modo. Io e Missiroli non potevamo omettere la matrice mafiosa degli omicidi di Smoje e Čop, ma non vogliamo farci da parte.

«Dottore, non c'è un modo per tenerci l'inchiesta?»

«Se dà le carte alla DDA, lei è fuori, e anche noi» aggiunge Missiroli.

Caruso allarga le braccia. «Che volete che vi dica? Gli atti li dobbiamo trasmettere. Però possiamo fare un paio di telefonate. Lei, Wu, può chiamare il questore. Se la estromettono, lui non sarà contento, per le ragioni che sappiamo. Io intanto telefono a un amico alla DDA. È un aggiunto. Iorio, si chiama. Posso sentirlo, e capire se ci sono i margini perché io rimanga sull'indagine. Se ci resto sopra io, voi ci restate con me.»

«Speriamo» dico.

«No, proviamoci. Lei faccia la sua chiamata, e io faccio la mia.»

Abbiamo concluso.

«Grazie, dottore.»

«Non mi ringrazi, Wu. Noi due vogliamo la stessa cosa.»

4.

Appena rientrato in ufficio, chiamo Lanfranchi, e come prevedeva Caruso il questore non è felice che l'indagine possa esserci tolta proprio adesso che sta portando risultati. Nello specifico, lo irrita che possa essere tolta *a me*. Per mettermi dove sto, ha usato il suo potere, ha speso promesse e favori per avere il *suo* poliziotto cinese al comando del "Commissariato cinese", e adesso non vuole perdere il suo giocattolino.

Mi dice che anche lui farà delle telefonate, e mi liquida in fretta.

Chiuso con Lanfranchi, chiedo a quelli che stanno per smontare se hanno voglia di unirsi a me per pranzo. Missiroli, la Fresu e Liberati. La Longo, Scaccia e Pizzuto rimangono, perché sono ancora di turno.

Il posto lo sceglie Libero, e andiamo alla Trattoria Bonelli, uno dei locali storici del quartiere che sta in viale dell'Acquedotto Alessandrino, a cinque minuti a piedi da via Gino dall'Oro. So che è il ritrovo abituale di quelli del Commissariato, e il fatto che mi ci portino per la prima volta è una sorta di "accettazione" nei miei confronti.

Una cameriera giovane e carina ci indica un tavolo all'aperto. Ha l'aria sveglia, e mentre saluta gli altri con famigliarità, mi osserva – un cinese assieme ai poliziotti loro clienti abituali – come per farsi un'idea. Liberati la anticipa, presentandomi: «Sonia, questo è il vicequestore Wu, il nostro dirigente. Se viene qua anche senza di noi, me raccomanno...»

Anche questo fa parte dell'"accettazione".

Pure tra sbirri c'è una sorta di *Guanxi*, un legame potente con dei codici e delle regole.

Sonia, la cameriera, conferma di essere sveglia. «Vabbe', Libero, intesi. Pure pe il dirigente: "sconto polizia".»

Ci porta il menu, ossia una lavagnetta con i piatti del giorno scritti a mano, poggiata su un cavalletto, e poi se ne torna in cucina. Bonelli è una trattoria tipica romana: cacio e pepe, carbonara, amatriciana, gricia, trippa, saltimbocca, abbacchio.

«Dite che qua ce li hanno gli involtini primavera?» chiedo io.

«Eh, dotto', me sa proprio de no» risponde Liberati, convinto.

La Fresu ha capito e sorride. Anche Missiroli. «Ahó, Libero, il dottore te sta' a cojona'.»

«Libero, guarda che sono nato a Bologna» gli dico. «A casa mangiavo cinese, ma fuori sono cresciuto a tortellini e tagliatelle.»

«Un po' si sente l'accento, dottore» dice la Fresu. «Poco. Però fa strano.»

Fa strano. Un cinese nato a Bologna che a volte arrotonda e trascina le s, e che adesso ci aggiunge pure una lievissima inflessione romana.

Parliamo. Sfruttiamo l'occasione per conoscerci meglio. Gli racconto di me, senza entrare troppo nei dettagli. La mia famiglia, mio padre, i miei nonni. Su mia moglie e mio figlio sorvolo.

Ma soprattutto, lascio che siano *loro* a raccontare.

La Fresu non è sposata, non ha nessuno, e cerca ancora l'amore della sua vita. «Non è che vorrei il principe azzurro. Mi basterebbe che fosse alto, bello e ricco.» Ride. «Ma se proprio... anche solo ricco va bene.»

Liberati ha un figlio grande, che studia Ingegneria all'università. «La testa l'ha presa da mi moje, sicuro, perché io manco le tabelline.»

Missiroli, invece, ha una figlia che l'anno prossimo andrà alle superiori, e vorrebbe iscriverla al liceo Kant. È a fianco al Commissariato, e al di là dei muri scrostati è considerato un ottimo istituto. La ragazza però non è convinta, ha paura di ritrovarsi con una scorta armata all'entrata e all'uscita da scuola. E ha ragione, perché di sicuro finirebbe così.

Mentre parlano, gli occhi della Fresu vanno alla fede al mio anulare. Immagino vorrebbe chiedermi o dire qualcosa, ma non lo fa. Quando s'accorge che ho intercettato il suo sguardo, non dice nulla, e mi rivolge un sorriso comprensivo.

Io penso ad Anna e Giacomo, e la loro mancanza è una punta acuminata conficcata nel petto.

Finito il pranzo, salutati la Fresu e Libero, Missiroli mi domanda se ho voglia di farmi un altro giro con lui, nel quartiere.

«Non l'abbiamo già fatto il tour, Missiro'?»

«Mi dia retta, dotto'. C'è un posto in cui la voglio portare. Merita.»

Mi porta al Mandrione. In realtà, siamo appena fuori da Tor Pignattara, visto che la via omonima parte dalla Casilina Vecchia, all'altezza del Pigneto, e sfocia sulla Tuscolana, adiacente al quartiere. Ma è solo una sfumatura.

Arriviamo in macchina, poi parcheggiamo e ci spostiamo a piedi. Il nome Mandrione, mi spiega Missiroli, viene dall'usanza storica di portarci le bestie a pascolare, la "grande mandria", appunto. Anche qui c'è un acquedotto antico, l'Acquedotto Felice, e nel 1943 ci si insediano gli sfollati dei bombardamenti a San Lorenzo. Chiudono gli archi con pareti di lamiera, e li trasformano in abitazioni. Improvvisate e anomale. Più tardi, agli sfollati si uniscono gli zingari e le prostitute, ma come accade a Tor Pignattara tra romani e stranieri, anche quelli dell'acquedotto riescono a convivere senza scannarsi.

Adesso qui è stato tutto riqualificato, prosegue Missiroli, non ci sono più le "case" di lamiera arrangiate sotto gli archi dell'acquedotto. Molte sono state ristrutturate, trasformate in piccole villette incastrate tra le volte e il costone di terra su cui si poggiano, con un effetto visivo straniante. Altre ancora sono state convertite in botteghe di falegnami, artigiani e carrozzieri. E alle spalle dell'acquedotto, nel tempo, si è costituito un vero e proprio quartiere nel quartiere, con stradine simili a viottoli, che da dove siamo ora, attraverso via Assisi, si collega a via Tuscolana. Nonostante la riqualificazione, rimane comunque la sensazione di stare in un posto *vivo*, con pulsioni e umori forti.

Continuiamo a camminare lungo la strada. Siamo gli unici che la percorrono a piedi. Lo faccio notare a Missiroli, ma lui mi guarda e dice: «Dotto', a piedi se vedono le cose, col culo in macchina no».

Poco più avanti, troviamo un piccolo parco con una zona adibita alle grigliate, e ancora oltre, un orto rigoglioso e curatissimo.

Non sembra neppure di stare a Roma. Di nuovo, come quando ci si guarda attorno fuori dal Commissariato, sembra di trovarsi in campagna, in uno spazio a parte, lontano. Ma allo stesso tempo è come se tutte le anime contrastanti di Roma in questo spazio si mescolassero in una sorta di armonia imperfetta, mutevole.

«È davvero bellissimo qua, Missiro'» dico. E lo penso sul serio. Però non capisco. «Ma cosa ci siamo venuti a fare?»

«Niente, dotto'. Quando so' incazzato, venire qua mi mette pace.»

«Che c'hai, Missiro'?» chiedo. Anche se credo di saperlo.

«C'ho quello che c'ha lei, dotto'» dice. «Per carità, ci sono le procedure, e ci mancherebbe... Però ogni tanto tutto 'sto balletto mi pare 'na follia. È assurdo. E poi dicono che i cattivi non li mettiamo al gabbio.»

Avevo indovinato: i conflitti di competenza interni alla Procura, la sezione ordinaria, la DDA, le attribuzioni.

Per quattro giorni restiamo appesi, in attesa. Il Commissariato però non si ferma. Interveniamo in una rissa tra magrebini ubriachi, seguiamo una rapina in un supermercato, e stiamo addosso a una banda che clona i bancomat e le carte di credito. Poi passano i quattro giorni, e ricevo una telefonata. È Caruso, e per un istante temo che voglia comunicarmi che l'indagine è della DDA, e che noi siamo fuori. Invece no, vuole vedermi.

5.

Di nuovo dal sost. proc. Questa volta noi due da soli. Mi accorgo che sto trattenendo il fiato.

«Allora, Wu, le dico subito che sono ancora io che seguo la nostra indagine, e con me anche lei e i suoi» esordisce il magistrato. «A quanto pare io non riesco a liberarmi di lei, e lei di me.»

Riprendo a respirare.

«Sono stato promosso all'Antimafia, e non ho nemmeno dovuto traslocare.»

C'è stato un incastro magico, e dopo una serie vorticosa di telefonate incrociate tra Iorio, l'aggiunto amico di Caruso, Lanfranchi e il procuratore capo, la DDA ha deciso di lasciare il pm sull'inchiesta come "aggregato" alla Direzione Distrettuale.

«Insomma, siamo ancora dentro» dico.

«A quanto pare, sì.»

«Ma nel frattempo, abbiamo perso quattro giorni.»

«Sbagliato. Non abbiamo perso quattro giorni, abbiamo riguadagnato l'inchiesta. Si sono mosse molte persone e molte cose per noi, Wu. Vediamo di essere all'altezza, e diamoci da fare. Riesaminiamo tutti gli elementi che ci portano alla mafia cinese.»

Si riparte.

«I fatti li conosciamo e per il momento, anche in mancanza di un collegamento sicuro, diamo per scontato che dietro questi fatti ci sia Vecchio Zhao. Anche perché sarebbe singolare il contrario, cioè che non c'entrasse nulla. Tuttavia, vorrei capire quale sarebbe esattamente il nostro quadro investigativo.»

«Sarebbe, dottore, che Vecchio Zhao commissiona la rapina/omicidio ai due croati. Spesso le Triadi, se non si servono dei Draghi senza Testa e senza Coda, utilizzano slavi, o rumeni, o magrebini per incarichi simili. Forse Vecchio Zhao vuole soltanto il denaro contenuto nel pacco, o forse vuole anche eliminare i coniugi Wang. In ogni caso, dopo cerca di eliminare gli esecutori, e almeno in parte ci riesce.»

«Sulla carta ha senso, Wu. Però lei sa molto bene che le Triadi non uccidono. La mafia cinese paga, corrompe, minaccia, picchia, ma non uccide. Se lo fa, quando proprio è costretta, uccide solo cinesi. Non uccide mai al di fuori della comunità.»

«Vero, dottore» replico. «Ma può vederla anche in modo opposto: la mafia cinese non uccide mai, quindi se adesso uccide – persino non cinesi – vuol dire che sotto c'è qualcosa di grosso.»

Caruso resta in silenzio. Sta valutando.

«Rimaniamo a dove ci eravamo interrotti. Abbiamo una ricostruzione, anche accettabile, ma banalmente mancano *prove*».

I riscontri, ancora.

«Dunque, che facciamo, dottore?»

«Intanto questi.» Caruso mi allunga un paio di documenti dalla sua scrivania. «Ci eravamo fermati qui. Ho preparato il decreto per i tabulati dei numeri usati dai croati. E il gip mi ha autorizzato a intercettare il cellulare di Suker.»

«E poi?»

«Poi c'è un pacco con dentro cinquantamila euro anziché cinquemila. L'unica cosa certa è che la signora Wang ha mentito.»

Risentiamo la signora Wang.

6.

Commissariato. Comunico agli altri che abbiamo ancora l'indagine, e la notizia provoca una scossa d'eccitazione.

«Dottore, scusi, non ho capito bene...» dice Pizzuto, confuso. «Quindi adesso il dottor Caruso segue l'inchiesta per la DDA, e noi anche?»

«Più o meno, Pizza.»

«Infatti, dotto'. Chi s'è mosso, er papa?» chiede Liberati, quasi incredulo.

«Ma no, Libero. Bisogna avere fiducia nelle nostre istituzioni.»

Un'occhiata d'intesa con Missiroli. A lui, dopo, spiegherò con più calma.

«Se', se'. Le "istituzioni"...» commenta Scaccia. «Come no.»

Tra tutti, è quello che si mostra più distaccato. Io non gli do corda. Anzi, rilancio.

«Scaccia, abbiamo qualche riscontro dall'ultima segnalazione diramata su Suker?»

«Niente, dotto'.»

«Allora ripesca il tuo informatore, quel Marko, e fatti dire dove potrebbe essersi nascosto il suo amico. Magari ha qualcuno, qua a Roma o altrove, che gli può aver dato un appoggio.»

Scaccia sbuffa. «C'avevamo già pensato, dotto'.»

Alla Trattoria Bonelli non c'era, ed è lampante che *lui* non ha ancora nessuna intenzione d'accettarmi.

«Sono contento che c'avevate già pensato, Scaccia» dico. «Adesso *fallo*.»

Il sovrintendente guarda i suoi colleghi, in cerca di supporto. Ma non lo trova. Non dice nulla, e se ne va.

Do istruzioni alla Longo e alla Fresu. Abbiamo i tabulati dei Wang che sono rimasti congelati mentre noi eravamo in sospeso.

«Ripartite da quelli. E sentite i gestori per i numeri usati da Smoje e Suker. Stavolta proviamo a fare in modo che non ci siano intoppi.»

Libero e Scaccia hanno già lavorato sulla cella di Tor Pignattara, individuando le utenze che hanno posizionato i croati sulla scena del delitto.

Adesso la Longo e la Fresu devono lavorare sui loro tabulati, e compararli con quelli completi dei Wang che ci ha rimandato la Vodafone, dopo il *bug* del loro server.

«Sempre per Suker. Controlla il suo cellulare, trova altri due e mettetevi in Sala Ascolto. Lo intercettiamo» ordino a Pizzuto.

«Sì, dottore.»

Torno a Liberati: «L'Express Money?».

«Ce so' stato, dotto'. Ho fatto vedere le foto dei croati agli impiegati, però nessuno li ha riconosciuti. E fuori dal posto non ci stanno manco telecamere di sorveglianza.»

«E le spedizioni?»

«Gli impiegati hanno confermato che i Wang, più o meno una volta al mese, versavano soldi in contanti che poi venivano spediti in Cina.»

«Quanti soldi spedivano?»

«In teoria c'è un limite. Oltre 9999 euro, la somma andrebbe dichiarata all'Agenzia delle Entrate.»

«I Wang rientravano in questo limite?»

«Sempre in teoria, sì.»

«E in pratica?»

«In pratica, uno degli impiegati lo conosco. Se chiama Mario. È un ragazzo che sta lì da poco, io so' amico de su' padre, e me lo so' portato a prende' un caffè.»

«E che t'ha detto Mario?»

«Dice che i Wang passavano mazzette ad alcuni colleghi suoi, così sulle ricevute risultavano versamenti e spedizioni entro il limite massimo, ma in realtà i soldi spediti erano molti di più.»

«Quanto di più?»

«Mario non ne è sicuro. Dice a volte ventimila o trentamila, a volte di più.»

«Avvisiamo Caruso, e facciamocele dare, quelle ricevute. Tu, intanto, convoca qua gli altri impiegati e sentiamoli a verbale.»

«Va bene.»

«Ti puoi far rilasciare anche una dichiarazione giurata, da questo Mario?»

«Posso, dotto'. Però vorrei evitare di metterlo negli impicci…»

«Tranquillo, Libero. Non è il ragazzo che sta impicciato.»

Faccio segno a Missiroli: «Andiamo a prendere la signora Wang».

«È sicuro, dotto'?»

«Perché?»

«Oggi c'è il funerale del marito e della figlia.»

Non lo sapevo. In effetti, sarebbe più delicato aspettare.

Però, no. Ribadisco: «Andiamo a prendere la signora Wang».

7.

Due bare chiuse. Una grande e una piccola. Guardare quella piccola fa male.

Io e Missiroli ce ne restiamo in disparte, per il momento.

Dietro i due feretri, come alla commemorazione in piazza Vittorio, ci sono le fotografie di Abile Wang e Profumata Wang. Sopra, e tutt'intorno, sono deposte numerose corone di fiori.

Siamo nella palestra della scuola elementare Pisacane, nel cuore del quartiere. Qualcuno deve avere trovato un accordo con il Municipio V per avere il permesso di tenere qui la cerimonia funebre.

Profumata Wang tra due anni si sarebbe iscritta in questa scuola, e in palestra avrebbe corso, scherzato e giocato con gli altri bambini. Adesso, invece, il posto è stato adornato con le scritte del lutto in caratteri cinesi tradizionali, ci sono candele rosse e fiori, fiori bianchi, ovunque.

Una lunga fila silenziosa di persone entra nella palestra. Sono soprattutto cinesi, ma ci sono anche italiani, e altri stranieri. È la gente del quartiere. Depongono altri fiori sulle bare.

Poi i cinesi si accostano a un braciere sistemato in un angolo e vi gettano piccoli fogli di carta gialla ripiegati a forma di barca. Rappresentano il denaro con il quale i defunti potranno sostentarsi nell'aldilà.

La signora Wang è circondata dagli amici più stretti e dai parenti, che piangono e si lamentano a voce alta. Nella tradizione cinese le manifestazioni di cordoglio ai funerali non sono considerate vergognose, ma anzi di buon auspicio. Coloro che non ci sono più devono sapere che sono rimpianti.

Wang Xinxia è seduta. Dietro di lei, in piedi, c'è Sofia Sun.

Se fossimo in Cina, nella sala dove si salutano i propri cari ci sarebbero anche offerte di cibo – pesce, carne, frutta, riso – perché il viaggio tra la vita e la morte è lungo, e i morti non devono patire la fame. Le salme sarebbero già state cremate e i resti conservati dentro le urne, le *guhui weng*. Un parente dei defunti farebbe esplodere in cielo dei razzi, sempre in numero dispari. E al momento della sepoltura, un esperto di *Feng Shui* armato di compasso verificherebbe che la tomba, la *mubei*, fosse orientata nella giusta direzione così da favorire la fortuna di coloro che se ne sono andati.

Ma non siamo in Cina.

Siamo in Italia, a Roma, a Tor Pignattara.

Wang Xinxia è cinese, suo marito e sua figlia erano cinesi.

I cinesi che vivono in un Paese che non è il loro cercano di non disturbare, di non eccedere, di non farsi notare.

Si adattano.

Un prete cattolico, italiano, sta benedicendo le bare, mentre un prete taoista e uno shintoista, cinesi, recitano le preghiere per i morti.

Senza che nessuno mi veda, mi ritrovo a sorridere brevemente. E provo un senso di appartenenza che sento raramente.

Siamo cinesi. Non solo ci adattiamo, ma non smettiamo mai di essere pragmatici. I tre preti delle tre diverse religioni continuano nella loro liturgia. Se non sai quale via può portare al Paradiso, perché non provarle tutte?

Missiroli nota che sto sorridendo e scuote la testa. «Gliel'ho detto, dotto'. Troppi cinesi, e io non ci capisco niente.»

Mentre li osservo, di fianco a me compare Alberto Huong, il giovane imprenditore.

«Vicequestore Wu» mi saluta.

Ricambio con un cenno, e resto concentrato sulla fila di persone che ancora entra, e ancora depone fiori bianchi sulle due bare. All'esterno della palestra, intravedo telecamere e giornalisti. Stanno seguendo un fatto collegato all'operazione "Grande Muraglia", ma stanno anche documentando un evento speciale.

Un funerale cinese.

La leggenda metropolitana dice che i cinesi in Italia non muoiono mai, perché non si vedono funerali cinesi. La leggenda dice anche che quando i cinesi muoiono, i cadaveri vengono fatti sparire, e i documenti riutilizzati per altri cinesi.

Ora, la parte che riguarda i documenti è parzialmente vera. Vengono rivenduti nel mercato nero, quando i legittimi proprietari non li usano più. Ma questo accade perché i cinesi, prima o poi, rientrano in Cina. Gli anziani tornano a casa, i giovani rimangono, e quindi i decessi sono più rari.

Dietro la leggenda metropolitana, il fenomeno è molto più semplice.

«È lei che ha organizzato la cerimonia, vero?» chiedo a Huong.

«La nostra associazione ha contribuito, sì. E, terminato il rito, ci occuperemo di spedire le salme in Cina alla famiglia di Abile Wang. La signora Wang è d'accordo.»

Significa che i genitori di suo marito hanno reclamato il diritto ad avere vicini il figlio e la nipote, e lei non ha potuto opporsi.

Guanxi.

Huong guarda sia me sia Missiroli. «Piuttosto, non mi aspettavo di trovarvi qui, vicequestore.»

Mentre lui parla, di fronte a Wang Xinxia è apparso Vecchio Zhao. Con lui ci sono Piccolo Zhao e gli stessi due sgherri che lo avevano accompagnato in Procura e a piazza Vittorio.

Tutti i presenti salutano subito Vecchio Zhao, con deferenza.

Il mio senso di appartenenza si dissolve.

«C'è un'indagine in corso» dico a Huong.

Vecchio Zhao sussurra qualche parola a Wang Xinxia, che non riesco a cogliere. Dopodiché, così com'è apparso, scompare con il suo seguito.

Ormai la cerimonia funebre volge al termine.

«Missiro'» do un colpetto al braccio dell'ispettore, e ci

avviamo verso la signora Wang. In dialetto, le rinnovo le mie condoglianze. Quindi le dico che dovrebbe venire in Procura, perché il magistrato vuole vederla.

Come quando eravamo sulla scena del delitto, scorgo un'ombra di paura nei suoi occhi. Lei si volta verso Sofia Sun, sempre in piedi alle sue spalle, e l'avvocato si rivolge a me. «Dottore, pensavo che il magistrato non avesse intenzione di risentire la signora.»

«Sono emersi elementi nuovi.»

Missiroli, con delicatezza, aiuta la signora Wang ad alzarsi.

Sofia Sun accenna alle due bare: «Ma è necessario proprio adesso?».

Nelle fotografie dietro i feretri, Abile Wang appare serio e composto. Profumata Wang, invece, sorride.

Anche Giacomo, ogni tanto, sorride allo stesso modo. È il sorriso naturale dei bambini, felice e limpido, perché per loro il mondo è ancora un luogo meraviglioso.

«Sì, è necessario.»

8.

«Signora Wang, ha compreso il motivo per il quale si trova qui?»

Nel procedimento penale, l'azione investigativa è attribuita al pubblico ministero. Siamo in Procura, siamo nel suo ufficio, quindi adesso le domande le fa Caruso.

Donnarumma, un agente in servizio presso la sezione interna, tiene il verbale. Io e Missiroli siamo presenti quali ufficiali di polizia giudiziaria che coadiuvano il sostituto procuratore. Io, in più, continuo ad avere il ruolo dell'interprete nel caso Wang Xinxia non capisca ciò che le viene detto in italiano, o non riesca a formulare una risposta corretta.

«A dire il vero no, non comprendiamo, dottore» replica

Sofia Sun. «Il vicequestore Wu ha solo accennato a nuovi elementi emersi.»

«Avvocato, prima di cominciare vorrei ricordarle i *limiti* della sua presenza.»

Caruso mi lancia un'occhiata.

Wang Xinxia è persona informata dei fatti, *non potrebbe* essere assistita da un legale. Ma il pm ha acconsentito per gli stessi miei motivi: evitare incomprensioni e pasticci.

«Lei è qui, avvocato, per garantire che la signora Wang abbia piena consapevolezza di quanto sta avvenendo, senza che vi siano equivoci dovuti alla traduzione. Solo questo» chiarisce Caruso.

In via preventiva, ho spiegato al magistrato che in cinese e in dialetto le parole cambiano radicalmente di senso a seconda del *tono* con cui vengono pronunciate. In mandarino i toni sono quattro. In cantonese, ad esempio, sei.

Caruso non intende permettere a un avvocato difensore, o alla stessa Sofia Sun, di appigliarsi in futuro a un tono sbagliato per contestare la deposizione della signora Wang. Ecco perché, anche se non potrebbe, Sofia Sun si trova in questa stanza. «E comunque, per tornare ai suoi dubbi, avvocato, il vicequestore Wu ha detto bene. Siamo giunti a nuovi accertamenti, e vorremmo che la signora ci aiutasse a chiarire alcune circostanze. È un problema?»

«No, dottore, certo.»

«Bene. Allora possiamo procedere.» Caruso apre il faldone dell'inchiesta, prende le foto segnaletiche di Suker e Smoje, e le mostra alla signora Wang. «Conosce questi uomini?»

Wang Xinxia studia i volti per qualche secondo. «No.»

«Non li ha mai visti?»

«No.»

«Nemmeno nei pressi del vostro laboratorio, o quando lei e suo marito andavate a spedire i soldi all'Express Money di via Eratostene?»

«No, mai.»

«Possiamo sapere chi sono, dottore?» chiede Sofia Sun.

I confini entro i quali all'avvocato è stato concesso di presenziare sono molto ristretti, e non potrebbe interrompere in questo modo. Tuttavia, Caruso soprassiede. «Sono due pregiudicati croati. E sono anche i due che hanno aggredito la signora e la sua famiglia.»

Wang Xinxia osserva di nuovo le fotografie.

«Sa dirci quale di questi due uomini ha sparato?» chiede Caruso.

Wang Xinxia si concentra. «Lui, forse. Non sono sicura.» Indica Suker.

Forse. Non è sicura. Ma "forse" è meglio di "non lo so".

Wang Xinxia continua a guardare la foto di Suker, e io guardo lei. Ha davanti la faccia di chi ha ucciso suo marito e sua figlia, eppure nella sua espressione non cambia nulla. Nessun guizzo nei muscoli del viso, nessuna smorfia.

Niente.

«Avete individuato i colpevoli, è un'ottima notizia» dice Sofia Sun.

«Non proprio, avvocato, non è così semplice…» Caruso indica prima Smoje, poi Suker: «Uno è morto, l'hanno ammazzato. L'altro è in fuga, e lo stiamo ancora cercando. E poi, c'è un terzo uomo».

Il pm prende anche una fotografia di Čop. Essendo incensurato, l'unica immagine disponibile è stata scattata *post mortem*, sul tavolo dell'autopsia. Nell'istantanea è inquadrata solo la testa, escludendo il punto in cui il collo è stato reciso. Ma il colore della pelle sembra cera sporca, gli occhi sono semichiusi e vitrei, le labbra livide e contratte in un ghigno rigido.

Stavolta, Wang Xinxia ha una reazione, tira indietro il busto, si allontana. E anche Sofia Sun ha un brivido involontario. Perché è chiaro che stanno fissando un cadavere.

«Anche quest'uomo è stato ucciso» spiega Caruso. «Non crediamo fosse coinvolto direttamente con l'aggressione, ma lavorava spesso con gli altri due.»

Il magistrato riassume per la signora Wang e per Sofia Sun la nostra convinzione che i croati fossero stati *mandati* a compiere la rapina, e aggiunge che – visti i fatti che supportano la nostra tesi – lui adesso conduce l'indagine per conto della Direzione Distrettuale Antimafia.

«I due uomini sono stati entrambi decapitati» proseguo io, «e questo non può essere un caso: lei, signora Wang, è cinese, la sua famiglia è cinese, e gli uomini che vi hanno aggredito sono stati uccisi con un metodo usato di solito dalla mafia cinese.»

«Quali sono i rapporti tra lei e Vecchio Zhao?» chiede Caruso a Wang Xinxia.

«Lo conosco. Tutti conoscono Vecchio Zhao.»

«E con suo marito, che rapporto aveva?»

«Ci ha aiutati. Vecchio Zhao aiuta tutti.»

Nessun stupore per queste domande. Se prima ha avuto una reazione, ora la donna riprende l'imperturbabilità che l'ha contraddistinta fin da quando era ancora sulla scena, a pochi passi dai cadaveri del marito e della figlia.

Un buon poliziotto dovrebbe intuire quando qualcuno mente, o elude di proposito le risposte. Con Wang Xinxia non ci riesco. E non è certo perché i cinesi, come credono alcuni, sono impassibili. Al contrario, come prima al funerale piangono, urlano, si disperano in maniera vistosa ed esagerata. Litigano, parlano ad alta voce e gesticolano. Proprio come gli italiani.

La signora Wang no.

«*Guanxi*. So cos'è. Però non basta, deve dirci di più…» sollecito Wang Xinxia, passando al *wenzhouhua*. «Credo che la signora debba essere più specifica» chiarisco poi in italiano, per il verbale.

«Anch'io conosco Vecchio Zhao, signora» interviene ora Missiroli. «Lo conosciamo tutti, qui. Dire che ha aiutato la sua famiglia non significa niente.»

«Ma perché insistete su Vecchio Zhao?» domanda Sofia Sun. «Pensate che c'entri qualcosa?»

Questa volta Caruso non lascia correre. Il tono si fa brusco: «Avvocato, le ricordo *ancora* i limiti a cui deve attenersi! E anziché chiedere sempre spiegazioni, ci aiuti a ottenere risposte più esaurienti dalla sua assistita».

Prendo di nuovo la parola: «Signora Wang, Vecchio Zhao è il *San Chu*?».

«Io non so niente di queste cose.»

«Andiamo, signora. Siamo a conoscenza delle attività che gestisce Vecchio Zhao, è stato qui in Procura per informarsi delle indagini, si muove scortato da almeno due guardie del corpo, alla cerimonia di commemorazione per suo marito e sua figlia tutti i cinesi presenti sono andati a rendere omaggio *a lui*, e poco fa, al funerale, è accaduto lo stesso. Che ci dice, di questo?»

«Vecchio Zhao ha molti affari, ed è un uomo rispettato nella nostra comunità.»

«Sì, come un 489.»

Wang Xinxia non commenta.

«Al funerale Vecchio Zhao è venuto a salutarla» dice Missiroli.

«Vecchio Zhao conosce il dolore della perdita, ha voluto esprimermi la sua vicinanza.»

«Lei o suo marito avete mai avuto contrasti con lui?» riattacca Caruso.

«Contrasti?»

La signora Wang non capisce, e allora traduco il termine in dialetto.

«No, mai» risponde. «Nessun contrasto, con nessuno. Io e mio marito abbiamo solo lavorato, sempre.»

«E con il signor Huong che rapporti ci sono?» chiedo ancora io.

«È il presidente della A.G.I.ICI. Io e mio marito ci siamo iscritti all'associazione fin dall'inizio.»

«Solo questo?»

«Sì.»

«Il signor Huong, con l'associazione, ha contribuito a diverse spese, però. Anche per la spedizione delle salme di suo marito e sua figlia in Cina.»

Wang Xinxia mi fissa. «Lei è cinese, vicequestore, sostiene di conoscere il *Guanxi*. Io e Wang Jiang abbiamo sempre versato la nostra quota per l'associazione, e il signor Huong è stato gentile con me adesso.»

«Un momento.» Sofia Sun sfiora la mano della signora Wang, come a dirle che va bene così. Poi, affronta Caruso: «Dottore, mi dispiace ma devo interrompere ancora. Credete che anche il signor Huong sia implicato?».

«Avvocato, la rapina e l'omicidio di Abile Wang e di Profumata Wang, anche se gli esecutori erano croati, sono crimini *cinesi*» rispondo io al posto del magistrato. «Sono maturati in un ambito, in un ambiente circoscritto fatto di vincoli e conoscenze, e noi dobbiamo verificare tutto.»

«Questo lo capisco. Ma mi sembra che continuiate a porre domande alla signora come se vi stesse nascondendo qualcosa. Perché?»

«Perché la signora ci ha nascosto qualcosa» dice Caruso.

Seguendo il copione delle domande e risposte, e allo stesso tempo indirizzandolo, siamo arrivati esattamente al punto in cui volevamo arrivare. Si è aperto un varco, e adesso il sostituto procuratore affonda il colpo. «Abbiamo ritrovato il pacco con il denaro che la signora Wang e suo marito avrebbero dovuto spedire. La signora ha dichiarato che all'interno c'erano circa cinquemila euro. Invece, ce n'erano molti di più.»

Sofia Sun fa un piccolo scatto: «Nessuno ci aveva informati».

La tolleranza di Caruso si è esaurita: «Non eravamo tenuti a farlo. Ve lo stiamo comunicando adesso, ed è la ragione principale per la quale abbiamo convocato la signora».

«Io non so niente di quei soldi in più» dice Wang Xinxia. «Mio marito m'aveva detto che erano cinquemila.»

Tecniche d'interrogatorio. Caruso ha omesso di proposito la cifra esatta che abbiamo ritrovato, per vedere se la signora Wang si sarebbe tradita rivelando l'importo esatto.

Però non è successo.

Allora il pm continua: «Signora, nel pacco c'erano cinquantamila euro, e abbiamo un testimone pronto a rilasciare una dichiarazione giurata: affermerà che voi corrompevate gli impiegati dell'Express Money per effettuare, in più occasioni, spedizioni di cifre molto superiori al tetto consentito dalla legge. Stiamo acquisendo le ricevute, e andremo a fondo».

«Io non so niente» ripete Wang Xinxia. «Non ho idea di quanti soldi c'erano nel pacco, e nemmeno di quanti ne spedivamo. Se ne occupava mio marito.»

«Soltanto suo marito?» chiedo io.

«Sì. Preparava i pacchi col denaro, io lo accompagnavo, ma poi con gli impiegati dell'Express Money ci parlava lui.»

«Signora Wang, lo ha detto lei: io sono cinese. Non riesco a credere che una moglie *cinese* lasciasse gestire il denaro a suo marito, senza mai metterci bocca.»

«Io seguivo il laboratorio, lui i conti. Avevamo deciso così.»

«E da dove venivano tutti quei soldi che spedivate?»

«Siamo stati fortunati, e abbiamo lavorato tanto.»

«Mo basta, però! Mo ci siamo stancati!» la cadenza napoletana riaffiora, come ogni volta che Caruso si rilassa, o al contrario si fa prendere dalle emozioni. Il magistrato tira indietro la poltrona dalla scrivania, esasperato, e fa segno a Donnarumma di interrompere il verbale. «Signora, qua abbiamo suo marito e sua figlia che sono stati ammazzati, e lei ci dà solo risposte vaghe. È reticente. Lei è qui come persona informata dei fatti, e come tale è tenuta a dire la verità. Altrimenti, potremmo indagarla per false dichiarazioni.»

Sofia Sun s'irrigidisce: «Dottore, questo però non glielo consento. La signora Wang sta collaborando per quanto può. Ma non può rivelare informazioni che ignora».

«Avvocato, qua sono io che consento o meno. E le ho concesso fin troppa libertà. Tra l'altro, non siamo più a verbale, non prendiamoci in giro. La signora non sa, non c'era, non è stata lei, e tutti quelli di cui chiediamo sono belli e buoni.»

Sofia Sun non si lascia intimidire. «Anche noi vogliamo sapere se ci sono dei mandanti nella rapina che ha causato la morte del marito e della figlia della signora.» Estrae un foglio dalla borsa e lo allunga al magistrato. «Ci aveva chiesto di fornire una lista di persone che potevano essere a conoscenza delle spedizioni. Eccola.»

Caruso getta un'occhiata distratta all'elenco. Sopra ci sono scritti dieci nomi. «Controlleremo» dice freddo.

«Controllate allora. Noi possiamo andare?»

Non abbiamo niente per trattenere .ancora la signora Wang.

Il pm però non risponde, guarda Wang Xinxia: «Lasciamo stare le cifre esatte delle spedizioni. Ma i soldi che non inviavate con l'Express Money, dove sono depositati?»

«In banca.»

«Quale banca?»

La signora Wang nomina una filiale della Banca Popolare di Milano, sempre sulla Casilina, non distante dall'agenzia dell'Express Money.

Caruso fa annotare a Donnarumma l'indirizzo esatto.

Solo dopo replica a Sofia Sun: «*Adesso*, potete andare».

Lei, scura in volto e senza pronunciare nemmeno un'altra parola, esce dall'ufficio seguita da Wang Xinxia.

Missiroli resta con loro e mi aspetta. Noi le abbiamo portate qui, noi le riaccompagniamo.

Io rimango solo con Caruso. «Quindi, dottore? Adesso glielo chiedo io: cosa vogliamo fare?»

Lui spinge verso di me la lista che gli ha appena consegnato l'avvocato Sun. «Questa è fuffa, Wu.»

«Probabile.»

«Comunque ci metta sopra uno dei suoi. Intanto, vi preparo i decreti per il laboratorio tessile, le pertinenze annesse, e la loro abitazione. E per la banca e il commercialista.»

So dove vuole arrivare Caruso.

«Come dicono quelli bravi? *Follow the money*. Voglio il conto corrente e voglio i libri contabili. Cominciamo a ragionare come se la signora Wang non fosse più solo una vittima.»

9.

Sofia Sun è ancora rabbuiata quando esco in corridoio. «Dottore, crede che possiamo andarcene, ora?» mi chiede subito.

«Cinque minuti. Vorrei scambiare altre due parole con lei, avvocato.» Domando a Missiroli se per favore può accompagnare lui la signora Wang, e l'ispettore accetta.

Dopodiché, chiedo a Sofia Sun se gradisce un caffè, o qualcos'altro.

«Andiamo fuori da qui.»

Appena usciti dalla Procura, fa un lungo respiro e alza il viso verso il cielo azzurro. «Che cosa vuole, dottore?»

«Che la signora Wang risponda alle nostre domande e che lei la convinca.»

«Come ho già detto al pm, la signora ha fornito una spiegazione per tutto quello che le avete contestato. Ma voi non le credete.»

«No.»

Alla fine, si riduce tutto a questo: abbiamo deciso che *non* le crediamo.

«Quindi io dovrei convincerla a far cosa?»

«A darci spiegazioni più convincenti.»

«E voi, nel caso, siete pronti a darle credito.»

«Sì.»

L'avvocato sembra piuttosto scettica: «Difficilmente le persone cambiano opinione. Poliziotti e magistrati più di tutti».

«Per cambiare opinione, serve qualcosa che te la faccia rivedere. Parlerà con la signora Wang?»

Sofia Sun non si sbilancia: «Mi ha trattenuta solo per questo?».

«No. Vecchio Zhao e Alberto Huong. Cosa sa su di loro?»

«Cosa dovrei sapere?»

«Me lo dica lei.»

«Nonostante sia ancora giovane, il signor Huong ha avuto successo. Si è impegnato, lavora e dà lavoro a tanta gente.»

«Nient'altro?»

«Nient'altro.»

«E Vecchio Zhao?»

«So quello che si dice su di lui, dottore.»

«E che ne pensa?»

Sofia Sun tace per un momento e mi fissa. «Lei è cinese, dottore. Eppure guarda ai cinesi con tutti i peggiori stereotipi. Se qualcuno di noi fa fortuna, o ha un ruolo di rilievo, deve per forza essere disonesto, o addirittura mafioso.»

«Non mi piacciono gli stereotipi, avvocato. I miei genitori e i miei nonni sono cinesi, qualche soldo l'hanno fatto, ma si sono anche sfiancati tutta la vita.»

«Allora perché per il signor Huong e per Vecchio Zhao non può essere lo stesso?»

«Perché conosco la mia gente.»

«Strano, non pensavo considerasse noi cinesi *la sua gente*.»

«Lei sì, avvocato Sun?»

«Sì. Sono una donna cinese nata in Italia da genitori cinesi a loro volta nati in Italia. Italiana di seconda generazione, quindi. Molto di me è italiano, ma rimango cinese. Non sono una *banana*.» Gialla fuori, bianca dentro. «Lei, invece, non capisce bene dove stare, vero?»

Penso a mia moglie, e alla frattura tra le parti diverse di me che mi porto dentro da sempre.

«Io sto dalla parte dei buoni, avvocato» dico. «E voglio prendere i cattivi. In fondo, è semplice.»

«Non lo è affatto. Lei si sottrae, ed è la seconda volta.

È un poliziotto, cerca la verità, eppure sembra che voglia mentire a se stesso.»

«E lei mente? Come la signora Wang?»

Non dice nulla, e fa per andarsene. La richiamo.

«Avvocato! M'interessa soltanto scoprire chi ha mandato i due croati, e cosa c'è dietro. Hanno ammazzato il marito della signora Wang e la sua bambina.»

Sofia Sun si ferma e mi rivolge un'altra lunga occhiata. Poi torna a voltarsi, e accelera il passo.

Io continuo a pensare alle sue parole.

10.

In Commissariato ritrovo Missiroli che ha accompagnato Wang Xinxia, e gli chiedo di verificare alla Camera di Commercio chi tiene la contabilità del laboratorio dei Wang. Poi faccio il punto con gli altri.

Scaccia: ha parlato con Marko, il suo contatto per i croati, che dice di non sapere dove possa essere Suker. Però è convinto che non sia tornato in Croazia. Ha fornito una serie di nomi di amici e conoscenti a Roma, e di posti che Suker, Smoje e Čop frequentavano. Scaccia controllerà.

Pizza: come avevo disposto, si è messo in Sala Ascolto con altri due agenti, Leonardi e Mussumeli, ma per ora il numero di Suker "non butta". Non fornisce dati. Il cellulare risulta inattivo. Lasciamo comunque Leo e Musso sul numero, a turno.

La Longo e la Fresu: anche loro sono sui tabulati di Suker e Smoje, e anche loro sono a zero. Un paio di utenze intestate ad altri croati a Roma, gli stessi già verificati da Scaccia. Nessuna traccia.

Uguale per i tabulati dei Wang: qualche amico e parente in Italia, qualche parente in Cina, i negozi d'abbigliamento a cui fornivano la merce, il recapito di Huong e della A.G.I.ICI., un'estetista e una profumeria, sotto il numero di Wang Xinxia; una rosticceria cinese, Mr. Chow, e un'enoteca sotto il numero di Wang Jiang. Poca roba.

Anche in questo caso, sono decine e decine di pagine da scorrere e visualizzare. Ci vogliono ore, pazienza e resistenza.

Missiroli, invece, se l'è sbrigata in fretta con la Camera di Commercio e ha già il nome di uno studio di commercialisti. Sono loro che tengono i conti per i Wang. Bene così.

Torniamo al punto.

Liberati: è andato all'Express Money, e ha visionato tutte le ricevute delle spedizioni di denaro effettuate dai Wang. Lì non c'è niente. Su ogni ricevuta l'importo è inferiore ai 9999 euro previsti dalla legge. Un tentativo a vuoto, ma dovevamo verificare.

Ancora Libero: ha convocato in commissariato alcuni degli impiegati dell'Express Money, e ha ascoltato le loro deposizioni stando attento a non svelare la nostra fonte, cioè Mario, il figlio del suo amico. Negano tutti. Negano tutto. Se ammettessero di avere preso mazzette per far uscire soldi dall'Italia, sarebbero accusati di riciclaggio e favoreggiamento nell'esportazione illegale di capitali.

Una cosa, però, l'hanno detta: quando Abile Wang andava a spedire il denaro, sua moglie era spesso presente.

Telefono al pm, e gli passo il nome del commercialista dei Wang – Studio Di Consolo & Associati – così che possa inserirlo nel decreto. Riassumo: l'intercettazione, i tabulati, Suker. Poi: l'Express Money, le ricevute, gli impiegati, e rimarco che la signora Wang era con il marito quando spediva i soldi.

Ha mentito di nuovo.

«Ho quasi finito di scrivere i papiri, Wu» dice Caruso.

Al solito a Pizza tocca il ruolo di galoppino, e lo mando dal magistrato. Missiroli allerta Bellucci e la Scientifica perché assistano alla perquisizione. Passati tre quarti d'ora, Pizzuto torna e ha con sé i decreti. Rimando subito fuori il pinguino per notificarli alla signora Wang.

Banca, commercialista, poi il laboratorio, poi la casa dei Wang.

11.

Dal commercialista vado con la Fresu, mentre la Longo raggiunge la filiale della Banca Popolare di Milano in cui i Wang hanno il conto corrente.

Lo Studio Di Consolo & Associati sta a Prati. Nella stessa palazzina c'è una produzione cinematografica e la sede dell'ambasciata dell'Uzbekistan. Gli uffici sono eleganti, arredati con mobili moderni in contrasto con le travi in legno a vista sui soffitti.

Siamo lontani da Tor Pignattara, in tutti i sensi.

Ci accoglie una segretaria giovane, molto bella, dall'aria efficiente. Ci qualifichiamo, e la ragazza non riesce a nascondere un momento di sconcerto. Se i Wang sono clienti dello studio, è abituata ad avere a che fare con i cinesi, ma è la prima volta che vede un poliziotto cinese. Avvisa il suo principale.

Di Consolo ha una sessantina d'anni, ben piantato, i capelli rasati quasi a zero per dissimulare un principio di calvizie, indossa un completo di alta sartoria, e ostenta un orologio di lusso. Anche lui, come la segretaria, si mostra interdetto, ma recupera immediatamente. La Fresu gli consegna il decreto di perquisizione e il commercialista, senza battere ciglio, ci fa accomodare in una saletta appartata, chiede a un'altra segretaria di portarci tutti i documenti in loro possesso sui Wang, e si siede in disparte mentre li esaminiamo.

Iniziamo dall'atto costitutivo della società commerciale riferita al laboratorio tessile: si chiama Il Filo di Seta s.r.l., e ne risultano titolari i coniugi Wang. Il laboratorio ha sede in via del Fosso, a Tor Tre Teste.

«Questo lo sapevamo già. E conosco il posto» dico io.

La zona dove ha sede il laboratorio è sulla Prenestina, a ridosso del GRA, ed è disseminata di grandi capannoni con all'interno attività "cinesi". In particolare, proprio via del Fosso, e via dell'Omo.

«È quella, ormai, la vera Chinatown di Roma» commenta la Fresu. Anche lei conosce il posto.

Nei capannoni c'è di tutto: laboratori simili a quello dei coniugi Wang, magazzini all'ingrosso di scarpe, casalinghi, cosmetici, biancheria. I negozianti cinesi dell'Esquilino vengono qui a rifornirsi. Negli ultimi anni, però, vengono anche tanti gli italiani che hanno negozi di lusso e che rivendono come merce pregiata i pezzi acquistati lì.

Per comprare in quei magazzini, comunque, vale la "regola cinese", cioè qualcuno già conosciuto ti ci deve portare, ti deve presentare e introdurre. Se sei conosciuto o introdotto, gli affari si conducono in un certo modo. Altrimenti, all'improvviso, tutti diventano ligi e precisi, ti chiedono la partita IVA, garanzie, e una quantità minima d'acquisto talmente alta da scoraggiarti. E puoi comperare solo all'ingrosso. Perché lì si produce all'ingrosso, si stiva all'ingrosso, e si vende all'ingrosso.

«Il laboratorio tessile ha continuato l'attività?» domando.

Di Consolo ci dice che per quanto ne sa lui, la produzione non si è mai interrotta, anche dopo la morte di Abile Wang.

Ora passiamo ai libri contabili. Da questi si evince che la fabbrica ha una clientela diretta. Cioè i prodotti non transitano per i magazzini all'ingrosso, ma riforniscono direttamente i negozi per la vendita al pubblico. Insolito.

Chiediamo di nuovo al commercialista, che risponde che i capi d'abbigliamento dei Wang sono di qualità superiore alla media "cinese", e che loro avevano preso accordi precisi con i negozianti.

Ci sta. Ma è comunque una filiera inconsueta per dei cinesi.

Esaminiamo i libretti dei versamenti INPS e il registro delle lavoranti assunte. I libretti appaiono in ordine, e dal registro risulta che negli ultimi tre anni sono state assunte in prova cinquanta operaie.

Attualmente, e sempre in prova, ne risultano assunte dieci, mentre le altre quaranta non sono state confermate dopo il periodo d'apprendistato.

Anche questo è strano. È un dettaglio che non torna. Una turnazione, un ricambio così frequente di lavoratrici è all'apparenza senza logica, se si pensa al tempo impiegato e alle spese sostenute prima, per preparare tutti i permessi necessari all'assunzione, e se si pensa al tempo, dopo, sprecato per formarle e addestrarle al lavoro.

Incarico la Fresu di portare tutti i documenti al Commissariato.

Io, con il sospetto ancora in testa, vado al laboratorio.

12.

In via del Fosso ci sono già Missiroli, Scaccia, Liberati e Pizzuto, assieme a Bellucci e a quelli della Scientifica.

Spieghiamo a Wang Xinxia che può chiedere all'avvocato di assistere.

«Ha un altro telefono?» le domando. Il suo è stato preso dai croati, lo abbiamo ritrovato nella sacca, e adesso è agli atti. Sì, ce l'ha. Chiama Sofia Sun e noi per gentilezza aspettiamo che arrivi. Dopodiché, una volta che è presente, iniziamo.

Raduniamo le dieci operaie in uno stanzone sul retro, che funge da mensa, dormitorio, e casa. Hanno dai venti ai trent'anni. Sono ragazze.

Ci sono solo cinque letti, perché la produzione non si ferma, e le donne non si riposano mai tutte assieme, ma seguendo una turnazione.

Poco tempo fa, a Prato, un capannone simile a questo è andato a fuoco. Sette persone sono morte nel rogo, e all'improvviso in Italia ci si è accorti delle condizioni disumane in cui lavorano e vivono moltissimi cinesi, stipati dentro stanze molto più piccole di quella in cui ci troviamo ora, con adulti e bambini che condividono uno spazio esiguo, malsano e insicuro.

Ammassati come animali.

Al confronto, le dipendenti dei Wang sono fortunate.

Scaccia, Libero e Pizza ispezionano la sala macchinari. Io e Missiroli domandiamo alla signora Wang dove tiene i documenti, e lei ci indica un ufficetto che affaccia sulle postazioni da lavoro, in modo da avere le ragazze sempre a portata di sguardo. La stanza è molto piccola, due metri per tre. Una scrivania, una poltrona girevole. Sulla scrivania, una vecchia calcolatrice elettronica.

«Non avete un computer?» chiedo a Wang Xinxia.

«No.»

«La contabilità per il commercialista come la tenete?»

«Scriviamo tutto. A mano. I computer si rompono, la mano no.»

«E gli altri documenti?»

Nell'ufficio c'è una cassaforte inserita alla parete, dietro la scrivania. La signora Wang ci dà la combinazione, e noi l'apriamo. Dentro, troviamo le fotocopie di dieci permessi di soggiorno; dieci certificati di residenza in Italia; dieci permessi di lavoro, in prova. I documenti sembrano regolari, e corrispondono alle dieci operaie che risultano assunte nel registro sequestrato dallo studio del commercialista.

Quindi abbiamo quella turnazione fin troppo frequente, ma le carte appaiono in ordine. Proprio questo, però, ci insospettisce di nuovo.

Quasi certamente i croati sono stati mandati a compiere la rapina, la signora Wang ha mentito sul contenuto del pacco, ha mentito ancora riguardo alla sua presenza all'Express Money, e invece perché in ditta tutti i documenti sono a posto?

«Certo che è anomala 'sta cosa, dotto'» commenta Missiroli. «Lo sa meglio lei di me come funziona…» Poi si blocca.

Può scherzare, con me, sui cinesi che ci sono nel quartiere, e su se stesso che non ci capisce nulla. Ma si rende conto che ciò che ha appena detto suona equivoco, come se io, essendo cinese, al di là del mio lavoro di poliziotto dovessi conoscere il funzionamento del traffico di clandestini, perché magari la mia famiglia è arrivata in Italia attraverso gli stessi canali.

In realtà, ai miei, e a mio padre in particolare, non ho mai domandato le modalità precise con cui sono entrati in Italia, per evitare l'imbarazzo a loro e a me stesso.

Fingo di non avere colto il possibile fraintendimento, e proseguo. «Lo so, Missiro', ma questo abbiamo.»

Tutti e due conosciamo le Teste di Serpente, l'organizzazione che si occupa del traffico di clandestini cinesi, e conosciamo i metodi e le rotte attraverso cui fanno arrivare i cinesi in Italia. Sappiamo come si svolgono i viaggi, che possono durare fino a un anno, e il costo della "tratta", che può superare i diecimila euro.

Quando sto ancora a Bologna, alla II sezione, con altri colleghi troviamo fermo in stazione un intero carico di scarpe proveniente dalla Cina, e nascosti nelle suole ci sono passaporti, certificati di matrimonio, atti di nascita e di famiglia. Tutto l'occorrente per trasformare un clandestino in un cittadino regolare.

Spesso si ricorre alla sostituzione di identità. Per ottenere il permesso di soggiorno è necessaria la presenza fisica del richiedente, e allora ci si affida a un conoscente, o a un conoscente di un conoscente, che assume l'identità del titolare del documento. Ad esempio, Cao è in Belgio, o in Francia, o in Olanda – che sono sovente Paesi di transito verso l'Italia – o addirittura è ancora in Cina. Il suo passaporto viene spedito in Italia. Lo prende Hao, Hao si spaccia per Cao, e con il passaporto di Cao fa tutta la trafila per chiedere il permesso di soggiorno. Quando il permesso è pronto, viene spedito a Cao assieme al suo passaporto, e con questi documenti Cao entra in Italia.

Oppure, le Teste di Serpente forniscono i clandestini di passaporti falsi giapponesi o coreani perché, rispetto alla Cina, Giappone e Corea hanno accordi più elastici con l'Unione Europea per i visti d'ingresso, e le organizzazioni criminali contano sul fatto che alle frontiere gli addetti non distinguono un asiatico da un altro. All'aeroporto di Fiumicino, per di più, gli ingressi sono solo vistati sul documento stesso, ma non sono registrati in nessun archivio. E per ogni eventualità, agli sbarchi c'è sempre qualcuno ben pagato per chiudere tutti e due gli occhi.

A operazione conclusa i preziosi passaporti giapponesi o coreani vengono rispediti in Cina per essere riutilizzati. Intanto, i clandestini sono presi sotto la tutela delle Teste di Serpente, che li forniscono di altri documenti falsi, e per averli corrompono tutti quelli che possono essere utili.

La mafia cinese, se può, non ricorre alla violenza. Preferisce pagare per avere ciò che vuole, e restare invisibile.

Ma se noi adesso siamo qui è perché *ha cominciato* a usare la violenza. Ha cominciato a uccidere.

Mi rivolgo al mio ispettore: «Facciamo tutto come si deve, Missiro'. Verifichiamoli bene, questi documenti».

Passiamo dall'ufficetto allo stanzone e confrontiamo le fotografie con le facce delle ragazze.

Ed ecco la falla.

Le fotografie sui permessi non corrispondono ai volti. E anche i dati non coincidono. Le dieci operaie *non sono* le stesse del registro che ci ha dato Di Consolo.

13.

Ritorniamo nella sala macchinari e la rivoltiamo completamente.

Sofia Sun adesso si mette in allarme. Ha capito che qualcosa ci ha convinti a cercare ancora più a fondo.

«Che succede, dottore?»

Non le rispondo. Liberati guarda verso di me e allarga le braccia. Qui non c'è nient'altro di rilevante.

Poi, però, Scaccia si ferma davanti a una delle macchine addossata alla parete. «Dotto'» richiama la mia attenzione, e mi mostra dei segni scuri sul pavimento, come se il macchinario fosse stato trascinato contro il muro.

«Bravo, Scaccia.»

Lui mugugna, imbarazzato. Non abbiamo ancora risolto le nostre questioni, ma anche se non vuole ammetterlo, gli fa piacere essere elogiato di fronte agli altri.

«Cosa c'è lì dietro?» chiedo a Wang Xinxia.

«Niente.»

Tiriamo di lato la macchina, e vediamo che nasconde un passaggio oltre il quale c'è un breve corridoio che conduce all'esterno.

Lo percorriamo, e sbuchiamo in un cortiletto adiacente al capannone. Bellucci e i suoi ci seguono, continuando a riprendere e a scattare fotografie.

La signora Wang e l'avvocato Sun ci raggiungono subito.

Su un lato dello spiazzo c'è un grande bidone della spazzatura.

«Pizza.»

Se c'è da rovistare in mezzo all'immondizia, va il pinguino. Solleva il coperchio del bidone e ci si infila dentro per intero.

L'avvocato Sun mi si para davanti in assetto da guerra. «Che state facendo? Il decreto di perquisizione non comprende il cortile e i bidoni.»

«Invece sì. Se vuole, può rileggerselo» dico io. Cito a memoria: «Ivi comprese tutte le pertinenze del fabbricato in oggetto».

Pizzuto riemerge dal bidone con due grossi sacchi neri di plastica. «C'erano questi, dottore.»

Rovesciamo il contenuto dei sacchi sul selciato, e vediamo che contengono altri documenti.

Faccio segno all'operatore della Scientifica perché riprenda due quadernoni a quadretti, scritti in cinese e in italiano. Sono cifre, calcoli. A prima vista, una contabilità "parallela", molto diversa da quella che tiene Di Consolo, il commercialista.

Scriviamo tutto. A mano. I computer si rompono, la mano no.

«Anche questi» dico al tecnico. E cioè: passaporti cinesi, altre richieste di assunzione, compilate in italiano, e altri permessi di lavoro.

Incrocio lo sguardo di Missiroli. «Adesso sì che ci siamo, dotto'.»

I Wang sembravano un'eccezione, ma non lo sono. E alcuni fatti iniziano a combaciare.

Marito e moglie avevano e hanno rapporti con Vecchio Zhao. Se Vecchio Zhao è ciò che crediamo che sia – vale a dire il 489 della Triade – ha a sua volta rapporti con le Teste di Serpente.

Le Teste di Serpente sono una formazione sfaccettata, all'interno della quale agiscono diversi gruppi criminali, e sono in gran parte autonomi dalle Triadi. Ma senza il permesso e il supporto delle Triadi stesse non potrebbero operare.

Le organizzazioni criminali autonome sono il Drago senza Testa e senza Coda.

Le Triadi sono il Drago con la Testa e con la Coda.

Una volta chiariti gli accordi e le percentuali di spartizione dei guadagni, le Teste di Serpente si affidano a dei "procacciatori" che in Cina contattano coloro che vogliono emigrare. Dopodiché, trovano in Italia un garante – proprio come i coniugi Wang, con il loro laboratorio – o dei parenti prossimi, e un primo segmento dell'organizzazione fa arrivare i clandestini in Europa, sempre in Francia, Belgio o Olanda, i Paesi nei quali hanno le loro sedi logistiche. Oppure a Praga, altra città-base. Qui, il primo segmento dell'organizzazione cede i clandestini a un secondo segmento, e appunto li rifornisce dei documenti necessari – veri, o riprodotti a regola d'arte – per entrare in Italia.

Appena sono sul suolo italiano, ai clandestini sottraggono i passaporti, e si ritrovano rinchiusi in appartamenti messi a disposizione dalle Triadi locali in attesa che il garante paghi il riscatto.

«Che cosa ci dice di questi?» chiedo a Wang Xinxia, accennando ai documenti.

«Non so cosa sono...»

«Repertiamo tutto» dico a Bellucci.

Sofia Sun mi torna sotto, decisa a non cedere: «Non potete assumere questi documenti, sono fuori dai termini del decreto».

Sa che non è così, però non può recedere dalla sua posizione.

«Mi spiace ripetermi, avvocato, ma *possiamo*.»

Mi scosto da Sofia Sun per dare disposizioni ai miei.

Non abbiamo terminato. Manca ancora una tappa.

14.

Casa dei Wang. Di nuovo a Tor Pignattara, in via Carlo della Rocca, al civico 19. La costruzione rossa a un piano. A pochi metri da dove è avvenuto il duplice omicidio. Con me ci sono Libero e Pizza, e due tecnici della Scientifica. Wang Xinxia e Sofia Sun sono venute con noi.

L'abitazione è pulita, ordinata e spartana. Pochi mobili in ogni stanza, alcuni di fattura cinese che si affiancano ad altri presi in Italia, in qualche megastore come Ikea.

Un piccolo ingresso, un salotto con cucina a vista, un bagnetto, la stanza matrimoniale e la cameretta di Profumata Wang. In salotto sono appese alcune stampe che raffigurano paesaggi dello Zhejiang, e in particolare delle montagne nei dintorni di Wenzhou. I luoghi da cui provengono loro.

Di nuovo, la signora Wang e l'avvocato Sun si tengono in disparte. Wang Xinxia appare più sconvolta, ora, per questa invasione, che non da ciò che abbiamo rinvenuto al capannone.

Durante una perquisizione, purtroppo non si possono avere troppi riguardi, e infatti mettiamo tutto a soqquadro. Spostiamo i mobili, apriamo i cassetti e li svuotiamo, guardiamo dentro la cassetta dello sciacquone in bagno, togliamo coperte e lenzuola dal letto nella camera della signora Wang e di suo marito, apriamo la cerniera che chiude il materasso in caso ci sia nascosto qualcosa all'interno, e rovistiamo nella cassettiera, tra la biancheria intima.

So che siamo tenuti a farlo, ma non mi piace lo stesso mettere le mani tra le mutandine di Wang Xinxia e le canottiere e le magliette di Abile Wang.

Cerchiamo altri indizi che ci portino più vicini a capire come si legano la rapina/omicidio, i soldi nel pacco, i croati, i Wang, il laboratorio tessile, i documenti che abbiamo rinvenuto e Vecchio Zhao.

Ma non stiamo trovando niente.

Come al laboratorio, non ci sono computer. Non ci sono nemmeno altri cellulari o schede telefoniche.

Continuiamo.

Solo nella stanzetta della bambina – senza bisogno di dircelo – usiamo qualche cautela in più. Su una parete è appesa una pergamena sopra la quale è vergato il suo nome: in bella calligrafia, con ideogrammi antichi.

Fanfang. *Profumata.*

Sul comodino, c'è una sua fotografia. A differenza di quella esposta al funerale, qui non sta sorridendo. Ha la testa inclinata verso l'alto, gli occhi socchiusi in un'espressione serena, un po' trasognata come se guardasse qualcosa che noi non possiamo vedere.

Lì accanto è appoggiato l'unico apparecchio elettronico

presente in casa: un vecchio tablet senza wi-fi e con il vetro scheggiato su cui sono caricati dei cartoni animati.

Sul letto, sopra al cuscino, c'è un orsetto di peluche. Sembra in attesa del ritorno della sua padroncina. Ma lei non tornerà.

D'un tratto, m'assale un senso di tristezza e solitudine sconfinata. Mio figlio è lontano. Dovrei essere con lui, e con mia moglie. Dovrei essere con Anna e Giacomo.

Sofia Sun viene da me. «Dottore, ci vorrà ancora molto?» Me lo chiede a bassa voce, accennando alla signora Wang affacciata sulla porta della cameretta di sua figlia. Nonostante la costante impassibilità, riconosco la sofferenza. Per la prima volta, nemmeno l'ovale perfetto del suo viso riesce a trattenerla.

«Abbiamo quasi fatto.»

A questo punto mi sono convinto che non troveremo altro. Dico a Libero e Pizza di finire con la camera di Wang Fanfang, per scrupolo. Di farsi dare dalla signora Wang le carte relative alla casa, e di tornare in Commissariato.

Andandomene, l'ultimo sguardo è per l'orsacchiotto di pezza.

15.

In Procura ragguaglio Caruso. I dieci nomi che ci ha fornito Wang Xinxia su chi poteva essere a conoscenza delle spedizioni di denaro sono presenti sia sui tabulati del suo cellulare sia su quello del marito. Li ho fatti controllare da Missiroli, e non possono essere implicati nell'aggressione, né in ciò che è accaduto dopo. Come prevedeva il magistrato, fuffa.

«Dovevamo vagliarla, questa lista, Wu.» Caruso rammenta a entrambi che non abbiamo sprecato tempo, e che era necessario farlo. «Però mi chiedevo: i Wang contattavano i parenti in Cina con il loro numero Vodafone?»

Gli immigrati spesso hanno un altro contratto con un operatore del loro Paese, per telefonare a quelli che sono rimasti in patria. Altrimenti usano WhatsApp, Messenger, o anche Skype, come i miei nonni con me.

Ma i Wang non hanno computer, né a casa né al laboratorio, e noi non abbiamo trovato altre SIM.

«No. Nessun'altra scheda, dottore.»

Ora, però, dobbiamo occuparci d'altro. Adesso è più importante il laboratorio tessile.

«Perché la signora Wang non ha distrutto i documenti che avete trovato nel bidone?» mi chiede Caruso.

«Perché è cinese. I soldi prima di ogni altra cosa. Non ha voluto privarsi di un potenziale guadagno. Quei documenti valgono. Sperava che noi non li trovassimo. Sperava di poterli recuperare in un secondo momento, e magari rivenderli o "noleggiarli".»

Anche questa è una prassi della comunità cinese. I documenti vengono "noleggiati" da chi ne ha bisogno per un certo periodo di tempo, poi vengono restituiti al "noleggiatore".

«E i libri contabili "paralleli"?»

«Lo stesso, dottore. La signora Wang non ha avuto tempo di farne una copia, e, se li avessi distrutti, avrebbe perso del denaro.»

«Qualcosa su Vecchio Zhao?»

«No. Ma questo non significa nulla. Al contrario.»

Ripeto a Caruso ciò che ho pensato quando al laboratorio ho guardato i documenti dentro i sacchi di plastica nera: «Se Vecchio Zhao è la Testa del Drago, dietro quelle carte c'è lui».

«Sì, è plausibile.»

Occorrono altri indizi e prove, ma lo scenario comincia a delinearsi. Soprattutto, i documenti rivelano qualcosa di preciso su Wang Xinxia.

Lo ricordo a Caruso: ha mentito sulla quantità di soldi contenuta nel pacco; ha dichiarato il falso riguardo alla sua presenza all'Express Money durante le spedizioni; nel laboratorio lavorano dieci ragazze con documenti fasulli; ha cercato di nascondere altri documenti e i libri contabili truccati.

«Dottore» dico, «credo sia il caso di adottare una misura di fermo per la signora Wang.»

«Sì...»

Ci spostiamo al piano di sopra, dal giudice per l'indagine preliminare. Il dottor Massimo Mieli ha una cinquantina d'anni, stempiato e leggermente sovrappeso. Tra lui e Caruso c'è stima reciproca.

«Massimo, mi serve una occc per la Wang.» Un'ordinanza di custodia cautelare in carcere.

Col gip ripassiamo gli ultimi passi dell'indagine, ed evidenziamo con la dovuta enfasi il fatto che la signora Wang, nascondendo i documenti, ha tentato di inquinare le prove. Inoltre, è cinese, è straniera, e in questi casi si assume che la probabilità di fuga aumenti in modo considerevole.

Mieli a un tratto ci interrompe, con educazione. Ha capito. Si fida della capacità di giudizio di Caruso, e se Caruso si fida di me e della bontà del mio lavoro, per la proprietà transitiva si fida anche lui.

La mattina successiva, molto presto, ci convoca nel suo ufficio e ci dà l'ordinanza.

Io avverto Missiroli, torniamo a prendere Wang Xinxia al laboratorio, le lasciamo chiamare l'avvocato Sun, e questa volta la portiamo in galera.

16.

Casa circondariale di Rebibbia, sezione femminile. Il rapporto di confidenza tra Caruso e Mieli accelera i tempi. Dopo l'esecuzione della custodia cautelare, il gip ha un massimo di cinque giorni entro cui sentire la persona imputata, ma l'interrogatorio di garanzia di Wang Xinxia avviene il pomeriggio stesso, in una sala apposita, alla presenza del suo avvocato, Sofia Sun. A seguito della misura restrittiva, la signora Wang è stata iscritta al registro degli indagati, e ora l'assistenza di un legale non è più una concessione, ma un atto dovuto.

Caruso presenzia in qualità di pubblica accusa.

Sofia Sun non ha ritenuto di convocare un interprete, e traduce lei stessa alcuni passaggi in dialetto a Wang Xinxia.

Con noi, nella saletta colloqui del carcere, c'è ancora Donnarumma, lo stesso agente che ha già tenuto il verbale quando abbiamo sentito la signora Wang nell'ufficio di Caruso, prima che fosse indagata.

Mieli fa mettere per iscritto che io – il vicequestore aggiunto Luca Wu, dirigente del Commissariato di Tor Pignattara – compaio qui, oggi, in questo procedimento, in qualità di "assistente al pubblico ministero per esigenze investigative".

Attenendosi alla formula dell'interrogatorio di garanzia, Mieli chiede a Wang Xinxia se intende avvalersi della facoltà di non rispondere.

Wang Xinxia si sporge verso Sofia Sun e le sussurra qualcosa all'orecchio. Poi l'avvocato riferisce al gip.

«La signora Wang intende rispondere.»

Il gip inizia concentrandosi sulle donne con i documenti irregolari: «Signora Wang, i permessi di lavoro e di residenza che sono stati rinvenuti nella sua cassaforte non appartengono alle operaie che lavorano per la sua impresa. A *chi* appartengono?».

Wang Xinxia tace.

«È in possesso di qualche documento che attesti la loro identità?»

Wang Xinxia tace.

«E i documenti ritrovati nel cassonetto della spazzatura? A quanto riportato nell'informativa di polizia, al vicequestore Wu ha dichiarato di non saperne nulla. Conferma di sostenere che non sono suoi e che non è stata lei a cercare di nasconderli?»

Wang Xinxia tace ancora.

Mieli scambia un'occhiata interdetta con Caruso. Non comprendono cosa sta succedendo.

Ma Sofia Sun sì.

E anche io.

Ho otto anni, e sono al Giardino dell'Imperatore, il ristorante di mio padre. Un cliente ordina un piatto – anatra laccata – e mio padre gli dice che glielo porterà subito. Va in cucina, io lo seguo, e il cuoco lo informa che hanno finito gli ingredienti.

Mio padre non lo comunica al cliente, e questi dopo un po' torna a chiedergli la sua anatra. Mio padre risponde ancora che gliela porterà subito.

Io domando a mio padre perché non abbia detto al cliente la verità, e cioè che non può portargli nessun'anatra laccata.

Lui mi spiega che noi cinesi facciamo così. Ci piace trattare, litigare, ci accaloriamo, però se una certa richiesta non possiamo o non vogliamo soddisfarla, allora diciamo di sì perché è più facile. Se dici di no, devi discutere subito. Se dici di sì, discuti dopo. E magari tra adesso e dopo, qualcosa cambia, e la discussione non è più necessaria.

È ciò che sta facendo Wang Xinxia. Ha detto che avrebbe risposto, invece non risponde. Ha rimandato il problema.

Dopo l'occhiata interdetta, Mieli lascia spazio a Caruso. «Se vuole provare lei, dottore...»

Il pm prende un respiro e lascia trascorrere un istante prima di intervenire: «Perché non vuole parlare, signora Wang?».

«Perché è nel suo diritto farlo» puntualizza Sofia Sun.

«Sì. Ma allora deve dichiararlo.»

Alla fine, il cliente al ristorante di mio padre si stanca. Al posto dell'anatra laccata ordina manzo con bambù e funghi.

Mio padre glielo porta, l'altro è soddisfatto, la discussione è stata evitata.

Io, però, non ci casco.

E intervengo: «Avvocato, lei e la signora Wang dimenticate troppo spesso che anche io sono cinese, e conosco certi modi di fare. E ci blocchiamo sempre sulla stessa posizione. E cioè che il marito e la figlia della signora sono stati ammazzati, noi cerchiamo di scoprire perché, chi ha mandato i due croati, che cosa è accaduto, ma la signora non ci aiuta».

«Che i croati siano stati *mandati* è una vostra teoria, dottore. Ripeterla ogni volta non la fa diventare una certezza» obietta Sofia Sun.

«Ma potrebbe, se la signora si decidesse a dirci quello che sa.»

«Wu, aspetti.» Mieli mi fa capire che devo stare zitto. Non è utile a nessuno che io mi metta a battibeccare con l'avvocato dell'inquisita. Il gip si rivolge a Sofia Sun: «Avvocato, la funzione dell'interrogatorio di garanzia è dare modo a chi viene arrestato di difendersi e fornire prove a suo discarico. Ma la condotta della signora Wang non ci lascia molti appigli. Lo capisce?».

«Sì, giudice.»

«Lasciamo proseguire il pubblico ministero?»

Caruso riprende con Wang Xinxia. «Signora, glielo chiedo ancora: perché non vuole parlare con noi? Ha timore di qualcosa? O di qualcuno?»

Wang Xinxia di nuovo sussurra all'orecchio di Sofia Sun, e di nuovo l'avvocato riferisce.

«La signora Wang intende avvalersi della facoltà di non rispondere.» Ha rimandato il problema finché ha potuto, il problema non si è risolto, e adesso lo elude così.

Mieli sposta lo sguardo verso me e Caruso. È ancora interdetto dall'atteggiamento di Wang Xinxia, però non perde la sua compostezza.

«Come ritenete, avvocato. Però mi trovo costretto a confermare l'esigenza della custodia in carcere.» Il gip fa segno a Donnarumma di riportare a verbale la decisione di Wang Xinxia,.

Il procedimento è terminato. Mieli si alza, pronto ad andarsene. Caruso no. «Signora Wang, la sua intenzione d'avvalersi della facoltà di non rispondere è stata debitamente annotata, il verbale è chiuso, qualunque dichiarazione rilascerà non resterà agli atti.»

Lei lo guarda, senza dire nulla.

«Davvero non vuole che scopriamo chi ha causato la morte di suo marito e sua figlia, e perché?» Il tono di Caruso è accorato. Non è solo un sostituto procuratore che conduce un'indagine, è anche un uomo che vuole capire.

Wang Xinxia continua a tacere. Il suo silenzio è assordante.

17.

Come sempre in queste occasioni, la notizia che Wang Xinxia è stata tradotta in carcere è filtrata.

Io sono sicuro che la soffiata non è uscita dal mio Commissariato. Liberati mi ha assicurato che avrebbe sorvegliato lui, e so che nessuno ha sgarrato. Quindi, la notizia l'ha passata qualcuno della Procura o direttamente dall'interno del carcere. Il portone di Rebibbia è preso d'assalto dai giornalisti. Vogliono sapere perché colei che finora sembrava la vittima, cioè la donna che ha perso il marito e la figlioletta in modo così crudele, ora si trova agli arresti.

Mi accordo con Caruso per incontrarci nel suo ufficio, e riesco a sgattaiolare via inosservato. Lui e Mieli, invece, sono costretti a fermarsi davanti al muro dei cronisti.

Mentre raggiungo Missiroli, che è rimasto ad aspettarmi in macchina lontano dalla bolgia, mi sento chiamare. È Sofia Sun: «Dottore, un momento!».

Stavolta è lei che mi ferma.

Immagino cosa può volere. È brava, preparata, e durante l'interrogatorio di garanzia ha fatto tutto ciò che doveva fare. Ma è anche giovane e inesperta. Non credeva che Wang Xinxia sarebbe finita in galera, ed è un brutto colpo.

Quindi, la anticipo: «Avvocato, sì, il provvedimento di custodia per la signora Wang era inevitabile».

Sofia Sun sgrana gli occhi. Era proprio questo di cui voleva parlare, e l'ho colta alla sprovvista.

Si riprende in fretta, però. «Davvero?»

«Sì. Le avevo chiesto di convincere la sua assistita a collaborare. Se ci avesse fornito qualche risposta, nonostante le accuse a suo carico ora, anziché dietro le sbarre, si troverebbe perlomeno ai domiciliari.»

«Ci ho provato. Però adesso che *voi* l'avete arrestata, di sicuro le dirò di *non* parlare. Da ora in avanti difendo in via ufficiale la signora Wang, e lei si rapporterà solo con me.»

Lo sguardo di Sofia Sun è una sfida.

«Pensa che sia la cosa migliore?»

Lei non risponde.

Io salgo in macchina, e Missiroli parte. Dall'interno dell'auto, ha assistito a tutta la scena. «L'avvocato è bella tosta, eh dotto'?»

«Tutte e due le cose, Missiro'. Bella e tosta.»

«La signora Wang ha detto niente?»

«Niente, al solito.»

«Dotto', io i cinesi proprio non li capisco.»

«Missiro', certe volte nemmeno io.»

18.

L'ispettore mi riporta in Procura e saliamo tutti e due dal magistrato. Con la custodia in carcere confermata per

Wang Xinxia, Caruso decide di mettere sotto sequestro il laboratorio tessile, consentendo alle operaie di utilizzare lo stanzone che funge da mensa e dormitorio.

«Provvediamo subito a fotosegnalarle, dottore.»

Però c'è un altro argomento da affrontare. «E per i libri contabili "paralleli" che abbiamo ritrovato nella spazzatura?»

«Li avete già esaminati?»

«Non abbiamo ancora finito.»

«Il conto in banca dei Wang?»

«La filiale ci ha dato l'accesso ai dati, stiamo verificando lo storico di entrate e uscite.»

«Comunque, avevo già accennato la questione a Iorio, lui ne ha discusso con il procuratore capo, e sono entrambi concordi con me che è meglio aprire un filone d'inchiesta secondario e lasciarlo a un altro collega.»

Sono d'accordo anch'io, e per questo ho domandato.

«Il collega sarebbe il dottor Imbriani» continua Caruso, «e lui pensava di affidare l'indagine alla guardia di finanza. Al maggiore Marcialis. Lo conosce?»

«No.»

«Io sì» dice Missiroli. Conosce tutti, lo sappiamo.

«Wu?»

«Nulla da ridire, dottore.»

Spulciare tra cifre, conti e bilanci è compito della guardia di finanzia, sono dei mastini.

Non c'è altro da aggiungere.

Io e Missiroli andiamo al laboratorio, decreto alla mano, e spieghiamo alle lavoranti gli effetti della decisione del pm.

Parlo soprattutto io, prima in cinese mandarino, poi in *wenzhouhua*.

Le dieci ragazze ci guardano con occhi sbarrati e in silenzio. «Il sostituto procuratore non intende indagarvi, ma avete l'obbligo di restare a disposizione dell'autorità giudiziaria. Finché l'inchiesta è in corso, e se dopo si arriverà a un processo, come persone informate dei fatti – e potenziali soggetti lesi – vi sarà concesso un permesso di soggiorno temporaneo per motivi di giustizia.»

Possono continuare a vivere nello stanzone del laboratorio, ma devono trovarsi un altro lavoro. Quando tutto sarà finito, se non avranno un altro impiego e non avranno regolarizzato la loro posizione, generalità comprese, subiranno una procedura d'espulsione.

Le ragazze cominciano a piangere. Lunghi singhiozzi strazianti. Hanno abbandonato la loro terra, i famigliari, e gli amici. Hanno affrontato un viaggio lungo e difficile, e una volta in Italia sono state rinchiuse in questo capannone, nella periferia di una città straniera che hanno appena intravisto. Hanno lavorato tutto il tempo come bestie. Come schiave.

Cercavano solo una vita migliore, e adesso rischiano di perdere ogni cosa.

Ciò che sto facendo rientra tra i miei doveri, l'ho già fatto altre volte, e credo che sia giusto. I gemiti delle ragazze mi risuonano lo stesso nelle orecchie, e non trovo riparo dalla loro disperazione.

19.

Sera. Ho già le chiavi in mano e sto per entrare nell'androne del mio palazzo, quando sento il cellulare squillare. È Sofia Sun. «Vicequestore Wu, posso parlarle?»

«Mi dica, avvocato.»

«No, intendevo di persona. Dove si trova?»

«Sono appena rientrato a casa, alla Garbatella.»

«L'indirizzo?»

Glielo do.

«La raggiungo.»

«Sì, ma…»

Non riesco a terminare, lei riattacca. Poco dopo una Mini

rossa accosta in via Ignazio Persico e suona il clacson. La macchina avrà una decina d'anni, ma è ben tenuta. Il regalo che qualcuno si concede con i primi soldi guadagnati lavorando.

Salgo a bordo e sorrido: «Di solito passano a prendermi i miei del Commissariato…».

«Io non vado bene come autista?» Sofia Sun indossa un paio di jeans, scarpe sportive e un giubbotto corto verde militare. Finito l'interrogatorio di garanzia si è cambiata, e ha tolto la divisa da avvocato.

«Va benissimo.»

«Dove andiamo?»

«Non possiamo parlare qui?»

Passa un autobus, e il frastuono del motore ci sommerge.

«C'è un posto più tranquillo?»

Le do indicazioni per piazza Brin, nella parte alta del quartiere. Su un lato c'è il lotto numero uno, il primo edificato, e il ristorante Dal Moschino. Sull'altro, un giardino pubblico. A quest'ora ci sono solo pochi passanti che portano in giro il cane per l'ultima passeggiata.

Noi, però, restiamo in macchina.

«Allora, avvocato?»

Sofia Sun tiene lo sguardo fisso davanti a sé. Sembra incerta. «Volevo chiarire alcune questioni…»

«Riguardo all'indagine?»

«Sì. No…»

«Noi non dovremmo neppure averla questa conversazione, lo sa, vero?»

Il legale di un'imputata e il poliziotto che indaga su di lei non si appartano per fare quattro chiacchiere.

«Lo so. Ma volevo spiegarle.»

«Cosa?»

Finora tra noi abbiamo sempre usato l'italiano, ma adesso, all'improvviso, Sofia Sun passa al dialetto di Wenzhou. «Io. Come sono io.» È un aspetto intimo, e si rifugia nella lingua delle sue origini.

«Perché con me?»

«Perché hai detto che vuoi prendere i cattivi, e invece sembra che a me non importi niente.» Senza accorgersene, passa anche dal *lei* al *tu*. «Io difendo Wang Xinxia, ma non sono indifferente a tutto il resto.»

«Fuori da Rebibbia, oggi, non davi quest'impressione.» Anche io passo al *tu*.

«Appunto. Faccio quello che devo per la mia cliente. Però se un uomo e sua figlia di quattro anni vengono uccisi non rimango insensibile.»

«Come la signora Wang, intendi?»

Non replica.

«Ok, lascia stare. Ma di nuovo: perché lo dici a me?»

«Perché anche se ti nascondi dietro il tesserino, sei cinese, fai un mestiere complicato, e pensavo potessi capire.»

«Cosa?»

Sofia Sun torna all'italiano. «Che non sono una stronza cinica.»

«Lo so.»

«Lo sai?»

«Sì. Anzi, per essere un avvocato sembri quasi umana.»

Sorride. E io avverto la stessa sensazione che ho avuto la prima volta che l'ho vista. Un fiore che si apre e sboccia.

«Pure tu sei uno sbirro ma non sei del tutto ottuso.»

«Grazie.»

Mi guarda. «Prego.»

E io guardo lei. Il viso irregolare, il naso troppo grande e gli occhi troppo distanti. Le imperfezioni si sommano e la rendono bella.

Lei continua a guardarmi. L'abitacolo della Mini è stretto e siamo molto vicini. Avverto il suo respiro sul collo. Sotto il giubbotto corto indossa una maglietta con una scollatura squadrata e posso vedere la curva del suo seno che si alza e si abbassa. Tiene la mano destra sul bordo del sedile e sfiora la mia coscia.

Poi, un cane abbaia, il padrone lo richiama, e Sofia Sun distoglie lo sguardo.

Mi riporta in via Ignazio Persico. Durante il breve tragitto ci lanciamo occhiate laterali, ma nessuno dei due parla.

Ferma la macchina sotto casa mia. «Grazie, vicequestore Wu. Sul serio, adesso.»

«Perché?»

«Mi hai ascoltata.»

«Senza prenderti a verbale, tra l'altro.»

Battuta scema, ma Sofia Sun sorride di nuovo. Siamo sempre molto vicini. Non so cosa fare, cos'altro dire.

«Buonanotte, avvocato Sun» dico soltanto.

«Buonanotte.»

Scendo. Lei rimette in moto la Mini e parte.

Non è successo niente, penso.

20.

La mattina dopo, in Commissariato, chiamo a raccolta i miei. La Longo, che era stata alla filiale della Banca Popolare di Milano, è tornata con Pizzuto sul conto corrente dei Wang. La Fresu, affiancata da Scaccia e Libero, ha studiato tutti i documenti rinvenuti al laboratorio tessile.

Io e Missiroli ascoltiamo il resoconto. Iniziamo dai libri contabili "paralleli". Liberati e la Fresu hanno decifrato le parti scritte in italiano, per confrontarle con i registri ufficiali che abbiamo sequestrato allo studio di Di Consolo, e ciò che emerge è che effettivamente i Wang tenevano una contabilità molto diversa da quella del commercialista per nascondere uno scambio di fatture false o gonfiate con i vari negozi a cui fornivano i capi d'abbigliamento.

Io mi prendo qualche minuto per leggere anche le parti scritte in cinese e, per quanto ne possa capire in materia, confermo le deduzioni dei miei.

Il conto corrente dei Wang, invece, non mostra difformità con le cifre di Di Consolo. Entrate e uscite corrispondono ai guadagni e alle spese in chiaro.

«Mancano dei soldi, però» noto.

«No, dottore, torna tutto» dice la Longo.

«Non in banca. Mancano altri soldi. I Wang spedivano grosse somme con l'Express Money, giusto?»

«Probabilmente i ricavi dei conti truccati» dice la Fresu.

«Ma questi ricavi *extra* li spedivano tutti, o solo in parte? E se una parte non la spedivano, *dove* la tenevano?»

I miei si scambiano uno sguardo. Libero fa cenno alle carte.

«Dotto', po' esse che ci siamo persi qualcosa qua in mezzo?»

«Non lo so.»

Ora, comunque, consegneremo la contabilità ufficiale, i registri "paralleli", e lo storico del conto corrente a Imbriani, il quale poi metterà in azione Marcialis e quelli della finanza.

Ma prima fotocopiamo tutto, e ci appuntiamo un nome che compare su quei registri.

Il nome è quello di Alberto Huong. Il giovane imprenditore italo-cinese.

Quindi ci concentriamo sugli *altri* documenti rinvenuti nel cassonetto, che in totale risultano essere: cinquanta passaporti della Repubblica Popolare Cinese; trenta permessi di soggiorno, trenta permessi di lavoro e altrettante richieste di assunzione.

I passaporti sono corredati da fotografie, e riportano altezza, peso, colore degli occhi e dei capelli, dati anagrafici delle lavoranti. I luoghi di nascita sono tutti circoscritti nella regione dello Zhejiang e nella provincia di Wenzhou.

«Sembra un puzzle» commenta la Longo. «Bisogna mettere assieme i pezzi.»

Giusto.

Più nello specifico, infatti, appuriamo che: dieci passaporti hanno sopra i volti delle operaie che lavorano al laboratorio; dieci permessi di soggiorno e dieci permessi di lavoro – quelli con le date *più vecchie* – riportano i dati delle stesse ragazze; altri dieci passaporti – quelli con la data di rilascio *più recente* – hanno invece nomi e fotografie che combaciano con i documenti tenuti dai Wang nella cassaforte del loro ufficio, gli stessi che a prima vista parevano in ordine ma le cui foto *non* corrispondevano con le dieci lavoranti del laboratorio.

La Signora Wang ha occultato i documenti nel cassonetto per nascondere i conti in nero. E ormai è evidente che dentro il laboratorio c'è stato un transito anomalo di ragazze.

21.

Caruso reagisce bene all'invasione, e riusciamo a stringerci nella sua stanza. Io, Missiroli, la Fresu e Scaccia. Se il sovrintendente è sorpreso o gratificato perché me lo sono portato dal pm, non lo dà a vedere. Ho voluto che mi accompagnassero alcuni dei miei perché sono stati loro a cavarsi gli occhi su quei documenti. Che ora sono sulla scrivania del sostituto procuratore.

Abbiamo quaranta operaie che sono passate per il laboratorio tessile.

Che sono state assunte e poi lasciate andare. Mentre altre dieci, le prime fatte arrivare in Italia – al di là del giro dei documenti, e delle identità corrispondenti o meno – hanno sempre continuato a lavorare lì.

Ma perché mettere in piedi un simile intrico?

La Fresu è seduta di tre quarti alla scrivania del pm, e sbircia ancora l'incartamento. È una poliziotta, è una donna, e adesso coglie un particolare che a noi era sfuggito. A eccezione delle prime dieci, tutte le ragazze che sono transitate per il laboratorio sono molto belle.

Tutte.

Ha importanza?

Proviamo ancora ad avanzare delle ipotesi. Proviamo a

farci un quadro complessivo, e a tracciare un possibile percorso

Wang Xinxia e Abile Wang, stando all'atto costitutivo, più o meno cinque anni fa aprono il laboratorio tessile, ovviamente aiutati da qualcuno. *Guanxi*.

Prendono accordi con le Teste di Serpente, con la parte cinese dell'organizzazione. In Cina esistono agenzie di viaggio "specializzate" in un certo tipo di servizi. Anche la signora Wang e suo marito devono averne usufruito per arrivare in Italia. L'agenzia di viaggio "specializzata" trova nello Zhejiang e in particolare nell'area di Wenzhou – la stessa da cui provengono i Wang – dieci ragazze che vogliono emigrare in cerca di lavoro, e grazie ai contatti che le Teste di Serpente hanno nelle ambasciate cinese e italiana, fornisce loro i passaporti.

In Italia, intanto, Wang Xinxia e Abile Wang preparano a loro nome le pratiche per impiegare le ragazze regolarmente. Queste pratiche la coppia le fa presso l'Ufficio stranieri della Questura, non presso quello del nostro Commissariato a Tor Pignattara, altrimenti qualcuno dei miei uomini ne avrebbe avuto notizia, e avremmo collegato tutto molto più in fretta.

Le prime dieci ragazze arrivano in Italia, Wang Xinxia e Abile Wang le mettono *davvero* al lavoro.

Vengono istruite, preparate, e impiegate alle macchine.

Producono *davvero* vestiti che vengono *davvero* venduti ai negozi. È l'attività del laboratorio tessile, quella che avviene alla luce del sole.

In realtà, anche in questo impiego ci sono delle zone buie. Wang Xinxia e Abile Wang trovano il modo per falsificare le fatture e gonfiare i costi, così da incrementare i guadagni. A differenza di ciò che accade di solito, non ci sono parenti o amici che paghino il riscatto all'organizzazione. Nel caso dei Wang sono stati loro ad anticipare il denaro. Dunque, devono rientrare delle spese sostenute per far arrivare le ragazze attraverso i circuiti delle Teste di

Serpente. E infatti le operaie, almeno i primi tempi, lavorano gratis: devono saldare il debito con i due coniugi. Loro sono *wumin*, senza nome. Wang Xinxia e Abile Wang sono i *laoban*, i padroni.

Ma c'è un'altra parte dell'attività che si svolge nell'ombra. Che anzi affonda del tutto nelle tenebre.

Perché fin da subito Wang Xinxia e Wang Jang – o chi sta dietro di loro – decidono di "diversificare".

La coppia, allora, lascia passare qualche mese, magari supera i primi controlli della finanza e dell'ispettorato del lavoro, poi dichiara terminato il periodo di prova delle prime dieci ragazze, dichiara di *non* volerle confermare nell'impiego, e quindi comincia di nuovo a preparare la documentazione per richiedere l'assunzione – sempre in prova – di altre dieci operaie.

Le dieci nuove ragazze – tutte belle, bellissime – giungono a Roma, ma al laboratorio tessile ci transitano soltanto, prima di essere smistate altrove. Appena il tempo di sottrarre i passaporti. I documenti preparati in precedenza, invece, non gli vengono mai consegnati.

Se a questo punto al laboratorio dovesse verificarsi un nuovo controllo della finanza, o dell'ispettorato del lavoro, o dell'Ufficio stranieri, chiunque fosse si troverebbe comunque di fronte a dieci operaie al lavoro.

Le prime dieci ragazze arrivate.

Difficile che durante un controllo qualcuno sia così attento e motivato da distinguere e riconoscere le differenze tra dieci volti cinesi su alcuni documenti e quelli che ha davanti agli occhi.

E infatti non è avvenuto.

Oppure, a pensare male, se qualcuno si è insospettito, Wang Xinxia e Abile Wang hanno usato il solito approccio cinese e l'hanno corrotto. Il piano approntato dai Wang – e forse da chi sta loro dietro fin dal principio – non è a prova di bomba. Nessun piano lo è. Però funziona.

Almeno altre tre volte.

Più la prima, per un totale di quaranta ragazze, tutte belle o bellissime, che sono passate per il laboratorio.

Wang Xinxia ha nascosto i documenti nel cassonetto, e loro sembrano scomparse.

Dove sono finite?

22.

Caruso si aggiusta gli occhiali sul naso. Oggi ha un'allegra montatura bianca con piccoli fiorellini multicolori. Dietro le lenti, però, lo sguardo è teso.

Io, Missiroli, la Fresu e Scaccia aspettiamo.

«Formuliamo nuove ipotesi di reato per la signora Wang. Il "falso in bilancio" ce lo hanno depenalizzato, quindi ci spostiamo sul "riciclaggio". Abbiamo le doppie fatturazioni e abbiamo le spedizioni di denaro in Cina che i Wang effettuavano regolarmente.»

Ma soprattutto – anche se ci mancano ulteriori accertamenti – abbiamo il "favoreggiamento dell'immigrazione clandestina" e il "traffico di esseri umani".

Caruso deve aggiornare Iorio, l'aggiunto della DDA. E a partire dai fatti emersi, e in considerazione delle nuove ipotesi di reato, deve preparare una nuova richiesta di OCCC da depositare presso il gip.

I documenti sono ancora sulla scrivania del magistrato. Per qualche istante cala il silenzio. Guardo i miei.

I giornalisti fuori da Rebibbia volevano sapere perché Wang Xinxia, che per loro era una vittima, fosse finita in carcere. Per noi, invece, adesso c'è la conferma che non era una vittima, e non era la sola. Con lei c'è sempre stato suo marito. Sappiamo che – in maniera conscia o meno – gli sforzi maggiori li abbiamo fatti per Profumata Wang, la bambina. Però Wang Jiang, per noi, era il padre che è stato ucciso tenendo in braccio la figlia. Il nostro lavoro non cambia, ma tra noi affiora una sensazione di delusione, come se fossimo stati traditi.

Intervengo: «Sappiamo cosa hanno fatto la signora Wang e Abile Wang. Però Wang Fanfang aveva quattro anni, ed è stata ammazzata. A noi interessa *lei*. Perché lei era di sicuro innocente. Ci interessa prendere chi ha mandato i croati, chi ha orchestrato tutto».

Caruso mi rivolge un'occhiata d'assenso e prosegue al posto mio. Indica le fotografie delle ragazze sui documenti. «E ci interessano loro, perché anche loro sono innocenti.»

23.

Quindi, prima di ogni altra iniziativa, il pomeriggio seguente io e Caruso torniamo da Wang Xinxia in carcere.

Sofia Sun è accanto alla sua cliente anche ora. Incrociamo gli sguardi per un istante, poi entrambi abbassiamo gli occhi. Dopo l'altra sera, nella sua macchina, dobbiamo rientrare nei rispettivi ruoli e c'è un po' di imbarazzo.

Invece, la notifica e la convalida della seconda ordinanza di custodia cautelare, con l'aggiunta delle nuove ipotesi di reato, non ha modificato l'atteggiamento di Wang Xinxia.

Caruso parte dal denaro. Più precisamente, dal denaro che forse manca: «I soldi che lei e suo marito spedivate in Cina erano i proventi delle false fatturazioni, questo lo abbiamo appurato. Ma spedivate sempre l'intera cifra, o una parte la tenevate per voi?».

«I soldi che spedivamo venivano dal nostro lavoro.»

«Signora, non è questa la domanda. Abbiamo trovato i registri in cui tenevate una contabilità "parallela". Il vostro conto corrente mostra solo uscite e prelievi conformi all'amministrazione in chiaro. Quindi le somme che spedivate dovevano per forza venire da altri introiti. Io le sto chiedendo

se spedivate tutti i soldi oppure no. E nel caso, dove tenevate la parte che non veniva inviata.»

«Tutti i nostri soldi stanno sul conto corrente, alla Banca
Popolare di Milano.»

«Tranne quelli che mandavate in Cina.»

«Sì.»

«Non ci sono altri soldi?»

«No.»

Il magistrato mi passa la palla.

«Non li avete messi in una banca clandestina cinese, qui
a Roma?»

Wang Xinxia mi guarda come se non sapesse di che parlo. Invece, lo sa. Lo sa lei, lo so io, lo sa Sofia Sun, e lo sa
anche Caruso.

I cinesi hanno banche clandestine. Di solito sono alloggiate in scantinati di grandi palazzi, in zone centrali o perife-
riche, o nel retro dei grandi magazzini cinesi. E funzionano
quasi come ogni altra banca. C'è un ufficio, dove sta il direttore, e ci sono degli sportelli dove viene prelevato e versato
il contante. Ai clienti viene dato un libretto di risparmio.
Che ha valore solo in queste banche.

Dietro le quinte c'è sempre un mediatore finanziario,
italiano, che dà una parvenza di normalità alle operazioni
bancarie, e qualche dirigente di qualche istituto di credito, sempre italiano, che stipula un accordo formale con una
società di comodo, mandataria della banca reale, che fa da
cassa per la banca cinese.

Però no, Wang Xinxia e suo marito non hanno messo soldi in nessuna banca clandestina. Solo la Banca Popolare di
Milano. Nessun'altra entrata. Lei e il marito, ripete, hanno
guadagnato soltanto dal loro lavoro.

«I soldi che spedivate non erano frutto del commercio
delle ragazze?»

«No.»

Oggi non si è avvalsa della facoltà di non rispondere, ma
è come se l'avesse fatto.

Il sostituto procuratore ripassa a me la palla.

«Le ragazze che sono transitate dal vostro laboratorio, dove sono, signora Wang?»

Non lo sa.

«Le avete immesse nel giro della prostituzione?»

Non sa niente a proposito di giri di prostituzione.

«Chi vi ha aiutati ad avviare e gestire il traffico di ragazze?»

Nessuno. Lei non sa niente di nessun traffico.

«E tutti i documenti che abbiamo trovato?»

Non sa niente dei documenti.

Poi, come ha sempre fatto finora, tace.

«Signora Wang, se volesse collaborare, la sua posizione potrebbe alleggerirsi» le fa presente Caruso. «È disposta a restare in galera pur di continuare a tacere?»

«La signora Wang saprà dimostrare la sua estraneità alle accuse» dice l'avvocato Sun.

Un'affermazione vuota, che non aggiunge nulla. E Sofia Sun ne è consapevole.

Implicitamente, Wang Xinxia sta scaricando le responsabilità su suo marito. *Io non so niente, e se è stato fatto qualcosa, non sono stata io.*

Perché Abile Wang è morto. E i morti non possono difendersi.

24.

Uscendo dal carcere, aiuto Caruso a schivare i giornalisti e fuori, in attesa, c'è di nuovo Missiroli. Il magistrato è venuto con noi, senza il suo autista, e lo portiamo in un bar vicino alla fermata della metro.

Il locale è un postaccio di tossici e spacciatori, ma proprio per questo i pochi clienti ci riconoscono a fiuto, fanno il largo attorno a noi e ci lasciano in pace. Ci mettiamo seduti in un gazebo all'esterno e beviamo un caffè. Caruso si accende la solita sigaretta, e discutiamo su come procedere.

«Il resto dei soldi dei Wang» insisto io. Mi sono fissato. «Continuo a pensare che non spedissero in Cina tutti i guadagni in nero, e che possano avere depositato una certa somma in una banca clandestina. Vorrei provare a cercarla.»

«Ci hanno provato anche i colleghi di Porta Maggiore, qualche anno fa» dice Missiroli. «Pensavano di avere individuato una di queste banche in uno stabile semiabbandonato dietro il cimitero del Verano. Si sono appostati per mesi, hanno fotografato tutti i movimenti all'esterno, poi quando si sono decisi a entrare non c'era niente. Vuoto. Dal giorno alla notte. I colleghi non hanno neanche idea di come siano riusciti a far sparire tutto sotto i loro occhi.»

Succede. La parvenza di normalità delle banche clandestine cinesi resiste fino a quando qualcuno non ha il sentore che il posto potrebbe essere stato scoperto. A quel punto, smontano tutto alla velocità della luce, e si spostano da un'altra parte.

«Vorrei provare lo stesso a scoprire se i Wang si sono rivolti a una banca cinese.»

«Tentiamo» dice Caruso. «Ma non è la priorità. *Follow the money*, ok, ve l'ho chiesto io, però adesso cerchiamo di non confondere le cause con gli effetti.»

Se il principio di seguire il denaro è sempre valido, nel nostro caso i soldi sono la conseguenza di altro.

Quindi prima *l'altro*.

«Prima le operaie. Riascoltiamole.»

Missiroli spiega che nel frattempo, sentendo anche l'ambasciata cinese, abbiamo avuto conferma che i nomi sui dieci permessi di soggiorno e di lavoro sono i loro. «Almeno, adesso, sappiamo come chiamarle.»

«Risentiamo le donne, dottore, però ora un interprete ci serve» dico.

«Sta pensando a qualcuno?»

Sì. Quando stavo alla II sezione della Mobile, a Bologna,

se io ero impegnato in altro e c'erano da tradurre captazioni e ambientali o interrogare cinesi, chiamavamo un ragazzo italiano ma di origine cinese, come me. Stefano Xian.

È difficile trovare interpreti che si prestino. Vengono pagati una miseria, circa venticinque euro per quattro ore di lavoro. E se il loro coinvolgimento viene scoperto, rischiano ritorsioni all'interno della comunità cinese.

Xian, però, vive a Firenze, e veniva chiamato a Bologna proprio perché non aveva contatti con la comunità cinese in città, e quindi non poteva subire pressioni o intimidazioni. Può funzionare allo stesso modo su Roma.

Ho il numero di cellulare di Xian, e gli mando subito un messaggio.

Il pm, da parte sua, intende convocare per domani un vertice con il Servizio Centrale Operativo e la Squadra Mobile. A questo punto, visto dove siamo arrivati, il loro coinvolgimento è utile e necessario.

Perché siamo sempre più sicuri che Wang Xinxia e Abile Wang non possano avere agito da soli, e che dietro quello che stiamo scoprendo ci sia qualcos'altro. O qualcun altro.

E io devo andare a parlare con una persona.

25.

La sede dell'associazione culturale il Cerchio Felice è all'uscita della metro Manzoni, poco lontana da piazza Vittorio. All'ingresso dello stabile, una targa dorata riporta in caratteri tradizionali cinesi il nome dell'associazione: 幸福圈.

Davanti alla volta del portone, ci sono tre uomini dai tratti orientali. Alti, squadrati e muscolosi. Probabile che vengano da famiglie di contadini dello Zhejiang. Hanno degli auricolari alle orecchie. I volti sono larghi, gli sguardi cattivi e poco intelligenti.

Due di loro li ho già visti da vicino. Hanno accompagnato Vecchio Zhao e Piccolo Zhao in Procura.

So chi sono. Sono i 49, i soldati ordinari. La base della Piramide della Triade.

I tre mi sbarrano il passo, minacciosi. Mostro il tesserino, mi qualifico e chiedo in mandarino di parlare con Vecchio Zhao.

I tre non comprendono, o fingono.

Allora, lo ripeto in dialetto.

Uno mi dice che Vecchio Zhao non c'è.

«E io entro lo stesso, e me ne accerto.»

Per quanto poco intelligenti, capiscono che assalire un funzionario di polizia all'aperto, in mezzo alla strada, non è una grande idea. Quindi si scostano e mi lasciano passare.

Mentre entro, con la coda dell'occhio scorgo uno dei tre sussurrare qualcosa all'auricolare.

Appena sono all'interno, altri due uomini mi si parano davanti.

Siamo in un corridoio con diverse porte e stanze. Sulla parete di destra sono appese stampe che ritraggono monumenti cinesi: il Palazzo d'Estate e la Città Proibita a Pechino, l'Esercito di Terracotta a Xian, il Giardino del Mandarino Yu a Shangai. Sulla parete di sinistra, altre stampe ritraggono monumenti italiani: il Colosseo, i Fori Imperiali, Ponte Vecchio a Firenze, la Basilica in piazza San Marco a Venezia.

Il Cerchio Felice si occupa di favorire i rapporti culturali tra Italia e Cina. E anche i rapporti commerciali.

I due uomini che avanzano lungo il corridoio, invece, si occupano di me. Riconosco anche loro perché erano con Vecchio Zhao sia alla manifestazione a piazza Vittorio sia al funerale di Abile Wang e Profumata Wang.

Adesso, però, vedendo come si comportano, capisco meglio.

Uno è alto, grosso e muscoloso come i soldati all'ingresso. Come loro ha uno sguardo cattivo, ma il suo è tutt'altro che stupido. Mi mette a fuoco subito, con precisione. Tiene gli occhi fissi sulle mie mani, perché sa che se ho intenzione di portare un qualche pericolo, saranno le prime a muoversi.

È il 426, lo *Hung Kwan*, il Bastone Rosso, l'incaricato della Sicurezza e della Disciplina.

L'altro uomo, accanto a lui, è molto più basso, magro, e per questo sembra innocuo. Non lo è. Ha l'aria scaltra e acuta di chi è abituato a valutare potenziali rischi e a reagire in modo rapido e risolutivo. È un 438, un alto consigliere della Testa del Drago. È il *Sinfung*, il Guardiano del Vento, il responsabile della sorveglianza interna. Ed è lui che parla per primo: «Vicequestore Wu, gli uomini all'ingresso le hanno detto la verità. Vecchio Zhao non è qui».

«Posso sapere i vostri nomi?»

Non me li dicono.

«Vecchio Zhao non c'è» ribadisce il Bastone Rosso, avvicinandosi. Mi sovrasta di almeno quindici centimetri e pesa trenta chili più di me.

Io, però, non mi sposto. E anche se credo sia vero che Vecchio Zhao non c'è, insisto. «Voglio vedere il suo ufficio vuoto, e me ne vado.»

È una prova di forza, e lo sappiamo tutti e tre.

Il Guardiano del Vento accenna a un sorriso, ed è come vedere uno squalo che mostra i denti. «Deve avere il permesso del giudice.»

Conosce le procedure di polizia in Italia. Più o meno.

Una voce ci interrompe: «Non serve nessun permesso. Il vicequestore Wu può vedere la stanza di mio padre e parlare con me».

Piccolo Zhao è comparso nel corridoio, e ci viene incontro. Il Bastone Rosso e il Guardiano del Vento gli rivolgono un cenno rispettoso. Lui si sistema gli occhialetti senza montatura sul naso, con tono gentile dice che possono andare, e i due ubbidiscono.

«Venga con me.»

Allo stesso modo dei due soldati all'ingresso, e come

il Bastone Rosso e il Guardiano del Vento, anche Piccolo Zhao mi si rivolge nel dialetto di Wenzhou.

Lo seguo.

Mi mostra la stanza dove lavora Vecchio Zhao, arredata con mobili antichi cinesi e illuminata da grandi finestre. Una stanza vuota.

Poi, mi invita nel suo ufficio, che è più piccolo, ha una sola finestra, e a differenza di quello del padre è arredato in stile occidentale moderno. Gli unici elementi tradizionali, che creano un contrasto voluto, sono una pergamena – appesa dietro la scrivania in vetro e acciaio cromato – con due ideogrammi che compongono la parola *Wushu,* il termine che indica la totalità delle arti marziali nate in Cina, e una grande vetrina che va dal soffitto al pavimento con una collezione di armi da taglio, usate nei diversi stili di Kung Fu.

Non sono un esperto. Sono nato e cresciuto in Italia, e ho studiato la storia di questo Paese. Quel poco di storia cinese che conosco, me l'hanno tramandata i miei nonni, oppure l'ho imparata sui libri riguardanti le Triadi. Per questo non saprei dire a quale epoca o dinastia risalgono quelle armi, ma mi sembrano tutte antiche e preziose, conservate o restaurate in modo eccezionale.

Ci sono gli *Yung Chun Dao,* i coltelli a farfalla che vengono impiegati anche nel *Ving Tsun,* seppure solo come esercitazione per il corretto uso degli angoli negli attacchi a mani nude. C'è il *Guan Dao,* l'alabarda lunga; il *Ji,* la lancia con la lama a mezzaluna; il *Pu Dao,* la lancia a falce; il *Dao,* la sciabola; il *Jian,* la spada dritta; gli *Shuang Gu,* le spade uncinate; i *Lu Jiao Dao,* le lame incrociate. E ci sono diversi *Bi Shou,* altri tipi di coltelli corti e pugnali.

«Allora, vicequestore Wu, di cosa voleva parlare con mio padre?» mi chiede Piccolo Zhao, appena ci mettiamo comodi. Ha lo stesso tono gentile con il quale ha mandato via il Bastone Rosso e il Guardiano del Vento.

«Dei suoi affari.»

«Allora temo che dovrà tornare quando sarà qui.»

Lui mi dà del *lei*, io uso il *tu*.

«Ma quando siete venuti in Procura, Vecchio Zhao ha detto che ormai sei tu, Piccolo Zhao, che ti occupi dei suoi affari.»

«Gli piace dirlo, anche se non è del tutto vero. È ancora lui in prima fila. Io mi occupo soprattutto dei conti.»

Do uno sguardo attorno. Per quanto sia più piccolo e meno sfarzoso di quello del padre, l'ufficio di Piccolo Zhao è curato e ogni dettaglio è stato scelto con attenzione.

«E lo fai da qui? O vai alla Zhao Trade Company?»

«Se posso, preferisco restare qui all'associazione. È un ambiente più congeniale a me.»

«Però vai anche in azienda, giusto?»

«Sì, certo.»

«Allora *tu* cosa puoi dirmi delle attività di tuo padre?»

«Come ho già detto, seguo i conti.»

È una risposta che non dice nulla. Allora decido di essere diretto: «Quindi sei il 415, sei il Ventaglio di Carta Bianca?».

Piccolo Zhao scuote la testa. Il tono rimane gentile: «No, vicequestore Wu. Non sono il *Pak Tsz Sin*. Non sono il contabile. Seguire i conti non significa *decidere* le spese e amministrare il denaro».

«Giusto. Sei il figlio del capo. Occupi una posizione più in alto nella gerarchia. Sei un 438, un alto consigliere.»

«Non sono niente di tutto questo.»

«Sei il *Fu San Chu*, il Vicario del Capo?»

Di nuovo Piccolo Zhao scuote la testa. «Vicequestore Wu, penso che lei si stia sbagliando. Non so cosa crede di avere visto o capito.»

«Ho visto i soldati all'ingresso, i due uomini che mi hanno accolto sono lo *Hung Kwan* e il *Sinfung*, e tu li hai liquidati con un gesto.»

«Io non ho "liquidato" nessuno, e lei ha visto soltanto delle persone che svolgono delle mansioni all'interno dell'associazione culturale.»

«Quali?»

«Svariate. Non saprei elencarle tutte ora.»

«Le persone che ho visto sono parte della struttura della Triade. Come te. E al vertice c'è tuo padre, che è il *San Chu*, la Testa del Drago.»

Piccolo Zhao non controbatte. «Perché voleva parlare con mio padre, vicequestore Wu? Perché le domande sulle sue attività?» mi chiede invece.

«Perché abbiamo scoperto che Wang Xinxia e Wang Jiang avevano intrapreso attività, come dire, "alternative".»

Non dico altro. Non parlo dei documenti che abbiamo trovato, né delle ragazze che sono passate per il laboratorio. Se Vecchio Zhao è coinvolto, forse lo è anche il figlio. In ogni caso, se ci sono dentro, lo sanno già, e sarebbe controproducente che capissero quanto sappiamo noi. Tengo le carte coperte e attendo una mossa di Piccolo Zhao.

Ma lui non abbocca: «Queste attività "alternative" dei Wang hanno a che fare con mio padre?».

«Quando siete venuti in Procura, tuo padre ha detto anche che voleva aiutarci nell'indagine.»

«Sì. Era rimasto molto colpito dalla morte della bambina. Ed è nella sua indole cercare di aiutare gli altri.»

«Ce lo hanno riferito. Ma davvero voleva aiutarci nell'indagine? O invece voleva accertarsi che non puntassimo a lui?»

«Perché avrebbe dovuto?»

«Perché, appunto, è nella sua indole aiutare gli altri. Ha aiutato i Wang per il laboratorio. Li ha aiutati anche nelle altre attività?»

Adesso Piccolo Zhao fa la sua mossa. Di nuovo si sistema gli occhialetti senza montatura sul naso. Lo stesso gesto distratto che fa Caruso, e tutti quelli che indossano gli occhiali. «Se non mi dice di quali attività si tratta, vicequestore Wu, non posso saperlo, ma solo immaginare che si tratti di qualcosa di illegale.»

Ma io, ancora non intendo parlare dei documenti e delle ragazze. Non confermo né smentisco: «Tu sei a conoscenza di tutto ciò che fa tuo padre?».

«Gli sono molto legato, vicequestore Wu. Sono venuto con lui in Italia diciotto anni fa, dopo che è morta mia madre. Avevo quattordici anni. Certi dolori ti cambiano, e ti legano.»

Mia madre è morta quando io di anni ne avevo quindici. Un anno di più. Conosco quel dolore. Per quanto mi riguarda, però, non ha creato un legame con mio padre. Al contrario.

«Però no» prosegue Piccolo Zhao, «non so tutto ciò che fa.»

Io smetto di pensare a mia madre. «Dunque se Vecchio Zhao ha aiutato i Wang in quelle loro attività extra, tu potresti non saperlo.»

Piccolo Zhao non dice niente.

E per me è sufficiente. Per adesso non posso ottenere altro. Non so se mi ha detto la verità sul padre, ma so tutto ciò che *non* mi ha detto.

Tutto ciò che ha negato su di sé e sugli altri uomini che ho incontrato qui. Ciò che loro sono davvero.

Lo sapevo anche prima, però adesso li ho incontrati, ci ho parlato, li ho guardati negli occhi, e lo so con ancora maggiore certezza.

Loro sono il Drago con la Testa e con la Coda.

La Triade.

26.

Faccio per uscire dal suo ufficio, ma Piccolo Zhao mi trattiene: «Vicequestore Wu, alla manifestazione a piazza Vittorio l'ho vista atterrare quel ragazzo, la Lanterna Blu».

Sì. Ricordo Piccolo Zhao che mi fissava.

«*Ving Tsun*. Ho notato come si muoveva. Lei è un esperto, molto bravo e molto forte.» Piccolo Zhao indica con lo sguardo la pergamena dietro la sua scrivania con gli ideogrammi di *Wushu*, poi la grande teca con le armi. «Sono un appassionato.»

Mi sorprende. I soldati all'ingresso, e anche il Bastone Rosso e il Guardiano del Vento – seppure in modi diversi – hanno la postura naturale e tipica di chi fa arti marziali: il busto dritto, le spalle larghe, e le gambe appena divaricate a bilanciare il peso. I muscoli del ventre e delle cosce – il *centro* – tenuti sempre un minimo in tensione, pronti a contrarsi. Piccolo Zhao, invece, con la sua aria rilassata e tranquilla, e gli occhialetti senza montatura, non ha quel tipo di posa.

«Anche tu pratichi?»

«Da piccolo avevo cominciato.» Cita un paio di stili, *Shaolin* del Sud e *Hongquan*. «Però ho capito in fretta di non essere troppo portato. Non sarei mai diventato come te. Quindi, negli anni, mi sono limitato a studiare le arti marziali cinesi a livello teorico. Una volta, se fosse possibile, mi piacerebbe chiacchierare con lei.»

«Non ti alleni più?»

«Poco, e da solo. Giusto per mantenermi in salute.»

«Allora, se capita l'occasione, anziché chiacchierare, perché non ci alleniamo insieme?»

«Mi piacerebbe molto.»

Piccolo Zhao è il figlio dell'uomo che crediamo stia dietro a tutta la nostra indagine, e forse lui stesso è implicato.

Non avrei mai dovuto chiedergli di allenarsi con me.

Nega l'evidenza di appartenere a una organizzazione mafiosa, non so se e quanto mi abbia mentito su suo padre, eppure devo riconoscere che Piccolo Zhao in qualche modo mi piace. Forse per il fatto che anche lui, come me, ha perso la madre quand'era ancora un ragazzino.

Mi porge la mano e gliela stringo. Di sfuggita, noto le nocche appiattite e le dita nodose, robuste. Se si allena da solo, picchia duro con le mani contro i colpitori.

Piccolo Zhao sorride, e mi saluta. Il suo tono è sempre gentile. «Spero che l'occasione capiti presto, vicequestore Wu.»

27.

In Commissariato trovo Stefano Xian, l'interprete, che è arrivato da Firenze in poche ore, e lo ringrazio per essersi liberato con così poco preavviso.

Missiroli mi aggiorna: lui, Liberati e lo stesso Xian sono andati al laboratorio tessile, e hanno portato qui le operaie spiegando loro il motivo della convocazione. Poi hanno aspettato che rientrassi per prenderle a verbale.

«Per ora n'hanno fatto manco un fiato, dotto'» dice Liberati. «Pare che j'hanno tajato 'a lingua.»

Preferisco che a sentirle siano donne, per metterle maggiormente a loro agio. Quindi, ci dividiamo: io con la Longo, e la Fresu con Xian. Le interroghiamo due alla volta. Dopo tre ore, l'informazione più importante che otteniamo è che le operaie hanno visto le altre ragazze, quelle scomparse. Venivano condotte al laboratorio da Abile Wang e da Wang Xinxia, restavano per un giorno o due al massimo, poi venivano portate via.

Le operaie non sanno altro. Lavoravano tutto il tempo, non hanno mai chiesto spiegazioni, nessuna delle altre ragazze ha detto loro nulla, e nemmeno i Wang. E comunque, se anche sapessero qualcosa in più, non ce lo direbbero.

Con Xian ci accordiamo perché resti a Roma. Tempi, modi, e cifre effettive per la sua collaborazione li stabiliremo con il magistrato.

Io esco. L'agenzia affiliata all'Express Money e la Banca Popolare di Milano sono vicine a casa dei Wang. Se si sono serviti di una banca cinese, è probabile che anche questa si trovi a Tor Pignattara, o nei dintorni.

Mi faccio un giro per il quartiere, da solo.

I colleghi di Porta Maggiore avevano notato strani movimenti di persone, tutte di origine o nazionalità cinese, in prossimità del palazzo semiabbandonato dietro il Verano, e avevano visto spesso queste persone nascondere in tasca voluminose mazzette di banconote. Erano partiti da questo per ipotizzare la presenza di una banca irregolare nell'edificio.

Nel mio giro, però, non vedo niente di simile.

Servirebbe una soffiata da parte di un informatore cinese, ma in tutta Italia ce ne sono pochissimi, e a Roma non ne abbiamo.

Allora faccio quello che posso: domando in giro, a chiunque abbia fattezze orientali. Mi guardano tutti con la stessa espressione di Wang Xinxia, come se stessi parlando di qualcosa di sconosciuto. Qualcuno mi ride in faccia, facendo finta che io stia scherzando. Nessuno sa nulla di banche irregolari.

Mentre vago scoraggiato, noto una ragazzina sui sedici anni che mi squadra con aria ironica. È ferma all'esterno di un negozio di acconciature per donne cinesi, e sta sostituendo sua madre, mi spiega. Ha un piercing al naso, gli occhi a mandorla luminosi e l'accento romanesco. E le è già arrivata voce del perché sto rimbalzando da una parte all'altra come una pallina del flipper. «Dotto', mi scusi, lei po' esse pure cinese come noi, però qua lo sanno tutti che comanda er Commissariato. Io 'sta cosa delle banche non l'ho mai sentita, ma pure che fosse, je pare che qualcuno lo viene a di' a lei, che è 'na guardia?»

28.

Rientrando a casa, mi chiama Caruso, io gli riferisco le ultime – colloquio con Piccolo Zhao, operaie, banca clandestina che non riesco a individuare – e lui mi avverte che il vertice è domattina, e si tiene alla sede dello SCO.

«Si riposi, Wu. La voglio pronto, in forma, e fresco come una rosa.»

Facile.

Ripeto la solita sequenza: lascio il tesserino, la pistola con la fondina, e la custodia con le manette in camera da letto. Poi mi spoglio. Sono contratto e appesantito dai pensieri, e se voglio riuscire a dormire, devo scaricarmi, stancare i muscoli, svuotare la testa. Allora mi sposto nel salottino, abbasso le luci, prendo tre lunghi respiri, quindi eseguo la *Siu Lim Tao*.

È la forma base del *Ving Tsun*, e contiene tutte le tecniche fondamentali, esercitate tenendo una posizione ferma sull'addome. La eseguo con lentezza, tirando allo spasimo ogni singolo movimento.

Choi, i pugni, che sgorgano portando il gomito sulla linea centrale del corpo, e da lì esplodono dritti in avanti. *Bil Jeung*, il palmo che penetra. *Ju Jeung*, il palmo orizzontale. *Pak Sao*, la mano che schiaffeggia e percuote. *Tan Sao*, la mano che si rivolge verso l'alto e disperde. *Wu Sao*, la mano che prega e protegge. *Fook Sao*, la mano che uncina e controlla. *Gan Sao*, la mano che coltiva, il braccio che spacca. *Bong Sao*, il braccio ad ala.

Mentre eseguo la forma, i muscoli tremano per lo sforzo, e i pensieri si sfarinano. Attorno, e dentro di me, i contorni più spigolosi delle cose si smussano. Chiudo con *Lin Wan Choi*, i pugni a catena, che sferro con tutta la forza che mi è rimasta.

Dopo la doccia, rilassato e ammorbidito, apro le mail e cerco subito quella di Anna. Il campo oggetto vuoto, lo spazio del testo vuoto. Solo il link che rimanda alla canzone. È una versione acustica di *Missing* degli Everything But The Girl. Clicco sul link, e i primi accordi riempiono lo spazio del salotto. Poi, la voce della cantante.

And I past your door / but you don't live there anymore / It's years since you've been there / Now you've disappeared somewhere, like outer space / You've found some better place / And I miss you (like the desert miss the rain) / And I miss you (like the desert miss the rain)*.

---

* *Sono passato alla tua porta / Ma tu non abiti più lì / Lì dove stavi da anni / E adesso sei scomparso da qualche parte / Come nello spazio profondo / Hai trovato un posto migliore. / E mi manchi / (Come al deserto manca l'acqua) / E mi manchi / (Come al deserto manca l'acqua).*

"E mi manchi, come al deserto manca l'acqua / E mi manchi, come al deserto manca l'acqua."

Le canzoni che Anna mi manda sono il suo modo per parlarmi. Però non so se con questa vuole dirmi che sente la mia mancanza, o che sa che io sento la sua. Forse, conoscendo Anna, entrambe le cose.

La canzone prosegue. Con le parole e le note, Anna mi dice che mi ha cercato senza più trovarmi, che sono scomparso. È vero, è così. Ma dice anche che ho trovato un posto migliore. E questo, invece, non è vero. Nessun posto è migliore di quello accanto a lei e a mio figlio.

Sfioro la fede all'anulare. Anche se sono rallentato e ovattato dall'esercizio fisico, avverto la fitta lancinante del rimorso e dell'amore.

29.

La sede del Servizio Centrale Operativo sta in via Tuscolana 1548. All'interno, è stata allestita una sala riunioni per il vertice di oggi, e io mi presento in forma e fresco come una rosa, come mi aveva chiesto Caruso.

Assieme a me e al sostituto procuratore, nella sala riunioni ci sono i vertici dello SCO: il direttore Bruno Bosco, e il dottor Lorenzo Pieri, dirigente della II divisione che, con la III sezione, si occupa di criminalità straniera.

Oltre a loro, è presente il capo della Squadra Mobile di Roma, Claudio Corradi, che mi dà del tu, come si usa tra funzionari, e mi saluta con un sorrisetto ambiguo. «Wu, è un piacere incontrarti finalmente di persona. I miei mi hanno già parlato di te.»

Si riferisce al mio scontro con Corrias, D'Angelo e la Polidori. Però intuisce subito che, in questa sede, non è il caso d'approfondire. Nella stanza, infatti, è presente anche Lanfranchi, il questore. Non ha alcuna titolarità sull'indagine, ma ha mosso tutte le sue pedine perché io restassi sul caso con gli uomini del mio Commissariato, e vuole assicurarsi che gli assetti non cambino.

Caruso mi dà la parola, e io ripercorro per i presenti l'inchiesta "Grande Muraglia", dal principio fino agli sviluppi più recenti. Ripropongo l'ipotesi che dietro a tutto possano esserci le Triadi, e prevengo l'obiezione sul fatto che la mafia cinese *non uccide* ripetendo ciò che io e Caruso ci siamo già detti: sì, in genere la mafia cinese non uccide, ma se stavolta lo sta facendo, significa che siamo di fronte a qualcosa di molto importante.

Quando ho terminato, il direttore dello SCO chiede a Caruso le sue intenzioni. In maniera implicita, gli sta domandando le vere ragioni di questo vertice.

«Vogliamo ritrovare *tutte* le ragazze che sono transitate per il laboratorio tessile dei Wang» risponde il magistrato.

Bosco scambia uno sguardo perplesso con Corradi. In un vertice simile, gli equilibri sono sottili. È il magistrato che dispone degli organi inquirenti. Tuttavia, Bosco, in quanto direttore dello SCO, è una sorta di semidio, appena sotto il capo della polizia. E Corradi guida la Mobile della Capitale, una delle più importanti d'Italia. Devono attenersi alle disposizioni del pubblico ministero, ma entrambi, pur senza esprimerlo apertamente, ci tengono a far pesare l'importanza del loro ruolo.

«Scusi se mi permetto, dottore, posso chiederle *perché* vuole ritrovare quelle ragazze?» domanda Bosco a Caruso.

Lui non si scompone: «Perché abbiamo un uomo ucciso, una bambina uccisa, e altri due morti ammazzati. E siccome i coniugi Wang usavano il loro laboratorio come copertura per un giro di ragazze, forse la domanda giusta da porci è un'altra. E cioè se questo giro non sia all'origine del duplice omicidio».

Bosco, da parte sua, si sente in dovere di evidenziare la complessità della questione: «Dottore, lei sa cosa implica cercare quelle ragazze, vero?».

«Sì. Si tratta di organizzare un'operazione di polizia su vasta scala.» Caruso lo dice come se fosse una faccenda da nulla.

Un altro sguardo poco convinto tra Bosco e Corradi.

«E da dove crede che dovremmo cominciare?» chiede ancora il direttore dello SCO. Di nuovo c'è un sottinteso: le reali possibilità di riuscire a ritrovare le ragazze sono molto scarse.

Caruso ne è consapevole ma, sempre senza scomporsi, torna a cedermi la parola. «Direttore, ha ragione, ma tutte le ragazze che sono transitate per il laboratorio dei Wang hanno una caratteristica in comune: sono molto belle. Quindi, abbiamo ragione di ritenere che possano essere state smistate nei centri massaggi o nei bordelli controllati dalle Triadi. A Roma e in tutta Italia.»

Lanfranchi, che finora se n'è stato in disparte, interviene rivolgendosi a Bosco e Corradi: «Signori, la mia presenza qui è del tutto amichevole, e la devo alla vostra gentilezza. Ma proprio per questo, vorrei suggerire la massima collaborazione per valorizzare gli sforzi eccezionali fin qui compiuti dal dottor Caruso e dal vicequestore Wu. È grazie alla direzione del magistrato e al lavoro svolto sul campo dal vicequestore se un duplice omicidio che ha coinvolto una bambina comincia ad avere delle risposte, e un odioso traffico di giovani donne è venuto alla luce».

Sempre sottintesi.

Ciò che il questore sta dicendo tra le righe, è che lo SCO e la Mobile devono supportare Caruso, e che io rimango ancora assegnato all'inchiesta. Qualunque sia la direzione che verrà intrapresa.

Di nuovo, Bosco e Corradi incrociano gli sguardi. Il direttore coinvolge il suo dirigente, Pieri. Al di là delle funzioni svolte dalle singole sezioni, l'attività principale della II divisione del Servizio Centrale Operativo è di coordinare il lavoro delle diverse Squadre Mobili sul territorio.

Pieri si trova in mezzo tra lo scetticismo del suo direttore e del capo della Mobile, la volontà del magistrato, e la pressione del questore.

Il magistrato e il questore vincono.

«Possiamo coinvolgere la Mobile nei centri più grandi e iniziare a mappare i luoghi che indicherà il vicequestore Wu» dice Pieri.

Anche Bosco e Corradi s'arrendono. «Allora siamo tutti d'accordo» dice il direttore dello SCO. «Prepariamo questa operazione, dottor Caruso.»

Lanfranchi conclude: «Molto bene. Sono certo che i vostri talenti investigativi uniti assieme ci condurranno a esiti straordinari».

Sorrisi e strette di mano. Stiamo tutti dalla stessa parte, ora.

Fino a un minuto fa Bosco e Corradi recalcitravano, ma non importa.

Cerchiamo le ragazze.

30.

Il vertice è terminato. A margine dell'operazione da organizzare, Caruso chiede a Bosco e a Pieri di preparare un fascicolo con tutte le informazioni eventualmente già in possesso dello SCO su Zhao Zhongwu, Vecchio Zhao, e su suo figlio, Zhao Dongbo, Piccolo Zhao. Se scopriamo qualcosa sulle ragazze scomparse, e se lo SCO ci fornisce altre informazioni su Vecchio Zhao e la sua organizzazione, possiamo fare dei collegamenti. E quindi riportare Vecchio Zhao in Procura. Stavolta, però, non di sua iniziativa ma convocato dall'autorità giudiziaria, e sentito ufficialmente.

Nel nuovo clima più o meno autentico di collaborazione, Bosco assicura che Pieri se ne occuperà di persona, e che il fascicolo sarà al più presto sulla scrivania del pm.

Usciti dalla sala riunioni, Lanfranchi raggiunge me e Caruso, prendendoci sottobraccio. Sembriamo tre vecchi amici a passeggio.

Il questore parla senza guardarci, continuando a tenerci avvinghiati mentre camminiamo: «Miei cari, consentitemi di essere diretto: siamo noi che con questa operazione rischiamo la faccia e il culo. Se trovate le ragazze, bene, saremo quelli che hanno fatto le scelte giuste. Se invece dovesse essere un buco nell'acqua, saremo quelli che hanno fatto la cazzata, e montato questo baraccone per niente».

Da quando lo conosco, non ho mai sentito Lanfranchi usare certi termini.

Il sost. proc. vorrebbe replicare, ma il questore non glielo consente: «Se questa operazione non porta a risultati rilevanti, lei, Caruso, sarà il solito magistrato malato di protagonismo. E la sua carriera verrà riconsiderata con occhi diversi».

Faccio per ribattere a mia volta, ma Lanfranchi gela anche me: «E per lei, Wu, sarà lo stesso. Non sarà più il brillante poliziotto cinese, ma *un cinese* che fa il poliziotto. I diciassette casi di omicidio che ha risolto non conteranno più nulla».

Solo adesso il questore ci guarda: «Nessuno ricorda le vittorie passate, tutti ricordano l'ultima sconfitta». Poi, davanti all'ascensore che porta all'uscita, Lanfranchi si divincola da quella specie di abbraccio, e ci molla lì. «Buona giornata e buon lavoro.»

31.

Con gli animi rasserenati dai discorsi del questore, dal giorno successivo diamo il via all'operazione di polizia su vasta scala. Pieri ha già suggerito di concentrarci sulle maggiori città, Bosco e Corradi lo sostengono. Potrebbe essere un compromesso accettabile tra il numero di uomini da dispiegare e le possibilità di riuscita.

Caruso però non ci sta. Usa la diplomazia, evidenzia come lo SCO abbia mezzi e capacità per coordinare in simultanea l'attività di *tutte* le centotré Squadre Mobili in Italia. Sottolinea che abbiamo scelto di puntare sul circuito della prostituzione. «E voi m'insegnate che i centri massaggi cinesi ormai sono dislocati ovunque, anche fuori dalle città più grandi. Se dobbiamo farla, questa cosa, facciamola bene.»

Anche adesso nelle parole del pm c'è un sottotesto: se mai l'operazione dovesse fallire, non può essere perché non abbiamo cercato *ovunque*.

Bosco e Pieri vacillano per un istante. L'operazione su vasta scala sta diventando *molto* vasta. Un gigante con mille teste.

Tuttavia, dopo essere stati blanditi dal sostituto procuratore, sollevare difficoltà equivarrebbe a una dichiarazione di debolezza, e per il direttore dello SCO e il suo dirigente questo è inammissibile. In più, si sono esposti davanti a Lanfranchi, e ora non possono tirarsi indietro.

«Va bene, dottore» concede Bosco, un po' a denti stretti. «Facciamo come dice lei.»

Scegliamo di partire da Roma, e di allargarci a Firenze, Bologna, Milano, Torino, Genova e Venezia; e ancora a Napoli, Reggio Calabria, Palermo e Cagliari. Poi tutte le altre città.

Per Bologna, suggerisco il nome del mio vecchio capo alla Mobile, Di Marco.

Lo SCO contatta le centotré Squadre Mobili delle diverse città, inoltra i documenti delle quaranta ragazze che stiamo cercando, e chiede di preparare una lista di tutti i centri massaggi, le case di prostituzione conosciute, le bische clandestine, le sale giochi e i night club gestiti da cinesi.

Ora è solo una questione di tempi.

Per un'operazione di questa portata, di solito occorrono mesi prima di avere risultati.

Ma la fortuna si presenta sotto forma di un evento tragico. Mentre stiamo discutendo, nella periferia di Genova un torrente esonda a seguito di un nubifragio e allaga una lavanderia cinese. Dodici persone, uomini e donne, che dormivano sul retro, muoiono annegate.

Un altro incidente dopo il capannone andato a fuoco a Prato.

La notizia si diffonde e tutti i mezzi d'informazione ricominciano a parlare di cinesi. L'interesse sul duplice omicidio di Tor Pignattara e sulle nostre indagini si riaccende. La "Grande Muraglia", da apertura della cronaca approda alle prime pagine dei principali quotidiani e ai servizi d'apertura dei notiziari. I social network funzionano da ulteriore cassa di risonanza. Di conseguenza, con i giornali, i telegiornali e la Rete che spingono, tutti i soggetti coinvolti nell'operazione si danno una mossa.

Le diverse Squadre Mobili si affrettano a individuare i luoghi potenziali in cui potrebbero trovarsi le ragazze.

Intanto, mentre l'operazione prende corpo, al Commissariato la Longo e la Fresu continuano ad aprire i file Excel e a sfogliare le stampate dei tabulati dei coniugi Wang e dei croati. Non c'era niente quando me l'ha chiesto Caruso, e non c'è niente ancora adesso. L'ispettore e il vicesovrintendente, però, sono testarde. Vanno avanti. Cerchiamo incroci, agganci, corrispondenze.

E riprendiamo a cercare Suker.

Stiamo continuando a tenere sotto controllo il cellulare che gli ha passato Dubec, ma ancora non dà segni di vita. I criminali sanno che noi lavoriamo sui cellulari, e spesso stanno attenti a come li usano. Li "imbavagliano". Staccano la batteria, sostituiscono la SIM. Oppure – e questo potrebbe essere proprio il caso del nostro croato – li buttano via. Lascio ugualmente sul numero i due agenti assegnati, Leonardi e Mussumeli, mentre Pizza fa da tramite tra me e loro.

Anche se Marko, il contatto di Scaccia, è convinto che Suker non è tornato in Croazia, Libero contatta i colleghi di Zagabria. Una telefonata a vuoto.

Scaccia ha già battuto i bar di Roma in cui di solito si radunano gli slavi, tutte le loro zone, e ha rotto le palle a quelli di cui lo stesso Marko aveva fatto il nome in quanto amici o conoscenti dei tre croati.

Infine ha controllato i parenti che è riuscito a rintracciare.

Nulla.

Liberati e Scaccia verificano di nuovo le informative che abbiamo diramato ma non risultano segnalazioni da porti, aeroporti e stazioni.

I due credono che Suker abbia lasciato Roma, ma non l'Italia, e che possa essersi rifugiato in qualche altra città, presso qualcuno che gli dà appoggio.

Concordo.

A questo punto, Scaccia ha un'idea. C'è una cosa che non hanno fatto, e cioè controllare tutti i nominativi dei compagni di cella di Suker, quando era al gabbio.

Concordo di nuovo, l'idea è buona.

Libero impreca, perché è l'ennesima estenuante ricerca, ma anche lui riconosce che l'intuizione del sovrintendente è valida, e va seguita.

Per sollevarli un po', affianco loro Pizza. Il pinguino non si lamenta, e al solito si mette subito a disposizione.

I turni ormai sono saltati, stiamo tutti in servizio H24. Se io sono impegnato con il pm, lo SCO e la Mobile, Missiroli segue ciò che fanno la Fresu e la Longo da una parte, e Scaccia, Libero e Pizza dall'altra.

Tutti i giorni sento Caruso, Bosco, Pieri e Corradi per aggiornamenti sui progressi dell'operazione.

32.

Un pomeriggio mi arriva un nuovo messaggio su Skype dai miei nonni che visualizzo sul cellulare, e quella sera, nonostante la frenesia del momento, li richiamo. Sullo schermo compaiono i volti sorridenti di Forte Li e Li Meyu.

Mia nonna si accorge subito che c'è qualcosa che mi agita, e mi chiede se sto bene. È sempre la prima cosa che mi domanda, ma questa volta c'è più preoccupazione nella sua voce. Io minimizzo, è solo il lavoro. «Poi mi basta vedere te, Bellissima Li, per stare bene.»

Lei ride, e ripetiamo il nostro piccolo gioco: «Solo tu mi chiami Bellissima».

«Perché è vero.»

Mia nonna arrossisce. «E tu sei il solito bugiardo.»

Forte Li mi racconta che Anna ha portato Giacomo da loro ieri, dopo la scuola. Mio nonno, che da giovane dicevano potesse lavorare i campi tirando da solo l'aratro grazie alla sua spropositata forza fisica, quest'uomo duro e coriaceo, quando parla del suo bisnipote lo fa con un tono che trabocca di orgoglio, tenerezza e amore sconfinato.

Li Meyu ha trovato il bambino in salute, forse un po' troppo serio, e mia moglie le è sembrata stanca. Forse la preoccupazione nella voce di mia nonna deriva anche da questo.

Il pensiero di Anna affaticata e di Giacomo incupito mi devasta. È colpa mia. Di nuovo mi ripeto che se non sistemo le cose, se non aggiusto quello che ho rotto, tutto questo peggiorerà, non riuscirò più a riprendermi mia moglie, e i danni fatti a mio figlio saranno irrimediabili.

Mia nonna mi chiede se sento Anna e Giacomo, se parlo con loro. Significa che Anna continua a tacere sulla nostra situazione.

«Lo sai» dice con gentilezza, senza rimprovero, «una donna ha bisogno del suo uomo, e un figlio ha bisogno del padre.»

Li Meyu non mi accusa, ma io sì, accuso me stesso. Eppure, anche adesso mento. *Sei il solito bugiardo.*

Dico che sì, sento Giacomo tutti i giorni, e anche Anna, è tutto a posto. Invece, a parte le prime due volte in cui ho chiamato mio figlio subito dopo il trasferimento a Roma, non l'ho più fatto. Posso fingere che sia stato per l'indagine che è diventata sempre più impegnativa, ma so che non è così. So che non ho più cercato Giacomo perché anche se non faceva domande, prima o poi avrebbe voluto delle risposte. "Quando torni, papà? Quando tornerà tutto come prima?"

Continuo con le bugie, aggiungo che appena avrò un po' di riposo dal lavoro, rientrerò a casa qualche giorno per stare con Anna e Giacomo.

Forte Li e Li Meyu si tranquillizzano.

Io chiedo di mio padre. La forma della cortesia all'interno della famiglia cinese vuole che il figlio domandi del padre.

Forte Li mi dice che sta bene e mi saluta. Io non sono affatto sicuro che Silenzioso Wu mi mandi i suoi saluti, ma anche mio nonno segue la forma.

Allo stesso modo – poiché un figlio, oltre a domandare, deve mostrare premura – lo prego di riferirgli che lo chiamerò presto.

Ora non si tratta più di dire le bugie. Tutti e tre sappiamo che non lo farò. Però la formula della cortesia è compiuta, e i miei nonni sono contenti. Per loro è importante.

Adesso Li Meyu inizia a mostrare i primi segni d'impazienza. La nostra chiacchierata via Skype è durata anche più del solito, e si ripresenta il timore che questa diavoleria moderna possa smettere all'improvviso di funzionare.

Forte Li si raccomanda che mi riguardi. Li Meyu si raccomanda che mangi.

Come sempre, mi dicono che mi vogliono bene. Come sempre, quando Li Meyu mi saluta chiamandomi nipotino – *sunzi* – nel tono dolce del dialetto di Wenzhou, io mi commuovo.

33

Poi, dopo soli nove giorni, la nostra operazione porta i primi risultati: gli obiettivi sono stati individuati. Le liste compilate dalle diverse Squadre Mobili arrivano allo SCO, che a sua volta le consegna a Caruso.

In una terza riunione, studiamo e valutiamo i luoghi da perquisire presenti nelle liste, e decidiamo di eseguire tutte le perquisizioni *in contemporanea*. Stesso giorno, stessa ora.

Domani, alle quattro del mattino.

La Mobile di Roma, con la II sezione, si assume il compito di perquisire un centro massaggi e un bordello per soli cinesi in zona piazza Vittorio, e un night sulla Casilina, verso la Palmiro Togliatti.

Io chiedo e ottengo che ci siano anche alcuni dei miei ad affiancare i mobilieri. Incarico Missiroli, la Longo e Pizza per il centro massaggi e il bordello, e Scaccia, Libero e la Fresu per il night.

Alla sede dello SCO, in via Tuscolana, hanno una "Sala Situazione", attrezzata *ad hoc* per operazioni come questa: schermi video, sistema radio avanzato, computer e linee telefoniche dirette con tutte le Questure d'Italia. Il giorno dopo, tre ore prima del blitz, all'una di notte, io, Caruso, Corradi e Pieri ci troviamo lì.

Bosco non c'è. Ha già partecipato a tre riunioni, dando la più ampia disponibilità, ma è pur sempre il direttore dello SCO, e in questa fase operativa lascia spazio al suo dirigente.

Cinque agenti stanno ai telefoni, controllano le mail e i fax. Verifichiamo gli ultimi particolari, e riceviamo conferma da chi dirige le squadre sul campo.

Siamo pronti.

Scattano le perquisizioni.

Roma, Milano, Torino, Bologna, Genova, Venezia, Firenze, Napoli, Reggio Calabria, Palermo, Cagliari.

Centotré Squadre Mobili per centotré città.

Siamo in ballo, e balliamo. Rock'n'Roll! Le informazioni arrivano rapide e concitate.

Parlo con i miei, e riferiscono che stanno entrando con la Mobile nel centro massaggi, nel bordello e nel night. Sento in diretta le loro voci: «Andiamo, andiamo, andiamo!». Poi, una volta dentro: «Fermi tutti, polizia. Mani bene in vista».

Sento voci cinesi che urlano, protestano, chiedono spiegazioni. Alcune di queste – solo di giovani donne – sono rotte dal pianto.

Comunichiamo via radio anche con le altre Squadre Mobili che stanno operando, e ci riferiscono in tempo reale sui singoli obiettivi.

Positivo.

Negativo.

A parte il gestore di un locale notturno con stanze "speciali" a Firenze che cerca di scappare, si tuffa nell'Arno, e viene ripescato sotto Ponte Vecchio, tutto fila liscio.

L'operazione termina, e facciamo il bilancio.

Le probabilità erano a nostro sfavore. Invece, puntare sul circuito della prostituzione e impiegare tutte le centotré Squadre Mobili d'Italia, ci ha premiato.

Abbiamo ritrovato venticinque delle quaranta ragazze transitate per il laboratorio tessile dei Wang.

34.

Nuovo vertice. Io, Caruso, Pieri e Corradi. Questa volta nessuno vuole mancare. Si ripresenta Bosco, si presenta per la prima volta Iorio, l'aggiunto di Caruso alla DDA, e sempre per la prima volta, con tutti gli onori del caso, appare nientemeno che il procuratore capo della Repubblica, il dottor Capobianco. E di nuovo s'imbuca pure il questore Lanfranchi.

Scambio di cortesie tra i presenti.

Caruso lascia che sia io a illustrare gli sviluppi dell'indagine al termine della nostra operazione di polizia. Che poi si riducono a *uno* sviluppo, ma cruciale: la certezza che i coniugi Wang utilizzavano il laboratorio e un sistema di assunzioni fittizie come copertura per un traffico di giovani donne, destinate al circuito della prostituzione. Le varie Squadre Mobili hanno raccolto prove inequivocabili su ciò che le ragazze facevano nei luoghi dove sono state ritrovate: infatti gestori e proprietari di centri massaggi, bische, night club e bordelli sono stati arrestati in flagranza di reato.

È stato sferrato un duro colpo alla rete della prostituzione cinese.

Alla luce di questi risultati, il pm intende aggiungere al fascicolo d'indagine "l'associazione a delinquere di matrice mafiosa" a carico di Wang Xinxia. Adesso formalizziamo agli atti che stiamo indagando sulla mafia cinese. Elogi e congratulazioni. Capobianco ringrazia il direttore dello SCO e i presenti per l'eccellente lavoro svolto.

Ognuno ha una ragione per essere soddisfatto. Iorio, perché è la DDA che ha applicato Caruso all'indagine. Bosco, Pieri e Corradi per la cooperazione tra SCO e la Mobile di Roma.

Lanfranchi è entusiasta. Ancora una volta i mezzi d'informazione parlano della nostra operazione e la definiscono senza mezzi termini "un successo".

Il questore scambia un cenno con me e Caruso. Lui non aveva dubbi.

Caruso si morde la lingua e trattiene una battuta di risposta. Torna all'inchiesta, e interpella Bosco e Corradi. «Va bene, è stato un successo, bravi tutti. Ma abbiamo ritrovato venticinque ragazze su quaranta. Ne mancano ancora quindici. Dove sono?»

Potrebbero essere in altri luoghi che non siamo riusciti a individuare. Oppure potrebbero essere state smistate all'estero, verso l'Olanda, il Belgio o la Francia, Paesi dai quali i cinesi – con un percorso inverso – spesso entrano in Italia.

Potrebbero.

Comunque sia, queste quindici ragazze ancora non si trovano.

Bosco incarica Pieri di immettere nello SDI una segnalazione con i nominativi e i documenti delle quindici ragazze, e di girarla anche all'Interpol per effettuare una ricerca, ancor più capillare, sul territorio.

Non demordiamo. Anche se la sensazione, adesso, è di stare cercando quindici aghi in molti pagliai.

35.

Prima di andarcene, Caruso chiede a Bosco anche del fascicolo su Vecchio Zhao, e il direttore dello SCO risponde che lo stanno preparando.

«Bene» dice il pm, «appena è pronto, avvisatemi.»

Dalla sede dello SCO, torno insieme a Caruso in Procura e questa volta approfitto del passaggio con l'autista che lo scarrozza sempre. Mentre siamo per strada, il magistrato rimugina a voce alta: «Dobbiamo ricominciare dalle stesse domande, Wu. Il traffico delle ragazze gestito dai Wang è legato al duplice omicidio? I croati hanno dietro un mandante? Oppure è stato un caso?».

Non lo sappiamo con certezza, ma ormai appare assai improbabile che non ci sia un legame, e che dietro tutto non ci sia una regia.

Seguo Caruso lungo questa linea: «I coniugi Wang hanno fatto qualcosa per cui dovevano essere puniti?».

Ancora domande. Però ci mancano le risposte.

In questo momento, con tempismo esemplare, la Longo mi chiama sul cellulare, e dice che lei e la Fresu, forse, hanno trovato qualcosa dai tabulati dei Wang e dei croati.

Alla fine, una corrispondenza.

Arrivo con il pm, e come succede ogni volta che è un magistrato a venire in Commissariato, tutti i poliziotti diventano stranamente timidi e silenziosi. Anche i miei. Sembrano delle statue.

Missiroli è il primo a uscire dall'imbarazzo. «Dottore, un caffè?» chiede a Caruso.

Caffè. Quindi ci buttiamo sui tabulati, e il sost. proc. con noi.

Wang Xinxia ha utenze in comune soltanto con il marito. Anzi, sul suo tabulato compare quasi solo il numero di Abile Wang. Invece, tra i tabulati di Abile Wang e quelli dei croati c'è un numero che ritorna: (+86)186.2717.4634.

È la corrispondenza.

Sul tabulato di Abile Wang risultano più chiamate da e verso quel numero. E sui tabulati di Suker, Smoje e Čop risulta un'unica chiamata in entrata.

Il numero è di un cellulare di un operatore cinese: China Unicom, una compagnia telefonica controllata dallo Stato.

Sono le risposte a quasi tutte le nostre domande. Le domande che stiamo inseguendo dall'inizio dell'indagine.

È la conferma che c'è un legame. Che la rapina/omicidio non è stata casuale. Che i croati sono stati mandati.

Ancora non abbiamo la prova che il traffico delle ragazze sia la causa degli omicidi. E alle conferme servono altre conferme. Ma ora tutta la nostra teoria investigativa ha un riscontro solido, reale.

La Longo e La Fresu mappano le celle a cui si sono collegati i diversi telefoni. E trovano un'altra corrispondenza.

Il numero di cellulare cinese si è agganciato almeno una volta alle stesse celle a cui si è agganciato il cellulare di Abile Wang. Stiliamo una cronologia, e stabiliamo quante volte e quando è successo.

Quindi, elenchiamo le celle, che sono quelle che coprono l'Esquilino, Ponte Casilino, Porta Maggiore e Centocelle.

E zona metro Manzoni, dove si trova l'associazione culturale di Vecchio Zhao e Piccolo Zhao.

Che ci facevano Abile Wang e il possessore del numero cinese in quelle zone di Roma?

Caruso si toglie gli occhiali. La montatura è azzurra, con sottili righine blu. Deve averne una collezione, di occhiali e cravatte. Pulisce le lenti e li rindossa.

Con il cellulare cinese e quello di Abile Wang agganciati alla cella che copre il Cerchio Felice, si rafforza la nostra ipotesi che dietro tutto ci siano le Triadi, e in particolare Vecchio Zhao e la sua organizzazione. Ed è possibile che Abile Wang si sia incontrato con la stessa persona che ha chiamato i croati.

Forse Abile Wang conosceva il mandante.

TRE

La Luce Bianca, la Luce Limpida

白光
清光

Non basta un giorno di freddo
a ghiacciare un fiume profondo.

1.

Fine febbraio

Nel mio ufficio con Caruso e Missiroli. Il pm spalanca la finestra e si accende l'immancabile sigaretta. «Solo un dubbio.»

«Quale?» chiedo io.

«La singola chiamata che i croati hanno ricevuto dal numero cinese potrebbe essere stata la stessa con cui sono stati mandati a compiere la rapina.»

«Potrebbe...»

«Ma l'hanno ricevuta tutti e tre. Perché? Non bastava chiamarne uno che poi avrebbe riferito agli altri?»

«Forse la persona che ha telefonato voleva essere sicura che tutti e tre sapessero *chi* li stava mandando.»

«Sì, forse.» Caruso dà un lungo tiro alla sigaretta e soffia fuori il fumo.

«Dottore, sappiamo a chi ci porta quel numero di cellulare cinese» dice Missiroli.

A Vecchio Zhao, a Piccolo Zhao, e a tutti coloro che gravitano attorno al Cerchio Felice.

«Adesso possiamo sentirli *ufficialmente*» dico io.

Altra boccata di fumo. «No, non ancora. Non sappiamo a chi appartiene, quel numero.»

Capire *quando* interrogare qualcuno è basilare nel corso di un'inchiesta, ma va capito anche *come*, con quali armi a disposizione. Se non sappiamo a chi appartiene il numero di cellulare, rischiamo di bruciarci l'informazione con i due Zhao. Però, per saperlo, è necessario rivolgersi all'operatore cinese, a China Unicom.

«Servirebbe una rogatoria internazionale.»

Caruso tentenna. La richiesta di rogatoria è lunga e complessa, e non è detto che venga accolta. «Non lo so...» L'operatore del numero di cellulare è cinese, però la scheda è attiva in Italia. «Possiamo ottenere i tabulati del numero» continua il pm. «E posso chiedere al gip l'autorizzazione a intercettarlo.»

I tabulati ci servono per poterli incrociare di nuovo con quelli di Suker, Smoje, Cop, e Abile Wang. Se non ricorriamo alla rogatoria, incrociare i dati può esserci utile per avvicinarci comunque all'identità dell'intestatario del telefono, cioè del contatto in comune tra Wang Jiang e i croati.

E intercettarlo può aiutarci a incastrarlo.

«Il numero si è agganciato alla cella che copre l'associazione culturale» dico. «Possiamo avere i tabulati di tutte le utenze riferibili a Vecchio Zhao, a suo figlio, e agli uomini dell'organizzazione, dottore. E può chiedere al gip l'autorizzazione a intercettare pure quelle.»

«Prima, però, bisogna trovarle, le utenze.»

Intanto, ci sono le venticinque ragazze su quaranta transitate per il laboratorio tessile. Caruso chiederà una terza ordinanza di custodia cautelare, in carcere, per Wang Xinxia.

2.

Sempre la stessa saletta colloqui del carcere di Rebibbia. Io, Caruso, Wang Xinxia e l'avvocato Sun. Mieli ha redatto la nuova OCCC e questa volta si è preso un paio di giorni per espletare l'interrogatorio di garanzia.

Il pm elenca i nuovi capi d'imputazione per la signora

Wang. Oltre all'associazione mafiosa, ci sono la riduzione in schiavitù, l'induzione e lo sfruttamento della prostituzione in ragione delle numerose spedizioni di denaro del quale lei non ha chiarito la provenienza, e che noi attribuiamo al commercio delle ragazze.

Sul volto perfetto di Wang Xinxia non passa nessuna emozione. Rimane impassibile e distante.

Invece, nello sguardo di Sofia Sun qualcosa è cambiato.

È brava, ma anche giovane, e si trova coinvolta nel suo primo caso d'omicidio. Vede accumularsi le ordinanze cautelari e le imputazioni nei confronti della sua cliente. Forse comincia a nutrire dei dubbi, e non ha ancora imparato a dissimulare. Soprattutto, non ha ancora imparato che un avvocato non deve *mai* domandarsi se il suo assistito è innocente o colpevole.

Per un istante mi fissa. Non dice nulla, ma la sua espressione è la stessa di quando abbiamo parlato chiusi nella sua Mini a piazza Brin.

Poi ci chiede se può restare sola con la sua cliente, e noi l'accontentiamo.

Quando rientriamo nella saletta, ci dice di registrare che lei ha consigliato alla sua cliente una maggiore collaborazione.

Caruso fa segno all'agente che tiene i verbali. «Registriamo, avvocato.» Quindi incrocia le braccia e si rivolge a Wang Xinxia: «Ci parli delle ragazze che sono transitate per il laboratorio. Come funzionava il vostro traffico?».

«Io non so niente delle ragazze.»

Il magistrato scuote la testa: «Così cominciamo male, signora Wang. Lei e suo marito avevate i documenti di quelle donne, e sappiamo con certezza che sono passate per la vostra fabbrica». Evita di dire che sono state le operaie stesse a confermarcelo.

«Non so niente» ripete Wang Xinxia.

«Sa che abbiamo ritrovato venticinque ragazze su quaranta?» le chiedo io.

«La signora è stata informata, sì. Se ne dà menzione nell'ordinanza che ci è appena stata notificata» risponde al posto suo Sofia Sun.

«Allora, signora, forse lei non comprende fino in fondo *quanto* si stia aggravando la sua posizione» riprende Caruso.

Non è questo il punto.

«È sicura che le ragazze non parleranno» dico.

Il magistrato si sporge un poco in avanti, senza smettere di fissare Wang Xinxia. Cerca in qualche modo di accostarsi a lei, di creare un'empatia. «Signora, lei aveva una figlia. Una bambina. Immagina la vita delle donne che abbiamo ritrovato? Cosa sono state costrette a subire? Non le dispiace per loro?»

«Sì, mi dispiace» risponde Wang Xinxia. Ancora, però, il suo viso non tradisce emozioni, e nella voce non c'è nessun calore.

«Dove sono le altre quindici?» chiedo io.

«Non lo so.»

«Ci dica dove sono.»

«Non lo so. Io non c'entro con quelle ragazze.»

«Davvero? Vuol dire che tutto il traffico lo ha organizzato e gestito solo suo marito?»

Sofia Sun protesta, anche se con meno convinzione del solito: «Vicequestore Wu, non attribuisca alla mia cliente affermazioni che non ha fatto».

«D'accordo, avvocato» replica Caruso. «Però quelle che la sua cliente ci fornisce non sono risposte. Nega tutto, anche i fatti più lampanti, oppure tace.»

Il sostituto procuratore mi cerca con lo sguardo. È indeciso se proseguire o abbandonare.

Annuisco.

E lui prosegue.

Dal faldone di documenti che porta con sé prende due fogli e li posa sul tavolo. Sono le stampe dei tabulati di Abile Wang e dei croati. Sulle pagine è evidenziata in giallo l'utenza cinese.

«Riconosce questo numero, signora?»

Wang Xinxia lo osserva. «È un cellulare cinese.»

«Sì, lo riconosce?»

«No.»

«Ne è certa?»

«Sì.»

Caruso la lascia a me.

Le indico i tabulati: «Vede questi fogli, signora? Riportano tutte le telefonate in entrata e in uscita dal cellulare di suo marito. E tutte le telefonate fatte e ricevute dai tre croati che hanno compiuto la rapina ai vostri danni. Quel numero cinese compare in entrambi i fogli. Vuol dire che sia suo marito sia i tre croati hanno ricevuto chiamate da quello stesso numero. Capisce cosa significa?».

«Sì.»

«Risultano anche chiamate in uscita da suo marito a quel numero. E qui» indico un'altra porzione di foglio, «sono segnate le celle. È dove si agganciano i cellulari per avere il segnale. Il cellulare di suo marito e quel cellulare cinese si sono agganciati più volte *alla stessa cella*. Anche questo capisce cosa significa?»

«Sì, credo di sì.»

«Allora può spiegarci com'è possibile che qualcuno chiamasse suo marito e gli uomini che hanno commesso la rapina?»

«Io non lo so.»

«Com'è possibile che *suo marito* chiamasse quel qualcuno?»

«Non lo so.»

«Suo marito ha incontrato quella persona?»

«Non lo so.»

«Lei non sa *davvero* nulla, signora Wang. Non sa delle ragazze, non sa di questo numero, non sa delle chiamate, e non sa cosa faceva suo marito.»

«Vicequestore Wu, non sempre una moglie conosce gli affari del marito.»

«Non ci credo. Una moglie *sa sempre* cosa fa il marito. Tutt'al più, finge con se stessa di non sapere.»

Sofia Sun torna a protestare con il pm, adesso con più energia. «Dottore, non credo che siamo qui per discutere dei rapporti tra marito e moglie.»

Possiamo essere stati vicini, ma restiamo comunque sui lati opposti della barricata.

«Giusto, avvocato. Non siamo qui per questo.»

Caruso mi invita ad andare avanti e io insisto: «Signora Wang, noi pensiamo che la persona che possiede il cellulare cinese sia il mandante dei croati. Glielo chiedo per l'ultima volta: suo marito ha incontrato questa persona? Ha incontrato chi ha fatto ammazzare lui e vostra figlia?».

Wang Xinxia mantiene il solito distacco. Il suo viso è bellissimo, ma immobile. Non batte le ciglia, le labbra non tremano. A parte pochi, rari cedimenti, ha mantenuto questa posa fin dal primo momento, con ancora i cadaveri di Abile Wang e Profumata Wang stesi a terra sotto i suoi occhi.

Ripete solo: «Non lo so».

Fino a ora non sono riuscito a formulare un giudizio su di lei. Immaginavo che fosse il dolore a tenerla lontana. Ora invece so – *sappiamo* – che dietro quella maschera si nasconde la colpa.

«Basta così» dice Caruso a Sofia Sun, e si alza. «Avvocato, ha dichiarato di aver suggerito alla sua cliente una maggiore collaborazione. Non mi pare che abbia funzionato.»

Ci accingiamo ad andarcene, ma per me non basta. Io so che se mia moglie e mio figlio soffrono è a causa mia. Voglio che Wang Xinxia non possa più ignorare la sua parte.

«Signora Wang, lei *sa*. Ne sono sicuro. Se come noi crediamo, la rapina e l'omicidio sono legati al traffico delle ragazze, allora lei, come suo marito, è responsabile della morte di vostra figlia.»

Adesso Sofia Sun dovrebbe protestare. Ma non lo fa. Di nuovo mi guarda. Poi abbassa gli occhi.

3.

All'uscita dal carcere il sostituto procuratore mi dice che ha preparato il decreto per avere i tabulati del cellulare cinese, e che Mieli ha autorizzato l'intercettazione. Invece, per i tabulati dei numeri riconducibili a Vecchio Zhao e Piccolo Zhao, e per metterli sotto controllo, sia lui sia il gip aspettano solo noi.

In Commissariato, partiamo dal Cerchio Felice, l'associazione culturale, passiamo alla Zhao Trade Company, la ditta di import-export di cui Vecchio Zhao è titolare, e da qui a tutte le attività che sappiamo esservi collegate. Verifichiamo se Vecchio Zhao e Piccolo Zhao abbiano dei numeri intestati a loro nome. Improbabile, ma verifichiamo lo stesso.

Sappiamo che questa ricerca può dare risultati solo parziali. E che i due Zhao e i loro uomini possono usare altre utenze. Altri numeri intestati a prestanome. Ma per individuarli, dovremmo sorvegliare tre quarti della comunità cinese di Roma.

Impossibile.

Allora, continuiamo con la nostra ricerca.

Nel frattempo, con il decreto di Caruso per il numero di China Unicom dico a Pizzuto e Liberati di farsi inviare dai vari gestori i tabulati. Essendo un numero cinese, per funzionare in Italia ha usato la rete italiana, e il suo traffico è passato per gli operatori nazionali. Tutti gli operatori. Pizza e Libero devono contattarli uno per uno.

E visto che il gip ci ha dato l'assenso, iniziamo anche a intercettare il cellulare cinese assieme a Xian. L'interprete ha dovuto sbrigare alcune faccende personali, poi però è tornato operativo e a disposizione.

Come quello di Suker, il telefono risulta inattivo.

Non importa. Voglio qualcuno sempre in Sala Ascolto su quel numero. H24.

Infine, riferisco a tutti l'esito dell'ultimo interrogatorio a Wang Xinxia.

E Scaccia sbrocca.

4.

Si alza di scatto, butta a terra una sedia e la prende a calci. «Ma nun se po' senti' 'sta cosa!» mi urla in faccia. «Ma come se fa?»

Le donne sono il suo tallone d'Achille, e lo sappiamo. Il fatto che Wang Xinxia non parli, e non dica dove sono le altre ragazze passate per il laboratorio, lo manda fuori di testa.

«Se il magistrato me dà il permesso, la interrogo io. Come cazzo è che *lei*, dotto', non riesce a farla parla'?»

Pensavo di avere messo in chiaro certe questioni, con Scaccia. A quanto pare, no. Lo porto nel mio ufficio, chiudo la porta e lo affronto di nuovo. «Fammi capire, Scaccia: secondo te dovrei far parlare la signora Wang perché sono cinese come lei?»

«Mica ho detto questo, dotto'.»

«No? Allora cosa? Pensi che non ci provi abbastanza? Che siccome è cinese ci vado più leggero?»

«No, dotto'. Nun lo penso.»

«Meglio, Scaccia. E adesso ti dico la stessa cosa che ho detto alla Fresu. Lo so che credi che sia ingiusto che io sia piombato qua a dirigere il Commissariato. So anche che secondo te, al posto mio, doveva starci Missiroli, con o senza qualifica. E invece ti ritrovi con un funzionario spedito dall'alto, e per di più *cinese*.»

«Ma a me nun me frega niente che lei è cinese, dotto'.»

«Bene. Perché qua comunque ci sto io. Ti tocca il dirigente cinese. E se dai di matto come prima, o insisti a crearmi problemi mentre siamo nel pieno di un'inchiesta che è un delirio, non aspetto che sia tu a chiedere di essere riassegnato. Ci penso *io*. Ti sbatto fuori dal Commissariato, dal caso, e ti faccio trasferire in culo ai lupi.»

Scaccia tace, io continuo a martellare: «La Fresu ti difende, lo sai? Dice che sei un buon poliziotto. Se ti interessa, lo penso anch'io, perché ci metti l'anima. Mi dispiacerebbe, ma se mi costringi a mandarti via, lo faccio. Ultima possibilità, Scaccia. Mi sono spiegato?».

«Sì, dotto'.»

Rimango piantato di fronte a lui. «L'indagine sta andando avanti, Scaccia?»

«Come dice, dotto'?»

Chiariamo anche questo punto: «L'indagine sta andando avanti, sì o no?».

«Sì.»

«La signora Wang è agli arresti?»

«Sì.»

«Venticinque ragazze le abbiamo ritrovate?»

«Sì, dotto'.»

«E chi vi ha portati a questo?»

«È stato lei...»

«Bravo. Io sarò pure uno piazzato qui dal questore, ma a te e agli altri non devo dimostrare più un cazzo.»

Scaccia tace. Dopo un momento annuisce. Non significa che d'ora in avanti saremo amiconi, però è disposto a mettere da parte le stronzate, e a fidarsi di me davvero.

«Torniamo al lavoro?»

5.

Torniamo al lavoro. Tutti.

I miei a cercare le utenze riconducibili ai due Zhao e sulle intercettazioni del numero cinese. Io con Caruso.

Le varie Squadre Mobili coinvolte nella nostra azione di polizia stanno interrogando gli arrestati, e ascoltando le ragazze che abbiamo ritrovato.

I verbali vengono inoltrati allo sco, che a sua volta li gira a Caruso.

Io e il magistrato passiamo le ore a leggerli.

Nessun collegamento con Abile Wang e Wang Xinxia,

nessun collegamento con Vecchio Zhao e la sua organizzazione.

La norma continua a essere: i cinesi non parlano. Le ragazze e gli arrestati tengono la bocca così chiusa che al confronto la signora Wang sembra disponibile e collaborativa.

Un muro di gomma.

La Grande Muraglia cinese. Come il nome che abbiamo
dato all'indagine.

Per cercare di aprire una breccia, io e Caruso ci prendiamo un paio di giorni per andare a Milano e interrogare di
persona due delle ragazze. Se si esclude il distretto tessile
di Prato, che fa storia a sé, a Milano c'è la comunità cinese
più estesa e radicata d'Italia, più ancora di quella romana.
Per la legge dei grandi numeri, tra più persone è più facile
trovare qualcuno malleabile. Infatti, è a Milano che ci sono
i pochissimi informatori cinesi.

Ci appigliamo alla possibilità che la rete attorno alle due
ragazze possa essere meno solida che altrove, e che questo
possa convincerle a parlare con noi.

Il pm pone le domande. Alcune specifiche, per il resto le
solite: chi vi ha fatto arrivare a Milano? Cosa potete dirci di
Abile Wang e Wang Xinxia? Che sapete di Vecchio Zhao?

Loro, per tutti e due i giorni, per tutto il tempo, fissano
me, silenziose.

Non funziona. Non c'è nessun appiglio. Le due ragazze sono terrorizzate. Nonostante la paura, e tutto ciò che è
accaduto loro negli ultimi giorni, sono ancora più belle di
quanto non sembrassero nelle fotografie dei documenti. Si
chiamano Lang Ping e Guo Yan. Entrambe hanno meno di
vent'anni.

Il secondo giorno, Caruso fa un altro tentativo. Spiega
alle ragazze che le operaie del laboratorio tessile hanno parlato, ottenendo così un permesso di soggiorno temporaneo
per motivi di giustizia. Se anche loro collaborano, potranno
restare.

Le due ragazze si scambiano un'occhiata, quindi una delle due – Lang Ping – si abbassa il colletto della maglietta che indossa, fino a scoprire una spalla.

Sulla pelle, è impresso un ideogramma.

Un marchio a fuoco.

Mei, bellezza.

Guo Yan deve averne uno identico.

Alcune organizzazioni criminali, soprattutto quelle dell'Est Europa, installano microchip sottocutanei alle donne che gestiscono, per poter tracciare ogni loro spostamento. I cinesi sono più sbrigativi: le marchiano, come bestie.

E il motivo per cui le due ragazze non parlano è semplice: non vogliono morire.

Caruso fissa il marchio sulla spalla di Lang Ping, poi si alza. È turbato. È un sostituto procuratore della Repubblica. Ha visto gli abissi in cui sprofondano gli esseri umani, è abituato. Eppure, adesso fatica a reggere la vista della pelle di Lang Ping deturpata dal marchio.

«Chi vi ha ridotto così?» chiede. La voce gli trema per la rabbia.

Lang Ping e Guo Yan erano in un bordello cinese dietro via Paolo Sarpi, nel pieno della Chinatown milanese, gestito da un'altra donna, Sui Yuxin, che la Mobile di Milano sta ancora interrogando.

Per mia esperienza, è stata lei a marchiarle.

«È stata Sui Yuxin, vero?»

Le due ragazze si rivolgono un altro sguardo, e tacciono. Lang Ping si ricopre la spalla.

Il pm, turbato, fa un sospiro, e mi lascia solo con loro nella stanza.

«Il dottor Caruso, il signor magistrato, è una brava persona» dico io in dialetto. «Però se voi continuate a non parlare, non potrete avere il permesso di soggiorno, e sarà costretto a chiedere il rimpatrio. Vi rimanderanno a casa.»

Lang Ping non ha alcuna reazione.

Guo Yan, invece, singhiozza. «Vicequestore Wu, sei cinese, perché ci fai questo?» mi chiede.

Non rispondo subito. La domanda di Guo Yan si infila proprio al centro della mia lacerazione, e per un istante mi destabilizza. Sono io, sono Luca Wu, il cinese nato in Italia da genitori cinesi, che oscilla costantemente tra queste due radici. Troppo cinese per gli italiani, e troppo italiano per i cinesi. Una banana, appunto.

I miei genitori e i miei nonni sono entrati in questo Paese da clandestini. Non ho mai chiesto i particolari, ma non posso dimenticarlo. Se i miei genitori non fossero venuti in Italia da clandestini, io non sarei nato qui, e non mi sentirei sempre spaccato a metà. Se fossi nato in Cina, non avrei incontrato Anna, non sarebbe nato Giacomo, e io non avrei rovinato tutto. Se fossi nato in Cina, avrei una moglie e un figlio cinesi, e forse sarei un buon marito e un buon padre.

Ma nulla di tutto ciò è accaduto. Sono nato in Italia, e sono cinese. Sono cinese e sono italiano. Sono uno sbirro, e indago su persone che sono *esattamente* come i miei genitori e i miei nonni. E tutte queste cose dentro di me non si allineano mai, non trovano pace.

«Non sono *io* che vi faccio questo» rispondo, infine.

So che è vero, non sono io che le ho trascinate in Italia da clandestine per immetterle nel circuito della prostituzione, e non sono io che le ho marchiate a fuoco.

Lo stesso, quando mi alzo per raggiungere il magistrato, e Lang Ping e Guo Yan mi guardano come se le avessi abbandonate, so che anche questo, in qualche modo, è vero.

6.

Rientriamo a Roma viaggiando sull'auto del magistrato, con alla guida il suo autista. Non abbiamo ottenuto niente. In cambio, non riusciamo a rimuovere il ricordo del marchio sulla spalla di Lang Ping.

Nonostante il giro a vuoto, siamo consci che l'indagine

sta progredendo. Mieli chiama Caruso e lo avverte che, sulla base degli elementi probatori aggiunti, ha confermato ancora la misura cautelare per Wang Xinxia. Un punto per noi. Ma sappiamo anche che senza Suker, e con tutti che fanno i muti, adesso manca qualcuno che *parli*. Meglio ancora, qualcuno che *confessi*.

E siccome non spunterà fuori dal cilindro, possiamo soltanto andare avanti a testa bassa.

Arrivato alla Garbatella, prendo un piatto pronto nella rosticceria all'angolo, poi salgo a casa e, mentre mangio, mando un SMS ad Alessandro. Per allenarci domattina.

È il nostro accordo: io lo contatto a qualunque ora, e lui, se può, mi dà conferma. Mi arriva la sua risposta: può.

Quindi prendo il computer e mi metto sul divano.

Tra le mail, c'è quella di Anna.

La canzone è *Calling You* di Linda Wesley: "*And I'm calling you / Cant'you hear me / I'm calling you*".

Anna, a modo suo, mi sta chiamando.

Lo so, Anna, ti sento. Ma non so cosa rispondere, adesso. Non lo so, amore mio. Non ho nessuna risposta.

Lang Ping scosta il colletto della maglietta. Sotto, c'è il marchio impresso a fuoco nella carne.

7.

Con Alessandro cominciamo l'allenamento senza spingere troppo.

Lui sa che sono un poliziotto, ma quando stiamo assieme, parliamo solo del *Ving Tsun*, di quanto sono simili e al tempo stesso diversi i nostri stili, nonostante si rifacciano entrambi alla scuola di Wong Shun Leung. Parliamo dei *Beimo* nei quali ho combattuto, e del *Chin Na* che mi ha insegnato mio padre. Discutiamo, confrontiamo le tecniche, e poi le proviamo tirando i colpi.

Oggi però Alessandro capisce che sono distratto. Allora, scherzando, mi chiede che c'è, se ho messo qualcuno al gabbio. Scherzo anch'io, più o meno, e rispondo: «Qualcuno, sì. Ma sempre troppo pochi».

Quindi mi metto a fare sul serio, perché come sempre il *Ving Tsun* è l'unico modo che ho per alleggerirmi e fare pulizia.

I'm calling you.

Il marchio. Iniziamo a combattere.

Alessandro fa un passo veloce in avanti, ma io riesco a prendergli il tempo, gli taglio la strada – *Cut the way*, uno dei principi fondamentali – e con un *Tan Sao*, un colpo a spazzare col dorso della mano, gli sposto il braccio avanzato e lo costringo a ruotare sul suo stesso asse del corpo, a esporre il fianco, mentre allo stesso tempo con l'altro braccio gli affondo un pugno nella mascella.

Che fermo a un millimetro dal bersaglio.

Il detto "chi picchia per primo, picchia due volte" ha una sua profonda verità. Nel *Ving Tsun*, in particolare, colpire subito è un concetto che viene ripetuto nella pratica fino a renderlo automatico. Nella vita reale è diverso: se picchi qualcuno per primo, e lo conci male, rischi la galera, e quello ti fa causa fino a lasciarti in mutande.

Per un poliziotto è anche peggio. Dopo i fatti di Genova, e dopo che la Corte Europea ha decretato la colpevolezza di *quei* poliziotti per il reato di "tortura", l'attenzione nei nostri confronti è massima, e ogni episodio violento in cui siamo implicati si trasforma in una condanna a priori. A questo si sono aggiunti i casi di Cucchi, Aldrovandi e altri ragazzi. Morti per colpa nostra. E nessuno ci perdona più nulla.

Per questo, nel breve periodo che ho passato al Reparto Mobile, ci hanno inculcato l'ordine di non essere *mai i primi* a picchiare, e di reagire solo come ultima risorsa.

Per questo, con i due ubriachi a via di Libetta mi sono contenuto, e quando ho affrontato i due ragazzetti cinesi a piazza Vittorio, le due Lanterne Blu, ho aspettato che fossero *loro* a cominciare.

Per questo, adesso, freno il pugno.

Perché mi è *utile* allenare questo riflesso tanto quanto il suo opposto.

Alessandro non ne sa nulla, e si limita ad approfittare di quella che gli sembra una mia indecisione. Applica una contro-rotazione, con un *Bong Sao* violento spazza via il *mio* braccio, e – come me – allo stesso tempo tira un colpo d'attacco.

Che mi centra in pieno petto e mi toglie l'aria.

Fa male.

Alessandro si lascia sfuggire un sorrisetto. Ha avuto la sua rivincita rispetto all'ultima volta, quando l'ho atterrato con il *Chin Na*.

Io cerco di respirare, mentre mi rimetto in guardia. Controllo il dolore del colpo subìto. Tutti gli allenamenti della mia vita, con mio padre e con Ha Ja, e tutti i *Beimo* che ho affrontato, mi hanno insegnato a gestire il dolore. È un ospite indesiderato e molesto, che vuole disturbarti. Se ti opponi, si accanisce di più. Se invece lo accogli, non avrà soddisfazione, e se ne andrà prima. Lo accolgo senza porre resistenza, normalizzo il respiro, e a poco a poco il dolore fisico se ne va.

Contrattacco. Continuiamo combattere in una condizione di sostanziale equilibrio. I colpi mi escono forti, rapidi, senza intervallo tra intenzione e azione. Il mio corpo risponde come deve. Con il fluire delle tecniche, le scorie si dissolvono, i miei pensieri seguono una loro strada, e tornano limpidi e tersi a ciò che mi occupa interamente.

L'indagine.

8.

Commissariato. Missiroli entra nel mio ufficio e mi mette davanti un elenco. Mentre ero a Milano con Caruso, lui e gli altri hanno rintracciato tutte le utenze riconducibili a

Vecchio Zhao e Piccolo Zhao, escludendo di cercare mille possibili prestanome.

Bravi.

Vediamo l'elenco.

Le utenze sono trentacinque: trentuno delle quali intestate a persone che lavorano per l'associazione culturale, per la Zhao Trade Company, o che gestiscono attività commerciali nell'orbita di Vecchio Zhao.

Ai nominativi sono allegati i documenti d'identità. Scorrendoli, persino a me quei volti e nomi cinesi sembrano tutti uguali. Gli ultimi quattro, però, sono molto più interessanti. Due li ho già visti in più occasioni. L'ultima volta, al Cerchio Felice.

Il primo si chiama Han Zhi. È un 49, un soldato semplice, uno di quelli che mi ha accolto all'ingresso. Il secondo è Hu Xia, e saliamo di livello. È il 426, lo *Hung Kwan*, l'incaricato della Sicurezza e della Disciplina.

Poi il livello sale ancora. Perché, al contrario di quello che ipotizzavamo, le ultime due utenze sono intestate proprio ai due Zhao.

«Dotto', teniamo presente che potrebbero essere numeri farlocchi» dice Missiroli, «quelli degli Zhao, e pure i quattro e qualcosa, come li ha chiamati lei...»

«Il 49 e il 426.»

«Quei due, sì.»

Missiroli sottolinea l'ovvio: se sospettiamo che Vecchio Zhao, Piccolo Zhao e gli uomini dell'organizzazione utilizzino altri numeri a loro disposizione, allora quelli rintracciati potrebbero essere "puliti", cioè usati solo per comunicazioni innocue.

Ma questo è ciò che abbiamo.

Acquisiamo comunque i tabulati, mentre ci arrivano anche quelli relativi al numero cinese dopo la richiesta di Liberati e Pizzuto. Caruso torna da Mieli e ottiene l'autorizzazione a intercettare le "utenze Zhao".

Io metto i miei, e gli altri agenti del Commissariato, a

turni in Sala Ascolto, sempre affiancati da Xian, l'interprete. Per lui niente riposo. Tutto il materiale proveniente dalle captazioni telefoniche va sbobinato, trascritto e tradotto.

In disparte, Leonardi e Mussumeli continuano a monitorare da remoto il cellulare di Suker.

Negli intervalli dei turni, esaminiamo i tabulati del cellulare cinese e quelli delle "utenze Zhao".

Come sempre, cerchiamo corrispondenze utili. Una lucina che si accenda.

9.

E sentiamo Alberto Huong. Caruso vuole che sia io a raccogliere la deposizione in Commissariato. Sottinteso: tra cinesi nati in Italia ci si intende meglio.

Quando Huong si presenta, gli spiego che lo ascolto su delega del sostituto procuratore, e che è qui in quanto persona informata dei fatti.

Parliamo in italiano.

Con me in ufficio, a stendere il verbale, c'è Pizzuto. Dopo aver annotato le prime formalità, gli dico di aspettare a scrivere. Il giovane imprenditore sembra tranquillo. «Conosco la procedura. Me l'ha illustrata quando ho accompagnato la signora Wang.»

Ha imparato bene. È venuto solo, e non s'è portato un avvocato. Sorride. «Spero solo di non finire come lei.»

Sorrido anch'io. «Teme che possa succederle?»

Continua a sorridere. «No. Non vedo perché dovrebbe.»

Continuo a sorridere anch'io, e gli mostro le fotocopie dei due quadernoni a quadretti, scritti in cinese e in italiano, che abbiamo ritrovato nel bidone della spazzatura nel cortile del laboratorio tessile. I conti paralleli dove compare il suo nome.

Huong smette di sorridere. «Forse è meglio che lo chiami, l'avvocato.»

«No, non occorre.» Rivolgo un cenno a Pizzuto. Il pinguino ha capito, e tiene le mani lontane dalla tastiera. Quello che adesso ci stiamo dicendo con Huong non sarà messo a verbale.

«Sono indagato per le false fatture?»

«Non ancora. È stato aperto un altro filone d'inchiesta, ma se ne occupa la finanza, non noi.»

«Capisco.»

«Però lei ammette di aver fatto fatture false d'accordo con i Wang?»

Huong guarda Pizzuto, Pizza guarda me, e io gli dico di aspettare ancora a redigere il verbale.

Allora, Huong si decide: «Sì, lo ammetto. Ero d'accordo con i Wang, e gonfiavamo le fatture».

«Perché?»

«Un ministro di uno degli ultimi governi l'ha definita "evasione di sopravvivenza".»

«Comodo.»

«È così che funziona!» Huong si accalora. Ci tiene a spiegarsi, e sembra sincero. Parla dell'associazione di giovani imprenditori italo-cinesi, la A.G.I.ICI. Dice che lui, *loro*, provano a fare le cose come si deve, rischiano, lavorano e fanno lavorare altri. Creano un indotto, muovono flussi di capitale. «Siamo la prima generazione di cinesi nati e cresciuti in Italia che tenta di integrarsi davvero, cerchiamo di prendere il meglio delle due culture, e di fare un salto in avanti.»

«Però prendete anche il *peggio* delle due culture. Italiani e cinesi sono bravissimi a seguire le regole fino a quando gli fa comodo.»

Prima che arrivasse, Missiroli e gli altri mi hanno preparato un po' di carte su Huong. Tra queste, c'è una sorta di memorandum. Lo prendo, e leggo ad alta voce: «Alberto Huong, nato a Roma il 3 aprile 1985 da Huong Shuai e Shao Gaoyang, rispettivamente padre e madre, immigrati in Italia da Yueqing, distretto di Wenzhou, Zhejiang. Trentuno anni, celibe, proprietario di sette negozi d'abbigliamento locati tra l'Esquilino, Rione Monti, Porta Maggiore e San Giovanni. Casa di proprietà in via Cavour, due auto intestate, una BMW X5 e una MINI Cooper, più una terza auto, una Smart, intestata alla s.r.l. che amministra le attività commerciali».

«Se la finanza controlla, scoprirà che pago le tasse, e che tutti i miei dipendenti sono assunti con un contratto regolare.»

«Paga le tasse a parte quelle che evade facendo il nero.»

Huong mi fissa. «Ha detto che non è lei a occuparsene.»

«Infatti. Però mi piace puntualizzare.»

Huong si concede di nuovo un sorriso. Poi basta. È un uomo d'affari, è cinese, abbiamo appurato che le fatture sono un pretesto, e lui è abituato ad arrivare al sodo. «Se non sono qui per questioni fiscali, allora per cosa?»

«Lei è qui perché non ci ha detto delle fatture e nemmeno che era in affari con i Wang. Ci ha raccontato solo che anche loro erano membri della sua associazione. Perché?»

Huong indica le fotocopie dei registri "paralleli". «Perché non volevo che si arrivasse a questo. Non volevo che venissero fuori le irregolarità.»

Comprensibile. Però… «C'è stata una rapina, e un duplice omicidio. Una persona con la quale lei trattava e la sua bambina di quattro anni sono morte. Non si è sentito di dirci tutto subito?»

«Che avrei dovuto dirvi?»

Un'occhiata a Pizzuto, che *adesso* riprende a scrivere a verbale.

«In che rapporti era con i Wang?»

«Di lavoro, nient'altro.»

«Quindi, per lei deve essere stato uno shock quando ha saputo che Wang Xinxia è stata arrestata.»

Tutti i notiziari riportavano le accuse rivolte alla Wang.

«Sì, sono rimasto sconvolto.»

«Non sapeva nulla del giro di ragazze che passavano per il laboratorio tessile?»

«Nulla. Nella maniera più assoluta.»

«Secondo lei perché i croati sono stati mandati a compiere la rapina?» Anche questo è uscito su giornali e telegiornali.

«Non lo so.»

«I Wang avevano dei nemici?»

«Non lo so.»

«I Wang avevano contatti con le Triadi, qui in Italia?»

«Le Triadi?»

«Sì, la mafia cinese. Crede che possano essere stati loro ad assoldare i croati?»

«Vicequestore Wu, le Triadi non esistono più nemmeno in Cina. E tutti sanno che la mafia cinese, qui in Italia, non uccide.»

«Non esiste o non uccide?»

Huong non risponde.

«Lei ha contatti con le Triadi?»

«Io non ho mai voluto averci a che fare con certe cose.»

«Conosce Vecchio Zhao?»

«Sì, certo. Come tutti i cinesi di Roma.»

«Con lui che rapporti ha?»

Il volto di Huong prende una piega più dura. Quando in Procura gli abbiamo nominato la A.G.I.ICI., Vecchio Zhao ha avuto la stessa reazione.

«Cerchiamo di avere rapporti di buon vicinato.»

«Mi pare non ci sia una grande simpatia tra voi.»

«Non è quello che intendevo.»

«Forse perché Vecchio Zhao è il 489?»

«Gliel'ho già detto, non ci sono mai voluto entrare in certe cose.»

«Me l'ha detto, sì. Il che non significa che invece *non ci sia entrato*, anche se non lo voleva.»

«Sta ancora puntualizzando.»

«E lei si sta ancora contraddicendo.»

Huong si prende un momento. Quindi prova di nuovo a

spiegarsi, e sembra ancora sincero. Per la prima volta ricorre al dialetto. Io traduco, per Pizzuto. «Vicequestore Wu, io cerco di fare il mio lavoro, di dare lavoro ad altri e, se posso, di aiutare chi è in difficoltà, come con Wang Xinxia dopo la morte del marito e della figlia. Non sono immacolato» torna a indicare i libri contabili tarocchi, senza nominarli, «ma sono onesto. Faccio il meglio che posso. Per noi è più difficile, e lei dovrebbe capirlo.»

«Perché anche io sono un cinese nato in Italia?»

«Sì.»

«Qual è il suo nome cinese?»

«Che importanza ha, adesso?»

«Mi accontenti.»

Il mio nome cinese è Wu Wan. Il cognome prima del nome. Wan significa "ribelle". I miei nonni dicono che mio padre e mia madre hanno scelto questo nome perché ero l'unico bambino che piangeva se veniva preso in braccio, e non il contrario. Per placarmi, *non* dovevano prendermi in braccio. I nomi cinesi vengono sempre dati perché siano benauguranti, eppure mia madre ha insistito, sostenendo che *per me* quel nome poteva essere un bell'augurio. Poi, all'anagrafe italiana, cognome e nome sono stati invertiti, e Wan è stato trascritto come Luca.

E io sono diventato Luca Wu.

Huong mi accontenta: «Miao. Il mio nome cinese è Huong Miao».

Miao. Gli italiani gli riderebbero in faccia. Capisco come mai non lo usa.

«Perché vuole sapere del mio nome cinese?»

«Perché lei pensa che ci assomigliamo» rispondo, tornando all'italiano.

Pizza mi guarda. Gli dico di continuare a scrivere. Voglio che tutto questo resti agli atti.

Quando il tenente Chen è venuto a parlarmi è emersa la stessa questione. L'idea che, essendo entrambi italo-cinesi, allora abbiamo molto in comune.

«Non è vero?»

«No, non è vero.»

Non ci assomigliamo. Tutti e due siamo cinesi, tutti e due siamo nati in Italia da famiglie provenienti dalla stessa area della Cina, abbiamo un cognome cinese, un nome italiano, e un nome cinese che non usiamo con gli italiani.

Ma le nostre similitudini finiscono qui. Io vivo questa doppia natura e la frattura che comporta. Huong, no.

Credo che in fondo sia una brava persona. Questa è la mia impressione da sbirro, alla quarta volta che ci incontriamo. E può essere davvero sincero quando parla di sé, glielo concedo, ma resta succube di schemi, modi e consuetudini. Afferma di voler compiere un salto in avanti, però in realtà è prigioniero di una certa mentalità *precisamente* cinese.

Nulla di tutto ciò mi appartiene.

«Lei sostiene di volere aiutare gli altri?»

«Sì.»

«È la stessa cosa che dice Vecchio Zhao.»

Altro cenno a Pizzuto, e dichiaro conclusa la Sommaria Informazione Testimoniale.

10.

In ufficio da Caruso. Si è letto il verbale della SIT di Huong, intuisce che molte parti non sono state trascritte, e mi chiede che idea mi sono fatto.

Gli riporto la mia impressione: in Huong c'è del buono, però in una maniera tipica cinese si muove su un margine opaco tra legale e illegale.

«Ma lei crede che sia coinvolto a qualche livello?»

«Non lo so, dottore.»

Ragioniamo se sia il caso di esaminare anche i tabulati del giovane imprenditore, e intercettarlo. Anche se per ora non c'è una connessione diretta Huong-Vecchio Zhao, ma soltanto Huong-coniugi Wang, decidiamo che è il caso di farlo.

«Con le intercettazioni già in atto come stiamo andando?» mi chiede il pm.

«Non bene. I telefoni non buttano, non esce proprio niente.»

«Il cellulare di Suker?»

«Sempre morto.»

«Potrebbe averlo gettato via da un pezzo.»

«O forse no. E noi vorremmo una proroga per continuare a controllarlo.»

«Ne parlerò a Mieli. Lo prenda per un sì.»

«Grazie.»

«Il numero cinese?»

«Morto anche quello.»

«E gli altri? Quelli nella disponibilità degli Zhao?»

«Poca roba. Gli intestatari effettuano chiamate brevi, in dialetto, parlano solo di lavoro, almeno in apparenza, o di questioni legate all'attività dell'associazione. Vecchio Zhao chiama suo figlio almeno una volta al giorno. Parlano solo di iniziative culturali. Se parlano di affari, o di altro, lo fanno di persona, o con altre utenze che noi non abbiamo individuato.»

«Secondo lei sospettano di essere intercettati? Che ci sia stata una "consegna del silenzio"?»

«Se Zhao padre e Zhao figlio sono chi pensiamo che siano, sì. Si aspettano di essere intercettati e agiscono di conseguenza.»

Per adesso non si è accesa nessuna lucina.

11.

Allora riprendiamo da un'altra direzione, dalle carte della contabilità dei Wang, quella *ufficiale*, in chiaro: ci rimetto sopra la Longo e la Fresu e interroghiamo Di Consolo, il commercialista.

Come per Huong, lo ascolto in Commissariato su delega di Caruso. Come con Huong, preciso che non sono interessato a un suo eventuale ruolo nel meccanismo delle false fatturazioni, perché se ne stanno occupando le fiamme gialle in un'inchiesta *a latere*, seguita da un altro pubblico ministero.

Anche lui, come Huong, si preoccupa per la sua posizione. «Non può dirmi di più, dottore?»

A volte li invidio, i finanzieri. La gente, in genere, ha molta più paura di essere scoperta con i conti irregolari che non con un cadavere nel letto.

«È lei che deve dirmi di più, Di Consolo.»

Il commercialista non è convinto. Allora gli propongo un patto: «Lei mi dice quello che voglio sapere, e il verbale lo compiliamo dopo, e ci mettiamo solo ciò che è davvero necessario».

Non si potrebbe fare, ma spesso si fa.

Di Consolo si convince. E ammette che non era "del tutto all'oscuro" del rapporto tra Huong e i coniugi Wang, e del modo in cui gestivano la fatturazione tra loro, e che forse avrebbe dovuto avvisare le autorità competenti.

«Nient'altro?»

«No. Ho sempre preferito non fare domande.»

Bussano alla porta del mio ufficio, e si affaccia la Longo. «Dottore, ha un minuto?»

Sospendo il verbale e seguo la vicesovrintendente. Lei e la Fresu si sono ripassate tutti i documenti contabili dei Wang e mi vogliono mostrare una cosa.

«Qui, dottore.» La Fresu mi indica l'elenco fornitori del laboratorio tessile. C'è un'azienda che importa tessuti dalla Cina in tutta Europa. Si chiama Ali di Farfalla, ha sede legale a Roma, e l'amministratore delegato è un tale Ye Ping.

«C'entra con noi?»

La Longo mi passa una stampata da pc. «L'apparato dell'azienda. Guardi tra i soci di minoranza, dottore.»

Scorro il foglio, e lo vedo: Zhao Dongbo.

Piccolo Zhao.

«Esatto, dottore» dice la Fresu.

Lei e la Longo mi sorridono, un po' compiaciute, e io sorrido a loro: «Voi due, brave».

Poi, come abbiamo già fatto per i registri "paralleli" fotocopiamo le altre carte e mandiamo gli originali a Imbriani, il pm che segue il filone fiscale dell'inchiesta, e a Marcialis.

Io torno in ufficio e riprendo con Di Consolo. Gli chiedo subito dell'azienda che forniva i tessuti ai Wang, la Ali di Farfalla.

«Non ne sono niente, dottore.»

Di Consolo è un furbetto, ma in fondo fa solo il suo lavoro, che consiste nel far pagare meno tasse ai suoi clienti per vie legali, e nel fingere di ignorare quando questi decidono di evaderle in maniera illegale.

«Oltre al conto corrente alla Banca Popolare di Milano, lei sa se i Wang avevano depositi altrove?»

«Altrove? Intende in altri istituti di credito?»

«Non proprio. Pensavo a una banca irregolare gestita da cinesi e solo per altri cinesi.»

Di Consolo fa un sorrisino. «Ma non sono una leggenda, queste banche?»

«No. Non sono una leggenda.»

«Comunque, se sono banche cinesi per cinesi, i Wang non mi avrebbero certo chiesto di aiutarli per le loro pratiche, non crede?»

Richiamo Pizzuto e gli dico di prendere a verbale Di Consolo, che ci rilascia – scambio uno sguardo col commercialista – una *dichiarazione spontanea*. Poi, può andare.

Io avverto Caruso. Abbiamo un elemento in più.

Wang Xinxia e suo marito si rifornivano per il laboratorio tessile da un'azienda che ha tra i soci Piccolo Zhao.

E dietro di lui, anche se non compare, verosimilmente può esserci Vecchio Zhao.

I coniugi Wang potevano non sapere? Improbabile.

Come si sarebbe creato il contatto tra i Wang e la Ali di Farfalla?

L'azienda ha sede a Roma, i Wang stavano a Roma, Vecchio Zhao e Piccolo Zhao stanno a Roma. Quindi, se lei e suo marito sapevano, Wang Xinxia ha mentito ancora. Sui loro rapporti con gli Zhao, e con Huong.

Chiedo a Caruso se vuole tornare in carcere a parlare con la signora Wang.

No. E per ora ci teniamo questa informazione.

«Non ho voglia di assistere alla solita scena muta, o di sentirmi raccontare altre balle.»

12.

Poi, a distanza di un paio di giorni, è Caruso che richiama e mi avverte. Dallo SCO hanno trasmesso il fascicolo su Vecchio Zhao e Piccolo Zhao con alcune informative su tutto ciò che sanno. Inoltre, il dossier è integrato con altre notizie che Pieri, di sua iniziativa, ha raccolto dalla DIA.

Io e Missiroli andiamo dal magistrato.

Appena seduti nel suo ufficio, Caruso ci allunga l'incartamento, e dice soltanto: «A voi».

Lui si mette alla finestra a fumare.

Noi studiamo il fascicolo che si apre con una mappa delle attività riportabili a Zhao Zhongwu. Una parte di queste, su Roma, a partire dalla Zhao Trade Company, le aveva già citate Missiroli nella prima discussione riguardo a Vecchio Zhao, e un'altra parte l'abbiamo individuata cercando le utenze collegate a lui e al figlio.

Tuttavia, la mappa si allarga oltre l'Italia, e risultano altre attività, soprattutto in Asia, nelle quali Vecchio Zhao ha interessi a vario titolo. Figura tra i soci di un casinò a Kuala Lumpur, tra i titolari di una catena di fast food economici con punti vendita a Giacarta, Singapore e nel Sud della Cina, a Shenzen possiede una serie di negozi di articoli elettronici e telefonia; infine è ancora tra i soci della proprietà di un grande albergo a Manila: il Philippines Diamond Resort.

Constatiamo che in linea di massima le attività in Italia, rispetto a quelle in Asia, sono molto più di basso profilo. E che, nel complesso, Vecchio Zhao gestisce un piccolo impero. Ma in generale la mappa delle attività non porta granché alla nostra indagine. Invece, quello che segue nel fascicolo, ci porta molto, perché le informative dello SCO e della DIA ricostruiscono la *storia* di Zhao Zhongwu.

È ancora un ragazzino quando dallo Zhejiang, dove vive la sua famiglia, si sposta a Shanghai ed entra nella Luce Bianca, un'organizzazione mafiosa che ha base anche a Hong Kong e Taiwan. Negli anni, scala la gerarchia e arriva al vertice, diventa il 489, il *San Chu*, la Testa del Drago. Il boss.

Subito dopo, la Luce Bianca inizia a espandersi con le modalità peculiari delle Triadi, ossia senza conflitti armati, ma gestendo gli affari in maniera spregiudicata. Invadono zone di competenza altrui, fanno una concorrenza spietata ai competitori, si inseriscono in trattative dove sono presenti già altri soggetti, e li soppiantano. Tra questi "altri soggetti", qualcuno non gradisce. In particolare, la 14K, una delle Triadi più antiche della Cina, che dopo avere cercato di frenare, senza riuscirci, l'ascesa della Luce Bianca e di Vecchio Zhao sui tavoli delle sale riunioni, passa alla strada.

Cominciano gli omicidi.

La guerra tra le Triadi si sposta dai consigli d'amministrazione al campo aperto, dai bilanci aziendali alle pistole e ai coltelli. Membri della Luce Bianca vengono uccisi sotto casa, nei bar, all'uscita dai ristoranti, all'interno delle loro auto. La faida, con brevi periodi di tregua, dura quasi sei anni.

La Luce Bianca tenta di rispondere all'attacco che le è stato sferrato dalla 14K, ma è tra le sue file che si contano più vittime.

La Luce Bianca sta perdendo.

Sia alla base sia in cima alla Piramide ci sono lamentele, e cresce il malcontento. La strategia del *San Chu* viene messa pesantemente in discussione. È in quel momento che Vecchio Zhao arriva in Italia. Circa diciotto anni fa. E porta con sé suo figlio, che all'epoca ha diciannove anni.

Quando sono stato al Cerchio Felice, Piccolo Zhao mi ha detto che sua madre è morta quando lui aveva quattordici anni.

SCO e DIA hanno scoperto il nome della donna, Zhao Jun, la moglie di Vecchio Zhao, però non hanno recuperato altre notizie su di lei. E non conoscono i motivi esatti che hanno spinto Vecchio Zhao a lasciare la Cina con il figlio. Forse si stabilisce in Italia per ragioni di sicurezza, per lasciare che si plachino i dissidi interni alla Luce Bianca, e abbassare così il livello di scontro con la 14K.

Di certo, in Italia forma una sua organizzazione, una "filiale" della Luce Bianca, la chiama Luce Limpida, e rimane in stretto contatto con la casa madre cinese. Là, nel frattempo, c'è un nuovo 489, un certo Rong Junzhe, quello che prima era lo *Heung Chu*, l'addetto ai cerimoniali. Le relazioni tra i due *San Chu* sono buone, e Vecchio Zhao riprende e continua il suo business, anche se ora esercita la sua influenza più in Italia che in Cina. Si sposta spesso tra Roma e Shanghai, ma compie viaggi frequenti anche a Hong Kong e Taipei, la capitale di Taiwan, le altre città in cui è più radicata la Luce Bianca, e resta comunque il referente principale per gli interessi della Triade in Europa.

Il motto che regola l'accordo tra la filiale e la casa madre è: "La Luce Bianca e la Luce Limpida rischiarano l'orizzonte da Oriente a Occidente".

Con la Luce Limpida Vecchio Zhao porta avanti il business criminale delle Triadi: immigrazione clandestina, prostituzione, gioco d'azzardo, contraffazione, usura, estorsione. Intanto, parallelamente a questi traffici, Vecchio Zhao fonda la Zhao Trade Company, e l'associazione culturale *Xingfu Quan*, il Cerchio Felice.

Con la Zhao Trade Company si occupa davvero di import-export – come ha dichiarato in Procura – ma è solo una facciata.

In realtà, con le attività legali ricicla i proventi del business illegale, quelli che arrivano dalla prostituzione, dal gioco d'azzardo, e da tutto il resto. Ripulisce i soldi sporchi attraverso le diverse imprese commerciali riconducibili alla ditta. Invece, con il Cerchio Felice – sempre secondo le sue dichiarazioni – intrattiene rapporti con altre associazioni in Italia, e promuove scambi culturali e commerciali tra Italia e Cina.

Un'altra facciata.

Sotto questa, il *Xingfu Quan* funziona come collettore per gli altri gruppi mafiosi cinesi nel Lazio. Nessuno ha la forza della Luce Limpida, però Vecchio Zhao vuole evitare altri conflitti, e quindi attraverso l'associazione culturale cerca una mediazione che accontenti tutti.

Una delle maggiori differenze tra le Triadi e le mafie italiane è l'assenza di una "cupola", di un "organo direttivo" che gestisce i rapporti tra i clan. Il Cerchio Felice è ciò che più ci si avvicina per la criminalità organizzata cinese in regione.

Caruso spegne la sigaretta e rimane alla finestra. Io e Missiroli proseguiamo a studiarci il fascicolo.

Una nota scarna, a margine del testo, riassume la situazione personale di Vecchio Zhao. Dopo la morte di Zhao Jun, non si è più risposato, e in Italia "si segnalano frequentazioni occasionali di natura sessuale con donne diverse". A eccezione di una di queste – Liu Yu, pare si chiami – con la quale il rapporto viene definito "più continuativo, pur senza che si configuri una relazione propriamente detta".

Questo è tutto.

Le informative successive, per quanto parzialmente, disegnano l'organigramma dell'organizzazione di Vecchio Zhao, con tanto di nomi e fotografie.

La Luce Limpida può contare all'incirca su trenta soldati, i 49, più altri uomini, almeno un centinaio, ritenuti "a disposizione". Salendo nella Piramide, sono stati accertati altri nomi e cognomi in relazione al ruolo ricoperto nella struttura.

Zheng Ming Quiang, il 415, il Ventaglio di Carta Bianca.

Hu Xia, il 426, il Bastone Rosso.

Li Yujiang, il 432, il Sandalo di Paglia.

I 438, gli Alti Consiglieri, sono un certo Ng Peng, il Maestro d'Incenso; Chang Zhi, il Garante delle Alleanze; Xu Yi, il Guardiano del Vento.

E in cima il 489, Zhao Zhongwu, Vecchio Zhao, la Testa del Drago.

Molte facce le abbiamo già viste alla manifestazione cinese a piazza Vittorio, o al funerale di Abile Wang e Profumata Wang. Tra i soldati, Han Zhi lo conosco bene, così come altri due nomi che associo ai volti, Ding Jinhui e Han Yuping, i compari che assieme a lui hanno cercato d'impedirmi l'ingresso all'associazione culturale. Lo stesso per Hu Xia, il Bastone Rosso, e Xu Yi, il Guardiano del Vento. Due vecchie conoscenze.

Nell'organigramma figura anche Zhao Dongbo, Piccolo Zhao. Nelle informative il nome del figlio di Vecchio Zhao compare solo tre volte. La prima, in quanto vicepresidente dell'associazione culturale; la seconda per evidenziare la sua funzione di responsabile della contabilità nella Zhao Trade Company. Infine, viene menzionato proprio a proposito della Luce Limpida. SCO e DIA lo considerano membro attivo, a tutti gli effetti, dell'organizzazione, nonostante non siano riusciti a stabilire con quali mansioni.

Io, invece, sono sicuro di saperlo. C'è una sola casella vuota: Piccolo Zhao è il Vicario del Capo.

Chiudiamo il faldone.

Caruso guarda prima Missiroli, poi me. «Quindi?»

«Quindi, tante cose» rispondo.

Il fascicolo è disseminato di "pare", "sembra", "si ritiene che", "a quanto risulta", "è sospettato di", "da fonti di varia natura", per rimarcare che le notizie che vi sono contenute non sono scolpite nella pietra, e sono tutte da verificare. Comunque, amplia e approfondisce ciò che sappiamo. E ci conferma che la Luce Limpida è un Drago con la Testa e con la Coda, ossia un'organizzazione potente e articolata – sempre con tutte le differenze del caso – quanto le mafie italiane, con una base, un vertice, dei ruoli operativi e un esercito.

Indico l'incartamento: «Soprattutto, dottore, vista da qui e con tutti i dettagli, la Luce Limpida fa paura».

13.

Però Missiroli s'incazza. E anche io.

Va riconosciuto a Pieri, allo SCO e alla DIA di aver svolto un lavoro enorme.

«Ma a noi nessuno aveva detto niente.»

«E se mi permette, dottore» aggiunge Missiroli «io mi sento anche preso per il culo. Perché se un po' di queste notizie fossero gentilmente state condivise, quando ho avuto a che fare le prime volte con Vecchio Zhao avrei compiuto altri accertamenti.»

«Lo so, avete ragione.»

«E che cazzo, dotto'.»

Il sost. proc. non se la prende. «Lo so» ripete.

L'ispettore sbollisce.

Caruso spiega: ha già parlato con Pieri e con la DIA e tutti si sono giustificati dicendo che molte informazioni le hanno raccolte solo *dopo* la sua richiesta, e che non avevano trasmesso ciò che prima era in loro possesso perché Vecchio Zhao e la sua organizzazione erano "oggetto di ulteriori disamine investigative".

Che detto così, non significa nulla.

«Il nome di Vecchio Zhao è emerso in un'indagine che la DIA stava portando avanti sui Casalesi, affiancata dallo SCO» prosegue il pm. «Era sospettato di essere tra coloro che si occupano del traffico della "munnezza" per conto dei camorristi.»

Questo è credibile. Le Triadi, per mantenere rapporti di buon vicinato, fanno affari con Cosa Nostra, Camorra e 'Ndrangheta, e assolvono a compiti particolari. Nell'indagine sui Casalesi, la DIA e lo SCO scoprono il traffico per lo smaltimento dei rifiuti. La "munnezza", appunto, viene stivata nel porto di Ostia e spedita via mare in Cina. Nei container ci sono soprattutto scarti ospedalieri e di lavorazioni industriali. In Cina questi materiali vengono lavorati e trasformati in giocattoli e vestiti. Dopodiché la merce viene di nuovo spedita in Italia e venduta nei negozi cinesi, o in quelli gestiti dalla Camorra. Un circuito diabolico, a suo modo perfetto.

Il nome "Zhao Zhongwu/Vecchio Zhao" compare in un'intercettazione tra due affiliati dei Casalesi, e da lì comincia la raccolta di informazioni. Che però, evidentemente, non conduce mai all'apertura di un'inchiesta a sé stante.

C'è anche il dubbio che, nell'ascolto dell'intercettazione, il suo nome, pronunciato da due napoletani, possa essere stato trascritto male. Dopodiché, la DIA e lo SCO a ragione si concentrano sui Casalesi, e le notizie su Vecchio Zhao si arenano nella paludosa terra di mezzo tra un organo investigativo e l'altro.

Fino a ora. Adesso subentriamo noi.

La Luce Limpida fa paura, è vero. Ma c'è un proverbio cinese che dice: "Quando una freccia è incoccata sull'arco, prima o poi bisogna scoccarla".

Abbiamo la freccia, il momento è arrivato, e la scocchiamo.

14.

Ascoltiamo in via ufficiale Zhao Zhongwu e Zhao Dongbo in Procura.

Anche se ancora non ne conosciamo l'intestatario, abbiamo il cellulare cinese agganciato alla cella che copre l'associazione culturale; abbiamo il legame con i Wang trovato nelle carte contabili del commercialista, e adesso abbiamo anche il fascicolo dello SCO e della DIA.

Missiroli torna al Commissariato, e manda due volanti a lampeggianti accesi e sirene spiegate a prelevare Vecchio Zhao e suo figlio. Vogliamo irritarli, dare loro fastidio.

Intanto, io e Caruso ci confrontiamo, e stabiliamo di omettere ancora il numero cinese, per non bruciarcelo.

È una strategia investigativa.

La stessa – al di là del non voler ascoltare altre menzogne e omissioni – che abbiamo usato per Wang Xinxia a proposito dell'azienda nella quale compare il nome di Piccolo Zhao. Anziché utilizzare un elemento per mettere pressione, lo si tiene nascosto per avere una posizione di vantaggio.

Noi abbiamo il cellulare cinese, noi sappiamo; Vecchio Zhao e Piccolo Zhao non sanno che noi sappiamo, e noi possiamo continuare a indagare sull'utenza. Nel frattempo, abbiamo altri argomenti sui quali spingere.

I due Zhao arrivano in Procura, e quando si accomodano nella stanza di Caruso è evidente che Zhao padre non ha gradito il viaggetto a bordo delle auto con la scritta POLIZIA sulle fiancate. Dalla sua aria sempre gioviale, traspare un po' di nervosismo. «Dottore, non era necessario farci prelevare. Bastava una sua telefonata, e saremmo venuti subito.»

«Non ne dubito. Abbiamo solo voluto evitarvi il traffico di Roma.»

Piccolo Zhao sembra più tranquillo. Accenna a me e al pm, poi si rivolge a suo padre, sia in dialetto sia in italiano. «I signori hanno voluto usarci una gentilezza.»

Vecchio Zhao tace per un momento. Quindi annuisce, e recupera i suoi modi all'apparenza cordiali. «Certo, una gentilezza. E noi l'apprezziamo.»

Come la prima volta che è stato qui, il vecchio indossa un abito pulito e ben stirato, ma economico. Giacca e pantaloni scuri abbinati, camicia bianca aperta sul collo, oggi senza cravatta. Non ha avuto tempo per prepararsi. Lo stesso, il figlio. E di nuovo io resto colpito dalla somiglianza tra loro nei gesti e nel portamento.

«Ora, però, sempre per gentilezza...» riprende Vecchio Zhao, «se voleste spiegarci il motivo della convocazione...»

Caruso chiarisce la natura del nostro colloquio, spiegando che si tratta di una SIT, e ne illustra le modalità. Vecchio Zhao ascolta e annuisce, anche se ha l'aria di uno che sa già come funzionano certe procedure. Stabiliamo che il colloquio avverrà in italiano, e che in caso sarò io a tradurre.

Poi il sostituto procuratore attacca con le domande. E va subito su una questione sospetta: «Signor Zhao, cosa può dirci di un'azienda chiamata Ali di Farfalla?».

«È un'impresa che fornisce materiale tessile. Stoffe, tessuti. Mio figlio è tra i soci.»

«Solo questo?»

«Sì.» Lo sguardo di Vecchio Zhao si fa furbo. «E se il vostro interesse riguarda quella azienda, non capisco perché abbiate chiamato me.»

Caruso sorride. Un napoletano e un cinese, è una bella sfida. «Perché proprio lei, signor Zhao, quando è stato qui, ci ha detto che Piccolo Zhao si occupa dei suoi affari.»

«Questo è vero, ma la Ali di Farfalla non è un *mio* affare, e neppure di mio figlio. È solo un socio tra i tanti, tra l'altro di minoranza.»

«Signor Zhao, sempre quando è stato qui, lei si è offerto di collaborare in merito all'omicidio di Wang Jiang e di Wang Fanfang, se lo ricorda?»

«Certo.»

«Eppure, non ha menzionato il fatto che lei e suo figlio eravate tra i fornitori del laboratorio dei Wang.»

«Perché non è così, dottore. È un equivoco. Era la Ali di Farfalla a fornire il materiale, non noi.»

Caruso si rivolge a Piccolo Zhao: «Lei sapeva che l'azienda figurava tra i fornitori dei Wang?».

«Sì, lo sapevo.»

«Ma neanche lei ha creduto di dovercelo comunicare.»

«Perché non ho trattato io l'accordo con il laboratorio. Come vi ha detto mio padre, sono solo un socio di minoranza, assieme a moltissimi altri.»

«Lei, dunque, non ha alcun ruolo decisionale all'interno dell'azienda?»

«No.»

Caruso fissa i due Zhao, e fa la sua seconda mossa.

«Invece nella Luce Limpida, che ruolo avete?» chiede a entrambi.

Vecchio Zhao è sorpreso. «Non capisco.»

«Secondo le nostre informazioni lei avrebbe fondato in Italia un'organizzazione criminale con questo nome che intrattiene rapporti con un'altra struttura della quale faceva parte in Cina, la Luce Bianca.»

Vecchio Zhao si ricompone. «Dottore, temo che ci sia ancora un equivoco. Le presunte informazioni che avete raccolto sono solo dicerie, fantasie che si inventano le persone.»

«Non c'è nulla di vero?»

«Nulla. Noi non sappiamo niente di questa Luce Limpida in Italia, né di nessuna Luce Bianca in Cina.»

Siamo sul mio terreno, adesso, e Caruso mi lascia spazio di manovra.

«Nessuna delle due organizzazioni esiste?» domando.

«No.»

«E lei non è capo di una Triade in Italia?»

«Io sono solo un uomo d'affari, signor vicequestore. In Cina, e in Italia. E in Cina, come in Italia, quando un imprenditore ha successo negli affari, si tende a immaginare che dietro ci sia la mafia. Ciò non significa che sia vero.»

«"Ho passato una curva, e poi un'altra curva. La mia famiglia vive sul Monte delle Cinque Dita"» scandisco. È la formula che nell'antichità veniva recitata prima di pronunciare i trentasei giuramenti nella cerimonia di affiliazione alle Triadi. «"Sono venuto a osservare il Tempio delle Sorelle. È il terzo della fila, sia che conti da destra, sia che conti da sinistra…"»

Il viaggio a bordo della volante ha innervosito Vecchio Zhao, e cerco di provocarlo ancora. Ma lui non si fa prendere all'amo. «Lei è nato in Italia, vicequestore» replica, riuscendo a occultare bene la sfumatura di disprezzo nel tono di voce. Dal suo punto di vista, essendo nato e cresciuto qui, io sono *meno* cinese di lui.

«Sì.»

«Però ha studiato le vecchie tradizioni della Cina.» Rivolge un cenno verso Piccolo Zhao. «Anche mio figlio è un appassionato. Ma se ha studiato, dovrebbe sapere che per i cinesi storia e leggenda si confondono sempre.»

«E lei dovrebbe sapere che tutte le leggende nascono da qualcosa di vero. Nel caso suo e di suo figlio, che cos'è?»

«Non c'è, vicequestore. In ciò che facciamo non c'è nulla di illecito.»

Parlando, Vecchio Zhao si sporge verso di me. Dal colletto aperto della camicia, noto che indossa un ciondolo, un piccolo medaglione. Nelle altre occasioni in cui l'ho incontrato, forse perché portava la cravatta, non c'avevo fatto caso. Sul medaglione è raffigurato l'ideogramma di una peonia. Nella simbologia cinese, la peonia rappresenta la bellezza, l'amore, l'affetto, ma anche la fortuna, o la primavera.

«Leggende, dicerie e fantasie?»

246

«Precisamente.»

«Lei non è il *San Chu* della Luce Limpida in Italia?»

«No.»

«E suo figlio non è il *Fu San Chu*?»

«Nient'affatto.»

«E gli uomini di cui vi circondate, chi sono?»

«Amici, collaboratori.»

«Non sono gli altri membri della vostra Triade?»

«No, vicequestore. Certo che no.»

Quando sono stati qui, la volta precedente, Piccolo Zhao è sempre rimasto mezzo passo dietro il padre, in silenzio. Ora, anche se non è stato interpellato, interviene: «Vicequestore, ho già risposto io a queste domande, quando lei si è presentato all'associazione culturale».

Caruso ne approfitta, riprende la parola e attacca su un altro fronte. «Tra le nostre informazioni, alcune riguardano il Cerchio Felice» dice, riferendosi sia a Vecchio Zhao sia a suo figlio, «e ci risulta che sia la "cupola" che raduna tutti i gruppi mafiosi cinesi del Lazio.»

«Non è così, dottore» risponde Vecchio Zhao. «È un altro equivoco.»

«*Un altro*? A sentire lei, è tutto un equivoco, signor Zhao.»

«Gli equivoci generano equivoci. Se credete che io e mio figlio siamo mafiosi, che facciamo parte di una... "Triade"» Vecchio Zhao lo dice come se si trattasse di una favoletta, «allora vedete tutto da una prospettiva sbagliata. È vero, il Cerchio Felice ha contatti con vari gruppi di cinesi, in città e nella regione. Tuttavia, non nascondiamo niente di illegale.»

Caruso capisce che da quella parte non si passa, e cerca un'altra via. Abbiamo stabilito di non usare il numero di cellulare cinese, ma anche il cellulare di Abile Wang si è agganciato alla cella che copre la zona della metro Manzoni, dove si trova la sede dell'associazione culturale.

«Wang Jiang è mai stato al Cerchio Felice?»

«Sì, più volte» risponde Vecchio Zhao.

«E per quale motivo?»

«Per vari motivi.»

«Ce ne dica uno.»

«Perché è così importante?»

«Secondo lei l'associazione culturale non nasconde nulla di illegale. Però saprà che abbiamo scoperto il traffico clandestino di ragazze dietro al laboratorio tessile dei Wang.»

Uno sguardo tra Zhao padre e Zhao figlio.

«Sì, lo abbiamo sentito dai telegiornali» dice Vecchio Zhao.

«Dunque, voi e la vostra associazione avevate rapporti con una persona che nascondeva qualcosa di illegale.»

«Non ne eravamo a conoscenza.»

«Wang Jiang non veniva al Cerchio Felice per questo?»

«No.»

«Non vi ha chiesto aiuto per avviare e gestire il traffico delle ragazze?»

«No. E se lo avesse fatto, ci saremmo rifiutati. Non siamo cinesi di quel tipo.»

Caruso mi guarda, e mi ripassa la parola.

«Nessun cinese con cui abbiamo parlato finora è *quel tipo* di cinese, signor Zhao. Affermano tutti di essere onesti lavoratori, e di non sapere niente sulla mafia e sulle Triadi.»

«Per quanto riguarda me e mio figlio, è vero.»

«Anzi» continuo, «a sentire lei e tutti gli altri, la mafia cinese nemmeno esiste. E intanto Abile Wang è riuscito a far entrare, da clandestine, delle ragazze in Italia e a smistarle in vari bordelli sparsi per il Paese. Come può aver fatto tutto da solo?»

«Lo ignoro.»

«Crede che per mettere in piedi un traffico simile gli bastasse solo l'eventuale complicità della moglie?»

«Non so neppure questo.»

«Strano. Per come si è presentato, lei sembrava sapere *tutto* della comunità cinese.»

«Solo gli sciocchi credono di sapere tutto degli altri, vice-questore. Io non sono uno sciocco.»

«No, certo.»

Caruso mi fa cenno che basta così.

In una SIT e senza la presenza di un avvocato, non possiamo rivolgere certe domande. Il magistrato interrompe il colloquio. Vecchio Zhao e il figlio si dicono felici di aver chiarito gli aspetti che ci interessavano.

Salutano e se ne vanno.

Io e Caruso restiamo. E un po' schiumiamo per la rabbia. Dobbiamo ammettere che i due Zhao ci hanno dribblato agilmente.

Per stringere di più e interrogarli sul loro coinvolgimento diretto in tutta la vicenda, a partire dalla rapina e dal duplice omicidio, avremmo dovuto cambiare la loro posizione: da persone informate dei fatti a inquisiti.

Possiamo sempre farlo. Anche se hanno eluso con abilità le nostre domande, ciò che abbiamo su di loro sarebbe sufficiente per iscriverli nel registro degli indagati. In particolare Vecchio Zhao.

«Meglio di no» dice Caruso.

«Perché no, dottore?»

«Perché se li indaghiamo, diamo loro anche delle tutele. E poi perché gli elementi che abbiamo scoperto noi e che ci sono arrivati dallo SCO e dalla DIA sono da vagliare e approfondire. Per un'incriminazione ci servono prove.»

«E allora, dottore?»

«Allora, Wu, procuriamoci le prove. Vecchio Zhao dice di non essere uno sciocco? Be', *manco nuje simm' sciem'*…»

15.

Quando esco dalla Procura, Vecchio e Piccolo Zhao sono ancora lì, su piazzale Clodio. Hanno rifiutato di essere riaccompagnati dalle volanti, dicendo che qualcuno sarebbe venuto a prenderli. Quel qualcuno non è ancora arrivato, e nel frattempo padre e figlio stanno discutendo. Da dove mi trovo non posso sentire la conversazione, ma gesticolano, e si parlano stando piantati uno di fronte all'altro. Qualcosa durante la loro deposizione deve averli alterati.

Soprattutto Vecchio Zhao: l'espressione bonaria è scomparsa, e il viso è contratto.

Ho già visto questo cambiamento nei modi e nello sguardo del vecchio, sempre la prima volta che è stato qui, quando gli abbiamo nominato Alberto Huong, il giovane imprenditore e la A.G.I.ICI., la sua associazione. Si era trattato di un attimo, prima di ritrovare il controllo.

Adesso no.

Un'auto si accosta al marciapiede davanti ai due Zhao. Sul sedile posteriore sono sistemati due 49, due soldati semplici. Il qualcuno che doveva arrivare, è arrivato. Dietro la prima macchina, se ne ferma una seconda. A bordo c'è Hu Xia. Vecchio Zhao fa segno a suo figlio di salire sulla seconda, assieme al Bastone Rosso. Piccolo Zhao scuote la testa. Vecchio Zhao attende un istante, poi monta sulla prima auto, che riparte seguita dalla seconda.

Piccolo Zhao resta a guardare le due automobili allontanarsi. Quindi si volta, mi vede, e capisce che ho assistito alla scena. Si avvicina, sistemandosi al solito gli occhialetti sul naso.

«Tutto bene?» gli chiedo in dialetto.

«Sì...» Scrolla le spalle. «I padri si sentono sempre in dovere di rimproverarci, come se fossimo bambini...» Usa il plurale, quasi a volermi includere. «Per quanto possiamo crescere, certe cose non cambiano mai.»

Di nuovo mi viene naturale dargli del *tu:* «Perché ce l'aveva con te?».

«Occorre un motivo preciso?»

Non mi ha risposto, ma capisco cosa intende. Penso a Silenzioso Wu. «I rapporti tra padri e figli non sono mai semplici.»

«No, mai. Per un padre cinese il figlio unico maschio è un tesoro. Vorrebbe il meglio per lui, ma anche *da* lui.»

Si riferisce alla legge cinese sull'obbligo di avere solo un figlio per ogni coppia. Maschio o femmina. La legge è stata abolita nel 2013, ma quando lui è nato era in vigore. E lo era dal 1979.

Trentaquattro anni durante i quali le attese e le aspettative dei genitori nei confronti dei figli – soprattutto dei figli *maschi* – si sono esasperate.

Per i miei, che mi hanno avuto in Italia, quella legge non aveva valore, però ne ho sentito lo stesso gli effetti, come tutti gli altri figli di cinesi nati all'estero.

«Mi hai detto che tu e tuo padre siete molto legati, da quando tua madre è morta.»

«Gliel'ho detto, sì.» Piccolo Zhao mi squadra. «Le interessa davvero, tutto questo, vicequestore Wu?»

«Sì, m'interessa.»

«Allora è vero, siamo legati. Ma nei legami c'è il bene e il male, no?» Piccolo Zhao ha un tono aperto, diretto, e ancora sembra includermi nel discorso. «Le colpe dei padri ricadono sui figli, è così che si dice? Forse vale anche il contrario. Che le colpe dei figli ricadono sui padri.»

Io non smetto di pensare a Silenzioso Wu. «Forse.»

«Però tutto comincia dalle scelte dei padri che noi subiamo. Un figlio è simile a un cane al guinzaglio, strattona, si dimena, a volte può persino credere di averlo rotto, il laccio, di poter fuggire, ma è un'illusione. La corda si allunga, senza mai spezzarsi davvero, e rimane sempre stretta attorno alla gola.»

«Non è stata una tua scelta entrare nella Triade?»

«La Triade?» Piccolo Zhao pronuncia quella parola quasi riguardasse una faccenda marginale, ed evita la domanda: «Noi non siamo uguali a loro, questo è il punto».

«Con tua madre era diverso?» Nelle informative dello SCO e della DIA non c'erano notizie su di lei.

Piccolo Zhao sorride intenerito. «Una madre ti ama e ba-

251

sta. Fa solo questo, ti ama.» Il sorriso svanisce. «Un padre, invece, ti segue e cerca di proteggerti, a volte anche da te stesso.»

Io penso sempre a mio padre, ma ora anche a mia madre, Luminosa Wu. Piccolo Zhao adesso sembra un po' in imbarazzo. Abbiamo toccato qualcosa di intimo.

Le stesse auto di prima si riaccostano al marciapiede. Vecchio Zhao non c'è, ma è chiaro che ha mandato a riprendere il figlio.

Non commento. Piccolo Zhao neppure. «Devo andare» dice soltanto.

Un cenno. E se ne va.

Piccolo Zhao continua a piacermi. Per ciò che mi ha detto, e nonostante ciò che anche stavolta *non* mi ha detto. Ci sono delle affinità, delle analogie che istintivamente me lo fanno sentire vicino, che ci accomunano. Però non dimentico chi è e cosa fa suo padre, e dunque chi è e cosa fa lui.

Ripesco da una tasca il biglietto da visita che mi ha lasciato quando è venuto al Commissariato, e chiamo il tenente Chen.

16.

Mi dà appuntamento fuori da Termini, e lui arriva in borghese, con un'auto civile. Apre lo sportello dal lato del passeggero.

Anche questa volta tra noi usiamo l'italiano. «Vieni, sali.»

Salgo. «Che facciamo?»

«Vuoi parlare?»

«Sì.»

«Bene. Mentre parliamo ti offro la visita guidata alle meraviglie della Roma cinese. Un'integrazione al tour a cui ti ha già sottoposto l'ispettore Missiroli.»

«Il famoso "contesto"?»

Nel mio ufficio ci siamo lasciati discutendo di questo.

«Il famoso "contesto", sì.»

«Ok.»

Partiamo.

Da Termini prendiamo per via Cavour, poi svoltiamo a sinistra su piazza di Santa Maria Maggiore. Siamo nel cuore dell'Esquilino.

«La presenza cinese a Roma ha origine qui» dice Chen. Da Santa Maria Maggiore ci spostiamo a piazza Vittorio. Insegne con caratteri cinesi. Negozi d'abbigliamento, casalinghi, agenzie di viaggio, empori di merci varie. «Qui ci sono stati i nostri primi stanziamenti. Vicini alla stazione, in un tessuto urbano già degradato e multietnico. Siamo abili in questo. Come certi insetti, costruiamo il nido e deponiamo le uova nelle ferite di un organismo, e prosperiamo.»

Accanto alle insegne cinesi, però, ce ne sono altre, numerose, con i caratteri *tamil* dei cingalesi. «La situazione sta cambiando. In questa zona, si stanno insediando altri gruppi etnici, e i cinesi-italiani di seconda o terza generazione si lamentano perché questi *stranieri* portano via il lavoro a loro.»

Chen sorride.

Via Principe Eugenio, via di Porta Maggiore. Poi: «Piazza di Porta Maggiore, altra enclave cinese. Da Porta Maggiore abbiamo seguito le due Vie della Seta romane, la Casilina e la Prenestina, e ci siamo radicati verso le periferie».

Imbocchiamo la Casilina. Sui due lati della strada, ancora insegne con ideogrammi cinesi. Bar, moltissimi, ristoranti, altre agenzie di viaggi, casalinghi, lavanderie, sale slot.

Chen continua a guidare, e mi guarda. L'ho chiamato io, ora tocca a me spiegare perché. Gli dico a che punto siamo con l'indagine, rivelandogli alcuni fatti e tenendone altri per me. Lo informo che sono entrati nell'inchiesta anche Alberto Huong e – adesso ufficialmente – i due Zhao. Gli riassumo cosa abbiamo scoperto sulla loro organizzazione, con l'aggiunta delle informative dello SCO e della DIA.

Chen tiene gli occhi sulla strada e non commenta. È impossibile capire se e in che misura ne fosse già a conoscenza. I carabinieri hanno i loro canali privilegiati.

Voglio solo sperare che se Chen sapeva delle attività criminali di Vecchio Zhao e dei suoi, me ne avrebbe parlato.

Restiamo su via Casilina, e arriviamo a Tor Pignattara. Chen non si ferma. Andiamo dritti, svoltiamo su via di Centocelle e costeggiamo il parco. Sui marciapiedi mamme cinesi, in gruppo, spingono i passeggini con i loro figli e parlano fitto tra loro.

«Un'altra nostra colonia» dice Chen. E di nuovo mi guarda. «Immagino che tu e Missiroli vi sarete incazzati con quelli dello SCO e della DIA.»

«Ci siamo incazzati e poi scazzati. Tanto non serve a niente.»

«Giusto. Ma anche io mi sarei incazzato. Anzi, mi fa incazzare. Le informazioni vanno condivise, sempre.»

«Come voi dell'Arma con noi?»

Chen sorride. Sa che non succede. Alcune informazioni passano tra i diversi organi di polizia, mentre altre no.

«Ma se SCO e DIA avessero saputo del giro delle ragazze sarebbero intervenuti?» chiede Chen. «Avrebbero fatto indagini più serrate?»

Non lo so. Ma la domanda è precisamente questa: avrebbero bloccato il traffico di quelle giovani donne?

Ancora, io voglio sperare di sì. Che lo avrebbero fatto.

Ritorniamo sulla Casilina. Torre Spaccata, Torre Maura. Alle fermate dei bus stazionano ragazzetti cinesi vestiti come rapper americani.

«Sempre zone nostre» dice Chen.

Infiliamo via Tobagi. Che poi diventa via di Tor Tre Teste.

«Dove sta il laboratorio dei Wang» dico io.

«Ancora territorio cinese. Geografia la stiamo ripassando. Adesso, però, anche se tutti e due siamo dei secchioni e abbiamo studiato, dobbiamo fare un po' di storia.»

«Storia?»

«Sì. La storia della mafia cinese, come nasce e qual è la sua natura. Se ce lo ricordiamo, possiamo inquadrare meglio Vecchio Zhao e i suoi. E possiamo chiarire un po' di più che cosa è successo.»

«Ok, ripassiamo.»

Chen guida e parla. Io, proprio come a scuola, taccio e ascolto.

«Pensa a come è iniziato tutto. Siamo in Cina, nel Settecento, e nel monastero Shaolin c'è un gruppo di monaci guerrieri che cerca d'opporsi all'invasione dei Manciù, i Ch'Ing, per restaurare invece la dinastia Ming.» Chen mi rivolge un'altra occhiata. «Ho sentito dire che tu fai arti marziali.»

Non gli chiedo dove e da chi l'ha sentito dire. «Sì.»

«Be', le Triadi si formano nel monastero dove è nato il Kung Fu. Ovviamente, come per tutte le questioni cinesi, la storia e la leggenda si confondono. O forse, non c'è differenza.»

Percorriamo tutta via di Tor Tre Teste, poi prendiamo la Prenestina in direzione del centro.

Chen va avanti a raccontare, e io ad ascoltare.

Dopo che il monastero Shaolin viene distrutto proprio dai Ch'Ing, dai mancesi, di tutti quei monaci ne restano solo cinque, conosciuti come Le Tigri di Shaolin. I cinque monaci superstiti fondano una società segreta, la Città della Pace Celeste, che nel 1717 si unisce con altre due simili, la Società del Loto Bianco e la *Hong Mon*.

Nasce così la prima Triade. Ciò per cui lotta, è la cacciata dei Ch'Ing dalla Cina. Resistono, con il sostegno del popolo, si rafforzano, si moltiplicano, la Triade – singolare – diventa le Triadi – plurale – e continuano a combattere per quasi due secoli.

«*Due secoli*! Ti rendi conto?» mi chiede Chen.

Mi rendo conto. Un tempo che per noi è infinito. «Ti dà l'idea di quanto questa gente possa essere... come dire? Tenace, nel perseguire un obiettivo.»

«Sì, molto tenace.»

Quando però nel 1911 finalmente la dinastia Manciù cade, i membri delle Triadi non hanno più un nemico a cui opporsi. La loro battaglia ormai è priva di senso, il valore patriottico non esiste più, e perdono anche l'appoggio del popolo. Allora, per non sparire, le Triadi cambiano. I loro membri sono addestrati, disciplinati, e sanno usare le armi, quindi il passaggio è semplice: diventano un'organizzazione criminale. E il loro scopo diventa uno solo, basilare, quello che ancora adesso le governa.

«I soldi. Fare soldi, sempre più soldi. Alle Triadi interessa soltanto questo. Il resto è un corollario più o meno utile allo scopo» concludo io.

Le Triadi diventano le Società Nere. Trattano droga, prostituzione, usura, gioco d'azzardo e traffico d'armi. Hanno legami e accordi con la politica. Soprattutto con il Kuomintang, il Partito Nazionalista, e con il suo capo Chiang Kaishek.

Siamo ancora sulla Prenestina, attraversiamo l'incrocio con la Palmiro Togliatti e proseguiamo. Ai lati della strada gli esercizi commerciali cinesi sono sempre più numerosi di quelli italiani.

«Ma arriva la rivoluzione rossa» riprende Chen. «Arriva Mao, che decide di fare la guerra alle Triadi e riesce a sradicarle, costringendole a spostarsi a Hong Kong, a Taiwan, a Macao, o in altri protettorati cinesi.»

Lo stesso, le Triadi non scompaiono. Si concentrano ancora di più sul loro unico interesse, il denaro. Fuori dai confini della Cina, le Società Nere imparano a integrarsi nella realtà che le circonda. Finiscono con l'infiltrarsi nel tessuto sociale dei luoghi. Sono ancora riconoscibili, soprattutto i gruppi maggiori come la 14K, la *Sun Yee On*, la *Wo Shing Wo*, la *Green Gang*, o la *Shui Fong*. Ma i boss, i vertici, tentano di mimetizzarsi e riproporsi solo come uomini d'affari.

«Però poi Mao muore.»

E negli anni Ottanta a molti vecchi mafiosi viene concesso di rientrare in patria. Con loro, le Triadi ritornano in Cina. Quasi in contemporanea, Deng Xiaoping, il "Piccolo Timoniere" che è succeduto a Mao, rompe con il passato e dichiara che «arricchirsi è glorioso», per non lasciare campo ai conservatori del Partito e non porre limiti allo sviluppo.

Le Triadi ricominciano a crescere anche in Cina. Riacquistano consenso nella popolazione, riallacciano i legami con la politica, svolgono le loro attività contro la legge nell'ombra, senza creare disordine, e in cambio ottengono concessioni in campo economico.

Dalla Prenestina ci immettiamo su via di Acqua Bullicante. La percorriamo tutta, quindi torniamo a immetterci sulla Casilina, di nuovo in direzione periferia. Due anziani cinesi, seduti all'esterno di un bar, stanno giocando a *majiang*, il caratteristico gioco da tavolo.

«Ci sono anche dichiarazioni di pubblica riabilitazione» spiega Chen. «Nel 1993 il ministro della Polizia afferma addirittura che i membri delle Triadi non sono tutti criminali, e che se sono dei patrioti e assicurano la prosperità del Paese, allora la Repubblica Popolare Cinese ha il dovere di rispettarli.»

È la legalizzazione del rapporto governo-Triadi. E la transizione delle Triadi si completa: non smettono di essere organizzazioni a base criminale, però si convertono soprattutto in gruppi d'affari.

«E adesso siamo qui, a Tor Pignattara» dice Chen. «A casa tua.»

Siamo all'altezza del Mausoleo di Sant'Elena. La Torre delle Pignatte. Siamo tornati nel quartiere. Chen sta per infilare via Gino dall'Oro, ma io gli dico di proseguire.

«Non vuoi che i tuoi, dal Commissariato, ti vedano con me?»

«Potrebbero pensare che frequento brutte compagnie.»

Chen sorride e prosegue dritto, poi arresta la macchina in fondo a via Giuseppe Cei. «Qui va bene?»

«Perfetto.»

«Ok. Fine del giro turistico. Cosa abbiamo visto, Wu?»

«Non lo so. Un sacco di negozi e imprese cinesi, di tutti i tipi. Un sacco di cinesi.»

«Hai notato qualcosa di vagamente illegale?»

«No.»

«E dopo il nostro ripassino di storia, cosa abbiamo stampato in testa?»

«In pratica, che i mafiosi cinesi non vogliono fare i mafiosi.»

«Più o meno, sì. Il mafioso cinese usa metodi mafiosi soltanto come *mezzo* per ottenere un risultato, e tende a farlo il più possibile sottotraccia per mantenere l'immagine di uomo d'affari.»

«E la mafia cinese di solito non uccide.»

Anche questo ce lo abbiamo stampato in testa.

«Ma adesso sta uccidendo» ribadisce Chen. «Quindi sta succedendo qualcosa di anomalo. Perché? Ci sono conflitti d'affari in atto, che tu sappia?»

«No.»

«Faide tra fazioni diverse?»

«Nemmeno.»

«Allora, forse c'è dell'altro sotto. Cosa?»

«Non lo so. Però la mafia cinese è pratica. Deve esserci una ragione altrettanto pratica...» Resto in silenzio per un istante. Poi fisso Chen. «A meno che, invece, non si tratti di qualcosa di personale.»

Chen fa solo un cenno con la testa. Come a dire che finalmente ci sono arrivato.

17.

Smonto dall'auto di Chen. Lui mette in moto, io gli busso al finestrino. «Grazie. Per la gita. E per tutto il resto...»

«Non c'è di che. È bello quando CC e piesse vanno d'amore e d'accordo, no?»

Chen agita la mano in segno di saluto, e parte.

Io mi avvio verso il Commissariato, ma dopo pochi metri, mi sento chiamare: «Dotto'?». È la ragazzina cinese con gli occhi a mandorla luminosi e il piercing al naso. Siamo vicini all'Acquedotto Alessandrino e al negozio di acconciature di sua madre. «Stavo a veni' da lei.»

«E perché?»

«Perché ho chiesto in giro a un po' de gente, pe la faccenda delle banche clandestine.»

«Cosa?!»

Abbiamo bisogno di informatori cinesi, però non di una ragazzina. Penso subito che può essersi messa nei guai. Mi guardo attorno, temo che qualcuno possa vederla parlare con un sbirro.

Lei intuisce. «Nun se preoccupi, dotto'. So' stata attenta. Ho chiesto in giro, ma come se fosse solo pe curiosità…»

Fa tenerezza con questo accento romano, le fattezze cinesi del viso, il suo piercing e l'incoscienza della giovane età.

«Come ti chiami?»

«Maria Tan. Ma tutti me chiamano Tania.»

«Tania, la curiosità certe volte può essere pericolosa.»

«Sì, me l'hanno fatto capi'.»

«E allora niente più domande, chiaro?»

«Sì, dotto', chiaro.»

«Comunque, ti hanno detto qualcosa?»

«Manco mezza parola.»

Come ha ribadito Chen, sappiamo che ci sono le attività illecite cinesi. Però non si vedono. E nessuno ne parla.

Tania piega le labbra in un mezzo sorriso, amaro, che stona sul suo viso giovane. «In questo semo pari, dotto'. Lei è cinese, ma è 'na guardia. Io so' cinese, ma so' piccola e femmina.»

«Tu perché ti sei messa a fare domande?»

«Come perché?»

«Sì, perché?»

«Pe lei, dotto'.»

«Per me?»

«Vojo di', a lei je serve sape' questa cosa per l'indagine che sta a fa', giusto?»

«Ma tu che ne sai?»

«Già gliel'ho detto, dotto'. Qua al quartiere se sa tutto de lei. E mica solo qua. Se sa che sta a fa' 'n'indagine grossa, che ce stanno de mezzo i Wang e pure qualcun altro "più su".»

«Sì, è vero.»

«Ecco, a me è venuta in mente la fija loro. La bambina, Profumata Wang... Per questo me so' messa a chiede.»

«Ecco. Appunto. Sei piccola e femmina, ma hai fatto qualcosa che nessun altro qua ha avuto il coraggio di fare. Anche se è morta una bambina di quattro anni.»

I suoi occhi a mandorla luminosi diventano più luminosi. «Dice davvero?»

«Sì. Adesso, però...»

«Niente più domande, ho capito dotto'.»

Tania se ne va, io rimango fermo a osservarla mentre si allontana. Non mi ha dato nessuna notizia utile, ma ciò che ha fatto è stato ammirevole.

Sorrido.

In Commissariato, mi viene incontro la Longo: sono appena arrivati i tabulati di Huong e l'autorizzazione a intercettarlo. L'indagine continua ad allargarsi, aumenta il numero di utenze su cui operare, e gli elenchi da esaminare.

Parlo con il vicesovrintendente su come distribuire l'ulteriore carico di lavoro. Con la sua timidezza, lei mi fa notare che l'organico è già impegnato a tempo pieno: «Nessuno si lamenta, dottore. Ci mancherebbe, però...».

Però niente. Ha ragione. I turni sono saltati, siamo operativi H24, accampati qui in via Gino dall'Oro, senza segnare neppure un'ora di straordinario che tanto non ci verrebbe riconosciuta. E la Longo ha un bambino piccolo e un compagno che le rompe le palle perché fa la poliziotta.

«Problemi a casa?» chiedo.

«No, dottore. Cioè, non più del solito. Non sono io, siamo tutti.»

«Lo so, Longo. Ma l'inchiesta è grossa, è così. Questo ci tocca, e questo ci prendiamo.»

«Sì, dottore.»

«Allora, riusciamo a farci anche l'intercettazione di Huong e i suoi tabulati?»

Sotto l'aspetto formoso, la sua riservatezza e la sua gentilezza, la Longo è tenace. Tosta. «Ci riusciamo.»

Missiroli compare in corridoio e ci interrompe. «Dotto', il cellulare del croato. Si è attivato!»

18.

Siamo a una svolta. La nostra testardaggine nel tenere Leonardi e Mussumeli sulle captazioni è stata premiata. La botta d'energia ci dà una nuova spinta, e in un attimo dimentichiamo la fatica, i turni saltati, e le cento cose da seguire assieme.

Ci spostiamo tutti in saletta. Il sistema ha registrato una chiamata. Leo recupera il file audio, Musso lo fa partire.

Ascoltiamo.

Sentiamo la voce di Suker. Parla un italiano stentato, con un pesante accento slavo. Dice a qualcuno che sta arrivando. Il qualcuno con cui parla è un uomo. A giudicare dalla voce, deve essere sulla quarantina, e di sicuro è italiano. Risponde che ha capito, e sarà lui a recuperarlo.

Nient'altro. La telefonata si chiude così.

Ma dove sta arrivando Suker? E chi è l'uomo all'altro capo del telefono?

Leo e Musso richiamano sul pc la schermata del sistema che visualizza il numero chiamante, cioè di Suker, poi la cella a cui si è agganciato, e infine il numero ricevente.

La cella copre una zona dell'autostrada A1 in prossimità dello svincolo di Casalecchio di Reno, vicino a Bologna. Dallo svincolo si può uscire diretti per il centro, oppure restare sulla A1 e prendere per Milano, o ancora proseguire verso San Lazzaro di Savena e imboccare la A14 verso Ancona e la riviera romagnola.

Troppe variabili, ci servono altre informazioni.

Controlliamo il numero chiamato da Suker. Risulta intestato a una certa Luisa Cotti, trentatré anni, nata e residente a Bologna, in via Andrea Costa 137. Zona stadio.

Effettuiamo un'anagrafica veloce sulla donna. Impiegata alle Poste, l'appartamento di via Andrea Costa è di sua proprietà, nessun figlio, e il cognome "Cotti" è quello del marito, Gianni Cotti, da cui risulta separata da quattro anni. Il suo cognome da nubile è Lamma e ha un fratello, Vincenzo.

Ci squilla un campanello in testa. Riprendiamo la lista con i nominativi dei compagni di cella di Suker, quando era in galera. E tra quei nomi c'è proprio Vincenzo Lamma.

Dal casellario giudiziario escono precedenti a Bologna per spaccio e possesso di stupefacenti, poi un arresto a Roma, dove risulta essere stato domiciliato per un anno e mezzo, per una rapina a una farmacia. Tossicodipendente, ha scontato parte della pena in carcere, e parte in una comunità di recupero sull'Appennino tosco-emiliano. Dopo la comunità, deve essere tornato a Bologna dalla sorella. È lui che usa il cellulare della donna per contattare Suker.

Suker sta andando da Lamma.

E noi andiamo a prenderlo.

19.

Avverto la Mobile di Bologna. Ci accordiamo per una riunione operativa da loro, in Questura.

Domani.

Poi informo Caruso degli sviluppi. Anche il magistrato si fa prendere dall'eccitazione: «Ci sono anch'io, Wu».

«In che senso?»

«Vengo con voi.»

Allerto i miei. Andiamo tutti. Io, Missiroli, Scaccia, Libero, la Longo e la Fresu.

L'unico che non viene è Pizzuto. L'intercettazione al cellulare di Suker è ancora attiva, il pm sta chiedendo a Mieli di poterne aprire un'altra sul numero della sorella di Lamma, e occorre che qualcuno resti con Mussumeli e Leonardi, in Sala Ascolto.

Pizza ci rimane male. Quando entri in polizia, sogni di fare arresti come quello di Suker, e non di stare in una stanzetta davanti allo schermo di un pc con le cuffie in testa.

«Dài, Pizza, ti portiamo un po' di mortadella da Bologna» dice Libero. «Pizza e mortazza.»

Pizzuto avrà sentito questa battuta un milione di volte, ma ride. E manda rispettosamente affanculo il suo superiore in grado Liberati.

Do il rompete le righe. A casa, mando un sms ad Anna. Da quando sono a Roma ho sempre rispettato la sua volontà di non sentirmi, e infatti è la prima volta che la contatto in modo diretto. Le scrivo che sarò a Bologna per qualche giorno.

Non risponde.

Dopo tre ore, mi arriva la sua mail, con il link. La canzone si intitola *Not Yet* di Michel Camilo. È ritmata, ballabile e allegra. Contrasta con il significato che ha per Anna.

Not Yet. Non ancora. Anche se non gliel'ho chiesto, per lei non è ancora il momento di rivederci, né che io riveda Giacomo.

Fisso la fede all'anulare sinistro. A volte, come in questo momento, il piccolo cerchietto intarsiato di oro bianco sembra non pesare nulla. Invece mi stringe il dito, quasi affondato nella carne. Per qualche istante valuto se chiedere a Carmelo di ospitarmi per il tempo che mi tratterrò a Bologna. Lui e sua moglie Sandra sarebbero felici di avermi con loro, e io starei bene. Però, decido di non sentirlo. Sarebbe una fuga inutile, e so cosa non posso evitare. *Chi.*

Mio padre.

Lo chiamo, gli racconto lo stretto indispensabile e gli domando se posso fermarmi da lui. Dopo una lunga pausa mi dice soltanto: «Questa è sempre casa tua».

20.

Partiamo per Bologna all'alba. Tre macchine. Missiroli con Scaccia e la Longo, Liberati con la Fresu. Io con Caruso e il suo autista.

La presenza del pm galvanizza i miei. Sta con noi. Ci mette la faccia. Non è un caso isolato, ma quando trovi un magistrato così fa piacere.

In viaggio. Caruso mi guarda. «Lei torna a casa, Wu...»

Io non ricambio lo sguardo. «Sì» rispondo soltanto.

Il pm mi osserva con più attenzione. Non so quanto conosce della mia situazione. E sembra sul punto di chiedermi qualcosa. Ma poi non lo fa, non fa domande.

Cambia discorso: «C'è altro che dobbiamo sapere, su Suker, prima di arrestarlo?».

«Su Suker no, dottore.»

«Ma?»

«Sull'indagine in generale, sì. Ho fatto due chiacchiere con il tenente Chen, del ROS.»

«Un vicequestore della polizia e un tenente dei carabinieri. Interessante...»

Ripercorro lo scambio con Chen, fino a ribadire la conclusione che dietro a tutto ciò che è accaduto e sta accadendo c'è la mafia cinese, ma che ci sono anche delle incongruenze. Quindi, la possibilità è che di fondo ci siano moventi personali.

Caruso tace per qualche secondo. Valuta.

«È vero» dice poi. «Questo apre una strada nuova.»

Alle dieci siamo a Bologna.

Manco solo da poco più di due mesi, ma quando usciamo dalla tangenziale ed entriamo in città ho l'impressione di non riconoscere nulla.

21.

Alle 10.20 siamo in Questura. Vertice alla Mobile in sala riunioni. Presenti: Di Marco, il capo, Giulia Vita con un suo sovrintendente e un viceispettore, Carmelo per la Scientifica, Caruso, io e la mia squadra.

Saluto alla svelta Di Marco, Giulia Vita e Carmelo, mentre i miei prendono confidenza con i colleghi di Bologna.

C'è la rivalità, anche qui come a Roma, tra chi è della Mobile e chi è fuori: Questura e Commissariato. Le mezze battute su chi ce l'ha più lungo sono inevitabili. Però l'indagine è nostra. Siamo noi che abbiamo fatto scoperte importanti, e siamo noi su tutti i giornali e telegiornali con l'inchiesta "Grande Muraglia". Questo bilancia i pesi.

Poi ci sono io, che sono stato un mobiliere e adesso sto al Commissariato. Un po' da una parte e un po' dall'altra. Come al solito.

Incredibilmente, però, Giulia Vita va d'accordo con la Fresu. Ispettore capo e ispettore. Entrambe donne poliziotto, toste e brave. C'era da aspettarsi che si prendessero a unghiate, e magari se lavorassero tutti i giorni assieme succederebbe, invece adesso trovano subito una specie di alleanza.

La Longo se ne tiene fuori.

Missiroli ha gli anni di servizio per essere rispettato e ascoltato. Scaccia fa il bravo, non fa il coatto, e Libero risulta da subito simpatico a tutti. Esaurite le scaramucce per marcare il territorio, passiamo ai fatti.

Decidiamo come muoverci. Noi conosciamo Suker, loro conoscono meglio la zona. In teoria.

In pratica, penso di conoscere Bologna quanto le mie tasche e meglio di chiunque, ma preferisco che a gestire la logistica sia Giulia Vita.

Carmelo propone di infiltrare nell'appartamento uno dei suoi, spacciandolo per un addetto della compagnia telefonica e fargli piazzare una cimice o una microcamera.

Proposta bocciata. E non per questioni burocratiche. È troppo pericoloso.

Suker è furbo. Ha tenuto il cellulare sempre spento, per le precedenti comunicazioni con Lamma deve avere usato Skype e Messenger, da qualche Internet point. Il suo telefonino l'ha acceso e usato solo all'ultimo, quando ormai era vicino a Bologna, e forse non aveva alternative.

Se è nell'appartamento, e si vede entrare in casa un presunto addetto della compagnia telefonica, potrebbe insospettirsi e sgamare il trucco. Quelli come lui sanno fiutare gli sbirri. Potrebbe reagire in modo violento. E presumiamo che Suker sia armato. La pistola che ha sparato ad Abile e Profumata Wang non l'abbiamo mai ritrovata.

Quindi non solo Suker può essere armato, ma ha già sparato e ucciso. E potrebbe farlo ancora.

22.

Facciamo alla vecchia maniera. Per due giorni, assieme alla Mobile di Bologna, stazioniamo a bordo di auto civili sotto la palazzina in cui si trova l'appartamento intestato alla sorella di Lamma. Vediamo uscire Lamma, poi sua sorella, ma non Suker.

Fotografiamo e controlliamo tutte le persone che entrano o escono dal palazzo.

Siamo in collegamento costante con Caruso che si è piazzato in Questura nella stanza di Di Marco, e con il Commissariato a Tor Pignattara.

Da Roma, con Pizza, Musso e Leo, stiamo sul cellulare di Suker, che però risulta nuovamente spento. Invece, il telefonino della sorella di Lamma è attivo, lo usa ancora lui e lo sentiamo dire a un amico che non può raggiungerlo perché ha una "rogna" in casa.

La "rogna" deve essere Suker.

E infatti il terzo giorno, subito dopo Lamma e la sorella, vediamo uscire anche Suker dalla palazzina.

Il croato si allontana di poco, entra in un alimentari pakistano e ne esce con una busta di plastica piena di birre. Forse avevano finito le scorte.

Siamo pronti all'arresto, quando Di Marco blocca tutto. Via Andrea Costa è trafficata. Automobili, autobus, passanti, persone in bicicletta. C'è troppa gente per strada.

Chiedo consiglio a Missiroli. Il mio ispettore concorda con Di Marco. L'arresto è nostro, ma se qualcosa va storto il problema è di Bologna.

Però non possiamo neppure aspettare all'infinito.

Giulia Vita decide di prendere un'iniziativa. Me la spiega, e io do l'ok.

Lamma e la sorella sono ancora fuori, Suker rientra. Il croato è solo in casa. Dobbiamo sfruttare l'occasione.

Suoniamo al citofono dell'appartamento a fianco. «Chi è?» domanda una voce. Uomo anziano, tono sospettoso. «Posta in buca» risponde Giulia Vita. Voce di donna, minor potenziale pericolo per chi si trova in casa, maggiori probabilità che apra il portone.

Il vecchio apre.

Entriamo. Placca al collo, fondine delle pistole aperte, armi pronte per essere estratte.

Io, Giulia Vita, il suo sovrintendente e il viceispettore, Missiroli, Scaccia, Liberati, la Longo e la Fresu. E due agenti in borghese della Mobile, scelti tra quelli più grossi e cattivi. Il viceispettore e il sovrintendente restano al piano terra. Nessuno, da fuori, deve varcare la soglia dell'ingresso.

Noi e gli altri due agenti della Mobile saliamo al piano.

Tre appartamenti sul pianerottolo.

Ci dividiamo e bussiamo alle porte. Scaccia e la Fresu all'appartamento di fianco a quello della sorella di Lamma, Liberati e la Longo a quello posto di fronte.

Le porte si aprono. Da una appare l'anziano che ha risposto al citofono, dall'altra una donna sulla trentina, con un bambino piccolo in braccio.

I miei mostrano la placca al collo. A parlare sono la Longo e la Fresu. Di nuovo, due donne, meno senso di minaccia. A bassa voce, dicono: «Solo un controllo, possiamo entrare?».

Ci impiegano un istante per decidere, ma sia l'uomo anziano sia la donna con il bambino lasciano accedere i miei in casa. L'idea è di tenerli chiusi dentro, al sicuro, finché non avremo effettuato l'arresto.

Io, Missiroli, Giulia Vita e i due agenti della Mobile suoniamo al campanello del nostro obiettivo. Sul campanello c'è scritto solo LUISA COTTI. Nome e cognome da sposata.

Io tiro fuori la pistola, tolgo la sicura, scarrello, metto il colpo in canna, e la tengo bassa lungo il fianco.

Missiroli fa lo stesso.

Nervi tirati. Se estrai l'arma dalla fondina, metti in conto di essere costretto a sparare. Nessuno vuole ammazzare nessuno. Nessuno vuole finire ammazzato.

«HERA, controllo gas» dice Giulia Vita. «È stata segnalata una perdita...» Tono urgente.

Suker non apre.

Piano B.

I due agenti della Mobile prendono da una sacca un piccolo ariete di metallo.

Adesso anche Giulia Vita estrae la pistola.

Faccio un cenno agli agenti.

I due colpiscono con l'ariete la serratura della porta. Un colpo, un altro, e la serratura salta. La porta si spalanca.

Vado per primo. «Polizia!» urlo.

Siamo dentro.

Giulia Vita mi segue con Missiroli. Dietro di loro, i due agenti in borghese.

Ingresso: deserto. A destra, un bagno: vuoto.

Dritti in corridoio. Nessuno. Dieci passi, un salotto.

Suker è lì. A cavalcioni di una finestra. Pronto a buttarsi di sotto. Ma siamo al terzo piano, forse ha tentennato.

«Polizia!» ripeto. «Fermo, Suker!»

Il croato si blocca. Ha la pistola infilata nella cintura dei pantaloni, dietro la schiena. Non tenta di prenderla. È un criminale, sa quando è finita.

Ma io non mi fido. «Adesso smonti dalla finestra, piano, e tieni le mani in alto. Sei armato. Sei fai una mossa strana, sono autorizzato a spararti. E sta' sicuro che lo faccio.»

Dopo un attimo, Suker smonta dalla finestra. «Va bene» dice. Nessuna mossa strana. Fa il bravo.

«A terra, subito! Braccia larghe.»

Suker obbedisce.

Giulia Vita gli mette un ginocchio sulla schiena. Gli afferra le braccia, e gli ammanetta i polsi.

Missiroli s'infila un paio di guanti in lattice, prende la pistola di Suker e la mette in una busta sigillata. I due agenti in borghese rimettono in piedi il croato.

Io chiamo Caruso: «Ce l'abbiamo, dottore».

23.

Lo perquisiamo, Suker guarda prima me, poi Giulia Vita e Missiroli. «Sbirro *cinese*? Voi finito sbirri italiani?»

Gli sorrido e accosto la bocca al suo orecchio. «Uno sbirro cinese che ha catturato un coglione croato.»

Suker mi restituisce il sorriso, senza dire nulla.

In tasca gli troviamo uno scontrino di un autogrill della

Bologna-Firenze, un sacchetto di caramelle, un pacchetto di sigarette, e un rotolo di banconote, circa duemilacinquecento euro.

E due cellulari.

«*Due* telefoni, Suker?» gli chiedo.

Lui risponde spavaldo: «Io riceve molte chiamate».

«Certo…»

Un cellulare deve essere il suo, quello che gli ha dato Dubec, il prestanome. Ed è un Samsung. Avevamo il dubbio che potesse averlo buttato. Invece, l'ha sempre tenuto con sé.

L'altro è un iPhone 7, bianco.

La prima volta che l'ho sentita sulla scena, Wang Xinxia mi ha dato marca e modello del suo cellulare e di quello di suo marito. iPhone 7, bianco.

L'altro cellulare è quello di Abile Wang.

Arriva Carmelo con quelli della Scientifica, preleva la pistola e i due telefoni. Tra i suoi ha due nerd, due informatici giovani e bravi, e per diminuire i passaggi anziché alla Postale li fa consegnare a loro.

Suker viene portato via dai miei e tradotto nel carcere più vicino, ossia alla Dozza.

Rientrano Lamma e la sorella. Fermiamo Lamma per favoreggiamento, e i due agenti della Mobile portano via anche lui.

Io, Giulia Vita e Missiroli torniamo in Questura da Di Marco e Caruso. C'è quella specie di febbre contagiosa che prende tutti, dopo un arresto importante.

Ci raggiunge anche Carmelo, dopo aver repertato nell'appartamento della sorella di Lamma. Per adesso nulla di rilevante.

Solo un piccolo trolley con alcuni vestiti appartenuti a Suker. Ma sono nuovi, un paio di capi hanno ancora l'etichetta col prezzo, difficilmente troveranno tracce utili.

Nient'altro. La borsa di Wang Xinxia, con il suo portafogli e il suo cellulare, era dentro la sacca usata da Suker e

Smoje durante la rapina che abbiamo rinvenuto nella Punto grigia allo sfascio di Čop. Mancavano il portafogli e il telefono di Abile Wang, che adesso sappiamo aveva Suker; il portafogli invece non si trova da nessuna parte. Deve essersene liberato. I tecnici di Carmelo, comunque, stanno ancora ispezionando l'appartamento. E hanno iniziato a esaminare sia la pistola sia i due cellulari.

Un'ora dopo, con un colpo di teatro, spunta in Questura anche Santangelo. Il procuratore capo di Bologna non è nuovo a queste scorribande. Me lo ricordo.

Caruso l'ha avvertito dell'arresto, e Santangelo vuole complimentarsi di persona con il pm per come sta conducendo l'inchiesta. Estende i complimenti anche a me, ai miei uomini, e a tutti quelli della Mobile che hanno contribuito ad arrestare il croato.

Quindi scambia un cenno con Di Marco e chiede a me e al capo della Mobile se lo accompagniamo di sotto, per un caffè al volo.

Non si rifiuta un invito del procuratore capo.

Dietro il bancone del bar, c'è un televisore. Santangelo indica lo schermo. «Il vostro questore, a Roma, non perde tempo, eh.»

Lanfranchi è in diretta tv. Sta tenendo una conferenza stampa. Parla dell'inchiesta "Grande Muraglia", e annuncia che il secondo uomo responsabile della morte di Wang Jiang e di sua figlia è stato arrestato in un'operazione congiunta tra la Squadra Mobile di Bologna e il Commissariato di Tor Pignattara, sotto la supervisione del dottor Caruso. Il questore si dichiara estremamente soddisfatto, e si dice certo che questo arresto porterà a novità importanti.

«Ma in Procura qualcuno l'ha autorizzato?»

«Non lo so. Il questore è un tipo… attivo» commento io.

«Vedo» replica Santangelo. Il tono lascia intuire che se Lanfranchi facesse la stessa cosa con lui, avrebbe qualche problema. Sarebbe un bello scontro.

Beviamo i caffè, e il procuratore paga.

«Ma lei, Wu, a Roma come si trova?»

Santangelo è alto, magro, elegante. Dà del *lei* a tutti in un modo che sembra freddo. Sembra. Ma non lo è.

«Bene. Considerato che abbiamo questa indagine che è grossa, e complicata. Ma i miei si spaccano la schiena, sono tutti ottimi elementi, e il pm l'avete conosciuto, avete visto com'è.»

«Non si sminuisca, Wu. Lei si sta muovendo bene. Più che bene. Si prenda i meriti che le spettano.»

Un incrocio di occhiate tra il procuratore e il capo della Mobile.

«Ci stai facendo fare bella figura» dice Di Marco. «Quindi continua così.»

Santangelo guarda l'orologio. Deve andare. «E si ricordi, Wu, che a Bologna avrà sempre degli amici.»

24.

Caruso è incazzato con Lanfranchi ma, a quanto sembra, dopo avere verificato, il questore ha davvero ottenuto il via libera per parlare con i media dalla Procura. Il magistrato impreca contro se stesso perché poteva pure aspettare un po' prima di avvertire Roma dell'arresto di Suker, poi contro i vertici che concordano le cose tra loro senza dire niente ai poveri servi che stanno sotto, e infine decide che è l'ora di andare a dormire e dimenticarsi di tutto..

Io congedo i miei, così che anche loro se ne tornino in albergo.

Giulia Vita e Carmelo, invece, sono ancora qui. Allora rimango anch'io. Mi chiedono cosa volevano Di Marco e Santangelo. Sono poliziotti, sono curiosi.

Io glisso.

Loro mi sfottono. Quella cosa che da quando sono salito di grado non succede quasi più, e mi dispiace. «Eh, ormai che il nostro Wu è vicequestore e dirige un Commissariato suo, non dà confidenza ai colleghi» dice Giulia Vita.

«Sta pure su tutti i giornali, capisci?» rilancia Carmelo.

«È uno importante.»

«È famoso, lui.»

Io incasso, sorrido.

Giulia Vita s'accosta a una finestra, la apre, si accende una sigaretta e soffia fuori il fumo. Uguale a Caruso.

Chiaramente, siamo tutti e tre contenti di stare un po' assieme. Carmelo mi dice che appena lo hanno informato che sarei venuto a Bologna, s'aspettava che lo chiamassi per andare a stare da lui e Sandra.

«Ci avevo pensato. Ma alla fine ho preferito stare da mio padre.»

Carmelo annuisce. Ha capito.

Giulia Vita si accorge che non ho parlato di mia moglie e mio figlio. Spegne la sigaretta e mi guarda. Uguale a Caruso, ancora.

Tra noi c'è stima, forse affetto, ma non c'è confidenza. Prima è stata mia superiore in grado, più tardi, dopo il corso da commissario capo, lo sono stato io per lei. A legarci è sempre stata l'amicizia in comune con Carmelo. Fuori dal lavoro non ci siamo mai frequentati.

Non so molto di Giulia Vita. Però ricordo che aveva una storia con un pubblico ministero, uno sposato e con dei figli. E so che aveva un problema di salute per il quale faceva visite regolari dal medico della polizia.

La Questura di Bologna è piccola e ha muri sottili.

Allo stesso modo, lei potrebbe essere a conoscenza del motivo che mi ha spinto ad accettare il trasferimento a Roma. Potrebbe sapere che ho sempre tradito Anna. Potrebbe giudicarmi con durezza.

Invece, no. È stata dall'altra parte, è stata *lei* l'amante, quella per cui qualcuno tradiva. «Se hai bisogno, Wu, fammelo sapere. E non dico per l'indagine.»

«Vale anche per me, lo sai, sì?» aggiunge Carmelo.

Prima Santangelo e Di Marco. Adesso loro due. Gli amici.
Sono sopraffatto da un groviglio di emozioni.

Però rimango uno sbirro, e da bravo sbirro, davanti a qualcosa di toccante – che sia brutto o bello – la butto in caciara. Faccio il cinico. Loro mi hanno sfottuto, adesso tocca a me. «Se continuate così, vi bacio.»

Carmelo: «Ti piacerebbe».

Giulia Vita: «Se ci provi, ti sparo».

Ridiamo.

«Insomma, mi pare di capire che vi sono mancato.»

Giulia Vita: «Poco».

«Voi neanche un po'.»

Carmelo: «Perché sei *fetuso*. Cinese, e *fetuso*».

Non è vero che non mi sono mancati. Mi sono mancati, molto.

25.

A casa di mio padre, con i miei nonni. Il primo momento tranquillo da quando sono arrivato a Bologna. Pesce di lago all'aceto, gamberetti con tè Longjing e riso croccante. Piatti tipici della cucina dello Zhejiang, "la terra del pesce e del riso". Bellissima Li ha lasciato la cena in caldo per me, Forte Li mi ha aspettato sveglio.

Mi accudiscono. Mi vogliono bene, e non mi chiedono nulla di Anna e Giacomo. Si trattengono.

Loro, adesso. Caruso, Carmelo, Giulia Vita. I miei del Commissariato. Mia moglie e mio figlio sono una ferita aperta e dolorante, e le persone che mi stanno vicino evitano di toccarla.

Mentre mangio, i nonni si siedono davanti a me. Io cerco di capire cosa provo, stando qui. Disorientato, a disagio. In questa casa ci sono nato e cresciuto, ma non sono dove dovrei essere. Nonostante tutto, e per quanto possa essere lacerato tra due identità diverse, ascoltare Bellissima Li e Forte Li che parlano nel dialetto di Wenzhou, e parlarlo con loro mi conforta.

I sapori, gli odori e le parole famigliari. Tutto questo mi dà pace.

Poi rientra mio padre, dopo avere chiuso Il Giardino dell'Imperatore, e la pace finisce.

Tra noi passa subito un crepitio sgradevole.

Si versa un bicchiere di liquore e si mette a tavola insieme a noi. Ha saputo dell'arresto di Suker. Al suo ristorante i camerieri e i cuochi parlavano di "quel suo figlio poliziotto". Lo dice buttando giù un sorso di liquore. Quasi fosse stato un fastidio. E io, per la prima volta, gli parlo dell'indagine. Forse per sfida.

Mio padre ascolta in silenzio. Silenzioso Wu. Mi fissa. Io sono un poliziotto, lui è stato un poliziotto. Sa che ci sono delle domande che non ho mai voluto fare.

Sa che potrei fargliele adesso.

Tu e la mamma in che modo siete entrati in Italia? Che rapporti avete avuto con la mafia, con le Triadi e con le Teste di Serpente per arrivare qui? Com'è stato il vostro viaggio? Che documenti avete usato? Quanto avete pagato il riscatto?

E ancora: siete stati *wumin*, invisibili senza nome? Chi era il vostro *laoban*, il vostro padrone? Come vi siete messi in regola con i documenti?

Invece no. Lui tace, e taccio anche io.

Perché anche lui, quando gli ho telefonato, ha evitato di pormi domande scomode su Anna e Giacomo. E perché con i miei nonni presenti, non voglio affrontare certi discorsi.

«State facendo un buon lavoro» dice a proposito dell'inchiesta. Asciutto, neutro. Però sembra pensarlo davvero.

«Tu non hai mai approvato che svolgessi indagini sui cinesi» ribatto. «Hai sempre pensato che stavo tradendo la mia gente.»

Bellissima Li e Forte Li percepiscono l'attrito. Ma rimangono. Se li conosco, è perché non vogliono che la situazione degeneri.

Silenzioso Wu scuote la testa. «Non ho mai voluto che diventassi un poliziotto, perché è un mestiere brutto, ti fa vedere quasi solo il peggio delle persone e della vita. So che ti hanno raccontato delle cose, tua madre, i tuoi nonni.» Accenna a Forte e Bellissima Li. «Io ho lasciato la polizia in Cina perché non ero come gli altri poliziotti, non ero un automa, e davanti a certi fatti mostruosi ho ceduto. Nessuno lasciava la polizia a quell'epoca, ma per me era troppo. Non volevo che ti capitasse lo stesso. Non volevo che tu ti trovassi di fronte a qualcosa di così orribile da costringerti a fuggire per sopravvivere.»

Io non dico nulla. Forse solo adesso capisco la portata *enorme* della sua scelta. E non posso fare a meno di ammirarlo.

Lui prosegue: «E sì, non avrei voluto che tu indagassi su altri cinesi. Ma non c'entra tradire la nostra gente. Se un cinese commette un reato, o fa del male a qualcuno, è giusto che paghi. Solo che la linea tra giusto e sbagliato, spesso, è molto sottile, soprattutto se emigri da un Paese a un altro per ricostruirti una vita. Sei obbligato a chiedere aiuto a qualcuno che magari non ti piace, devi accettare dei compromessi».

Per un istante, cerca il mio sguardo. A modo suo sta rispondendo alle domande che non gli ho fatto. Sta parlando di se stesso, della nostra famiglia, dei rapporti che può avere avuto con la criminalità.

Dice, senza dire.

Beve un altro goccio e posa il bicchiere. Continua ancora: «Se non ero d'accordo, era solo per te. A me importa soltanto *di te*. È già abbastanza dura essere un cinese nato in Italia, o *un italiano* di origine cinese, vedila come vuoi. È già abbastanza difficile così, senza aggiungerci di fare il poliziotto che indaga su altri cinesi e deve prendere decisioni su quella linea sottile tra giusto e sbagliato. Tutti saranno comunque pronti ad attaccarti».

Non gli ho mai sentito fare un discorso così lungo. Non si è mai aperto tanto con me.

«Quindi per te va bene se sto su questa indagine?» gli chiedo.

«A te va bene? Ti crea dei problemi?»

«No. Voglio solo prendere i colpevoli.»

Mio padre accenna a un sorriso. Altro evento più che raro.

«Allora va bene anche a me.»

Di nuovo cerca il mio sguardo. Poi dice: «Tua madre sarebbe felice di ciò che stai facendo».

Lui si è aperto, io mi chiudo, di colpo. L'ammirazione lascia il posto alla rabbia.

«Non parlare di lei.»

«Perché?»

«Non fare finta.» Penso a ciò che ho detto a Wang Xinxia. Che lei, come il marito, era responsabile dell'assassinio della loro bambina. «Se lei è morta, è colpa tua.»

Quando mia madre si ammala, mio padre la porta da un medico cinese, che la cura con la medicina tradizionale. Va avanti per due anni, però la sua condizione non migliora. Mio padre allora la porta da *un altro* medico cinese, che la segue per quasi quattro anni, ma senza esito. A quel punto io ho quattordici anni, sono solo un ragazzino, ma lo stesso insisto perché la ricoveri in un ospedale italiano, con dei *veri* dottori. I miei nonni sono venuti in Italia apposta per accudire mia madre, e tuttavia non intervengono. Sono anziani, legati a certe convenzioni, credono che sia il marito a doversi occupare della moglie. E si fidano di lui. Io piango, urlo, poi cerco di parlargli con calma e farlo ragionare. Ma lui – ostinato e diffidente – la porta in un ospedale clandestino. Come le banche occulte, è situato negli scantinati di un palazzo occupato solo da cinesi alla periferia di Bologna, e si dedica esclusivamente agli immigrati. Lì praticano sia la medicina tradizionale sia quella occidentale, ma c'è un solo vero dottore per tutti i pazienti, con alcuni infermieri che improvvisano, hanno pochi farmaci di contrabbando a disposizione, e quasi nessuna attrezzatura adeguata.

E pochi mesi dopo, mia madre muore.

Questa è la casa dove sono nato e cresciuto, ma è anche il luogo da cui manca mia madre.

Mi guardo attorno. I mobili della cucina non sono mai stati cambiati. Sono disposti seguendo i precetti del *Feng Shui*, ma sono di taglio moderno, europeo. Le mensole alle pareti, la credenza in acciaio e vetro che contiene i piatti e i bicchieri, il tavolinetto basso accanto con sopra un vaso di fiori freschi. Di fianco al tavolinetto, però, una seconda credenza più piccola di legno laccato, composta da due parti separate e accostate, è in stile classico cinese. Così come il tavolo al centro, sempre di legno massiccio, con le gambe a forma di zampa di leone. Come vuole il *Feng Shui*, gli angoli del tavolo sono arrotondati, ma uno è sbeccato. Da anni. Anche le sedie sono in legno massiccio, con gli schienali intarsiati che riproducono dragoni. Una delle sedie ha la seduta che un po' traballa. È mia madre che l'ha voluta così, la cucina. L'ombra di mia madre è sempre qui. Posso quasi vederla, mentre passa, indaffarata in qualcosa – pulire, sistemare – e mi rivolge un sorriso veloce e pieno d'amore. Luminosa Wu.

I nonni adesso si alzano, e ci lasciano soli. Non che la situazione degeneri, però non riescono ad affrontare il ricordo. Eppure non ce l'hanno con mio padre. Sono riusciti a perdonarlo per avere lasciato morire la loro unica meravigliosa figlia.

Io no, non ci sono mai riuscito. Non ci riesco.

«È come se l'avessi uccisa tu.»

26.

Di nuovo in sala riunioni, alla Mobile. Noi, Caruso, Di Marco e Giulia Vita. Carmelo ci ha dato la priorità assoluta. Lui e i suoi hanno passato gran parte della notte e tutta la mattina a lavorare, e verso mezzogiorno ci portano i primi risultati.

«Che non si dica che qua a Bologna siamo poco efficienti.»

«Non si dice, infatti» replica Caruso.

Carmelo in persona ha fatto la balistica alla pistola ritrovata addosso a Suker. Dopodiché, ha chiamato Bellucci alla scientifica di Roma. Hanno confrontato i test condotti in maniera separata – quello sull'arma, e quello sui proiettili – e ora abbiamo la conferma. La pistola è la stessa che ha sparato ad Abile Wang e a sua figlia.

Per qualche secondo, nessuno fiata.

Tutti noi stiamo rivedendo la stessa scena: Profumata Wang a terra, in strada, in via Carlo della Rocca. Morta.

Anche Di Marco, Carmelo e Giulia Vita restano in silenzio.

L'omicidio di una bambina di quattro anni pesa sul cuore di tutti.

«Sette colpi» ricorda Scaccia. «*Sette.*»

«Pezzo di merda» dice Giulia Vita, pensando a Suker.

«Siamo tutti d'accordo su questo» interviene Di Marco. «Però adesso andiamo avanti.»

I due cellulari.

«E qui è un po' più complicato» dice Carmelo.

Entrambi i telefoni hanno una doppia impostazione per la sicurezza. Hanno il riconoscimento dell'impronta digitale per lo sblocco dello schermo, e poi un codice per accedere alla SIM. I suoi nerd stanno ancora facendo i loro magheggi per craccare le protezioni.

«Per me è tutta fantascienza» dice Caruso. «Quanto ci vuole per entrare in quei telefoni?»

Carmelo alza le spalle. «Non lo so. Un po'. Dicono che possono esserci altre password per le singole applicazioni. Dipende anche da cosa volete voi.»

I tabulati sono già in nostro possesso. Vogliamo sms, foto, filmati, chat, accessi Internet, attività sui social network.

«Vogliamo tutto» dice il pm. «Quindi, *un po'* va bene.»

Lasciamo la sala riunioni.

Il gip di Bologna chiama Caruso e lo informa che ha sostenuto gli interrogatori di garanzia di Lamma e Suker. Lamma ha risposto alle domande in modo esauriente, e gli ha concesso i domiciliari. Per la nostra indagine ha avuto un ruolo marginale, e lo lasciamo al suo destino. Suker invece è stato reticente e rimane in carcere.

Adesso è nostro, tocca a noi.

27.

Andiamo alla Dozza. Suker ci aspetta con un avvocato d'ufficio e un interprete dal croato. Quando mi vede assieme a Caruso, fa ancora lo spavaldo. «Sbirro cinese, noi ci ritroviamo.»

«Non sarei mai mancato.»

L'avvocato d'ufficio è un ragazzo, sembra che abbia passato l'esame di Stato da un paio di giorni, e non ha mai avuto a che fare con tipi come Suker. «Mi scuso per il mio cliente» dice.

«Non si preoccupi, avvocato. Lasci che si diverta un po'. Adesso ci divertiamo noi.»

Suker si fa indietro sulla sedia e incrocia le braccia mantenendo un'aria strafottente.

Io e Caruso iniziamo con le domande. Lui e Smoje, il suo complice, conoscevano già i Wang? Come hanno saputo del pacco con i soldi? Perché, dopo che avevano già il pacco, hanno sparato al marito?

Suker oppone una resistenza passiva. Finge di non capire, si lascia tradurre dall'interprete ogni frase, prende tempo, risponde solo «non so» o «non ricordo». O non risponde affatto.

Ricordiamo a lui ciò che abbiamo ricordato costantemente a noi stessi. Sette colpi. Sette colpi con i quali hanno ucciso una bambina e suo padre.

«Tu hai sparato, Suker» dico io. «*Tu*.»

Il croato mantiene la stessa espressione insolente. Noi proseguiamo con le domande: dove hanno preso la pistola? Lui e Smoje sono stati mandati da qualcuno? Chi li ha mandati? I 2500 euro che gli abbiamo ritrovato in tasca sono il pagamento per un incarico che ha eseguito? Chi ha eliminato Smoje e Čop? Come sono andate *esattamente* le cose?

Gli esponiamo l'idea che ci siamo fatti noi dal momento che abbiamo rinvenuto anche il cadavere di Čop, aggiornata sulla base degli elementi scoperti in seguito: qualcuno, uno o più di uno, manda lui e Smoje a rapinare i Wang. Ma non è una rapina, è un omicidio su commissione mascherato. Chi li ha mandati, infatti, non è interessato ai soldi, ma vuole far fuori Wang Xinxia e Abile Wang. O forse il bersaglio è solo Abile Wang. L'uccisione di Profumata Wang è un incidente.

In seguito, il mandante usa il pretesto di recuperare il pacco con il denaro, mentre in realtà intende togliere di mezzo gli esecutori. Viene fissato un appuntamento.

Ma lui e Smoje si sono divisi, soltanto Smoje va a incontrare chi li ha mandati. Lo costringono a dire dove sta lui, cosa sta facendo. Poi lo uccidono. Gli tagliano la testa.

Suker intanto lascia l'auto con il pacco nel bagagliaio allo sfascio di Čop. Al terzo socio non hanno parlato della rapina, non vogliono spartire in tre la ricompensa.

Lui va a raggiungere Smoje ma lo trova già morto. O assiste alla sua esecuzione. E fugge. Dell'uccisione di Čop viene a saperlo quando è già in fuga. Hanno tagliato la testa anche a lui.

«Come siamo andati, Suker?» chiede Caruso. «Le sembra una buona ricostruzione?»

Suker non conferma né smentisce. Noi continuiamo a martellare.

Come mai non ha preso i soldi che c'erano nel pacco prima di scappare?

Perché, al contrario, dopo la rapina/omicidio non si è disfatto di tutto il resto anche se poteva farlo? Perché si è tenuto il cellulare che gli ha dato Dubec? Voleva essere raggiungibile a quel numero? Attendeva istruzioni? Sperava di poter trattare con chi ha ammazzato Smoje e Čop?

Perché lui e Smoje hanno preso i cellulari di Wang Xinxia e di suo marito? Perché, più tardi, ha gettato il cellulare di Wang Xinxia ma si è tenuto quello di Abile Wang?

Perché si è tenuto la pistola? Aveva paura?

Suker torna a rimettersi dritto sulla sedia. «Io non ho paura.»

Lo provoco: «Non si direbbe, Suker. Sembri un coniglio che scappa. Chi è che ti spaventa tanto?».

«Nessuno spaventa.»

«C'entra quel numero cinese?» chiede Caruso.

Di nuovo, Suker finge di non capire. L'interprete traduce. Lo stesso, Suker recita la parte di quello confuso. «Che numero cinese? Non sa di cosa parlate.»

«La Scientifica ha il tuo cellulare e quello di Abile Wang» gli dico. «Qualunque cosa ci sia dentro, la troveranno.»

Suker abbassa gli occhi. La sua strafottenza vacilla. I muscoli della mascella hanno uno spasmo involontario. Ha mentito per tutto il tempo, e soprattutto ha mentito su una cosa: ha detto di non avere paura, che nessuno lo spaventa.

Invece ha paura.

28.

Nel parcheggio interno alla Dozza, prima di risalire in auto con il suo autista, Caruso si accende una sigaretta. Dà un tiro, poi si toglie gli occhiali. La montatura è blu, e contrasta con la cravatta rosso acceso. Il pm tiene gli occhiali in mano, li rigira tra le dita. «Lei lo sa, Wu, perché porto sempre montature e cravatte colorate?»

«Perché lei è un tipo alla moda, dottore?»

«Questo è sicuro. Ma no, il vero motivo è un altro. Col

mestiere che facciamo, passiamo più tempo con i criminali che con le brave persone. Non va bene, Wu. Per compensare, ci vuole qualcosa di allegro, colorato.»

«Be', dottore, i suoi occhiali e le sue cravatte compensano, senza dubbio.»

«Bravo. Ha capito.»

Spegne la sigaretta, apre lo sportello della macchina, e l'autista mette in moto. «Aspettiamo che il suo amico Carmelo ci porti i risultati sui due cellulari, e domani torniamo dal nostro croato.»

Io passo al ristorante di mio padre. Penso alla discussione che abbiamo avuto ieri sera. Non riesco a non pensarci. È come un ronzio insistente che mi ha disturbato per tutto il giorno. Silenzioso Wu, invece, non accenna affatto a ciò di cui abbiamo parlato.

Gli domando se ha voglia di fare *Chi Sao* con me. È il nostro rituale privato. L'unico modo che abbiamo per comunicare tra noi. Lui sembra stupito e contento. Il ristorante si chiama così in onore al Giardino dell'Imperatore Yu, o Giardino del Mandarino Yu, uno dei parchi più famosi di tutta la Cina che si trova a Shanghai. Più modestamente, il ristorante di mio padre ha all'esterno uno spazio verde con alcuni tavoli circondato da piante. Dietro, c'è un altro spazio, piccolo. Ci siamo sempre messi lì per il *Chi Sao*, estate o inverno, sole o pioggia. Ci mettiamo lì anche ora.

Prendiamo posizione, braccia contro braccia, e iniziamo. Come ogni volta che ci esercitiamo assieme, mio padre mi prende le misure. Valuta quanto del suo *Ving Tsun* sia rimasto nei miei movimenti, e quanto di quello che mi ha insegnato Ha Ja.

Silenzioso Wu aumenta la forza, con un *Lap Sao* cerca di abbassarmi il braccio avanzato, e in contemporanea prova a bucarmi con un pugno. Io, però, appena avverto la trazione verso il basso, piego l'avambraccio in *Bong Sao*, e alzo la mano arretrata in *Wu Sao* a intercettare il suo pugno.

«Ha Ja ti ha dato una buona struttura» commenta mio padre.

«Ma le basi me le hai date tu.»

«È vero.»

«Mi hai portato da Ha Ja solo dopo che la mamma è morta.»

«Avevi un dono per le arti marziali. Ha Ja poteva darti delle cose che io non potevo.» Spinge con le gambe, in avanti, io attenuo la pressione arretrando di un passo. «E volevo che ti distraessi dal dolore.»

Nessuno dei due rallenta, continuiamo con il *Chi Sao*. Tengo il braccio di mio padre bloccato con un *Fook Sao*, e adesso sono io che interrompo il contatto per portare una tecnica, un colpo veloce di taglio con la mano che lui blocca con un *Pak Sao*.

Poi, all'improvviso, Silenzioso Wu si ferma. E dice: «È stata colpa mia se tua madre è morta. Hai ragione. Sono stato stupido ed egoista».

Di nuovo si apre con me, e ammette la sua colpa più grande. Non era mai accaduto.

Mi fissa. «Ma io ho amato solo lei.»

Senza avermi chiesto nulla, mio padre ha intuito di me e Anna. Si assume le sue responsabilità, e allo stesso tempo mi mette di fronte alle mie.

Questa volta, mentre lui si apre, io non mi chiudo. Solo, voglio aspettare. «Andiamo a casa?»

«Sì, andiamo a casa.»

Seduti in cucina, tra i mobili scelti da mia madre, con la sua ombra sempre presente, anche io mi apro. Parlo. Uso il nostro dialetto di Wenzhou, e questo rende tutto più reale. Più facile e più difficile. Guardo negli occhi mio padre e i miei nonni, e confesso di aver tradito mia moglie. Dico che lei ha sopportato a lungo, che alla fine non ha più resistito, e mi ha chiesto di andarmene. Ometto di specificare quante volte l'ho tradita, e che è successo sempre con donne italiane.

Confesso a Li Meyu e Forte Li di avere mentito nelle nostre chiacchierate su Skype.

Mio padre resta muto. Lui, a modo suo, già sapeva.

Li Meyu e Forte Li dicono che hanno sempre voluto credermi, quando parlavano con me, nonostante anche loro percepissero che qualcosa non andava. Lo sentivano a sinistra del petto, nel cuore.

Mi conoscono.

Cerco di sorridere a mia nonna. «Be', sei tu che mi accusi di dire sempre bugie.»

Lei ricambia il sorriso. «E ho ragione, a quanto pare.»

«Mi vergogno. Mi vergogno moltissimo.»

«Non devi.»

«Non vi ho detto la verità perché non volevo deludervi.»

«Perché sei uno sciocco. L'amore che abbiamo per te non cambia. Quello che pensiamo di te non cambia.»

Forte Li copre la mia mano con la sua, enorme. «Tua moglie è una donna buona, e anche tu sei buono.»

«Non ne sono tanto sicuro.»

«Tu *sei* buono. Ma forse non lo sono le tue azioni. Devi trovare pace.»

Li Meyu mette la sua mano sulla mano di Forte Li che copre la mia. «Una donna ha bisogno del suo uomo, e un figlio ha bisogno di suo padre.»

«Lo so.» Ancora cerco di sorridere. «Me lo hai già detto.»

«Sono vecchia. Mi è consentito ripetermi.»

29.

Svegliandomi, ho un altro pensiero in testa. Sbagliato. Malsano.

Giulia Vita ha detto che se avessi avuto bisogno, lei c'era. Dovrei chiamarla, adesso. Dovrei farmi convincere da un'altra donna a non fare ciò che sto per fare.

Ma non la chiamo.

Fuori è ancora buio, l'alba sta salendo lenta. Prendo la macchina di mio padre, lui non la usa mai, al ristorante ci va coi mezzi pubblici.

Arrivo in via Parisio. Lì, in una palazzina di quattro piani con un piccolo cortile privato, c'è casa mia. La casa che fino a due mesi fa *era* la mia. Fermo la macchina sull'altro lato della strada. Individuo il secondo piano, e le finestre. Si accende la luce in cucina. E di colpo è come se mi ritrovassi lì, all'interno.

Sento la voce di Anna che dal bagno chiama Giacomo: *Finisci di vestirti. Facciamo colazione, che poi dobbiamo andare.*

Mia moglie e mio figlio entrano in cucina. Non mi vedono, sono un fantasma. Nella cucina a casa dei miei, mia madre è un riflesso persistente e benevolo. Qui, invece, io sono un vuoto, un'assenza.

Anna e Giacomo mangiano le fette biscottate con la marmellata e i cereali in silenzio, vicini. Poi Anna dice a Giacomo che si è messo male la felpa, che così sembra un fagotto con le braccia, e lui ride. Una risata limpida, che tintinna.

Erzi, figlio mio.

Questo è ciò che mi sto perdendo. Una mano mi stringe il cuore.

La luce in cucina si spegne. Io sono sempre in macchina, dall'altro lato della strada.

Mia moglie e mio figlio escono di casa. Anna deve accompagnare Giacomo all'asilo e andare al lavoro. Anna è truccata: rossetto, mascara sugli occhi. È bellissima.

Per la prima volta da quando siamo separati, mi chiedo se mia moglie si vede con altri uomini. Se Anna scopa con qualcun altro. Non me lo ero mai domandato. Ma non mi ero nemmeno mai appostato fuori da casa mia come uno stalker. Non ho il diritto di essere geloso, però lo sono. Anna che bacia un altro, che lo tocca, si lascia toccare, lo fa godere, gode. Anna che ama un altro.

Un altro uomo che entra nella vita di mio figlio. Giacomo che si affeziona a lui, e lo sostituisce a me.

La mano mi stringe di nuovo il cuore, più a lungo, con più forza.

Prima che Anna e Giacomo possano guardare nella mia direzione, metto in moto, vado via. Mi dirigo verso la Questura. Mi accorgo di avere tenuto il cellulare spento, e lo riaccendo. Ci sono dieci avvisi di chiamata, e subito suona. È Liberati. «Dotto', ma dove stava?»

«Sto arrivando Libero, che c'è?»

All'apparenza è un suicidio. Impiccato alle sbarre con una cintura.

Suker è stato ritrovato morto in cella.

QUATTRO

Il Demone

恶魔

È difficile riconoscere un gatto nero in una stanza buia,
soprattutto quando il gatto non c'è.

I.

Metà marzo

Suker è all'interno della cella. Il volto gonfio, la lingua che sporge dalle labbra, gli occhi iniettati di sangue per via dei capillari rotti. Il segno profondo, rosso scuro, quasi nero, lasciato dalla cintura sul collo.

Era stato messo in cella con due detenuti in attesa di giudizio, un italiano e un marocchino. Il croato è stato ritrovato impiccato quando i due non c'erano, entrambi a colloquio con i rispettivi difensori.

Per il momento, nessuno sa niente. Nessuno ha visto o sentito niente. Gli agenti della Penitenziaria però una cosa ce la dicono: al momento dell'arresto, come da protocollo, a Suker sono stati tolti i lacci delle scarpe e la cintura. Quindi, quella con cui si è impiccato, non era la sua.

Carmelo ce la mostra. Un modello comune di pelle marrone con la fibbia in acciaio. Dietro la fibbia, c'è un'etichetta: MADE IN CHINA. Di per sé, non significa nulla. Di cinture fabbricate in Cina ne circolano a migliaia in Italia. Ma per noi, significa molto.

Poi il medico legale aggiunge altri particolari. Sulle braccia di Suker ha rinvenuto alcuni lividi. Recenti. *Ante mortem*. E sulla nuca è presente una larga escoriazione lacero contusa, anch'essa precedente al decesso. Come se il croato fosse stato trattenuto e colpito.

Il dottore si sbilancia: Suker non si è suicidato, è *stato* suicidato.

È un omicidio.

Tutti e tre i croati coinvolti in misura diversa nella rapina/omicidio sono stati uccisi.

Silenzio.

«Come hanno fatto, Wu?» chiede Caruso.

«Be', dottore, se è stato Vecchio Zhao con la sua organizzazione, hanno fatto come fa sempre la mafia cinese. Hanno saputo che avevamo arrestato Suker e hanno trovato e pagato un contatto qui, all'interno del carcere, per risolvere il problema.»

Il mio telefono squilla. È Lanfranchi. Rispondo, e riferisco ciò che è successo. Il questore voleva notizie sull'interrogatorio a Suker, e non è contento di sapere che è stato ammazzato in galera. «È inammissibile. Inconcepibile! Avevamo l'indagato in custodia, e abbiamo lasciato che arrivassero a lui!»

«Signor questore, lei ha fatto una conferenza stampa, ha annunciato l'arresto…»

Lanfranchi sbuffa. Non è contento neppure che un vicequestore aggiunto sottolinei un suo sbaglio. Ma anziché riconoscerlo, rilancia. «Proprio perché abbiamo fatto la conferenza stampa» plurale, come se fosse stata un'iniziativa condivisa, «adesso i media ci attaccheranno per la morte di Suker. Abbiamo bisogno di progressi *decisivi*. Si dia da fare, Wu!»

Polizia e politica. La politica prevale, e scarica le responsabilità.

Lanfranchi riattacca.

Caruso mi guarda. Ha già intuito. «Di chi sarebbe la colpa?»

«Di nessuno. Ma se è colpa di qualcuno, è nostra. Anzi, mia.»

Prima che il magistrato si rimetta a imprecare, Carmelo ci raggiunge. Anche lui è al telefono, e chiude. «Abbiamo qualcosa sui due cellulari…»

2.

Io e Caruso seguiamo Carmelo alla Scientifica. I suoi due informatici ce l'hanno fatta, hanno "aperto" i cellulari che abbiamo ritrovato addosso a Suker. Sono riusciti a craccare il blocco con le impronte digitali e i codici di accesso di entrambi i telefoni.

Per prima cosa, la coppia di nerd ha stampato l'elenco delle chiamate in entrata e in uscita dai cellulari. La stessa lista l'avevamo ricostruita noi a partire dai tabulati, ma la ripercorriamo, e ancora una volta la nostra attenzione si concentra su quel (+86)186.2717.4634 di China Unicom. Il numero mobile cinese in comune tra le chiamate di Suker e Abile Wang.

Suker ha usato il suo cellulare solo per telefonare, o mandare e ricevere sms. Le chiamate erano dirette quasi sempre al numero di Smoje, e lo stesso vale per i messaggi inviati e ricevuti. Il fatto che da questa serie di messaggi fosse escluso Čop, e che nella lista delle chiamate non abbiamo trovato nessun numero a lui riconducibile, ci conferma l'ipotesi che Suker e Smoje avessero deciso di tagliare fuori il terzo compare.

Prima di metterli nel rapporto, i due nerd di Carmelo hanno chiesto di tradurre i messaggi allo stesso interprete che ha assistito Suker durante il nostro interrogatorio.

Negli sms Suker e Smoje discutono di un "lavoro da fare", si accordano sul luogo dell'appuntamento, parlano della FIAT Punto da usare come mezzo, e della necessità di procurarsi gli "attrezzi" adatti.

Basta.

Non scendono nei particolari. Però nominano una data.

24 gennaio. La stessa della rapina.

«E Internet?» chiede Caruso.

Sul cellulare di Suker, nonostante fosse un iPhone7 piuttosto recente, quasi nulla. Niente Facebook, niente Twitter, niente Instagram, nessuna chat, niente WhatsApp, Messenger o Telegram, pochissima attività in rete. Gli informatici hanno tracciato soltanto qualche accesso a Google Maps. E tra gli itinerari cercati, figura l'indirizzo di via Carlo della Rocca.

La strada di casa dei Wang.

Anche nel telefono di Abile Wang non c'è molto. Sms inviati e ricevuti da sua moglie, e con persone che abbiamo già identificato e controllato partendo dalla *nostra* lista delle chiamate. Aveva un profilo Facebook, in italiano e in cinese, con alcune foto che lo ritraggono assieme a Wang Xinxia e Profumata Wang, ma era trascurato, al momento in cui è stato ucciso non lo aggiornava da mesi. Non aveva altri social, e pure lui, come Suker, non usava le chat. L'attività in rete era appena più intensa, ma comunque limitata. La maggior parte degli accessi conduce a traduttori online cinese-italiano, italiano-cinese.

Abile Wang non si fidava della sua conoscenza della lingua.

Altri accessi portano a siti specifici che riguardano il laboratorio tessile, la manutenzione e l'assistenza per i macchinari, l'acquisto all'ingrosso delle stoffe e dei colori, o per copiare modelli di abiti.

Non aveva account per altri siti. I due smanettoni dicono che Abile Wang usava il cellulare soprattutto per comunicare con la famiglia e una ristretta cerchia di conoscenti e amici, nel modo più semplice – telefonate, sms – e che navigava in rete molto di rado, solo per questioni di lavoro.

È tutto?

No, non è tutto. «Il bello viene adesso» dice Carmelo.

Sul suo iPhone Abile Wang aveva tre diverse applicazioni per archiviare le immagini. La prima, Foto, è quella che già si trova sul telefono al momento dell'acquisto. Era libera da protezioni, e conteneva le istantanee di lui con la famiglia.

Le altre due applicazioni – Foto Private e Secret Photos – invece le aveva scaricate ed erano protette da una password che i due nerd hanno aggirato.

Da quelle applicazioni, Abile Wang ha spedito quaranta fotografie al (+86)186.2717.4634. Il numero di cellulare cinese.

Tutte e quaranta le fotografie ritraggono ragazze.

Carmelo ha fatto stampare le foto.

Io e Caruso le riconosciamo. Ritraggono i volti delle giovani transitate per il laboratorio tessile, di cui all'inizio non avevamo notizie.

Dal numero di cellulare cinese sono ritornate al cellulare di Abile Wang quindici fotografie.

Quaranta mandate, quindici rispedite indietro.

«Come se fosse stata fatta una *selezione*» osservo.

Caruso annuisce, e continua a scorrere le immagini.

Le venticinque "scartate" corrispondono alle venticinque ragazze che abbiamo ritrovato con l'operazione condotta assieme allo SCO, nei vari bordelli e centri massaggi.

Le quindici "selezionate", invece, corrispondono alle quindici ragazze che mancano all'appello.

Poi c'è un'ultima fotografia. Inviata da Wang sempre al numero di cellulare cinese. Circa un mese prima della rapina/omicidio.

Nello scatto non si distingue molto.

È la foto di un luogo.

Un campo incolto ai margini di quella che sembra una periferia.

3.

Invece di spedire il solo materiale d'indagine a Roma, chiedo che Carmelo venga con noi per affiancare Bellucci e la Scientifica. Evitiamo di ritrasmettere tutte le informazioni, guadagniamo tempo, e anche *due* ottimi investigatori che lavorano fianco a fianco.

Il magistrato riflette per qualche secondo, poi accetta.

Anche Carmelo è d'accordo.

Ora dobbiamo scoprire a chi appartiene il numero cinese. A *chi* mandava le fotografie Abile Wang, e chi gliele rispediva, selezionandole. Cioè chi era il contatto in comune tra Abile Wang, Suker e Smoje.

Dobbiamo sapere se quel numero può provare definitivamente il coinvolgimento di Vecchio Zhao, Piccolo Zhao e la loro organizzazione. Dobbiamo trovare il proprietario di quel numero e farlo parlare.

A questo punto ci serve la rogatoria internazionale.

Di nuovo, Caruso si prende un istante per pensare. Vuole confrontarsi con Iorio, il suo aggiunto alla DDA.

«Ma lo farà?» gli chiedo. «Avvierà la richiesta?»

«Sì.»

4.

Un saluto veloce a Di Marco, Giulia Vita e Santangelo.

Un salto altrettanto rapido a casa dei miei. Scambio un abbraccio con mio padre, senza parlare. Non so se dopo avere ammesso la sua colpa per la morte di mia madre, spera che io lo perdoni. E non so se io posso riuscirci. Ci lasciamo con ancora molto da risolvere tra di noi, i nostri spiriti maligni hanno appena mostrato il volto e ancora si agitano inquieti sotto la superficie. Ma ci siamo detti più cose in questi pochi giorni che negli ultimi trent'anni, ci accontentiamo.

Poi stringo i miei nonni. Forte Li mi fa una carezza delicata su una guancia con la sua mano immensa.

«D'ora in avanti, però, niente più bugie. Va bene?» dice Li Meyu. «Noi vogliamo sapere come stai davvero. Ci preoccupiamo per te, è il nostro lavoro.»

La bacio sulla fronte e scappo. E questa volta resisto alla tentazione. Evito di ripassare in via Parisio per vedere Anna e Giacomo.

Mentre sto raggiungendo i miei, chiamo Carmelo per avvisarlo che siamo in partenza.

Lui mi passa al telefono Sandra. «Voi due assieme...»

«Cosa?»

«Fate i bravi.»

«Ma cosa vuoi che facciamo, Sandra?»

«Non ne ho idea. Ma fate i bravi lo stesso. Che se mi fate arrabbiare vi sistemo io, eh. Lo sapete.»

«Lo sappiamo. E ci fai abbastanza paura.»

Sandra ride: «Meglio così!». Quindi mi ripassa Carmelo. Lui è pronto.

Torniamo a Roma.

Cambio nella composizione delle macchine. Caruso parte prima, con il suo autista.

Scaccia va con la Longo e la Fresu. Carmelo sale con Liberati.

Io con Missiroli.

L'ispettore guida in silenzio fino quasi a Firenze. Anche io però sto zitto, e lui se ne accorge. «Dotto', la legge che vale è sempre quella, ognuno c'ha i problemi che c'ha, e gli altri devono occuparsi degli affari loro. Però...»

«Però che?»

«Niente. Speravamo che 'sto viaggetto Bologna-Roma lei se lo facesse con sua moglie e suo figlio dietro.»

«*Speravamo*? Avete fatto una riunione per discutere del problema?»

«Non c'è stato bisogno. Lo speravamo tutti.»

«È complicato, Missiro'.»

«E non ci voleva un genio dell'investigazione per capirlo.»

«Diciamo che ho combinato una serie di cazzate con Anna. Mia moglie. Una serie molto lunga, e lei per il momento non mi vuole intorno.»

«Pure questo un po' s'era capito. Mi dispiace. Soprattutto per suo figlio.»

«Anche a me.»

«Lo ha visto?»

«No, e forse è meglio così.»

«Forse.»

«Sono rimasto a casa di mio padre.»

Missiroli distoglie gli occhi dalla strada per guardarmi.

«Anche lì è complicato» aggiungo.

«Vabbe', stasera quando torno porto un mazzo di fiori alla mia signora. In confronto a lei, noi in famiglia stiamo una favola.»

«Grazie...»

«Non se la prenda, dotto'.»

«E chi se la prende. Porta i fiori a tua moglie, e portala anche fuori a cena. Ne basta uno, qua, di imbecille.»

«Seriamente, però. Glielo ridico: se ha bisogno, io sono qua.»

Giulia Vita mi ha detto la stessa cosa.

C'è questa strana solidarietà tra sbirri che va al di là di quanto si è amici, e che viene dalla consapevolezza che il nostro mestiere rovina i matrimoni e mette in crisi i rapporti personali. Nel mio caso, però, il lavoro non c'entra. Sono stato io a rovinare tutto.

E non c'è nulla che Missiroli possa fare al riguardo.

Dopo altre due ore e mezza di strada, vediamo i primi cartelli che indicano il GRA. Arrivando a Bologna mi sembrava di non riconoscere più nulla. Adesso, invece, entrando a Roma, provo l'effetto opposto, avverto un senso di maggiore famigliarità che mi confonde.

Non so se sono cinese o italiano, o una via di mezzo. E non so nemmeno più bene qual è casa mia.

5.

Caruso si attiva per la rogatoria internazionale. Telefona, manda mail, compila documenti, e nel mezzo mi chiama e si lamenta. «Glielo avevo detto, Wu, che c'era da *usci' pazz.*»

«Sì, me l'aveva detto.»

«Ma tanto mica è lei che deve fare tutta 'sta tarantella.»

«No, in effetti è lei, dottore.»

«Vuole che glielo dica dov'è che può andare Wu?»

«Non me lo dica, dottore.»

Intanto, Carmelo va da Bellucci alla Scientifica, alla Direzione centrale anticrimine, con tutto il materiale inerente ai cellulari di Suker e Abile Wang.

Io rimetto i miei sulle intercettazioni delle utenze legate agli Zhao, del cellulare di Alberto Huong, e del numero cinese. Parlo con Pizzuto, che si è perso la trasferta a Bologna proprio per restare in Sala Ascolto con Mussumeli e Leonardi. Esaurita la captazione al telefono di Lamma, hanno continuato a seguire le altre affiancati da Xian, il nostro interprete.

Ma non abbiamo ancora niente.

Il numero cinese è sempre muto. Non effettua e non riceve chiamate. Come per il numero di Suker, possiamo solo sperare che all'improvviso riprenda vita. Le "utenze Zhao" continuano a non buttare. Neanche i numeri che siamo riusciti a individuare di Vecchio e Piccolo Zhao. E nemmeno il telefono di Huong. Al cellulare il giovane imprenditore parla soltanto della A.G.I.ICI., la sua associazione, o di questioni che riguardano gli affari.

Anche rimettendoci a scartabellare le stampate dei tabulati e a scorrere i file Excel, l'unico particolare che emerge è che proprio il numero di Huong si è agganciato a due celle su cui risultano anche il cellulare di Abile Wang e quello cinese.

Esquilino e Porta Maggiore.

«Ma si spiega» dice Liberati. «Lì, "coso", Huong, ha due negozi.»

Può avere incontrato Abile Wang per lavoro.

Però il numero di China Unicom? Si trovavano tutti e tre negli stessi posti e nello stesso momento?

Controlliamo se la cronologia combacia. Sovrapponiamo

gli agganci di Huong, di Abile Wang e del numero di China Unicom alle due celle.

Quando Huong si è collegato, nelle stesse zone era presente il cellulare di Abile Wang, ma *non* il cellulare cinese.

Non combacia.

6.

Analizziamo l'ultima foto mandata da Abile Wang al numero cinese. Quella che ritrae il campo incolto in una zona di periferia.

Cerchiamo il luogo.

Carmelo e Bellucci chiamano me e Caruso alla Scientifica, e io vado con Missiroli. Siamo in uno dei laboratori attrezzati con numerosi computer e apparecchiature audio-video.

Anche Bellucci, tra i suoi, ha alcuni smanettoni abilissimi con i pc. Carmelo li ha messi in contatto con i suoi nerd a Bologna, e tutti assieme hanno lavorato sull'immagine. L'hanno inserita in un software dedicato e l'hanno scomposta in diversi quadranti. Poi, usando sempre lo stesso programma, hanno ingrandito e iperdefinito ogni singolo riquadro. Infine hanno ricomposto il tutto in una sorta di gigantografia più nitida.

Bellucci la proietta su un grande schermo in HD, appeso alla parete.

Dove ci troviamo? Non abbiamo riscontri di spostamenti di Abile Wang fuori città, quindi diamo per scontato di trovarci a Roma. Ma *dove*?

Dettaglio: una strada sullo sfondo con un cartellone pubblicitario di un centro estetico. MAGIC BEAUTY. Il numero di telefono inizia con 06.

Sì, siamo a Roma.

«Però il centro estetico non sta lì dove c'è quel campo» dice Missiroli.

«Sta a Rione Monti. E a Monti non ci sono campi incolti.»
Lo fissiamo tutti.

«Che avete capito? Ci porto mia moglie al centro estetico.»

«In effetti, Missiro', se c'andavi tu dovevi fatte rida' indietro i soldi» commenta Bellucci.

Caruso: «Signori, per favore».

Torniamo a concentrarci sulla foto.

Altro dettaglio: ancora sullo sfondo, l'insegna di un Simply Market, su cui però non figura alcun indirizzo.

Ok, abbiamo due dati. Ce ne serve un terzo per triangolare la posizione del supermercato.

Chiamo gli altri al Commissariato.

Prendiamo la data in cui Abile Wang ha spedito la foto e la incrociamo con i tabulati. Stando agli agganci del suo cellulare alle celle, in quella data Abile Wang è stato a Tor Pignattara. Casa. E a Tor Tre Teste. Il laboratorio tessile.

Poi è stato all'Esquilino, a Porta Maggiore, a Ponte Casilino e a Centocelle.

Rapido controllo: a Tor Pignattara, Tor Tre Teste, e negli altri quartieri non ci sono Simply Market.

Scorriamo di nuovo i tabulati di Wang Jiang. C'è un altro aggancio. La cella copre Torre Spaccata.

Ancora un controllo. A Torre Spaccata c'è un punto vendita Simply Market. In via Tobagi.

Ci siamo quasi.

Carmelo chiede a uno dei nerd di Bellucci di effettuare una ricerca per immagini satellitari. "Via Tobagi" su Google Street View, e individuiamo strada e supermercato. «Allarga» dico. Ecco anche il cartellone pubblicitario del centro estetico.

Zoomiamo sulla zona compresa tra il Simply Market e il cartellone. C'è un tratto di terreno erboso. Un campo incolto. Confrontiamo l'immagine satellitare con la gigantografia iperdefinita sul grande schermo in HD.

Il campo è quello.

7.

Andiamo a Torre Spaccata. Noi del Commissariato, Caruso, Carmelo, Bellucci, e una decina di tecnici della Scientifica.

Quasi al centro del campo incolto c'è una larga porzione di terra smossa.

I nostri sguardi si intrecciano. Abbiamo un presentimento.

Facciamo arrivare dal magazzino centrale delle pale, e chiediamo l'intervento di un'unità cinofila. I cani sono addestrati per un compito preciso, fiutano per tutto il perimetro del campo guidati dagli agenti conduttori, poi puntano decisi verso la zona di terra smossa.

Si arrestano, e si accucciano.

È il segnale. Hanno trovato qualcosa.

Carmelo, Bellucci e i tecnici della Scientifica indossano le tute integrali, i soprascarpe, i guanti e le mascherine. Noi anche.

Caruso si mette da parte.

Iniziamo a scavare. Tutti. Anche la Longo e la Fresu. Vogliono dare una mano. Da lontano giunge il rumore del traffico, i clacson delle macchine, ma noi siamo risucchiati in una bolla di silenzio. Si sente solo il suono delle pale che intaccano il suolo, e dei nostri respiri pesanti.

Continuiamo a scavare, e man mano che affondiamo, il presentimento che ci ha colti appena arrivati diventa reale: sotto questa porzione di terra rivoltata c'è una fossa.

Una fossa comune.

Dentro la fossa, dei corpi. Femminili. Donne, ragazze.

Sono le ragazze scomparse.

Dovremo aspettare le autopsie e gli esami del laboratorio per averne la certezza, ma ognuno di noi lo sa.

Sono loro.

Anche se è difficile riconoscerle.

Perché i corpi sono a vari stadi di decomposizione.

E perché sono tutti a brandelli. Fatti a pezzi.

8.

Siamo paralizzati. Nessuno si muove.

Caruso si avvicina alla fossa, guarda sul fondo, ma non riesce a parlare.

Trascorre un minuto intero di vuoto. Gli occhi portano le immagini al cervello, e il cervello le rigetta.

Ognuno di noi si è già trovato di fronte a dei cadaveri.

Solo in questa indagine, abbiamo ritrovato Smoje carbonizzato e semidecapitato, la testa di Čop staccata dal collo e lasciata sul pavimento della baracca allo sfascio, e Suker appeso alle sbarre della cella a Bologna, strozzato, con la lingua gonfia che sporgeva dalle labbra e gli occhi rossi di sangue.

Abbiamo rinvenuto Abile Wang morto, e accanto a lui sua figlia Profumata Wang. Abbiamo visto il corpicino di una bambina di quattro anni trafitto da sette colpi calibro .7,65.

Eppure, niente ci ha preparati a questo.

Do l'ordine: «Recuperiamo i resti».

Riprendiamo un barlume di lucidità, e ci diamo da fare. Stendiamo accanto alla fossa un telone di nylon. Ci infiliamo nella buca e portiamo in superficie i pezzi dei cadaveri delle ragazze.

Uno per uno.

Li deponiamo con la massima delicatezza sul telone.

Pizzuto si muove a scatti, sembra un automa, senza guardare in faccia gli altri. Libero tiene tra le mani i brandelli dei corpi e li stringe a sé quasi volesse proteggerli. Missiroli si cala nella fossa recitando a mezza voce una preghiera, l'*Ave Maria*.

Non gliel'ho mai sentito fare.

Scaccia digrigna i denti così forte che scricchiolano. La Longo e la Fresu piangono, senza nascondere le lacrime.

Nessuno commenta.

Io sento in bocca un sapore dolciastro e nauseante. Mi

gira la testa, ho le orecchie tappate. Mi calo nella fossa e risalgo, portando su parti di corpi.

Non mi fermo.

Nessuno di noi si ferma.

9.

Poi prendo fiato. Un breve stacco. Mi apparto ai margini del terreno incolto. Comincia a fare sera, abbiamo montato delle fotoelettriche per illuminare il campo, e i lavori proseguono.

Caruso ha avvertito la Mortuaria e Olivieri. Persino il medico legale, davanti ai pezzi dei corpi adagiati sui teli di nylon, ha un attimo di sbandamento. Quasi di nascosto, si fa un rapido segno della croce.

Poi comincia a discutere con Carmelo e Bellucci. Al momento non è possibile neppure ipotizzare una ricomposizione dei corpi, quindi i brandelli che rinveniamo sono soltanto classificati, numerati, e chiusi senza un ordine preciso dentro i *body-bag*. Da qui saranno trasportati a Medicina Legale.

Carmelo mi raggiunge. Guarda verso la fossa. Il tono di voce si fa cupo: «Quanti anni sono che sto in polizia? Non ho mai visto niente di simile. Niente. Com'è possibile che ci sia qualcuno così malvagio da fare questo?».

Non rispondo subito. Anche io tengo lo sguardo sulla fossa.

«Tu credi che esistano solo persone malvagie?» gli chiedo.

«Noi le vediamo tutti i giorni.»

«Sì. Ma esiste anche il *Male*? Non so come dire, come una specie di entità autonoma? Oppure sono le persone che con i loro gesti producono un alone maligno?» Continuo a tenere lo sguardo fisso sulla fossa. «Di fronte a cose così non ti viene da chiedertelo?»

Sono nato in una famiglia cinese. I cinesi sono pratici, mescolano taoismo, shintoismo e confucianesimo, prendendo dalle tre dottrine ciò che fa più comodo. Nella mitologia delle tre religioni ci sono numerosi esseri demoniaci, però il concetto di Male assoluto non esiste. Il Male è sempre visto in rapporto al Bene, non sono due opposti ma convivono, si confondono l'uno con l'altro.

Al tempo stesso sono cresciuto in Italia, un Paese cattolico che ha radicato in sé l'idea del Male, del Diavolo, del Peccato.

E ancora una volta mi trovo nel mezzo, un po' cinese e un po' italiano, con molti dubbi e nessuna risposta.

«Amico mio, tu la fai troppo complicata per me. Io sono solo uno sbirro della Scientifica. Trovo i reperti, e li analizzo. Cerco dei dati sicuri. Il male lo fanno le persone. Questo è sicuro.»

«Hai ragione, lascia perdere. Fa' finta che abbia preso una botta in testa.»

Mi rinfilo la mascherina e torno alla fossa.

In bocca ho ancora quel sapore nauseante, e l'aria è satura di un odore che fa pensare a un frutto marcio, brulicante d'insetti.

Sono solo i corpi decomposti?

O è altro? *Qualcos'altro?*

10.

Notte, nella stanza di Caruso in Procura, soltanto io e lui.

Il magistrato è scosso, turbato. Per tutto il tempo che siamo rimasti al campo incolto ha dato solo le disposizioni indispensabili. Per il resto, è rimasto isolato, il volto terreo, le labbra pallide.

Abbiamo ritrovato anche le altre quindici ragazze. I quindici aghi in molti pagliai.

Ma non avremmo voluto ritrovarle *così*.

«Lo sa, Wu, ho sempre pensato che in questo lavoro ci si debba fare coinvolgere. È *necessario*, se no non ci arrivi in fondo a un'indagine. Ma è necessario anche avere un limite, non farsi toccare *troppo*. Mai lasciarsi travolgere. Mai portarsi a casa lo schifo. L'ho promesso a me stesso, e a mia moglie quando ci siamo sposati. E l'ho ripetuto quando è nato nostro figlio.» È la prima volta che mi parla della sua famiglia. «Ma quando vediamo cose come quelle che abbiamo visto oggi, come si fa?»

Non si aspetta una risposta, e io taccio. Non voleva farsi travolgere, e invece è stato travolto. Come tutti noi.

E agli aspetti emotivi si aggiungono quelli pratici. La scoperta della fossa comune conduce a nuovi reati, e dunque vanno rivisti i capi d'accusa nel procedimento penale.

Caruso si alza, apre la finestra, e si accende una sigaretta. Prende un lungo tiro, e soffia fuori il fumo lento, come per liberarsi. «Va bene, basta piagnistei» e inizia a muoversi per la stanza. «Chi ha ucciso e smembrato quelle ragazze? Chi è il macellaio? O chi sono?»

«Abile Wang ha mandato la foto del luogo in cui si trova la fossa al numero di cellulare cinese. Quindi, in qualche modo deve essere coinvolto.»

«Sì, ma in che modo? Che cosa crediamo?»

«Crediamo che Abile Wang abbia contribuito a portare i resti delle ragazze dentro la fossa. Che le abbia fatte a pezzi lui stesso, da solo, o con altri.»

Lui ha inviato la fotografia del terreno a Torre Spaccata.

«Ma è stato lui a ucciderle?»

«No.»

Tutto ciò che abbiamo scoperto finora ci lascia pensare che Abile Wang e sua moglie facessero parte di un sistema, ma che in questo sistema la loro mansione fosse soprattutto di gestire la "merce". Le donne.

«Abile Wang e la moglie. Dunque, anche la moglie è parte in causa?»

«Sì.»

Però niente ci porta a presumere che potessero anche *uccidere* le ragazze. Non ne avrebbero avuto alcuna convenienza. Se erano "merce", sarebbe stato uno spreco. E né Abile Wang né Wang Xinxia corrispondono al profilo di qualcuno capace di trucidare giovani donne.

Non occorre essere dei *profiler* per capirlo.

Tuttavia, seppure in maniera indiretta, le loro azioni hanno favorito la morte delle ragazze.

Caruso decide di aggiungere al fascicolo d'indagine le imputazioni di concorso esterno in rapimento, violenza aggravata, occultamento e distruzione di cadavere, e omicidio plurimo per Wang Xinxia.

Soprattutto, il pm mette agli atti il reato di omicidio plurimo aggravato a carico di ignoti.

Noi vogliamo questi ignoti. Vogliamo chi ha organizzato tutto e dato gli ordini.

Vogliamo chi ha ammazzato le ragazze.

11.

Caruso mi mostra la copia della richiesta per la rogatoria internazionale. Anche ora, però, appare poco convinto. Spegne la sigaretta, e si rimette seduto. «Senza girarci troppo attorno, dobbiamo pararci il culo, Wu. Abbiamo cercato altre vie, e non le abbiamo trovate. Ma se la rogatoria non approda a nulla, o se si impantana nelle pastoie burocratiche per mesi, non possiamo impantanarci anche noi con tutta l'indagine. Dobbiamo comunque inventarci un'opzione B.»

«Forse ce l'ho io, dottore. L'opzione B.»

«Sarebbe?»

Ci penso per un istante, e mi sembra praticabile. «Mio padre. Era un poliziotto in Cina, prima di venire in Italia. Non so per il numero di cellulare, ma forse per Vecchio

Zhao può darci una mano. Può sentire qualche collega, e prendere informazioni. È passato molto tempo, però è una possibilità.»

«Suo padre era un poliziotto...» ripete Caruso.

«Sì.»

«Ed era d'accordo che lei entrasse in polizia?»

«No, non avrebbe mai voluto.»

«Però lei l'ha fatto lo stesso.»

«Sì.»

«Immagino sia stato difficile.»

«Lo è ancora.»

Caruso mi fissa.

«Allora che faccio, dottore?»

«Naturalmente, su qualunque cosa possa dirle suo padre andranno effettuati riscontri.»

«Naturalmente.»

«Bene, lo chiami.»

12.

Poche ore di sonno agitato. Appena sveglio, eseguo la *Siu Lim Tao*. Sudo, faccio lavorare i muscoli, e provo a espellere il veleno che ho assorbito scavando nella fossa comune.

Una doccia, poi chiamo mio padre al cellulare prima che esca per andare al ristorante, gli dico che ho bisogno di parlargli, e gli chiedo se posso risentirlo via Skype. Se gli parlo, voglio farlo guardandolo in faccia.

«Va bene, dammi dieci minuti» dice Silenzioso Wu.

Gli do dieci minuti.

Dopo, avvio la chiamata Skype e lui risponde senza attivare il video. Lo sento parlare con Forte Li e Li Meyu. «Sì, sì, ho capito come funziona.» Deve avere chiesto istruzioni a Forte Li per Skype. «Adesso lasciatemi parlare con mio figlio.»

Attivo io il video, e mio padre compare sullo schermo del pc. Ha un'aria titubante, ma anche piacevolmente meravigliata. «Ti vedo...»

«Anch'io.»

«Mi piace questo macchinario.»

Forte Li ha imparato a adoperare Skype, ma è sempre diffidente. Mio padre, invece, sembra godersela. Fa persino un sorriso. «Allora?»

Gli racconto della fossa comune, e delle ragazze morte, fatte a pezzi. Stanotte, prima di tornare a casa, mi sono fatto mandare da Carmelo sul cellulare alcune fotografie scattate dalla Scientifica sulla scena. Le recupero e metto il cellulare davanti alla webcam del computer. Silenzioso Wu è stato un poliziotto, e so che può reggere la vista.

Regge. Non sorride più, e osserva le immagini con quello sguardo da sbirro che non perdi anche se smetti di fare quel mestiere.

«Sembra una carneficina» dice, «invece è un lavoro meticoloso. Per smembrare e dissezionare tutti quei corpi ci vogliono tempo e fatica.»

«È vero.» Abile Wang è stato *abile*. Da solo, o assieme ad altri, si è impegnato.

«Mi tornano in mente brutti ricordi.»

«Pensi al *Laogai*?»

C'è un parallelo tra la mostruosità dei corpi fatti a pezzi e la mostruosità di ciò che accadeva nel campo di lavoro e a cui mio padre è stato costretto ad assistere.

Silenzioso Wu si ritrae dal computer, l'immagine sul mio schermo un po' si sfuoca. «Tu cosa sai del *Laogai*?»

«Quello che mi ha raccontato mamma prima di morire.»

«E perché ne avete parlato?»

«Perché voleva che mi sforzassi di capirti.»

Silenzioso Wu tace. Molte emozioni gli attraversano il volto: dolore, rimpianto, mancanza, amore.

«Non ci siamo riusciti molto bene, vero? A capirci, intendo.»

Dopo le discussioni a Bologna, quella è un'altra apertura.

«No, non molto. Finora...»

Silenzioso Wu si riavvicina al computer, sullo schermo l'immagine torna a fuoco.

«Che cosa vorresti che facessi?»

Gli dico della rogatoria internazionale, del numero di cellulare di China Unicom, e di Vecchio Zhao. Come pensavo, per il numero di cellulare non saprebbe a chi rivolgersi.

«Ma c'è qualcuno, qualche tuo vecchio collega, a cui puoi chiedere informazioni su Vecchio Zhao?»

«Sì, c'è.»

È Yun Heng, il suo amico poliziotto mandato assieme a lui a svolgere l'indagine al *Laogai*. Il suo migliore amico. Quello con cui aveva fatto il corso per entrare nella *Renmin jingcha*, la polizia cinese. Quello con cui condivideva tutto. Quello che al campo di lavoro, di fronte alle torture inflitte ai prigionieri, si è limitato a compilare il rapporto come gli era stato richiesto.

«Ha fatto carriera.»

Anche se non ha più sentito la sua famiglia, che non gli ha mai perdonato di avere lasciato la polizia e il Paese, negli anni mio padre ha mantenuto contatti con la Cina. Ha saputo che Yun Heng è salito di grado e ora è un alto funzionario.

Però adesso io esito. Ho detto a Caruso che forse mio padre poteva portarci a qualcosa, ma non so se *vuole* farlo.

«Quindi puoi cercare Yun Heng? Mi aiuti?»

Silenzioso Wu fa nuovamente un piccolo sorriso. «Sì, certo.»

13.

Prima chiamata, Carmelo: a Medicina Legale hanno iniziato il macabro lavoro di ricomposizione dei corpi, per effettuare le prime analisi.

Seconda chiamata, Caruso. Ha notificato tramite l'avvocato Sun le nuove ipotesi di reato alla signora Wang. Le imputazioni sottintendono che Wang Xinxia forse non sapeva a cosa erano destinate le ragazze più belle scelte tra le altre, e neppure che cosa facesse suo marito dopo, ma che con le sue azioni e omissioni ha contribuito allo svolgimento degli eventi. Il gip l'ha sentita, e davanti ai consueti silenzi ha ribadito la custodia cautelare.

Nel frattempo, la notizia del rinvenimento della fossa comune è uscita su tutti i notiziari, e adesso anche il Commissariato è sotto assedio di telecamere e di taccuini. Io ripeto ai miei la stessa avvertenza che ho già dato. «Da qui non deve uscire una parola. Se qualcuno parla con i giornalisti, gli stacco la lingua con le mani. E, a questo giro, niente contentino. Niente, chiaro?»

È chiaro.

Terza chiamata, Lanfranchi. Che invece mi chiede di parlare alla stampa.

Rifiuto. Ho appena dato ai miei una disposizione esattamente opposta, non posso sbugiardarmi così con loro.

«Lei non capisce, Wu.»

Un dirigente di fronte alle richieste del questore di solito scatta sull'attenti, perché se no rischia provvedimenti disciplinari. Però è Lanfranchi che mi ha voluto alla guida del Commissariato di Tor Pignattara, mi ha messo sotto i riflettori, e ci si è messo anche lui con me. Se decide di intraprendere una qualche azione nei miei confronti, dovrà dare spiegazioni. Quindi questa volta non mi metto sull'attenti, e me ne frego. «No, signor questore, se mi permette è lei che non capisce. Io non sono il suo burattino.»

«Ma che dice, Wu? Non l'ho mai pensato.»

«Oh sì, invece. Mi ha portato a Roma per ragioni sue, per avere il suo poliziotto cinese da esibire in pubblico. E io ho accettato per ragioni mie. Fino a qui siamo pari. Però lei, signor questore, continua a starmi col fiato sul collo, e a tirarmi da una parte e dall'altra. E adesso vuole che faccia la scimmietta ammaestrata davanti ai giornalisti.»

Il tono di Lanfranchi diventa brusco. I dirigenti non si rivolgono a lui in questi termini: «Si ricordi con chi sta parlando, Wu».

«Me lo ricordo, signor questore. Non intendo mancarle di rispetto. Ma lei si ricordi che per l'appunto io sono cinese. Nato qui, ma sempre cinese. Noi sorridiamo, siamo gentili, poi però tendiamo a fare solo quello che vogliamo.»

«Insisto ancora, Wu. Lei deve parlare con la stampa.»

«E io rifiuto ancora, signor questore. Adesso, mi lasci lavorare.»

Riattacco.

Ci mettiamo in cerca d'informazioni sul campo incolto.

La Longo recupera le immagini scattate dalla Scientifica sul luogo, e la Fresu inquadra la zona su Google Maps.

A Roma non mi oriento ancora bene con le distanze, ma osservando la mappa mi accorgo subito quanto il campo a Torre Spaccata sia vicino a Tor Pignattara e a Tor Tre Teste.

Se è stato Abile Wang a ridurre in pezzi e seppellire le ragazze, si è mosso in un'area che conosceva bene. In pratica, tra casa e bottega.

Però, nella stessa area, i terreni abbandonati sono molti. Perché ha scelto proprio *quello*?

Scaccia sente il municipio di Torre Spaccata, e scopre che il campo fa parte di una serie di lotti per i quali il Comune di Roma aveva previsto il cambio della destinazione d'uso, da agricolo a edificabile.

Ma non è stato costruito niente, come mai?

Missiroli si rivolge direttamente al Campidoglio, e chiede a un suo amico che sta all'Ufficio Tecnico. Quello gli spiega che dopo la delibera che approvava il cambio di destinazione d'uso, l'opposizione in Consiglio comunale aveva scatenato un putiferio, e c'era stata persino una sollevazione di massa a Torre Spaccata, con la gente che accusava il Comune di calare le decisioni dall'alto e portare avanti l'ennesima cementificazione selvaggia delle periferie romane. Poi, c'erano state le elezioni, e la nuova giunta aveva pensato bene di bloccare tutto.

Nel frattempo, però, nell'interregno tra un'amministrazione e l'altra, alcuni di quei lotti erano già stati venduti.

Tra questi, il lotto 13B, che corrisponde al nostro terreno incolto.

Chi lo ha venduto, quando, e *a chi?*

14.

Nel mio ufficio. Il cellulare adesso tace. Mi aspetto che Lanfranchi ritelefoni per farmi una sfuriata, ma per ora non succede. Temo sia solo la calma prima della tempesta.

Bussano, e alla porta si affaccia Pizzuto. «C'è una persona fuori che chiede di lei.»

Mi sporgo dalla finestra, e in mezzo alla selva dei giornalisti, defilato, riconosco Piccolo Zhao.

«Fallo passare dall'entrata del parcheggio» dico a Pizzuto. «Se esco io dal davanti, quelli mi sbranano.»

Pizza esegue, e io scendo.

Trovo Piccolo Zhao che mi aspetta sul retro. «Buongiorno, vicequestore Wu» mi saluta in dialetto.

«È una sorpresa vederti qui» rispondo, anch'io in *wenzhouhua.*

«Pensavo a quello che ci siamo detti quando è venuto al *Xingfu Quan.* Che se ci fosse stata l'occasione, avremmo potuto allenarci insieme. Ma un'occasione non arriva mai, se non la si crea...»

«Vorresti allenarti con me?»

«Sì, mi piacerebbe molto. Ma ora sarà impegnato, non credo che possa.»

Come quando ho buttato lì la proposta, so che non dovrei. E sì, sarei impegnato.

«No, posso» dico invece.

Ci spostiamo in un piccolo parco vicino al Commissariato, fuori dalla vista dei giornalisti e dei miei.

Iniziamo scambiando colpi senza contatto, a un ritmo molto blando.

«La ringrazio davvero molto, vicequestore Wu, per avere trovato il tempo» dice Piccolo Zhao nelle pause tra i primi colpi. «Ho letto che avete rinvenuto quella fossa comune. La vostra indagine deve essere sempre più difficile.»

È chiaro che vorrebbe chiedermi qualcosa, però non lo fa e rimane concentrato sull'esecuzione delle mosse.

«Be', più una cosa è difficile, più è stimolante. Come nelle arti marziali, no?»

Tiro un pugno con maggiore velocità. Piccolo Zhao lo para, ma la parata è sbilenca, e anziché contrastare il colpo con il polso, lo devia con la parte interna dell'avambraccio. Contrattacca con un calcio basso, che io schivo, e con un pugno impreciso che mi prende alla spalla. Si muove come il dilettante che sostiene di essere, eppure sotto i colpi goffi intuisco una forza trattenuta.

«Tu non sai niente di quella fossa?» gli chiedo.

«No, niente. Sono solo dispiaciuto, come tutti, per quelle povere ragazze. Nessuno merita una fine del genere.»

«Davvero non sai nulla? Tu e tuo padre siete parte integrante della comunità cinese, avete rapporti con tutti. Delle ragazze sono state uccise, smembrate e sepolte. Non vi è arrivata nessuna voce?»

«Chi fa cose del genere, di solito, non mette in giro voci.»

«Giusto. Allora dimmi di Abile Wang.»

«Cosa?»

«Noi crediamo che sia coinvolto insieme alla moglie. Tu che ne pensi?»

«Non lo so.»

Sferro un calcio frontale a media potenza e lo colpisco allo stomaco.

Piccolo Zhao accusa l'impatto e arretra. Si toglie gli occhialini senza montatura, e si mette in guardia. Nei suoi occhi c'è uno scintillio nuovo, più duro.

«Queste non sono domande ufficiali, vero?»

«No, non lo sono. Allora? Tu lo conoscevi bene, Abile Wang. Pensi che possa essere stato lui a uccidere quelle ragazze?»

«No, per quanto lo conoscevo, non penso.» Convalida la nostra idea. «Ma quanto possiamo conoscere davvero una persona? Chi può sapere cosa spinge qualcuno a compiere certe azioni?»

Anche la sua postura cambia. Al Cerchio Felice non c'era nulla di *marziale* in lui. Adesso, invece, la posizione delle gambe, delle braccia e delle spalle assomiglia molto a quella di un praticante, anche se lui afferma di non esserlo.

«Davvero ti sei sempre esercitato da solo?»

«Sì.»

Deve essersi esercitato molto.

«Io qui a Roma ho un amico con cui mi alleno. Dovresti trovare qualcuno anche tu.»

«Non è così semplice per me.»

Ci riprovo, come nel suo ufficio: «Perché sei il figlio del *San Chu*?».

Non abbocca. «Perché lavoro troppe ore ogni giorno.»

Attacca ancora, aumentando l'intensità. Una sequenza di pugni portati con i movimenti circolari e sincopati tipici del *Hong Quan*.

Di nuovo, noto le sue mani. Sono solide, robuste, e quando un paio di volte mi centra con i colpi, seppur mai in modo pieno e perfetto, ne avverto il peso.

Contrattacco io. Un altro calcio, per riprendere la distanza, e poi, mentre lui recupera l'equilibrio, lo colgo in controtempo con un *Fak Sao* col taglio della mano tra spalla e collo che gli paralizza momentaneamente il braccio.

Piccolo Zhao alza l'altra mano. Fine. «È davvero molto bravo, vicequestore Wu.»

«È stato mio padre a insegnarmi il *Ving Tsun*.»

«Ma ha fatto anche dei *Beimo*, vero?»

«Sì, li ho fatti e li ho vinti. Tu come lo sai?»

Si tocca il punto tra spalla e collo dove l'ho centrato con il *Fak Sao*, e scuote il braccio indolenzito. «Non lo sapevo, ma si capisce. Ora non combatte più?»

«Solo se sono costretto. Mi hai visto a piazza Vittorio con le Lanterne Blu…»

«Perché?»

«Perché ho dimostrato quello che volevo dimostrare.»

«A chi? A suo padre?»

«A me stesso. Mio padre non mi ha mai forzato. Mi ha sempre seguito, e basta. Ancora adesso, quando ci vediamo, facciamo *Chi Sao* assieme.»

«Deve essere bello.»

«Sì. Sono i momenti migliori con lui.»

«Mio padre non mi ha mai allenato, però anche lui mi ha sempre seguito. I padri magari non condividono tutte le scelte dei figli, ma a modo loro non smettono di starci vicini.»

Come un padre che non avrebbe mai voluto che il figlio diventasse un poliziotto, e poi però accetta di aiutarlo con le indagini.

Piccolo Zhao si rinfila gli occhialetti. «È stato un onore incrociare le braccia con lei, vicequestore Wu, la lascio ai suoi impegni.» Va via.

E io, ancora una volta, non so che impressione farmi su di lui.

15.

Continuiamo a fare ricerche sul terreno incolto a Torre Spaccata. Liberati chiama il Catasto, e riesce a risalire al nome del precedente proprietario. Severino Proietti, residente a Tor Pignattara. Restiamo sempre nei dintorni.

L'assistente capo lo conosce. Per più di trent'anni ha

avuto un negozio di orto frutta nel quartiere. Il "fruttarolo" si vantava di avere sempre verdura fresca, che si coltivava da solo, mica come i pakistani che vendono robaccia presa chissà dove. Forse nel terreno incolto, prima di venderlo, ci teneva il suo orto.

Però l'impiegato della Sezione terreni non trova altro nei registri digitali. Libero non vuole crederci, hanno un sito Internet aggiornatissimo, si può inoltrare richiesta per avere decine di documenti diversi online, e non si riesce a recuperare un accidente di pratica di una compravendita? L'impiegato si profonde in scuse, dice che c'è stato un trasloco di uffici e hanno cambiato anche il provider che gestisce il sito stesso e tutta l'archiviazione elettronica, e ancora non sono a regime. Di sicuro, però, una copia cartacea dell'atto di vendita deve esserci. Da qualche parte.

La Vodafone ci invia i tabulati incompleti perché hanno un *bug* sul server, quindi ce li deve rimandare, e all'ufficio dei registri immobiliari sono nel mezzo di un trasloco, cambiano il provider, e il loro fantastico sito Internet si impalla.

Libero mi riferisce sconsolato: «Non funziona un cazzo in 'sto Paese, dotto'».

Assieme alla Longo e alla Fresu va di persona al Catasto. Sequestrano il povero impiegato, e con lui passano tre ore nei sotterranei, a scartabellare tra i faldoni polverosi.

Alla fine, riescono a riesumare la copia cartacea dell'atto di cessione e acquisto del lotto 13B.

Tornano, e me la mostrano.

In alto, nel documento, compare la data, che risale a cinque anni fa. Seguono le specifiche tecniche del passaggio di proprietà, le varie clausole, e la cifra. Duecentoventimila euro. Poi, in fondo, nome e cognome di venditore e acquirente.

È Huong.

Proietti ha venduto il campo dove è stata scavata la fossa comune ad Alberto Huong, il giovane imprenditore cinese.

16.

Veloce riepilogo con Caruso, e convochiamo di nuovo Alberto Huong.

Lo prendiamo noi a verbale in Commissariato.

Ci sistemiamo nel mio ufficio, e come la scorsa volta Pizza tiene la trascrizione.

Metto davanti all'imprenditore la copia su carta dell'atto di compravendita del lotto 13B.

«Lei è il proprietario di questo terreno?»

«Sì.»

«Sa che cosa abbiamo ritrovato nel *suo* terreno, vero? Era su tutti i giornali e telegiornali, abbiamo ancora la stampa accampata qua fuori.»

«Sì, l'ho saputo.»

«Però non si è sentito in dovere di farsi avanti. Come per i suoi rapporti con i coniugi Wang. Siamo ancora dovuti venire noi a stanarla e portarla qui.»

«Perché non avrei avuto nulla da dire. Non *ho* nulla da dire.»

«Lei, Huong, continua a spuntare fuori nella nostra indagine. Conosceva e aveva rapporti con i Wang, emetteva fatture gonfiate, e adesso scopriamo che il terreno dove abbiamo rinvenuto una fossa comune è di sua proprietà. Delle ragazze sono scomparse, poi sono state uccise, fatte a pezzi e seppellite in quel campo che è *suo*.»

«Io non c'entro.»

«Chi non c'entra niente con una cosa del genere, di solito è ansioso di dimostrare la propria estraneità.»

«Ma io non c'entro davvero. Cinque anni fa è venuto da me Abile Wang. Aveva appena aperto il laboratorio con sua moglie, e facevamo affari insieme. Wang conosceva quel tipo, Proietti, che possedeva il terreno, e aveva saputo di un imminente cambio della destinazione d'uso del lotto. All'epoca avevo ventisei anni, ero in attività ormai da quasi quattro anni, i conti andavano bene, abbastanza da avere una certa disponibilità economica, e ho pensato di investire in quel terreno per farci un agriturismo. Uno di quei posti che piacciano tanto ai romani dei quartieri bene.»

«E Wang le ha presentato Proietti?»

«Sì, me l'ha presentato, e ci siamo accordati per l'acquisto.»

«Alla cinese?»

Le compravendite alla cinese funzionano che voi avete un'attività, un negozio, un bar, una tabaccheria. Oppure un appartamento. O ancora, ed è il nostro caso, un terreno. Un cinese viene da voi e vi fa un'offerta per una cifra x. Di solito, una cifra alta, superiore al valore di mercato. Voi accettate, ingolositi dalla cifra. Andate dal notaio, quasi sempre uno che conosce il cinese, per la stipula del rogito. Tutto regolare. Però la stipula avviene per una somma che è *la metà* di x. Dopo, a rogito firmato, il cinese vi passa una valigetta dentro la quale c'è *l'altra metà* di x, in contanti. E questo, invece, è irregolare. Voi prendete la valigetta, stringete la mano al cinese, e ognuno se ne va contento per la sua strada.

«Ci siamo accordati» taglia corto Huong. «Sembrava vantaggioso per entrambi. Dopo, invece, si è rivelato vantaggioso solo per Proietti. Il cambio di destinazione d'uso per il lotto 13B, da agricolo a edificabile, è stato bloccato. Ho tentato di tutto per sbloccarlo, ma non ci sono riuscito.»

Significa che ha fatto girare parecchie bustarelle. In questa particolare "abilità", cinesi e italiani si contendono il primato.

«Comunque...» continua Huong «il terreno ormai era mio, ma è sempre rimasto inutilizzato.»

«Non è rimasto inutilizzato. Abile Wang, che lei conosceva bene, e che le aveva suggerito l'acquisto, ha usato il terreno per scavare una fossa e buttarci dentro delle ragazze smembrate.»

«Siete certi che sia stato lui?»

«Gli indizi portano a Wang Jiang. E a lei, Huong.»

«Io non c'entro» ripete il giovane imprenditore. «Non ho

mai saputo niente di nessuna fossa comune, né di ragazze scomparse o fatte a pezzi.»

Usa un tono deciso, sicuro, però, mentre parla, la sua mano sinistra, poggiata sul bracciolo della sedia, ha uno scatto, un tremito.

La osservo per un secondo, e lui si affretta a ritrarla.

Lo lascio andare.

È arrivato in Commissariato in qualità di persona informata dei fatti, e se ne va nella stessa posizione. Ma i nostri sospetti su di lui aumentano.

17.

Per il momento, lasciamo da parte Huong.

Il traffico clandestino, le ragazze scomparse, il terreno a Torre Spaccata, la fossa comune. Tutto, nell'indagine, ci riporta costantemente ai Wang, marito e moglie. Dunque, chiediamo un nuovo decreto a Caruso e torniamo al laboratorio tessile e a casa dei coniugi.

Al laboratorio non troviamo niente. Le operaie continuano a vivere nello stanzone dormitorio. Hanno ottenuto il permesso di soggiorno temporaneo per motivi di giustizia, e come previsto dagli obblighi di legge, stanno cercando un nuovo impiego, stavolta in regola, così da avviare le pratiche per formalizzare la loro posizione in Italia.

Così ci dicono. E ci credo.

Non sappiamo in che modo si mantengano e dove trovino il denaro per vivere *mentre* cercano il nuovo impiego. Se nel frattempo svolgono qualche altro lavoro in nero.

Loro, con lo sguardo, mi supplicano di non fare domande. E io non le faccio.

Dopo il laboratorio, torniamo a casa dei Wang.

Di nuovo, rovesciamo tutto. Ma anche qui non troviamo niente.

Io non sono convinto. Rimugino.

Rientriamo in Commissariato. È tarda sera. Quelli che sono di turno smontante possono andare a casa.

Io rimango. Mi barrico in ufficio, do ordine di non disturbarmi, di non passarmi telefonate. E continuo a rimuginare.

Sono sicuro che abbiamo tralasciato qualcosa.

Al laboratorio no.

A casa dei Wang sì.

Esco dal mio ufficio e trovo Scaccia. Lui non era smontante. «Vieni con me.»

«Dove, dotto'?»

«Dai Wang, a casa loro.»

«Ancora?»

«Ancora.»

«Ha già sentito il pm?»

«No.»

Scaccia mi squadra per un secondo. Poi scrolla le spalle. «Bene, andiamo.»

Via Carlo della Rocca, all'altezza del civico 19, è buia. A quest'ora per strada non c'è quasi nessuno e nei palazzi circostanti le finestre illuminate sono poche.

Entriamo.

All'ingresso, mi arresto. Ora che sono stato dai miei, durante la trasferta a Bologna, non posso fare a meno di notare le somiglianze con la casa dei Wang. L'alternanza tra pezzi d'arredo moderni, occidentali, e quelli tradizionali cinesi. Due famiglie di immigrati che cercano un equilibrio tra le proprie radici e il nuovo mondo in cui vivono.

Se c'è sfuggito qualcosa, dove lo possiamo trovare?

Scaccia va in salotto. Io in cucina. Tutte le discussioni più importanti, con i miei genitori e i miei nonni, avvenivano in quella stanza. Lo stesso, tra me e Anna. La cucina è il cuore della casa.

Dove *non* abbiamo guardato?

Sei cinese, sei in un Paese che non è il tuo, ma sei in casa *tua*: dove metteresti qualcosa che non vuoi che venga trovato?

Mi ricordo un dettaglio della cucina dei miei. La credenza più piccola di legno laccato, quella in stile cinese composta da due parti separate e accostate. Da piccolo, per caso, scopro che mio padre tiene una busta che contiene il suo vecchio tesserino da poliziotto, e alcune sue foto in divisa, infilata tra le due parti della credenza. La busta è nascosta nella fessura di mezzo.

Ora cerco un nascondiglio del genere.

Nella cucina dei Wang, di fronte al tavolo, c'è una credenza quasi uguale, ma è un pezzo unico, senza fessure.

Mi chino e passo una mano *sotto* la base della credenza. Niente. Da quell'angolazione, però, noto il meccanismo per allungare il tavolo. Come la credenza, è in stile cinese, ma è una riproduzione moderna, ed è progettato per essere funzionale.

Lo apro.

Da una delle intercapedini in cui sono alloggiate le prolunghe scorrevoli, cade a terra un sacchetto di plastica.

Contiene sei chiavi, tenute assieme da un anello.

Ci sono anche tre biglietti aerei con destinazione Vancouver, Canada, a nome di Wang Jiang, Wang Xinxia e Wang Fanfang. Marito, moglie e figlia.

E c'è un foglietto di carta con sopra annotate cinque colonne da cinque cifre ciascuna, scritte dall'alto verso il basso, in cinese semplificato.

Infilo tutto in tasca.

Avremmo dovuto trovare queste cose durante la prima perquisizione. Colpa mia. Mi ero convinto che dopo avere rinvenuto i documenti falsi al laboratorio, qui a casa non ci sarebbe stato granché di importante. E mi ero lasciato distrarre dall'orsacchiotto di pezza nella stanza di Profumata Wang. Ho commesso una cazzata la prima volta, e l'ho rifatta la seconda volta, poche ore fa, perché non ho *pensato da cinese*. Se Corrias e gli altri mobilieri potessero vedermi, sarebbe il loro turno di agitarmi il ditino sotto il naso. *Eh no, così non va bene.*

All'improvviso, sento un odore acre e un crepitio.

Passo in salotto. Anche Scaccia ha sentito il puzzo e il rumore. Lui va verso la camera matrimoniale, io verso quella di Profumata Wang.

Fiamme.

La stanza della bambina sta bruciando.

18.

Un movimento alle mie spalle. Poi un altro.

Poi un sibilo, uno spostamento d'aria.

Mi giro di scatto ed evito la lama di un largo coltello da cucina.

Due uomini.

Anzi, tre.

Dall'angolo tra il corridoio e la stanza di Profumata Wang ne è spuntato un terzo.

Sono sui trent'anni, a volto scoperto. Cinesi. Non li riconosco.

Il primo è basso, largo, sembra un cubo. Gli altri due sono più alti, snelli. Uno porta gli occhiali da sole, anche se siamo al chiuso e di notte. L'altro ha il naso storto caratteristico di chi se lo è rotto molte volte.

Come cazzo hanno fatto a entrare senza che io e Scaccia ce ne accorgessimo?

No, non sono entrati. Erano *già* dentro. Quando siamo arrivati noi, si sono nascosti.

Quello che ha appena sferrato il fendente, Cubo, solleva il coltello.

Il principio che non si combatte a mani nude contro qualcuno che ha un'arma da taglio è sempre valido, e io slaccio la fondina e metto la mano sulla mia Beretta.

Però non riesco a estrarre la pistola.

Occhiali da Sole mi afferra il braccio destro, mentre Cubo si slancia ancora avanti. Io applico una presa base di *Chin Na* al polso di Occhiali da Sole e lo torco fino a slogarlo, mentre scarto di lato per sottrarmi all'affondo della lama.

Prima che Cubo possa portare un nuovo attacco, percuoto il suo bicipite con un *Tan Sao* che lo costringe a mollare il coltello, e lo spingo indietro.

Intercetto un pugno di Naso Storto con un *Pak Sao*, la mia botta lo sbilancia, ma recupera rapidamente l'equilibrio.

Occhiali da Sole, pure tenendosi il polso, mi si rimette di fronte.

La stanza di Profumata Wang continua a bruciare.

Tutti e tre gli uomini mi stanno davanti. Li guardo, osservo la loro postura e i loro occhi.

Non sembrano intenzionati a uccidere. Noi non sappiamo chi sono loro, però loro sanno chi siamo noi. Più che altro, sembrano volere neutralizzare me e Scaccia, ed evitare di essere arrestati.

Ma sono comunque tre.

Sono un ottimo lottatore, però se combatti contro tre avversari, ce n'è sempre uno di troppo. Due puoi gestirli, con tre diventa difficile. Molto difficile.

Tento di nuovo di estrarre la pistola, ma i tre mi si buttano addosso.

Non c'è tempo.

Tutto quello che posso fare è rompere l'assedio. Provarci.

Punto all'anello debole, Occhiali da Sole col polso slogato. Gli sferro un pugno dritto per dritto, ruotando l'anca e caricando tutto il mio peso sul colpo. Lo centro al plesso solare, un punto vitale.

Bum!

L'impatto dalle costole si riverbera sul cuore, come uno schiaffo.

All'ultimo, ho scaricato un po' l'energia del colpo, quindi

non lo uccido. Ma è sufficiente a tramortirlo. Occhiali da Sole va giù.

Poi eseguo una controrotazione dell'anca e calcio Cubo all'interno del ginocchio. L'articolazione si piega in un angolo innaturale, i legamenti saltano, e anche lui piomba a terra.

Sto combattendo per sbaragliare i miei assalitori e non mi preoccupo di causare danni permanenti.

O loro, o me.

Intanto, due li ho stesi.

Ma sono tre. Uno di troppo.

Naso Storto mi colpisce da dietro, tra la nuca e le spalle.

Barcollo, mi gira la testa, e la vista mi si appanna.

Naso Storto aiuta gli altri a rialzarsi. In due sorreggono il loro compagno col ginocchio strappato.

Fuggono.

Sempre barcollando, io mi trascino in sala. Un altro rogo è stato appiccato in un angolo della stanza.

Scaccia è lì, disteso sul pavimento. Un quarto uomo gli è sopra, anche questo con un coltello in mano. Indossa una maglietta con il simbolo *Shou*, l'antico ideogramma che significa "fortuna, lunga vita". Non riconosco neppure lui.

Scaccia è forte, ma deve essere stato colto di sorpresa. Fortuna cerca di affondargli il coltello alla gola. Forse lui e i suoi compari non erano intenzionati a uccidere, ma adesso è preso dal corpo a corpo e cerca soltanto il modo più rapido per finirlo. Il sovrintendente gli tiene l'avambraccio e oppone resistenza.

Non può durare ancora a lungo, però. E io non posso prendere la pistola e sparare. La mia vista continua a sfarfallare, rischio di colpire Scaccia.

Allora miro con un altro calcio al gomito di Fortuna che tiene il braccio in tensione per cercare di accoltellare Scaccia.

Il gomito si rompe. Sento un *crac*.

L'uomo grida, lascia Scaccia e si rialza. L'avambraccio sotto il gomito fratturato penzola inerte, ma non molla.

È un duro.

Anche Scaccia cerca di rimettersi in piedi, però non è stabile e riprecipita a terra.

Fortuna mi si fa sotto. Passa il coltello nella mano del braccio buono, e tira una stoccata.

Però Fortuna oggi non è fortunato. Perché se lui è un duro, io sono *più* duro. E più abile.

Blocco il colpo con un *Fook Sao*, con la stessa mano gli assesto un pugno al fianco a cui faccio seguire un *Fak Sao*, le dite acuminate, alla gola.

Fortuna tossisce, spalanca la bocca, si stringe il collo, e fa un passo indietro.

E io guadagno spazio. Abbastanza per potere finalmente estrarre la pistola.

Mi sono rotto le palle.

Sparo un colpo in aria, come da protocollo, quindi punto la Beretta contro Fortuna. «Adesso basta» dico in dialetto. «Fermo!»

Si immobilizza.

Intanto, però, il rogo nella sala sta aumentando d'intensità. Le fiamme si stanno propagando assieme al fumo. Scaccia tenta ancora di rialzarsi, sfiorandosi una tempia. Si accascia di nuovo.

Devo scegliere. Scelgo.

Abbasso la pistola.

Anche Fortuna fugge.

Io afferro Scaccia per le spalle e comincio a trascinarlo.

19.

I nostri del Commissariato arrivano per primi.

Manca poco all'alba, e in strada si raduna una piccola folla attirata dalle fiamme e dalle sirene.

Arrivano i pompieri e riescono a spegnere in fretta l'incendio all'interno della casa dei Wang. Tutto sommato, i danni sono limitati e nonostante il rogo si sia propagato proprio dalla stanza di Profumata Wang, l'orsacchiotto di pezza è integro. Un miracolo.

Le case attorno al civico 19 non sono state toccate.

Con i pompieri, arriva un'ambulanza.

E Caruso. Che elegantemente si dimentica che non l'ho avvertito, e dunque che io, un funzionario, mi sono portato un mio sottoposto a fare una perquisizione non autorizzata.

Sono tutti preoccupati per me e Scaccia.

La Longo e la Fresu stanno attorno al sovrintendente, che sembra il più malconcio. «Sto a posto, tranquille» dice lui, un po' infastidito, un po' compiaciuto per quelle attenzioni. «Però se voi fate così, me faccio mena' più spesso.»

Libero e Pizza mi chiedono se anche io sto bene.

Sì. Sono indolenzito, e sento pulsare alla base del collo, dove ho preso la botta. Ho dei lividi larghi e rossi sugli avambracci dovuti ai colpi che ho parato. Mi sento molle, e avverto un dolore vago in tutto il corpo, simile a una febbre.

Magari i tizi davvero non volevano ucciderci, ma abbiamo rischiato lo stesso di finire ammazzati.

Però siamo vivi, penso.

Missiroli incrocia lo sguardo di Caruso, poi si avvicina a me. Mi rimprovera. «Dotto', la prossima volta che pensa di fare una cazzata, come entrare in una casa senza permessi, non deve portare solo uno di noi. Ci deve portare tutti.»

Incasso senza ribattere.

Arriva anche Bellucci con i suoi della Scientifica. Carmelo è rimasto a Medicina Legale con Olivieri a seguire il lavoro sui resti delle ragazze trovate nella fossa.

Bellucci fissa la casa dei Wang, in parte annerita dalle fiamme, in parte allagata dagli idranti dei pompieri. Sa che sarà pressoché impossibile repertare qualcosa di utile. Ma deve farlo lo stesso. Si avvia all'interno con aria rassegnata, seguito dai suoi.

Scaccia recalcitra, poi si lascia visitare dal medico dell'ambulanza. Ha un bernoccolo sul lato della testa, vicino alla tempia. Il dottore lo controlla e vorrebbe ricoverarlo, ha preso un colpo serio, potrebbe avere una commozione cerebrale. Il sovrintendente si rifiuta, si picchia un dito sulla fronte. «C'è troppa poca roba qua dentro, dotto'. Quello che nun c'è, nun se po' rompe.»

Io fornisco un resoconto di quanto accaduto e una descrizione dei quattro piromani. Abbiamo poche speranze di ritrovarli. Vicine allo zero. Se fanno parte dell'organizzazione di Vecchio Zhao e suo figlio, non sono tra quelli che ho visto alla sede del Cerchio Felice, o tra quelli segnalati dalle informative dello SCO e della DIA. Più probabilmente, sono esterni, non affiliati. Ma non sono neppure Lanterne Blu. Troppo vecchi.

«Quei quattro sono stati ingaggiati apposta per questo lavoro» dico.

E a giudicare da come si muovevano e lottavano, sono stati scelti in una qualche palestra di arti marziali, una pratica comune per le Triadi. A quest'ora saranno già spariti nei quartieri cinesi. O spediti fuori città.

«Perché *quattro*?» domanda Caruso. «Non sono tanti per dare fuoco a una casa?»

«Noi cinesi *siamo* tanti» rispondo. «Però ha senso. Quattro perché ognuno si occupasse di una stanza. La cucina, la sala, le due camere da letto. Più veloce, più efficace. Quando io e Scaccia li abbiamo interrotti, avevano appena iniziato.»

«Ma perché bruciare la casa?»

«Non volevano che trovassimo qualcosa.»

«Cosa?»

Tiro fuori dalla tasca il sacchetto di plastica che contiene le chiavi, il foglietto di carta con le cifre scritte in cinese, e i biglietti aerei.

Stiamo tornando in Commissariato. Scaccia viene da me. «Solo una parola, dotto'.»

Lasciamo andare avanti gli altri, e noi rientriamo a piedi da via Carlo della Rocca a via Gino dall'Oro. Ci fa bene per riprenderci.

«Che c'è, Scaccia?»

«Volevo dirle che sono contento che lei faccia quelle cose del Kung Fu.»

«Grazie. Sono contento anch'io. Siamo tutti contenti.» Camminiamo. «Solo questo?»

Scaccia mi lancia un'occhiata di lato, e torna a guardare avanti. «C'è un amico mio che mo sta alla Mobile di Napoli. Sa cosa dicono i mobilieri, là?»

«No, non lo so.»

«Dicono che quando arrivano i dirigenti nuovi so' tutti "dottore", ma al massimo so' infermieri. Che so' "dottore" lo devono dimostrare.»

«E come?»

«Pe strada, sul campo. Co' un arresto importante, 'n'operazione grossa.» Scaccia si ferma, e mi fermo anch'io. «Oppure salvando la pelle a un collega. Come ha fatto lei con me.»

Siamo sulla Casilina, e il rumore del traffico è assordante. È l'ora di punta, la gente va a lavorare.

«Quindi adesso me lo sono meritato, di essere "dottore"?»

«Direi di sì.»

Sorrido.

«E volevo dirle pure che mi dispiace se me so' comportato da testa de cazzo, e lei m'ha dovuto rimette in riga. Ma lei ha avuto ragione su tutto, dotto'. E io mo voglio solo aiutare.»

«Va bene, Scaccia.» Lo guardo dritto negli occhi. «Ci abbiamo messo un po', ma ci siamo capiti.»

Faccio per riavviarmi. Scaccia però non si muove. Non ha ancora terminato. «Lo sa, io non sopporto chi tocca le donne...»

«Questo s'era capito...»

«No, dotto', vede io so' nato a San Basilio, che nun è un bel posto. Ce stavano più ladri che guardie, ma se io so' finito a fa' la guardia invece che il ladro se po' di' che è per una donna. Cioè, ce stava questo, un pischelletto come me che conoscevo, che 'na volta ha picchiato la ragazza sua. De brutto. Io so' annato a cercarlo, lo volevo ammazza'. Ma prima de me è arrivato quest'ispettore: un omone, tipo Libero, ma più cattivo. S'è portato il pischelletto al bar, loro due da soli, ha pagato 'na bibita, e c'ha parlato. Solo parlato. Nessuno sa che j'ha detto. Fatto sta che il giorno dopo il pischelletto s'è presentato a casa della ragazza con un mazzo di fiori, e non l'ha menata più. Mai più. Mo so' sposati e c'hanno due creature. Pare 'na favoletta, ma è vera.»

«È una bella storia, Scaccia. Qualche volta nel nostro lavoro facciamo qualcosa di buono.»

«E pure io voglio fa' qualcosa de buono. Come quell'ispettore. Come lei, dotto'. Me metto a disposizione sua. Completa. Ce so' tutte queste ragazze massacrate, che se ce penso me sale il veleno. Lei può trovare chi è stato.»

Ci guardiamo ancora per un istante, col frastuono delle auto che ci circondano.

«Lo troviamo assieme, Scaccia.»

21.

Caruso ha "aggiustato" un decreto di perquisizione, e tutto ciò che abbiamo rinvenuto a casa dei Wang è stato messo agli atti. Le chiavi sono del tipo a cilindro europeo, il più sicuro sul mercato, con sistema anti-*bumping*.

Cinque su sei.

La sesta è un modello tradizionale, lunga, con una seghettatura poco accentuata.

Sembra chiaro che in cinque casi su sei Abile Wang voleva la maggiore garanzia di protezione possibile.

Ma perché *solo* cinque su sei?

Forse le chiavi, con le annesse serrature, sono state ordinate in momenti diversi. Non lo sappiamo. Non sappiamo neppure che porte aprono quelle chiavi. Che è proprio ciò che vogliamo scoprire.

Con la chiave tradizionale non possiamo risalire a nulla. Con quelle di sicurezza, invece, possiamo seguire una pista, perché sono collegate a un PIN. Solo la ditta produttrice può rilasciare un doppione delle chiavi, e solo su richiesta del proprietario, il quale a sua volta deve comunicare il codice che lo identifica.

Il codice identifica il proprietario. E conduce agli indirizzi dei posti a cui si accede con le chiavi.

Ma le persone, anche nell'epoca in cui tutto viene salvato sul cellulare o sul Cloud, tendono ancora a scriversi le cose su carta. Si sentono più sicure.

Noi, assieme alle chiavi, abbiamo trovato anche un foglietto con sopra delle cifre in caratteri cinesi semplificati.

Cinque colonne da cinque numeri. Che traduco leggendo dall'alto verso il basso.

1-9-7-4-3.

4-4-3-5-6.

9-0-1-2-1.

7-6-9-4-2.

3-1-3-2-5.

Abile Wang si è annotato tutti i PIN.

La ditta produttrice è la Cavallari. La contattiamo e richiediamo tutti i dati. Dovrebbe essere una procedura immediata. Invece no.

Perché scopriamo che la Cavallari è fallita sei mesi fa, e l'amministrazione è passata a un curatore fallimentare che sta tentando di sbrogliare il caos dei conti in rosso.

Chiamiamo il curatore, il ragionier Antonio Corazza, che ci risponde con voce affranta: tutti i beni della Cavallaro, compresi i computer, gli archivi e le carte, sono imballati in un container, e lui non sa dove mettere le mani. Ci assicura, però, che ci farà avere quello che ci serve il più in fretta possibile.

«Eh, ma proprio tutte a noi» fa Libero.

Sfiga.

In un'indagine la fortuna e la sfortuna si alternano. Abbiamo avuto qualche botta di culo, adesso sopportiamo la sfiga.

Aspettiamo.

Poi mi chiama Caruso e dice che pensava di invitarci a pranzo. Oggi. Tutti.

«Dottore, grazie. Ma forse è presto per festeggiare.»

Gli dico del fallimento della Cavallari e del colloquio con Corazza. Finché non abbiamo gli indirizzi, non abbiamo niente.

«Non importa» ribatte Caruso. «Ce lo meritiamo, e basta.»

22.

Ce lo meritiamo.

E torniamo da Bonelli. Noi del Commissariato, Caruso, e in più Carmelo e Bellucci, a cui il magistrato ha esteso l'invito.

Dal tavolo dietro al nostro provengono risate fragorose, e molti di noi si voltano. È un gruppo di uomini sulla settantina. Sono tutti vestiti a festa, con i loro abiti migliori. Sono palesemente felici. Da poche battute che si scambiano, capiamo che quello per loro è un appuntamento abituale, una sorta di ricorrenza. Uno di loro si accorge che li stiamo fissando e ci rivolge un sorriso semplice e disarmante. Anche a me, anche all'unico cinese presente nel ristorante. Un altro si alza e propone un brindisi: «Alla nostra infanzia, alla nostra amicizia, alle donne che abbiamo avuto e abbiamo sciupato».

Adesso anche noi sorridiamo, e per pochi istanti allontaniamo le immagini che continuano a perseguitarci. Se chiudo gli occhi, le rivedo. E so che per gli altri è lo stesso.

Le ragazze smembrate nella fossa.

Gli uomini al tavolo dietro al nostro sono ignari di tutto, e continuano a godersi il pranzo. Noi pure vorremmo essere ignari e felici come loro.

Invece Bellucci ci riporta a casa dei Wang, e a tutto il resto. Dopo l'intervento dei pompieri per spegnere i roghi, lui e i suoi non sono riusciti a repertare nemmeno un'impronta decente.

Lo sapevamo, ma è comunque una delusione.

Solo una cosa hanno trovato: Bellucci mi allunga una bustina di plastica che contiene il bossolo del colpo che ho esploso in aria.

«Un ricordino per lei, dotto'.»

Discutiamo dei biglietti aerei che stavano assieme alle chiavi e al foglietto con i PIN. Abile Wang e Wang Xinxia volevano fuggire con la figlia?

«Secondo me, sì» dice la Longo.

Motivo?

Non lo sappiamo. Sappiamo solo la destinazione: Vancouver.

«Però, scusate» obietta la Fresu, «se volevano fuggire in Canada perché spedivano i soldi in Cina con l'Express Money?»

«Per non destare sospetti» risponde la Longo. «Continuavano a inviare i soldi ai parenti rimasti in patria, mentre progettavano di scappare dalla parte opposta del mondo.»

«Ma se andavano avanti con le spedizioni dei soldi, come pensavano di mantenersi e di vivere in Canada?»

«Con gli *altri* soldi» dico.

«Quelli che avrebbero messo nella banca clandestina?» chiede Pizzuto.

«Sì.»

«Lei s'è proprio convinto, eh dotto'?» dice Libero.

«Sì.»

«Ma de 'sta banca fantasma cinese è poi riuscito a sape' qualcosa?»

«Niente.»

«Ma il dottore s'è convinto perché è logico.» Missiroli mi viene in soccorso. Guarda Caruso e poi gli altri. «Se i Wang volevano fuggire, e però continuavano a mandare grosse somme in Cina, allora vuol dire che avevano *altre* grosse somme a disposizione. E siccome le banche clandestine cinesi *esistono*, ed è provato, ci hanno fatto indagini sopra, allora è logico anche che i Wang ne usassero una per tenerci i soldi che non spedivano. Pure se il dottore non l'ha trovata. Ci siamo?»

Gli altri annuiscono. Anche Caruso annuisce.

Ci siamo.

«E siamo tutti d'accordo che volevano scappare?» chiede la Longo.

Siamo tutti d'accordo.

«Però perché proprio Vancouver?» domanda Scaccia.

«Perché a Vancouver c'è una grossa comunità cinese» spiego. «Potevano trovare un appoggio temporaneo. E poi far perdere le loro tracce in Canada.»

«Ma i quattro tizi che hanno cercato di dare fuoco alla casa dei Wang sapevano che c'erano nascosti i biglietti aerei?» domanda Pizzuto.

«Loro non sapevano niente» risponde Libero. «Qualcuno li ha mandati.»

«Ok, quelli nun sapevano niente» continua Scaccia. «E quell'artri?»

«Chi li ha mandati magari non sapeva dei biglietti, ma delle chiavi sì» dice Missiroli. «Sapevano che Abile Wang le teneva nascoste.»

«Non mi torna, però» dice la Longo. «Voglio dire, perché chi comanda voleva bruciare la casa dei Wang proprio *adesso?*»

«Probabilità» rispondo. «Noi c'eravamo già stati, e non avevamo trovato né i biglietti né le chiavi. Gli era andata bene. Ma dopo abbiamo scoperto la fossa, e non se lo aspettavano. Hanno avuto paura, a ragione, che uscisse il collegamento con Abile Wang. E hanno deciso di fare la loro mossa. Cioè hanno deciso di anticiparci, e hanno mandato i tizi a bruciare tutto.»

«Stiamo sempre parlando di Vecchio Zhao e della sua organizzazione?» domanda ancora la Fresu.

Caruso allarga le braccia: *chi altro?*

Il pm ci aggiorna anche sulle ragazze che abbiamo rintracciato nell'operazione con lo SCO. Le pratiche per il rimpatrio sono state preparate. Nessuna di loro, quando sono state sentite dalle varie Squadre Mobili, o da noi a Milano, ha fornito collaborazione.

Ritornano in Cina dopo essere state vendute, sfruttate e marchiate come bestie. Senza avere neppure sfiorato ciò che sognavano quando sono partite per venire in Italia.

Eppure, devono ritenersi fortunate.

Sono vive.

Quelle nella fossa no.

Però adesso dobbiamo affrontare un'altra questione: «Com'è successo che tutte quelle ragazze sparissero senza che nessuno se ne accorgesse?» chiede Caruso a bassa voce, per non farsi sentire dagli uomini al tavolo dietro di noi.

«Perché non c'era *nessuno* qui per loro» rispondo.

Quando i clandestini cinesi arrivano in Italia portati dalle Teste di Serpente, i membri della famiglia pagano un riscatto per coprire le spese di viaggio. Se loro non sono in grado di pagare l'intera cifra, gli immigrati lavorano per le Teste di Serpente o per le Triadi fino a che il debito non è estinto.

Per le ragazze finite nel giro della prostituzione, ad esempio, quello avrebbe potuto essere un modo per aiutare a saldare. E per la morale cinese non ci sarebbe stato nulla di cui vergognarsi troppo.

Ma se avessero avuto dei parenti, quando le abbiamo rintracciate si sarebbero presentati. Lo stesso vale per le ragazze uccise. Se avessero avuto dei famigliari in Italia, le avrebbero cercate.

«I Wang, o l'organizzazione di Vecchio Zhao, quando si sono rivolti alle agenzie di viaggio "specializzate" in Cina, collegate ai trafficanti, devono avere chiesto specificatamente che venissero portate ragazze che *non* avevano legami qui.»

«Ma ancora non siamo certi che le ragazze nella fossa siano proprio quelle sparite» puntualizza la Longo.

Caruso si rivolge a Carmelo e Bellucci, sempre a bassa voce: «Stiamo aspettando la ricomposizione dei resti».

«Dottore, lo sappiamo. Però non è semplice...» dice Carmelo. «Olivieri e i suoi sono rinchiusi ventiquattr'ore al giorno a Medicina Legale, e noi con loro.»

«È come prendere uno spezzatino e cercare di rimettere insieme il vitello» dice Bellucci.

La Fresu, che stava infilzando un boccone, lascia andare la forchetta. «Dio, che schifo!»

Guardiamo tutti nei rispettivi piatti, con una smorfia disgustata. Poi scoppiamo a ridere. Solo dei poliziotti possono mangiare parlando di certe cose, e fare certe battute. Il solito cinismo degli sbirri che attenua le mostruosità.

In questa indagine tutti abbiamo trovato qualcosa in più dentro noi stessi, e qualcos'altro invece lo abbiamo perso.

Terminato il pranzo, Caruso paga il conto.

«Dotto', qua sta a casa nostra» tenta di protestare Scaccia. «Nun po' offri' lei, nun se fa.»

«*Se fa*, Scaccia, perché il magistrato sono io e comando io.»

Lasciamo il gruppo di settantenni al loro tavolo intenti a ricordare appassionatamente una certa "Carla" che in gioventù aveva rubato il cuore a quasi tutti loro.

Usciamo da Bonelli, e ci spingiamo a piedi fino a largo dei Savorgnan. È sempre Caruso che insiste. Non ha voglia di rientrare subito in Procura.

Per me è l'occasione per scoprire una parte nuova del quartiere. Prima dello slargo, tutte le stradine laterali sono chiuse in fondo dalla ferrovia. Le case sono basse, due o tre piani al massimo, con un piccolo giardinetto davanti. C'è molto silenzio.

Sono sorpreso. Ogni volta che credo di avere inquadrato e definito questa zona, c'è un punto o uno scorcio che contraddice tutto. La somiglianza tra la Garbatella e Tor Pignattara mi sembra ancora più evidente. L'architettura, i volumi, la luce, la sensazione di stare in un paese pure dentro la grande città.

«Qua però ci tengono a dire che loro non sono di Tor Pignattara» spiega Missiroli, «ma della Certosa.»

Sfumature. A Roma la Storia è così stratificata che i confini cambiano a seconda di chi te li racconta.

A largo dei Savorgnan ci fermiamo per il caffè. Se il pm ha offerto il pranzo a tutti, il caffè tocca a me. Entriamo in un bar che è anche – aggiunge Libero, l'esperto del settore – una straordinaria trattoria di pesce. Dietro il bancone, il proprietario e sua moglie dicono che ci aspettano quando vogliamo. La prossima volta. Il giro è finito.

E io chiedo a Caruso di tornare assieme dalla signora Wang.

23.

Il pm mi accontenta e, andiamo di nuovo in carcere da Wang Xinxia. Con lei c'è Sofia Sun.

Con il magistrato siamo d'accordo che sia io a condurre l'interrogatorio. Mostro una stampata delle fotografie che Abile Wang inviava e riceveva con il suo cellulare.

«Sapeva di queste foto?» chiedo a Wang Xinxia in dialetto.

Sapeva di tutte le ragazze che transitavano per il laboratorio tessile e venivano immesse nel circuito della prostituzione? E le altre, quelle che venivano selezionate?

«Per *chi* le sceglieva suo marito?»

Tace.

Tiro fuori altre fotografie, scattate dalla Scientifica, che ritraggono i resti delle ragazze nella fossa comune. «Sapeva che venivano uccise, fatte a pezzi e sepolte?»

Tace.

«Era suo marito a farlo? Era lui che smembrava le ragazze e le seppelliva?»

Tace.

«Per conto di chi lo faceva?»

Continua a tacere.

«Avanti, lo sappiamo che non facevate tutto da soli. Lei è intelligente, e Abile Wang era… abile. Eravate in gamba, ma non abbastanza…»

Wang Xinxia fa una smorfia infastidita, ma ancora tace.

«Abbiamo ritrovato i biglietti aerei a casa vostra» dico, ora in italiano.

Perché volevano scappare? Che cosa è accaduto?

Silenzio. Wang Xinxia fa soltanto un breve sospiro.

Da quando è in prigione non ha perso nulla della sua bellezza. Le labbra piene, però, sembrano essersi assottigliate, e la bocca piega verso il basso.

È stanca.

«Abbiamo trovato anche le chiavi.»

Lei alza lo sguardo, non riesce a nascondere la sorpresa.

Forse non sapeva che suo marito le teneva con i biglietti aerei nello stesso nascondiglio. Magari in un primo momento teneva biglietti e chiavi separati, e poi senza dirglielo ha cambiato.

O forse non si tratta di questo.

Un pensiero mi passa rapido in testa.

Le chiavi aprono delle porte, le porte conducono a degli appartamenti, a delle stanze. Le ragazze venivano selezionate e smistate: nei bordelli o in altri posti.

Quelli a cui si accede con le chiavi.

Forse Wang Xinxia non sapeva proprio delle chiavi, e di conseguenza non sapeva dei posti.

Sapeva delle fatture doppie, anzi era *lei* a gestire la falsa contabilità. Sapeva delle ragazze destinate alla prostituzione.

E sapeva pure delle ragazze che venivano selezionate a parte.

«Le sceglieva lei assieme a suo marito, vero?»

Non risponde. Ma so che è così.

«Le sceglieva assieme a lui, ma non voleva sapere altro. Non voleva avere a che fare con tutto il resto.»

Lei mi fissa. «No, non volevo sapere cosa succedeva dopo. Tra marito e moglie bisogna dividersi i compiti» dice. «È giusto così.»

24.

Usciamo dalla saletta interrogatori, e da Rebibbia. Caruso decide di intercettare Wang Xinxia in carcere. Poi sale in macchina con il suo autista, e se ne va.

Io resto dove sono.

Il sostituto procuratore mi chiama dieci minuti dopo, ancora dall'auto. Ha parlato con il gip che ha dato l'assenso all'intercettazione, e sta compilando il decreto. Io avverto Missiroli e gli dico di attivarsi con la Penitenziaria. Dobbiamo "ambientalizzare" la cella di Wang Xinxia, e bisogna trovare il momento giusto per farlo senza che lei o le altre detenute si insospettiscano per dei movimenti strani. Inoltre, dobbiamo assicurarci che da ora in avanti se Wang Xinxia riceve una visita di qualcuno che non sia il suo avvocato, il colloquio avvenga in una delle salette che come in ogni altro penitenziario è già microfonata per le captazioni.

L'ispettore dice che sente subito i secondini.

Io rimango ancora fuori dal carcere, davanti al portone d'ingresso. Anche Sofia Sun sta uscendo, e questa volta sono io che la aspetto.

«Volevo parlarle.»

«Non eravamo passati al *tu*, almeno quando siamo da soli?»

«Ok, parlarti.»

«Prima io, però» mi anticipa lei. «Voglio che tu sappia che la signora Wang non mi aveva detto nulla su ciò che sapeva o non sapeva. O su quanto era o non era implicata in quello che succedeva alle ragazze.»

Lo dice con enfasi. Le credo. Non è tenuta a darmi spiegazioni. Anzi, va pericolosamente vicina a violare il rapporto confidenziale tra avvocato e assistito. Ma è rimasta scossa da ciò che ha sentito. Da ciò che ha visto. Le ragazze fatte a pezzi nella fossa.

E l'ho aspettata apposta.

«Ti andrebbe di venire con me a fare un giro?»

«Per fare cosa?»

«Per fare insieme un po' di domande.»

25.

Partiamo da Tor Pignattara, Tor Tre Teste, Centocelle. Poi Porta Maggiore. Infine l'Esquilino. I tre più grandi insediamenti cinesi a Roma.

Entriamo nei bar, nei ristoranti, nelle sale slot, nelle lavanderie, nei negozi di articoli per la casa. Molti di questi esercizi appartengono a Vecchio Zhao, o sono riconducibili a lui.

Lascio che a parlare sia soprattutto Sofia Sun, ma non

faccio nulla per nascondere chi sono. Sono già stato a Tor Pignattara a chiedere per la banca clandestina, le voci girano.

Dotto', qua al quartiere se sa tutto de lei. E mica solo qua. Se sa che sta a fa' n'indagine grossa, che ce stanno de mezzo i Wang e pure qualcun altro "più su".

Ho dato all'avvocato Sun le fotografie di tutte le ragazze passate per il laboratorio tessile dei Wang. Quelle finite nel giro della prostituzione, e quelle finite dentro la fossa comune.

Lei mostra le foto e chiede: «Le avete mai viste?».

Qualcuno di voi le conosceva?

Avete sentito qualcosa, delle voci, su ciò che accadeva a loro?

Avete saputo del ritrovamento della fossa comune?

Quasi nessuno parla. Nessuno le conosceva, nessuno sa niente, nessuno ha sentito niente.

I pochi che aprono bocca ammettono che sì, forse qualche voce su delle donne che arrivavano e sparivano l'avevano sentita, ma credevano solo che facessero tappa in Italia dirette in altri Paesi europei. Come accade a tanti cinesi, e in generale ai migranti.

La verità è che a nessuno importava.

Quelle ragazze erano invisibili.

Fantasmi.

Ci sediamo su una panchina a piazza Vittorio. Attorno a noi ci sono vecchi, gruppi di adolescenti, mamme con i loro bambini. Italiani e cinesi.

Ognuno è preso dai propri pensieri, dalle proprie incombenze, dalla propria vita.

Sofia Sun mi guarda. Proviamo un senso di desolazione acuto. «Non ti fa schifo quello che è successo?» mi domanda.

«Sì. Mi fa schifo. Schifo e tristezza.»

«Ho voglia di bere. Ti va di bere qualcosa con me?»

26.

Mi porta a casa sua, dietro a piazza di Santa Maria Maggiore, sempre all'Esquilino. In sala Sofia Sun ha una credenza che usa come mobile bar dove tiene gli alcolici, e scopro che ha gusti insolitamente raffinati: whisky scozzese *single malt*, vodka russa, rum riserva, grappa barricata.

Versa due bicchieri di *Baijiu*, il liquore cinese di cereali. Beviamo senza dire nulla.

Lei posa il bicchiere e mi bacia.

E io rispondo al bacio.

A letto è giovane, fresca, appassionata.

Mi chino tra le sue gambe. Non sono mai stato con una donna cinese, quindi non so cosa aspettarmi. Il suo sapore e il suo odore mi sorprendono. Ciò che sento sulla lingua, nel naso, in gola, mi frastorna e travolge.

Può lavarsi con saponi italiani, coprirsi con profumi occidentali, però sotto, più a fondo, la sua pelle, il suo sudore e i suoi umori sanno di Cina, sanno di tè nero, di incenso, di fiori di pesco.

Mentre la lecco, Sofia Sun si abbandona, si apre e si bagna. Inarca la schiena, e trema. Mi allontana da lei. Mi fa rimettere in piedi, e si siede sul bordo del materasso. Me lo prende in bocca, e mi guarda. Il suo sguardo è limpido, felice.

Appena sente che non resisto più, torna a distendersi, e mi tira a sé, allaccia le gambe dietro la mia schiena e di nuovo mi bacia.

Quando tradisco Anna, c'è sempre un momento preciso in cui avverto una linea di demarcazione. Fino a quel momento è come se potessi continuare a ingannare me stesso, e dirmi che ciò che sto facendo non è così grave.

Poi penetro Sofia Sun, ancora una volta supero quella linea, e non posso più fingere.

Le prendo il viso tra le mani. Avverto solo la sensazione della sua carne tenera ed elastica, e sono sopraffatto dal piacere che mi provoca stare dentro di lei.

27

Dopo, rimaniamo distesi nudi, vicini. Sofia Sun è voluttuosa. La bocca rossa. Le tette sode, i capezzoli dritti, la curva appena accennata della pancia, l'altra curva perfetta del culo, le gambe magre e nervose, i peli morbidi del pube.

Lei sbircia la fede al mio anulare sinistro. Come la Fresu, la prima volta da Bonelli. Sono donne, le donne notano tutto, e sono certo che Sofia Sun avesse visto l'anello anche prima di fare sesso con me.

«Sei sposato» dice. Non è una domanda. E usa il dialetto di Wenzhou. È già successo a piazza Brin. Se qualcosa la tocca nel profondo, torna alla sua prima lingua.

«Sì» rispondo anch'io in *wenzhouhua*. «Ho una moglie e un figlio. Sono a Bologna.»

Non ha senso mentire. Perché io sono così: sono sposato e vado a letto con altre donne.

Però non le dico che lei è la prima donna cinese con la quale sono stato. E non le dico nulla su come mi sento sempre spaccato in due.

Dal modo in cui mi guarda, Sofia Sun sembra già sapere quasi tutto.

In maniere diverse mi ha già chiesto se mi sento in pace con me stesso, e al di là delle mie risposte, credo che conosca la verità. Continua a guardarmi. Non appare ferita o offesa per il fatto che sono sposato e ho un figlio. Se ha visto la fede prima, allora ha deciso lo stesso di venire a letto con me. Lo ha voluto.

Si appoggia su un gomito, e cambia discorso. Come se tutto il resto fosse poco importante e lo avesse già dimenticato. «Volevo dirti che mi piace quello che stai facendo, Wu.» Di nuovo passa dal dialetto all'italiano.

Mi adeguo. «Grazie. Ma non sto facendo niente. Cioè, se per quello che stavo facendo due minuti fa…»

«Scemo.» Sorride, un fiore che sboccia. «Non per quello. Intendo l'indagine. Mi piace quello che fai e *perché* lo fai.»

«Anche se indago sulla tua assistita?»

«Sì.»

«E tu? Oggi sei venuta con me per le ragazze, non per la tua cliente, vero? Per aiutarci. Per aiutare loro.»

«Vero.»

«Invece Wang Xinxia non ci aiuta.»

«Lo so.»

«Ti avevo chiesto di convincerla a collaborare...»

«E quando l'avete arrestata ti ho spiegato che ci avevo provato e non ci sono riuscita. Adesso che sta in carcere si è chiusa ancora di più. Con me parla solo per lo stretto indispensabile. Senza neanche troppa convinzione, tra l'altro.»

Mi fissa. Adesso sta decisamente infrangendo i vincoli del rapporto cliente-avvocato. Non dovrebbe rivelarmi questi dettagli. Ma non avremmo dovuto nemmeno andare in giro assieme a fare domande su un caso che coinvolge entrambi su sponde opposte, e non dovremmo essere qui, adesso, nudi nel suo letto.

Io reggo il suo sguardo. E Sofia Sun prosegue. Subito dopo l'arresto, ha presentato a nome di Wang Xinxia un'istanza di rilascio al Tribunale per il Riesame. L'istanza è stata respinta, e allora ha abbassato il tiro facendo richiesta per ottenere almeno i domiciliari. Non ha ancora avuto il responso, ma nel caso che anche la richiesta per i domiciliari venisse rigettata, Sofia Sun ha proposto a Wang Xinxia di provare in Cassazione, e lei ha risposto di fare come meglio crede. Basta.

«Nella sua situazione, sono atti quasi dovuti, con poche possibilità di accoglimento, però a lei proprio non interessa. Le ho spiegato anche che come suo avvocato potevo svolgere indagini difensive, ma ha risposto che c'era già abbastanza gente che indagava. Sembra quasi che non voglia uscire di galera.»

«O è colpevole, e lo sa. E anche in Cina c'è il detto che la merda più la rimesti, più puzza.»

«Forse. O forse in Cina ha imparato che è inutile lottare contro le autorità.»

«Ma perché non si apre nemmeno con te?»

«Perché non si fida. Dal suo punto di vista io sono davvero una *banana*. A te non succede, Wu?»

Sofia Sun sembra leggermi dentro. «Mi succede da una vita. Ma per tutti, italiani o cinesi, io sono sempre uno sbirro di merda.»

Ride, di nuovo. «Giusto. Fatto sta che con me, Wang Xinxia, non dice una parola.»

«Però non capisco» sbotto. «Cazzo, le hanno ammazzato il marito e la figlia! C'è una fossa piena di ragazze morte! È coinvolta e vuole tutelarsi, va bene, ma come può essere totalmente insensibile?»

«Perché non è come noi due. Per lei è tutto diverso. Noi siamo cinesi, ma siamo nati qui, lei no. Lei è *arrivata* qui, e si è isolata nel suo mondo, con sua figlia, suo marito e i loro traffici. Ha fatto delle cose certamente sbagliate, e di alcune di queste, come dici tu, è consapevole. Per altre, invece, non crede di essere nel torto. Pensa di avere fatto solo ciò che era necessario per sopravvivere con la sua famiglia in un Paese straniero. Una morale differente.»

«Quindi, non smania per uscire di prigione perché pensa che non si può andare contro l'autorità, ma allo stesso tempo non collabora.»

«Ha paura di voi, dei poliziotti, dei magistrati, ma ha più paura delle conseguenze che subirebbe se parlasse. È lo stesso per quasi tutti i cinesi immigrati in Italia di prima generazione, e anche per moltissimi come me e te, che sono nati qui e parlano l'italiano molto meglio del loro dialetto o del mandarino...»

Sofia Sun s'interrompe. «Mi hai portata a letto per questo?» chiede dopo un istante. «Per convincermi a far parlare Wang Xinxia?»

«Veramente, hai cominciato tu, sei stata tu che mi hai baciato per prima.» La guardo, sollevata sul gomito, ancora nuda e distesa di fianco a me. «E comunque non serve un motivo per venire a letto con te. Volevo saltarti addosso già dentro la tua macchina.»

Lei sorride. «Anche io.»

In un certo senso sapevamo che sarebbe successo.

Continuo a guardarla. Il viso irregolare, il naso troppo grande e gli occhi troppo distanti. Le imperfezioni che si sommano e fanno la sua bellezza. «Però non doveva capitare.» Il pensiero riaffiora a pungermi. Tra le cose che non avremmo dovuto fare, c'è soprattutto questa. «Se si viene a sapere, per me sono casini.»

«Be', se si viene a sapere anche per me non sono rose e fiori. Ma lo abbiamo appena stabilito.» Un po' è seria, un po' mi prende in giro. «Io sono cinese, siamo cinesi tutti e due, e i cinesi non parlano, no?»

Non riesco a smettere di guardarla. «Come fai?» chiedo.

«A fare cosa?»

«Come fai a difendere una donna che è stata complice nella tratta di quelle ragazze? Che direttamente o indirettamente le consegnava nelle mani di qualcuno che poi le ammazzava?»

«Pensavo di avertelo spiegato.»

«No, mi hai spiegato che sei una brava persona, e su questo non ho dubbi. Ma appunto: come fai?»

Sofia Sun non risponde. Si alza, mi dà le spalle, si copre con una felpa che tiene ai piedi del letto, e va a mettersi di nuovo in sala.

Mi rivesto in fretta e la raggiungo.

È seduta sul divano con le gambe raccolte al petto. Sembra ancora più giovane.

A differenza di casa dei miei, o di casa dei Wang, l'appartamento è interamente arredato con mobili di fattura occidentale e moderna, tranne pochi pezzi tradizionali cinesi, come la stessa credenza che usa come mobile bar, scelti con cura e disposti in maniera strategica. È caldo e luminoso.

Si sta bene qui.

«Tu perché hai deciso di fare il poliziotto?» mi domanda.

«È un discorso lungo.»

«Fallo breve.»

«Perché voglio prendere i cattivi.»

«Me l'hai già detto. Però quando li prendi sei sicuro che siano cattivi?»

«Quasi sempre.»

«Ma *non* sempre. Potresti sbagliarti.»

«Sì.»

«Vedi? In fondo è semplice. Tu dici che un cattivo è cattivo, io dico che non è vero, e qualcun altro, il giudice, stabilisce chi di noi due ha ragione. Se non ci fossi io che difendo il cattivo, e tu ti sbagliassi, un innocente finirebbe in galera.»

«Sei un avvocato, Sofia Sun, ci stai girando intorno.»

«Non ci sto girando intorno. È il sistema giudiziario. È imperfetto e pieno di buchi, ma è l'unica forma di ordine che abbiamo. Ci siamo dentro tutti e due, e abbiamo dei compiti. Tu svolgi il tuo, e arresti i cattivi, io svolgo il mio e li difendo.»

«Ma io ti ho chiesto come fai a difendere una persona che è colpevole. Perché anche tu sai che Wang Xinxia è colpevole. Come ci riesci?»

«Di lei non parlo più con te.»

Resta in silenzio. «Ci riesco perché devo» dice poi. «Perché sono un avvocato. Difendo i miei clienti sperando che siano innocenti, ma li difendo anche se sono colpevoli. Tutti hanno diritto alla migliore difesa. Non è solo una frase così, è un principio basilare: senza, crolla tutto.»

Sofia Sun ha le guance arrossate, si scioglie dalla posizione rannicchiata, e si tira su dal divano. È importante per lei.

«Tu credi che il mio lavoro sia sbagliato?»

«Il tuo lavoro, molte volte, manda a puttane il mio. E ancor più spesso lascia in libertà dei criminali.»

«Quindi credi che sia sbagliato?» insiste.

Attendo un secondo prima di rispondere. «No. Non lo credo.»

Ci guardiamo. Sofia Sun mi sfiora le labbra con un bacio.
È tardi, devo andare via.
Lei intuisce, e prima che sia io a dirlo mi spinge fuori di casa. «Adesso vattene.»

28.

A casa, sotto la doccia, cerco di lavarmi di dosso l'odore di Sofia Sun e il senso di colpa.
Entrambe le cose senza successo.
Sul cellulare trovo un messaggio arrivato mentre ero in bagno. È di Alessandro. "Ahó, sei sparito?" scrive.
Rispondo: "Domattina?".
E lui: "Domattina".
Poi accendo il computer e trovo un altro messaggio: mio nonno su Skype.
Richiamo, e come al solito trovo Forte Li e Bellissima Li svegli, anche se è quasi mezzanotte.
Mi raccontano che mio padre è teso, e loro si sono agitati. Non ha dato spiegazioni, ha solo accennato che si sta occupando di una faccenda per me.
Cioè, cercare di ricontattare Yun Heng, il suo collega di quando stava in polizia, per avere informazioni su Vecchio Zhao.
«"È per mio figlio" ha detto, e nient'altro» mi comunica Forte Li.
Senza entrare nei dettagli, confermo che sì, mi sta aiutando per una cosa di lavoro. È tutto a posto.
«Ci preoccupiamo. Per lui, e per te» dice Li Meyu.
«Sei il nostro primo nipote» dice Forte Li.
«Per fortuna il secondo è venuto meglio.»
Sullo schermo del computer Forte Li e Bellissima Li si rivolgono un'occhiata d'intesa. Stanno assieme letteralmente da una vita, è sufficiente per capirsi.

«Lo sai, anche se lui non riesce a dirtelo, tuo padre ti vuole bene.» I toni del dialetto di Li Meyu si addolciscono.

«Lo so.»

«Bravo. Non dimenticartelo.»

Non me lo dimentico.

Amo Anna e Giacomo, eppure non sto con loro, non vedo e non sento mio figlio, e tradisco mia moglie. Mio padre mi vuole bene, ma non riesce a dirmelo.

L'amore è un rifugio. Oppure è una condanna.

29.

La Garbatella si sta svegliando adesso. Dal tetto del palazzo dove stanno i genitori di Alessandro si sentono le poche voci dei primi che escono per andare al lavoro, i rumori delle saracinesche dei bar che aprono, e della musica classica a basso volume che proviene da una finestra dell'edificio di fronte.

«T'ho visto alla tv, e parlavano de st'indagine... Com'è che se chiama?»

«Grande Muraglia.»

È la prima volta che Alessandro mi chiede qualcosa riguardo al mio lavoro di poliziotto. Poi nota i lividi sui miei avambracci, il ricordino dello scontro avvenuto a casa dei Wang. Stanno iniziando a scolorire, ma sono ancora evidenti.

«Un piccolo diverbio con certi tizi» spiego.

«Quell'altri come stanno?»

«Peggio di me.»

«Bravo.»

Saltiamo la prima forma, e passiamo direttamente a fare assieme la seconda e la terza, più movimentate, per scaldarci. *Chum Kiu* e *Biu Jee*.

Dopo le forme, *sparring*.

Guanti, paradenti.

«Non sei andato male» dice Alessandro, alla fine.

«Neanche tu. Mi fai faticare.»

«Sempre troppo poco.»

«Se con quei tizi me la sono cavata è anche per questo.»

«Chiaro, t'alleni col migliore.»

Scendiamo dal tetto del palazzo. Devo andare in Commissariato, lui in azienda.

«Non te dico niente perché lo sai, no?»

«Quando posso mi faccio vivo io.»

«Bene.» Alessandro si fa serio. «E manco per la tua indagine te dico niente.»

«Cioè?»

«Alla tv hanno fatto vede' anche le immagini de quella fossa.»

Non aggiunge altro, ma ho capito.

30.

Corazza, il curatore fallimentare della Cavallaro, la ditta produttrice delle chiavi, ci richiama. È riuscito ad accedere agli archivi dell'azienda stivati nei container dopo il fallimento, e ci fornisce le informazioni che gli avevamo chiesto.

Dai codici PIN che gli abbiamo passato è risalito all'intestatario delle chiavi e delle relative serrature di sicurezza. Sono state fatte a nome di Wang Jiang, residente a Roma, in via Carlo della Rocca, eccetera. Abile Wang.

E sempre dai PIN, Corazza ci dà i recapiti relativi alle chiavi.

Cinque indirizzi. Due all'Esquilino, gli altri tre a Porta Maggiore, Ponte Casilino e Centocelle.

Quattro quartieri, cinque posti.

Cinque appartamenti, per la precisione.

Rimane quella sesta chiave, la chiave tradizionale da cui non si può risalire a nessun luogo preciso.

Ma invece di fissarci su ciò che ci manca, ci concentriamo su ciò che abbiamo. Riprendiamo i tabulati di Abile Wang, e quelli del numero di China Unicom.

Le celle delle zone dove si trovano gli indirizzi, escludendo Manzoni, sono le stesse dove si sono agganciati i due cellulari *contemporaneamente*.

Abbiamo la risposta a una nostra domanda: cosa ci facevano *insieme* Abile Wang e il possessore del numero cinese in quei quartieri? Andavano negli appartamenti dei quali Wang Jiang aveva le chiavi.

31.

Ci facciamo dare dal pm i decreti, mobilitiamo l'intero Commissariato, e ci dividiamo in squadre con il supporto dei nostri agenti in divisa e con i tecnici della Scientifica.

Cinque squadre collegate via cellulare, ognuna in possesso di una delle chiavi di sicurezza di Abile Wang.

Quando ci accingiamo a entrare negli appartamenti, sempre via cellulare ordino di estrarre le pistole e mettere il colpo in canna.

Non sappiamo cosa ci attende all'interno.

Do il "via", entriamo.

Gli appartamenti sono vuoti. Tutti e cinque.

Non c'è nessuno, e non c'è niente.

Rinfoderiamo le armi.

Le stanze sono spoglie: pochissimi mobili; qualche divano economico; in una cucina, un tavolo di plastica, uno di quelli da campeggio; qualche sedia, sempre di plastica; un tavolinetto di legno scadente in uno degli ingressi; un paio di vecchi televisori; alcune brandine di ferro senza materasso e lenzuola.

I tecnici della Scientifica riprendono con le videocamere. Tra tutti e cinque gli appartamenti, troviamo soltanto alcuni oggetti sparsi. Una crema detergente, un lucidalabbra, una spilla di bigiotteria, delle confezioni di assorbenti.

Missiroli mi chiama. È in uno dei due appartamenti all'Esquilino, io in quello a Ponte Casilino.

«Dotto', a lei che sembra?» mi chiede.

«Mi sembra che ci siamo, Missiro'.»

«Possibile che le ragazze che stavano nella fossa comune, prima fossero tenute qui?»

«Sì, possibile. Anzi, quasi certo.»

«Secondo me ce n'erano anche altre, prima o dopo, che poi sono state spostate.»

«E secondo me c'hai ragione, Missiro'.»

Cerco Caruso e lo aggiorno. Ora che abbiamo scoperto la fossa e individuato gli appartamenti dove pensiamo fossero tenute le ragazze, abbiamo una certezza in più: la rapina ai danni di Wang Xinxia e Abile Wang, da cui è iniziato tutto, era una copertura.

«È stata *davvero* un'esecuzione, Wu» dice il magistrato. «E la signora Wang è stata risparmiata dalla fortuna.»

«Non necessariamente, dottore…»

«Continui.»

«I Wang avevano avviato il traffico delle ragazze con l'accordo e l'aiuto di terzi. Chi tira i fili poteva volere che qualcuno continuasse l'attività…»

«La signora Wang.»

«Esatto.»

«Ma lei sapeva?»

«Non ne ho idea, dottore.»

Caruso tace per qualche istante. «Sa cosa, Wu? Abbiamo arrestato quella donna, abbiamo le prove della sua complicità con il marito, e nonostante tutto voglio credere che *non* lo sapesse.»

«Anche io, dottore. Anche io.»

32

Sempre divisi in squadre, e sempre in contatto via cellulare, prendiamo a verbale *in loco* gli inquilini degli appartamenti confinanti con i nostri cinque.

Tra loro ci sono anche italiani, ma la maggioranza sono stranieri: India, Pakistan, Bangladesh, Egitto, Filippine e Cina. Nessuno ha molta voglia di parlare con la polizia, ci dicono solo che, fino a qualche tempo prima, vedevano entrare e uscire qualcuno dalla porta a fianco, poi più nessuno.

Quando vedevano entrare e uscire qualcuno? Da quanto non è più successo?

Non ricordano.

Qualcuno, chi?

Cinesi.

I cinesi residenti nei palazzi confermano.

Uno o più di uno?

Non sanno. Non hanno prestato attenzione.

Hanno scambiato qualche chiacchiera tra connazionali?

Come va?, buongiorno, buonasera, nient'altro.

In generale è mai capitato che notassero degli estranei nel palazzo?

Forse.

In che senso, *forse*? Nel senso che i palazzi dove stanno i cinque appartamenti sono grandi, molti piani, più abitazioni a ogni piano, non ci si conosce tutti, e tra italiani e stranieri spesso nemmeno ci si saluta: se incontri uno per le scale difficile dire se è un estraneo o vive lì.

Ok, torniamo agli appartamenti: si sentiva qualcosa dall'interno? Rumori particolari, voci, urla, discussioni?

Dei colpi, riferisce qualcuno.

Che colpi?

Tonfi. Tipo martellate. A volte anche rumore di sega. Come se stessero facendo dei lavori.

E questi colpi, o il rumore di sega, si sentivano spesso?

No, solo per un periodo. Chi li ha sentiti, tuttavia, non saprebbe indicare con esattezza il lasso temporale.

I muri in questi palazzi sono sottili, non si sentiva nient'altro?

No. Anzi, alcuni tra gli inquilini che ascoltiamo credevano che gli appartamenti fossero disabitati.

E, in effetti, a un certo punto non c'è stato più nessuno dentro.

Però, di nuovo, quando?

Richiamo Missiroli, che mi raggiunge all'appartamento a Ponte Casilino, e ci confrontiamo sulla cronologia dei fatti.

Quando, con esattezza, i cinque appartamenti sono stati svuotati e le ragazze spostate?

Bellucci intanto si unisce ai suoi tecnici, fa la spola tra gli appartamenti, e iniziano a fare i rilievi, mentre Carmelo è ancora a Medicina Legale per la ricomposizione dei resti delle ragazze. Notano lievi graffi attorno a tutte e cinque le serrature, e ce lo comunicano. Potrebbero essere segni di scasso. Se lo sono, significa che qualcuno è entrato senza le chiavi che erano nascoste a casa di Abile Wang, forzando le chiusure di sicurezza.

Dunque, dagli appartamenti è stato portato via tutto, comprese le ragazze, *dopo* che Abile Wang è morto.

Wang Jiang ha le chiavi. Wang Jiang viene ucciso assieme a sua figlia. Parte la nostra indagine. Chi ha mandato i croati – diciamo, Vecchio Zhao, Piccolo Zhao, e la loro organizzazione – forse crede che esista un doppione delle chiavi che invece non esiste. O forse pensa di poterle recuperare in qualche altro modo, magari attraverso Wang Xinxia. Che lei sapesse o meno della rapina/omicidio.

Noi, nel frattempo, perquisiamo la casa dei Wang la prima volta e non troviamo le chiavi. Io credo che Abile Wang avesse spostato il nascondiglio. Se davvero Vecchio Zhao e quelli della Luce Limpida si sono rivolti a Wang Xinxia, nemmeno lei le ha trovate.

Basta. Decidono di non rischiare oltre, e per il momento lasciano stare la casa dei Wang e danno per perse le chiavi.

Però si trovano con l'esigenza di dover accedere comunque agli appartamenti. Non possono lasciare le ragazze chiuse là dentro. Sono senza cibo. E, soprattutto, sono sole e incustodite.

Allora Vecchio Zhao, Piccolo Zhao, o qualcuno per loro, ingaggia uno bravo, uno che sappia fare un lavoro di fino.

I segni di scasso, e le case vuote.

«Ti torna, Missiro'?»

«Mi torna, dotto'.»

Poi noi scopriamo la fossa comune e le chiavi diventano un problema. Anzi, *tornano* a essere un problema. Vecchio Zhao e i suoi, quindi, tentano la mossa disperata di mandare i quattro tizi a casa dei Wang. O recuperano le chiavi, o devono bruciare tutto.

In ogni caso, devono impedire che *noi* ne entriamo in possesso. Perché sanno che se troviamo le chiavi, possiamo unire i puntini e arrivare qui.

Agli appartamenti.

Hanno tolto tutto, e mosso in gran fretta le ragazze, ma gli immobili restano, e di per sé sono una prova.

E ci possono dare delle piste da seguire.

Infatti, Missiroli si guarda attorno nel salone vuoto dell'appartamento di Ponte Casilino. «Ma questo posto di chi è?» la voce dell'ispettore rimbomba tra le pareti. «Di chi sono queste case?»

Cioè, a chi appartengono i cinque appartamenti?

In Commissariato, Libero ricontatta il Catasto, e scopriamo che gli appartamenti sono intestati a un'immobiliare, la Quiet Place Real Estate, con sede a Roma, sulla Prenestina.

Missiroli verifica presso l'Agenzia delle Entrate e gli viene detto che tutti e cinque gli appartamenti sono affittati a un cinese di nome Xu Xielin.

Un prestanome.

Missiroli esegue un'anagrafica, e trova che l'uomo ha ottantotto anni, e non sta più a Roma, si è trasferito a Torino.

L'ispettore contatta la Mobile di Torino che, dopo meno

di un'ora, ci richiama. Riferiscono che Xu Xielin era alloggiato presso alcuni parenti, ma ora si trova in una casa di cura. Soffre di demenza senile, non riconosce più nemmeno i famigliari, e di sicuro non è in condizione di rispondere a delle domande.

Lasciamo Xu Xielin dove sta.

Mando Scaccia e Pizza a controllare l'immobiliare, ma all'indirizzo risulta soltanto un locale commerciale vuoto, in mezzo ad altri negozi. I commercianti dicono di non avere mai visto nessuno lì dentro.

La Quiet Place Real Estate è palesemente una società di copertura.

Ci metto la Longo e la Fresu, che hanno già fatto lo stesso lavoro con la Ali di Farfalla.

Le due si attaccano subito al computer. La Fresu non dice nulla, e inizia a picchiettare veloce sui tasti. La Longo mi rivolge un cenno. Al solito, i suoi modi sono discreti, gentili. Il tono però è deciso: «Se qui dentro c'è qualcosa, lo tiriamo fuori».

33.

Meno di ventiquattr'ore dopo, Carmelo mi chiama e mi dice che lui e Bellucci stanno venendo in Commissariato.

«Che succede?»

«Aspetta.»

Aspetto.

Quando arrivano, ci siamo tutti. Solo la Longo e la Fresu disertano perché sono prese dall'immobiliare.

Bellucci riferisce dei rilievi negli appartamenti. Oltre alle brandine, e agli scarsi mobili ed elettrodomestici che hanno trasportato in laboratorio per esaminarli con più calma, gli unici altri oggetti repertati sono quelli che già avevamo rinvenuto noi durante le perquisizioni: la crema detergente, il lucidalabbra, la spilla, le confezioni di assorbenti. E pure su questi non c'è molto.

La crema detergente era vecchia e ormai secca, lo stesso il lucidalabbra. La spilla, al contrario, era nuova, e sembra non fosse mai stata usata. Le confezioni di assorbenti erano intonse. Niente sudore, saliva, peli, o cellule epiteliali da cui tentare di rilevare il DNA. Nessun'altra fibra di qualunque tipo. Qualche impronta digitale ma incompleta, inutilizzabile.

Che gli appartamenti fossero stati svuotati, lo abbiamo visto da noi. Ma oltre che svuotati, sono stati ripuliti da cima a fondo con detersivi e detergenti industriali. Sostanze in grado di cancellare ogni residuo.

Gli uomini di Bellucci hanno usato la lampada Crimescope, e passato con il Luminol tutti i vani per individuare depositi ematici e biologici, ma la reazione ai detergenti ha dato soprattutto "falsi positivi". Il poco materiale organico rinvenuto e isolato è deteriorato.

«Però abbiamo appena iniziato ad analizzarlo. E abbiamo appena cominciato anche con tutta la roba che ci siamo portati in laboratorio» conclude Bellucci.

Tocca a Carmelo. La ricomposizione dei resti delle ragazze a Medicina Legale è terminata, Olivieri ha steso un rapporto con i risultati delle analisi antropometriche avanzate.

Carmelo ce lo consegna.

Assieme, confrontiamo i risultati delle analisi antropometriche con le fotografie e i dati sulle ragazze che non siamo riusciti a rintracciare nel circuito della prostituzione, e abbiamo la conferma.

Le giovani donne fatte a pezzi e sepolte nella fossa comune sono loro.

«Quante?» chiedo.

«Dodici» risponde Carmelo.

Siamo partiti da cinquanta, ne mancano ancora *tre*.

Guardo i miei: Missiroli, Libero, Scaccia, Pizzuto. Guardo Carmelo e Bellucci. «Dove sono queste tre ragazze?»

Nessuno risponde.

Mando un messaggio a Pieri allo SCO. Dopo la nostra operazione di polizia su vasta scala, aveva diffuso una segnalazione per cercare le quindici ragazze che non avevamo rintracciato. Per dodici di loro, non è più necessario.

Per altre tre, vale ancora.

Sul giro delle ragazze, ogni volta che crediamo di averne inquadrato la dimensione, ci manca un tassello e i contorni di nuovo ci sfuggono.

Potrebbero essercene state delle altre? Altre ragazze immesse nel circuito della prostituzione? Altre ragazze scomparse e uccise?

Sì.

Dopotutto, pensiamo che le ragazze finite nella fossa non fossero le uniche a essere state tenute nei cinque appartamenti. I Wang potrebbero avere organizzato altre volte lo stesso giro con il quale hanno fatto transitare le cinquanta donne dal laboratorio tessile?

Sì.

Potrebbero esserci stati altri documenti che hanno distrutto o rivenduto?

Sì.

Allora, le ragazze potrebbero essere state molte più di cinquanta?

Sì.

Ci sono altre fosse comuni?

Abile Wang ha avuto a disposizione il campo incolto a Torre Spaccata per cinque anni, ma là non ne abbiamo trovate. Però, se il traffico di ragazze andava avanti da più tempo, se i Wang l'hanno rifatto più volte, *potrebbero* esserci altre fosse comuni da qualche altra parte?

Sì. Potrebbero.

Carmelo ci interrompe, e si rivolge a me. Nei suoi occhi e nella sua voce c'è un tremito. «Devi guardare anche i risultati delle autopsie e delle analisi sui resti delle ragazze.»

Guardo. Leggo.

Il referto nel rapporto di Olivieri dice che le ragazze sono state tutte smembrate per mezzo di una lama larga e pesante, con colpi inferti in senso discensionale, dall'alto verso il basso, senza badare alla precisione ma con forza sufficiente a staccare gli arti e la testa.

Il termine tecnico è "depezzare".

Visto il risultato prodotto, il medico legale ritiene che la lama usata fosse simile alle mannaie dei macellai.

Il tronco e gli arti, poi, sono stati ridotti a sezioni di misura inferiore usando una seconda lama dentellata, tipo sega per il ferro.

Prima di essere depezzate e sepolte, tutte le ragazze sono state lavate con vari detergenti e saponi.

Come gli appartamenti.

L'unica differenza sta nel tipo di prodotti impiegati. Per le ragazze non sono stati usati detergenti industriali, che avrebbero ulcerato la pelle e la carne, ma altri specifici adatti alla pulizia del corpo umano, con una composizione meno caustica. Non si è però riusciti a risalire alle marche dei prodotti.

Allo stesso modo, è impossibile stabilire con precisione se il lavaggio sia avvenuto quando le ragazze erano ancora vive, o dopo.

Se *ante* o *post mortem*.

«Anche sui resti delle ragazze stiamo cercando materiale organico» dice Bellucci. «Ma con tutti i detergenti che hanno usato per lavare i corpi, anche se appena più delicati, è complicato...»

«È questo che era così importante? Che le ragazze sono state lavate?» chiedo.

«No.» Carmelo indica il referto. «Continua a leggere.»

Continuo.

Durante le autopsie, Olivieri ha rilevato sui resti delle ragazze *decine* di *altri* tagli.

La tipologia delle ferite è molto diversa dai colpi inferti per staccare gli arti, o dai successivi segni di sega per ridurli a pezzi di misura inferiore, e il medico legale afferma con relativa certezza che sono state usate lame differenti, più sottili e lunghe.

E che i tagli sono stati fatti da *un'altra mano*.

La stessa mano.

Sono stati praticati *ante mortem* – questo è stato possibile appurarlo – e sono precisi, regolari, netti.

Tutte le ragazze sono state torturate.

Per quanto è stato possibile verificare, date le condizioni dei corpi, non ci sono evidenze di stupro.

La causa probabile di morte è il dissanguamento in conseguenza dei tagli subiti.

Inoltre, sui tagli sono state rinvenute piccole quantità di disinfettante medico, tipo Citrosodil o simili.

«*Lingchi*» dico io.

Ora tutti mi guardano. I miei, Carmelo e Bellucci.

«Era una tecnica di esecuzione capitale cinese. È stata usata dal X secolo fino al 1905, quando è stata abolita. Si chiama la Morte Dei Mille Tagli, o Salire la Montagna Lentamente. Sulle vittime venivano praticati centinaia di tagli, nessuno dei quali letale. Spesso, i tagli venivano curati al termine di una "sessione", per prolungare l'agonia.»

Tutte le ragazze sono state ammazzate così.

Poi, qualcuno ha depezzato, cioè ha fatto a pezzi le ragazze, e le ha sepolte.

Forse Abile Wang, forse facendosi aiutare.

Ma prima, *qualcun altro* ha torturato e ucciso le ragazze con la Morte Dei Mille Tagli.

Le analisi forensi dicono che i tagli sono stati fatti dalla stessa mano.

La nostra ipotesi di reato era di omicidio plurimo aggravato a carico di ignoti.

Adesso gli ignoti diventano *un* ignoto.

Uno solo, che ha ucciso tutte le ragazze.

Una sola persona.

34

Vado da Caruso e mi porto Missiroli. Le implicazioni del rapporto di Olivieri sono enormi, e voglio il mio ispettore con me.

Il pm solleva una questione: «Come hanno fatto a trasportare i corpi fatti a pezzi dagli appartamenti al campo di Torre Spaccata?».

Sacchi della spazzatura.

Durante l'autopsia, Olivieri ha rilevato minuscoli brandelli di plastica su alcuni dei resti delle ragazze, e l'ha annotato nei referti. I corpi sono stati lavati con i detergenti *prima* di essere trasportati, quindi quei brandelli dovevano appartenere a qualcosa con cui erano venuti a contatto in seguito.

La Scientifica ha stabilito che si tratta di plastica usata per confezionare sacchi di formato grande e di tipo rinforzato. I cosiddetti, "sacchi condominio".

Caruso ha sulla scrivania la sua copia del rapporto di Olivieri. Alcune fotografie riprendono i corpi sezionati ancora all'interno della fossa comune. Sono esposti senza alcuna protezione.

«Però prima di gettare i resti, li hanno tolti dai sacchi» osserva il pm.

«Sì» confermo.

«Perché?»

«Forse uno si è rotto durante il trasporto, nonostante fossero rinforzati, e allora hanno aperto anche gli altri. O forse era più comodo svuotare i sacchi, anziché trascinarli di peso a uno a uno dentro la buca.»

O forse non c'è nessun motivo, l'hanno fatto e basta.

Il magistrato annuisce appena. Continua a guardare le immagini dei resti nella fossa. «Io però sapevo che le Triadi per disfarsi dei cadaveri usano altri metodi» osserva ancora. «Che di solito li sciolgono nell'acido.»

«Mica solo loro, dottore» dice Missiroli. «L'acido è

sempre di moda, un classico. Ma ha ragione. Di recente, i cugini carabinieri hanno scoperto che a Napoli la Camorra usava i cinesi per liberarsi dei morti durante l'ultima guerra grossa tra i clan. I corpi non venivano ritrovati più, perché venivano portati in certe case affittate dai cinesi sul lungomare. Li scioglievano nell'acido e sversavano tutto in acqua. Comodo.»

Nel nostro caso, però, non avrebbero potuto, continua l'ispettore. Gli appartamenti dove stavano le ragazze sono all'interno di grandi condomini. Se avessero sciolto i cadaveri nell'acido e gettato i liquami negli scarichi, sarebbero saltate le tubature.

Dunque, li hanno fatti a pezzi. Hanno chiuso i resti nei sacchi della spazzatura, e li hanno portati via.

Caruso tiene sempre lo sguardo sulla sua copia del rapporto di Oliveri. Adesso rilegge le righe che descrivono il depezzamento.

«Non ci credo che i vicini non abbiano visto o sentito niente.»

Hanno sentito dei tonfi, e il rumore della sega. Ma non stavano facendo dei lavori negli appartamenti.

Stavano smembrando i corpi.

Se hanno visto qualcuno che scendeva le scale, o prendeva l'ascensore con dei grandi sacchi della spazzatura, semplicemente se ne sono fregati.

«Ma è stato Wang Jiang, allora?» chiede Caruso.

«A fare tutto? No. Sono sempre più convinto di no» rispondo. «Ma fare a pezzi i corpi, sì.» Mio padre, guardando le foto della fossa comune col vecchio sguardo da sbirro, lo ha notato: per "depezzare" i cadaveri sono occorsi tempo, forza e fatica. È molto più facile che Abile Wang si sia fatto aiutare. Che abbia pagato della manovalanza, fidata, per svolgere il grosso del lavoro e tenere la bocca chiusa.

«E dopo?»

«Non dopo, dottore. *Prima…*» indico sul rapporto di Olivieri lo stesso passaggio su cui ci siamo soffermati noi.

Quello a cui Carmelo voleva che prestassi attenzione. È lì, in quel punto, che cambia tutto. Che la prospettiva della nostra indagine muta in modo radicale. Gli altri tagli inflitti *ante mortem*, eseguiti con una lama diversa dalla mannaia e dalla sega: precisi, netti, regolari.

Tutte le ragazze venivano torturate, e sono state uccise lentamente con un rituale. La Morte Dei Mille Tagli.

Tutte le ragazze sono state ammazzate dalla stessa persona.

Ripeto di nuovo i ragionamenti fatti con il tenente Chen: c'è senz'altro qualcosa di *personale*.

C'è la mafia sullo sfondo, che opera organizzando assieme ai Wang il traffico di ragazze, con l'obiettivo di ricavarne un profitto. Ma lo fa anche, o soprattutto, per coprire e favorire qualcuno. Un solo individuo spinto da impulsi intimi che con il denaro, e con le dinamiche mafiose in sé, non c'entrano nulla.

Proprio come nelle scatole cinesi: una scatola contiene una seconda scatola, e così via.

C'è la mafia cinese, e c'è qualcos'altro.

C'è un serial killer.

35.

Dal giorno dopo, giornali e televisioni si scatenano. Le parole "mafia cinese" e "serial killer", affiancate negli stessi titoli, fanno il botto.

Stavolta la notizia deve essere trapelata per forza da Medicina Legale. Non da Olivieri, ovviamente, ma da qualcuno – segretarie, inservienti, amministrativi – che ha avuto accesso ai fascicoli.

Io faccio una sfuriata in Commissariato diretta verso nessuno in particolare, più che altro perché so che da adesso attorno alla "Grande Muraglia" la follia aumenterà ancora.

Infatti, i giornalisti iniziano a dare soprannomi all'assassino copiandoli dai film o dai romanzi: "l'Intagliatore", "Mani di Forbice", "il Macellaio".

Lanfranchi mi cerca al cellulare e al fisso del mio ufficio. Una, due, tre volte. Ignoro le chiamate. Mi aspettavo che sarebbe successo dopo che gli ho riattaccato il telefono in faccia, al termine della nostra ultima discussione. Invece, ha lasciato passare un po' di tempo. Quella era la calma prima della tempesta. L'ha lasciata montare per bene. Adesso appena avrà l'occasione, mi pioveranno addosso tuoni e fulmini.

Wong Shun Leung, quando gli chiedevano se il *Ving Tsun* serviva per l'autodifesa, rispondeva che l'unica tecnica davvero efficace per l'autodifesa è l'invisibilità.

Per ora cerco di applicare il principio di Wong, diventare invisibile e non concedere l'occasione al questore.

Risento Caruso.

Il pm si è preso la mattinata per andare da solo in carcere a parlare con Wang Xinxia, e farle domande sul serial killer.

Lei non sa nulla. *Dice* di non sapere nulla.

Al solito, mi riporta il magistrato, la signora Wang è stata un blocco di ghiaccio. Nessuna reazione, nessuna emozione.

«L'avvocato Sun l'ha persino incoraggiata a dirci qualcosa, ma non c'è stato nulla fare.»

Ripenso proprio a ciò che ci siamo detti con Sofia Sun sulla scarsa combattività di Wang Xinxia, ed espongo il dubbio. Perché si comporta così? Perché non collabora né si difende?

«Ho visto gente colta in flagrante, con la pistola fumante in mano e un cadavere ancora caldo ai piedi, che protestava per uscire di prigione» dice Caruso. «E ho visto innocenti che stavano dentro senza fare storie, come se gli andasse bene. In genere, le persone, quando stanno davanti a noi o tacciono, oppure ci dicono cazzate. Non so perché quella donna si comporta in quel modo. So soltanto che da lei non si cava niente.»

Ripropongo la questione della rogatoria internazionale.

Anche Caruso ha compreso che il livello della nostra inchiesta ha fatto un salto in alto vertiginoso. Dice che risentirà il ministero e che, assieme a Iorio e con gli agganci della DDA, possono cercare di contattare "in via amichevole" l'ambasciata Cinese a Roma, e vedere se attraverso i canali diplomatici si riesce ad accelerare la pratica.

Ci serve l'identità dell'intestatario del numero di cellulare cinese, e abbiamo bisogno di più informazioni su Vecchio Zhao. Dobbiamo capire perché un'organizzazione mafiosa si mette ad agire di copertura e supporto per un killer seriale.

Né io né i miei né lo stesso Caruso abbiamo mai sentito nulla di simile.

Mai.

Se non capiamo *perché*, non scopriremo *chi*.

Chi è il serial killer.

36.

Dopo che Caruso è stato in carcere a interrogare Wang Xinxia, mi telefona Sofia Sun. Di nuovo.

«È vero?»

«Lo sai che non posso riferirti i particolari.»

«Voglio solo sapere se è vero.»

«Sì.»

È sconvolta. Non solo la sua cliente è implicata in un traffico di ragazze, ma alcune di loro sono state torturate e uccise da un singolo assassino.

Un uomo solo le ha ammazzate tutte.

Silenzio.

«Puoi venire da me?»

Avevo detto – soprattutto a me stesso – che non doveva succedere. Invece, è successo. Di certo, non dovrebbe accadere di nuovo.

Invece accade. Di nuovo.

Vado all'appartamento di Sofia Sun e finiamo ancora a letto assieme. Ancora, nei momenti più intimi, mi parla in dialetto. Mentre iniziamo a spogliarci, mi chiede di farle delle cose, mi dice come vuole che gliele faccia. Mi lascio guidare sul suo corpo, che sia lei a dosare la forza dei miei baci, a indirizzare la mia bocca, la mia lingua e le mie dita.

Poi mi chiede: «Dimmi cosa vuoi. Qualunque cosa».

Glielo dico.

Prima d'adesso non ho mai parlato in cinese con una donna facendo l'amore. Per una qualche ragione, questo mi fa sentire più libero, senza freni.

Voglio che si tocchi mentre entro dentro di lei. Voglio vedere le sue dita che sfregano tra le sue gambe, voglio che si tenga aperta, voglio guardarla, voglio sentirla contrarsi e fremere.

Sofia Sun fa ciò che le chiedo.

Il suo sguardo è offuscato. C'è un'urgenza e un'intensità nei suoi gesti che la scorsa volta non c'era. Non sta soltanto facendo sesso con me, sta esorcizzando le sue paure.

Sofia Sun cerca un riparo dai mostri.

Quando viene, mi si stringe contro, mi tiene dentro di sé, ancora più a fondo, e urla.

Dopo, si calma. Dopo, di nuovo, sbircia la fede al mio anulare senza fare domande.

È tornata a letto con me, eppure non sembra attendersi nulla, non sembra volere niente.

Non parliamo, non discutiamo dell'indagine né di altro.

Mi sfiora soltanto le labbra con un bacio, si gira su un fianco – la sua schiena contro il mio petto – e si addormenta.

Quando me ne vado, Sofia Sun sta ancora dormendo, il volto sereno nel sonno.

37.

A casa apro la posta elettronica, e trovo una mail di Anna. Il link porta a una vecchia canzone dei REM, *Every-*

body Hurts. Con il pollice sfioro la fede all'anulare. Ascolto la musica e le parole, ma vale soprattutto il titolo: "Tutti soffrono".

Dopo essere stato di nuovo con Sofia Sun, fa ancora più male. Mi sento ancora più spregevole nei confronti di Anna.

Soffro.

Perché lei soffre, e sono *io* a farla soffrire.

Eppure, proprio perché è più doloroso del solito, sento che qualcosa sta cambiando. Quando una ferita sanguina più copiosamente, è in quel momento che inizia a guarire.

Come se l'aver fatto l'amore con una donna cinese fosse una soglia che ho varcato. Come se l'essere stato a letto con Sofia Sun avesse cominciato a riavvicinare un po' le mie due parti sempre separate.

Come se fossi un po' più intero e solido.

Everybody Hurts, ripete il ritornello della canzone.

Tutti soffrono.

E alla fine, come tutte le volte che ho tradito Anna, niente mi giustifica.

38.

Caruso viene contattato da un collega della Procura che vuole parlargli a proposito della nostra indagine, e mi chiede di essere presente.

Ci troviamo alla caffetteria interna.

Questo collega, un certo Lauricella, ha sentito degli appartamenti che abbiamo individuato.

Anche se Lauricella sta alla Procura ordinaria, e Caruso è aggregato alla DDA, le voci corrono. Se gli spifferi sono partiti da Medicina Legale, prima di finire sui giornali e nei telegiornali, sono passati da qui. E qui si sono diffusi e gonfiati. La Procura della Repubblica è un unico pianerottolo dove tutti bisbigliano sottovoce.

Comunque, Lauricella ha sentito dei nostri sviluppi, ha fatto due più due, e crede che ci sia un collegamento con un caso che lui stava seguendo.

Caruso lo ascolta con diffidenza. Non l'ha menzionato, ma se, come dice, è informato sugli sviluppi, allora il collega sa anche del serial killer. Un'inchiesta che comprende un assassino seriale porta notorietà e prestigio, e tutti i sostituti procuratori vorrebbero infilarcisi.

Poi, però, riguardo al suo caso, Lauricella parla di «tre ragazze cinesi che si sono buttate di sotto da un appartamento», e io e Caruso diventiamo più attenti.

Lauricella spiega.

Siamo a Centocelle. Uno dei quartieri ai cui ripetitori risultano agganciati sia il cellulare di Abile Wang sia il numero di China Unicom.

Siamo a tre traverse di distanza dalla via in cui si trova uno dei nostri cinque appartamenti.

Le tre ragazze sono a terra, riverse sull'asfalto. Nude. Un passante le ha viste lanciarsi nel vuoto dal terrazzo, e chiama il 118 e il 113. Arriva l'ambulanza e l'auto medica. Il dottore e i paramedici notano numerosi tagli sui loro corpi.

Due sono morte sul colpo. Una è incredibilmente ancora viva, e le prestano i primi soccorsi.

Pochi minuti dopo, arriva sul posto anche una volante della Questura. Gli agenti avvertono la Mobile, che a sua volta avverte la Procura.

La ragazza sopravvissuta è in condizioni gravi, e viene portata via d'urgenza per essere ricoverata nell'ospedale più vicino. Le due decedute rimangono sul luogo.

Il passante che ha assistito alla scena racconta che, quando si sono buttate, le tre ragazze erano sole. Non c'era nessuno con loro, nessuno le ha spinte.

Dentro il palazzo, ci sono pochissimi italiani. Solo quattro famiglie in totale. Gli altri inquilini sono tutti stranieri, di varie nazionalità. Scarso entusiasmo, per usare un eufemismo, quando arrivano gli sbirri. La stessa situazione che abbiamo trovato noi.

I mobilieri localizzano l'appartamento da cui si sono lanciate le ragazze al terzo piano, e a fatica, riescono a sapere che è affittato a un cinese, un certo A Fei, che però non sta lì. Oltre a questo, al solito, solo reticenze e silenzi.

Intanto, sulla scena si è presentato anche il sostituto procuratore di turno. Il nostro Lauricella. E con lui la Scientifica, la Mortuaria e il medico legale. Bellucci e Olivieri non ci sono, sono su altri casi. I tecnici della Scientifica e il sostituto di Olivieri eseguono i primi rilievi e i primi esami sulle due ragazze morte. Anche loro notano i numerosi tagli sui corpi, e riscontrano fin da subito la presenza sull'epidermide di tracce massive di detergenti. Ne sentono in maniera distinta l'odore.

Cioè, fin da subito dicono che le ragazze sono state pulite. Lavate.

E fin da subito capiscono che è impossibile recuperare su di loro fibre, fluidi, o qualunque altro residuo biologico.

Come le ragazze nella fossa comune.

Lauricella ordina alla Mortuaria di portare via i corpi delle due ragazze.

La Mobile riferisce a Lauricella: per essere certi che l'appartamento da cui si sono buttate le ragazze sia effettivamente quello localizzato dovrebbero entrare. Ma non hanno la chiave. E nel palazzo non c'è un custode o un portiere che ne abbia una copia di riserva.

Io e Caruso ci scambiamo un'occhiata: se i tasselli, a quanto sembra, combaciano, la chiave che non avevano i mobilieri è la *sesta chiave* che noi abbiamo trovato a casa dei Wang. Quella tradizionale, non di sicurezza, da cui non siamo riusciti a risalire a nulla.

Lauricella è un pavido, rimane un margine di incertezza su quale sia davvero l'appartamento, e prima di fornire un decreto di perquisizione, vuole confrontarsi con il suo aggiunto.

La Mobile, in attesa che il sostituto procuratore effettui il suo iter burocratico, si mette sulle tracce di A Fei, ma non riescono a trovarlo.

Fanno una ricerca catastale sull'appartamento al terzo piano, e scoprono che è intestato a un'immobiliare, la Quiet Place Real Estate, ma non vanno oltre. L'immobiliare è la stessa degli appartamenti che abbiamo individuato noi.

Tre giorni dopo, sentito il suo aggiunto, Lauricella compila finalmente il decreto.

Ma prima che la Mobile possa entrare, arriva una chiamata dai vigili del fuoco: l'appartamento è stato incendiato.

Come hanno cercato di fare con la casa dei Wang.

I pompieri sono riusciti a contenere l'incendio, e le abitazioni confinanti si sono salvate, ma dentro è andato quasi tutto in cenere.

I mobilieri però non si scoraggiano. Sospettano che il rogo sia stato appiccato per eliminare le prove, e che le tre ragazze fossero immigrate clandestine vittime di una tratta, tenute prigioniere nell'appartamento fintanto che qualcuno non avesse pagato il riscatto per loro.

Poi, in un cassonetto della spazzatura dietro a Termini, viene rinvenuto il cadavere decapitato di un cinese, e nel cassonetto accanto la testa mozzata.

Stessa fine di Smoje e Čop. Un'altra analogia con la nostra inchiesta.

Alcuni inquilini del palazzo riconoscono il cadavere decapitato, è A Fei.

Nell'appartamento bruciato la Scientifica, guidata da un collega di Bellucci e accompagnata dalla Mobile, non reperta nulla di utile.

Nei nostri cinque appartamenti sono stati i detergenti, e non il fuoco, a contaminare o cancellare impronte e tracce organiche, ma il risultato è lo stesso.

Due delle ragazze sono morte, la terza, quella sopravvissuta, è in terapia intensiva e non è in grado di parlare.

Il sostituto di Olivieri consegna un referto di autopsia nel quale, in relazione ai tagli sui corpi delle ragazze, si parla di evidenti segni di tortura, che però vengono liquidati come compatibili allo stato di prigionia a cui, con ogni evidenza, erano costrette le ragazze.

Lauricella, a differenza di Caruso e nonostante il sospetto del racket dietro agli avvenimenti in questione, non ritiene di trasferire il fascicolo alla DDA.

L'indagine si ferma.

Resta però il fatto che qualcuno ha ammazzato A Fei, il cinese a cui era intestato l'appartamento.

Allora Lauricella fa trasferire la ragazza sopravvissuta dall'ospedale in cui è ricoverata a Roma a un'altra struttura a Latina, e impone che la notizia rimanga riservata, secretando l'atto.

Caruso prende dalla tasca un pacchetto di sigarette, ne sfila una e se la rigira tra le dita. Non può fumare all'interno della caffetteria.

Come sempre il sost. proc. porta un paio di occhiali intonati alla cravatta – arancio su rosso – e l'abbinamento gli conferisce un'aria allegra.

Ma lui non è tanto allegro.

Fino a questo momento ha ascoltato Lauricella senza aprire bocca.

Rimette la sigaretta nel pacchetto, e il pacchetto in tasca.

Poi scoppia: «Laurice', dici che hai fatto due più due, *ma quant cazz c'è miss*?! A scuola non le hai fatte le tabelline?».

Lauricella s'offende. «Caru', ma vaffanculo!» Dagli altri tavoli della caffetteria un paio di pm e alcuni poliziotti di servizio in Procura si voltano verso di noi.

Lauricella abbassa la voce. «Nell'ultimo mese e mezzo sono stato in trasferta in Romania cinque o sei volte per interrogare un rumeno che qua a Roma ha accoppato moglie, due figli, e pure il cane, e dopo se n'è scappato. Mo torno, sento della tua indagine, vengo da te per darti una mano, e tu mi tratti a schiaffi in faccia?!»

Caruso lo fissa. Passa un istante. È chiaro ciò che sta pensando. Lauricella non è solo pavido, è uno di quei pm indolenti che gettano discredito su tutta la categoria, uno di quelli che cerca sempre di ottenere il massimo faticando il minimo.

Visti gli elementi che aveva sulle tre ragazze, questi collegamenti con la nostra indagine poteva farli *prima* di iniziare a fare avanti e indietro con la Romania. Oppure, se avesse passato il fascicolo alla DDA, potevamo accorgercene noi.

Però alla fine, comunque, s'è mosso. Quindi, seppure a denti stretti, Caruso si scusa: «Hai ragione, Laurice', mi dispiace. Anzi, ti devo ringraziare».

Quindi ci alziamo, ancora uno scambio di strette di mano, e lasciamo la caffetteria.

Quando siamo a distanza di sicurezza, il pm esprime a voce alta il suo giudizio sintetico sul collega: «Coglione».

39.

Caruso intende prendersi l'inchiesta. Che però, per quanto a un punto morto, non è stata mai archiviata in via ufficiale, ed è ancora di competenza di Lauricella.

Capobianco convoca i suoi due sostituti, e Caruso poi mi riferisce dell'incontro. Nemmeno il procuratore capo può avocare l'indagine di un suo pm, occorre che il pubblico ministero incaricato sia d'accordo.

Lauricella protesta che lui non ha alcuna intenzione di cedere la mano, e propone invece di lavorare sul caso in maniera congiunta, condividendo i risultati delle rispettive indagini. Insomma, tenta di infilarsi nella nostra inchiesta, attratto dalla possibilità di vedere il suo nome accostato al tentativo di cattura di un assassino seriale.

Caruso sottolinea, con tutto il garbo possibile, che Lauricella non ha *nessun risultato* da condividere, poiché nella sua indagine non ha fatto altri passi avanti dopo la morte di A Fei.

I segni di tortura sui corpi delle ragazze non sono stati ritenuti elemento sufficiente per un supplemento investigativo. La pista della Quiet Place Real Estate è stata abbandonata. L'unica azione positiva compiuta da Lauricella è stata quella di ordinare il trasferimento della ragazza sopravvissuta in un altro ospedale, fuori Roma.

Capobianco zittisce entrambi. Ha letto con attenzione il fascicolo di Lauricella e si trova a convenire con Caruso. L'indagine è stata condotta con superficialità e scarsa intraprendenza, motivi per i quali ritiene di accogliere la richiesta dello stesso Caruso e di assegnargli il caso.

Lauricella potrebbe opporsi, ma ciò significherebbe andare a uno scontro aperto con il procuratore capo, e lui resta un pavido. Si ritira in buon ordine.

A Caruso per un istante dispiace persino per il collega. Ma poi si ricorda cosa pensa di lui.

Quindi, vaffanculo Lauricella e si prende l'indagine sulle tre ragazze. Con ogni probabilità, sono le tre che ancora mancano al nostro conto.

Io risento Pieri allo SCO, pure per queste può togliere la segnalazione di scomparsa.

Due sono decedute, la terza sappiamo dove si trova.

Caruso vuole parlare con la ragazza sopravvissuta.

40.

Andiamo dalla ragazza.

All'ospedale di Latina è stata registrata con un nome fittizio. Quando è stata soccorsa era nuda, come le altre due, e nell'appartamento bruciato non sono stati ritrovati effetti personali. Lauricella non s'è mai preoccupato di appurarne l'identità.

Allora, prima di mettermi in macchina con Caruso e Donnarumma, l'agente che tiene i verbali per il magistrato, io e Missiroli guardiamo di nuovo tutti i cinquanta passaporti cinesi che abbiamo sequestrato al laboratorio dei Wang, e li confrontiamo di nuovo con i dati delle ragazze ritrovate nella maxioperazione.

Restano tre passaporti spaiati, che accoppiamo alle foto scattate dalla Scientifica accorsa sulla scena delle tre ragazze che si sono gettate dal balcone dell'appartamento a Centocelle.

Le due decedute, e quella ancora viva.

Il conto finalmente è completo.

I documenti corrispondono.

La ragazza sopravvissuta ha diciannove anni, e viene da Pingyang, una città dello Zhejiang che fa parte della prefettura di Wenzhou.

Si chiama Qi Baoxiang.

All'ospedale ci danno accesso alla sua cartella clinica, almeno alle parti che dobbiamo conoscere prima di parlare con lei. La ragazza ha subìto violenze inaudite, e durante la degenza a Roma era stata tenuta in coma farmacologico per attenuare le conseguenze delle ferite e dei traumi dovuti all'impatto con l'asfalto, dopo che si era gettata di sotto. Quando l'hanno trasferita qui era stabile ma in condizioni gravi. Nei giorni successivi è migliorata, e hanno diminuito in modo graduale la sedazione. Ha ripreso conoscenza e ha reagito bene alle terapie, però la sua condizione rimane di forte debilitazione, e i ricordi di ciò che le è accaduto sono sparsi e frammentati. È stato fatto un tentativo di sondarla con qualche domanda, ma, a quanto pare, il suo cervello ha operato delle censure. È possibile che col tempo possa recuperare i fatti rimossi, e che i ricordi diventino più nitidi, ma non c'è alcuna certezza.

Si raccomanda estrema cautela nell'approccio con la paziente.

Ma noi lo sappiamo.

Lei è la vittima.

41.

Cominciamo proprio da questo.

Siamo qui per investigare, per avere informazioni da lei, ma anche per darle la nostra tutela e il nostro supporto.

Entrando nella sua stanza, la chiamo per nome, Qi Baoxiang, e nel dialetto di Wenzhou presento me stesso, Caruso e Donnarumma.

Lei mi capisce. Le traduco ciò che dice il pm, e ritraduco in italiano le sue risposte per il verbale. Donnarumma si sistema su una sedia in un angolo con il portatile sulle ginocchia. Caruso assicura a Qi Baoxiang che riceverà protezione. E che se lei collabora, otterrà un permesso di soggiorno straordinario.

Come per le operaie del laboratorio.

Le spiega che vorremmo ascoltarla con ricezione di denuncia, e lei poi dovrà firmare l'atto. È un passaggio importante. Le stiamo chiedendo di denunciare i suoi aguzzini.

«E se non voglio farlo?» domanda Qi Baoxiang in *wenzhouhua*. Ha una voce sottile, e tiene le lenzuola tirate fino al mento per nascondere il corpo martoriato.

«Possiamo comunque prendere le tue dichiarazioni come testimone» rispondo.

Lei è spaurita, ma il suo sguardo è attento e intelligente. «Quindi sono costretta a parlare, in ogni caso?»

«No» dice Caruso. «Non possiamo costringerla, però se non risponde alle nostre domande noi non possiamo proteggerla, e non avrà il permesso di soggiorno.»

È un paradosso crudele della legge, eppure è così. Lei è la persona danneggiata, e noi vogliamo aiutarla, ma per poterlo fare, lei deve esporsi.

«Invece, se parlo, posso restare?»

«Sì.»

«Facciamo la denuncia.»

«Sei sicura?»

Devo chiederglielo. Se lo fa, ci potranno essere delle conseguenze, lei sarà sempre quella che ha attaccato l'organizzazione rompendo il muro dell'omertà.

Qi Baoxiang scosta le lenzuola, e con una smorfia si sistema in posizione più eretta sul letto. In seguito alla caduta ha riportato la frattura di una gamba, ha diverse costole rotte e un polmone collassato. Indossa una camicia da notte, le maniche sono sollevate, e sulle braccia sono evidenti alcuni dei tagli che le sono stati inferti. «Sì, sono sicura.» In realtà, non le importa. Le sembra solo la strada più facile in questo momento. È concentrata su altro. «E dopo che la vostra indagine finisce?»

«Dopo possiamo aiutarti a regolarizzare la tua posizione. Se vuoi continuare a rimanere qui.»

«Posso decidere?»

«Sì.»

Piega le labbra in un sorriso vago. Rassegnato. Può decidere di rimanere in un Paese in cui è stata tenuta prigioniera e ha subìto violenze atroci, oppure tornare da dove era fuggita.

«Voglio restare» dice.

«Davvero?» devo domandarglielo di nuovo.

«Sì. Io non l'ho vista l'Italia. Voglio restare. Voglio vederla.»

«Non l'hai vista?»

«No.»

«Che è successo?»

Qi Baoxiang si blocca.

Dobbiamo procedere con calma. Caruso mi lascia campo libero.

«Parlami di Pingyang.»

Qi Baoxiang sembra stupita che io conosca il posto dove è nata.

«Io sono nato in Italia, però la mia famiglia viene da Caoping. Wenzhou.»

«Pingyang è bella. Ci sono le montagne, e il mare. C'è il fiume Aojiang. Nel centro della città ci sono dei grattacieli altissimi, e moltissime luci. A Pingyang io stavo con i miei genitori, con il mio fratellino più piccolo, Qi Wusheng, e con mia nonna.» Qualche immagine della sua famiglia deve attraversarle la mente, e per un momento gli occhi le si inumidiscono.

«Anche io ho una nonna. Una nonna e un nonno. Li Meyu e Forte Li.»

Wang Xinxia e tutti gli altri cinesi che sono entrati nell'inchiesta sino a questo momento si sono sempre rifiutati di parlare. Le ragazze che abbiamo ritrovato nell'operazione con lo SCO, le due con le quali io e Caruso abbiamo parlato a Milano, erano tutte frenate dalla paura, con il marchio a fuoco nella carne che ricordava loro il dolore.

Qi Baoxiang, invece, dopo ciò che ha passato ha cercato di morire, è sopravvissuta, e ora è come se si trovasse in un luogo dove nulla può più toccarla.

Io parlo di me, e a poco a poco, dopo la resistenza iniziale, riesco a farla aprire.

«Ti vogliono bene?»

«Molto. E io a loro.»

«Anche mia nonna mi voleva bene, diceva sempre che io sono preziosa come la giada, che sono la sua Pietra del Re. E anche papà e mamma, e il mio fratellino. Tutti mi volevano bene. Per farmi contenta, qualche volta la domenica mi portavano fino a Wenzhou, in centro tra i grattacieli e le luci. Pingyang è grande, ma Wenzhou è più grande, è una città vera. Io ero così felice. Però vedevo le altre ragazze, le ragazze ricche che entravano nei negozi di lusso, e compravano tutte quelle cose costose. Io non potevo. Mio padre lavora in una fabbrica di scarpe, le stesse che comperavano quelle ragazze. Mia madre fa le pulizie nella fabbrica di papà. Non avevamo abbastanza soldi. Quando alla sera tornavamo a Pingyang, casa nostra mi sembrava più piccola e più brutta, e tutti i miei vestiti mi sembravano stracci.»

Un giorno, una donna la avvicina. Quella donna lavora

per un'agenzia di viaggio, e le offre la possibilità di andare in Europa, in Italia.

«"Sei molto bella", mi ha detto. "In Italia potresti diventare una modella."»

È vero. Anche ora, in questo letto d'ospedale, con tutto ciò che ha passato, Qi Baoxiang è bellissima.

La sua famiglia non è d'accordo. A Wenzhou e nei dintorni da sempre le persone emigrano verso l'Italia, ma loro non hanno conoscenti stretti che ci vivano. Inoltre, sanno che dietro quelle proposte ci sono le Teste di Serpente. Sanno che la donna è una procacciatrice che lavora per loro.

Non hanno abbastanza denaro per pagare il viaggio, e non avendo parenti in Italia, nessuno avrebbe potuto pagare per lei.

Le agenzie di viaggio a cui si sono rivolti i Wang, in Cina, hanno cercato ragazze che non avessero legami con l'Italia, in modo che se fossero sparite, nessuno si sarebbe preoccupato per loro.

«La donna dell'agenzia mi ha detto che non era un problema, che il debito del viaggio l'avrei pagato io stessa col mio lavoro da modella. Ci ho creduto.»

Suo padre e sua madre insistono per farle cambiare idea, ma Qi Baoxiang è cocciuta, e non li ascolta.

Accetta l'offerta, parte, e arriva in Italia. A Roma.

Appena arrivata, la chiudono in uno stanzone senza finestre assieme ad altre ragazze.

Non sa dove si trova.

A logica, è il dormitorio annesso al laboratorio dei Wang. Lo stesso dove stavano le operaie.

Un uomo scatta delle fotografie col cellulare, a lei e alle altre. Se ne sta in un angolo, senza farsi vedere.

Abile Wang.

Poi, alcune ragazze vengono portate via per prime.

Quelle immesse nel circuito della prostituzione.

Qi Baoxiang e altre ragazze vengono prese in seguito.

Le ragazze selezionate.

In tre, vengono trasferite in un appartamento.

Quello di Centocelle.

«E dopo?»

Di nuovo, Qi Baoxiang esita. Di nuovo, le si bagnano gli occhi, e una lacrima le scende lungo la guancia. «Adesso per mia nonna non sono più preziosa come la giada, vero?»

La guardo. «No, per tua nonna tu sarai sempre la sua Pietra del Re. Io lo so, per i miei nonni è uguale con me. Lei ti vuole bene e basta, non importa nient'altro.»

Qi Baoxiang si asciuga la lacrima sulla guancia. E riprende a raccontare.

42.

Racconta delle torture, delle lame, dei tagli. Per un momento il suo sguardo va alle ferite sulle sue braccia, e riabbassa le maniche della camicia da notte.

Racconta del rito, e del luogo terribile in cui lei e le altre due ragazze erano condotte, senza che uscissero mai dalla stanza, che era la loro prigione. «Era come una pianura in fiamme» dice. E dopo, ogni volta, venivano disinfettate, pulite e lavate.

Racconta che all'inizio, venivano imbavagliate, ma poi non ce n'era stato più bisogno. Erano mute.

Racconta dell'uomo che faceva tutto questo.

L'assassino, il serial killer.

«Il Demone era nudo mentre usava le sue lame...» dice Qi Baoxiang «però indossava sempre un cappuccio nero.»

«Il Demone? Eravate voi a chiamarlo così?»

«No, è stato lui. Lui ha detto: "Io sono il Demone".»

E io, come davanti alla fossa comune, ripenso al Male. Quell'uomo è una persona malvagia, oppure davvero un essere demoniaco? È qualcuno che compie il male, o il Male agisce attraverso qualcuno?

«Va bene, è stato lui a dirvelo. Quindi parlava con voi?»

«No. Non parlava quasi mai con noi.»

«L'avete mai visto in faccia?»

«Mai.»

«Però era nudo, hai detto. Era grasso, magro? Vecchio, giovane?»

«Era magro.»

«Muscoloso?»

«No. Era...» cerca la parola giusta «*liscio*. I muscoli si vedevano appena.»

«Tatuaggi, cicatrici, qualche segno particolare?»

Qi Baoxiang scuote la testa.

Però ha notato le sue mani. «Erano *forti*, molto forti, aveva le nocche dure, e le dita sembravano artigli.»

E portava al collo un ciondolo con un simbolo.

«Che simbolo?»

Non lo sa.

Il ciondolo l'ha visto luccicare solo per un istante sotto il cappuccio, poi ha chiuso gli occhi.

Insisto: «Hai notato le mani, hai notato il ciondolo, non sai dirmi se l'uomo che vi torturava era anziano, giovane, o di mezza età?».

«Mi dispiace.»

Nella cartella clinica è scritto chiaramente: "Il suo cervello ha operato delle censure".

Non insisto. Ci sono altre domande.

«Il Demone era nudo» ripeto. «Era eccitato mentre vi torturava?»

«No.»

Olivieri non ha rilevato violenza sessuale sui resti delle ragazze, ma per quanto sgradevole devo farlo mettere a verbale.

«Ha mai compiuto atti sessuali con te e le altre?»

«No.»

«Di nessun genere? Si masturbava, vi toccava?»

«No, non ci ha mai toccate in quel senso.»

Mi basta. Facciamo un passo indietro. «Chi ha portato te e le altre due ragazze dallo stanzone dove stavate prima all'appartamento?» Cioè: chi le ha spostate dal dormitorio annesso al laboratorio dei Wang?

«Degli uomini.»

«Cinesi?»

«Sì, cinesi.»

«Più di uno.»

«Sì.»

«Età?»

«Non lo so.»

Caruso fa un cenno a Donnarumma, che toglie le mani dal portatile e mi passa un raccoglitore con alcune fotografie che abbiamo preso dalle informative dello SCO e della DIA. Le mostro a Qi Baoxiang: Vecchio Zhao, Piccolo Zhao, i membri della Piramide, alcuni soldati dell'organizzazione.

Lei non li riconosce. Ricorda soltanto facce confuse.

Caruso ora mi guarda. Senza riscontri, non possiamo fermare o arrestare nessuno.

La sua denuncia dobbiamo prenderla "contro ignoti". Ma anche se non ci dà elementi per procedere, rimane l'importanza dell'atto.

È fondamentale.

Mette nero su bianco che cosa è accaduto a lei e alle altre due ragazze dentro quell'appartamento, come ci sono arrivate, cosa è successo dopo.

«C'era qualcun altro con voi in casa?»

«No, eravamo sole. Però quasi tutti i giorni veniva qualcuno, un uomo, a portarci da magiare e da bere.»

Era l'unico che apriva la porta dell'appartamento. Aveva sempre un mazzo di chiavi con sé. Poi apriva anche le porte delle stanze interne.

«Aveva anche quelle chiavi con sé?»

«No.»

Le chiavi delle stanze restavano nella serratura, all'esterno.

«Quando tu e le altre due ragazze vi siete buttate, la porta della vostra stanza era rimasta aperta per sbaglio?»

«No, non per sbaglio. L'Uomo delle Chiavi aveva smesso di chiuderla quando andava via. Forse pensava non servisse più.»

Dal raccoglitore prendo una foto di Abile Wang e gliela faccio vedere. «È lui l'Uomo delle Chiavi?»

«No. Non lo so.»

«È lui che vi ha scattato le fotografie col cellulare?»

«Non lo so» ripete.

«Per quanto siete rimaste nell'appartamento?»

«Ho perso il conto dei giorni. Tre settimane, forse. Non sono sicura.»

Di una cosa però Qi Baoxiang è certa: il loro tempo stava per finire, la prossima volta che lui fosse tornato, lei e le altre due ragazze sarebbero morte.

Lui.

Il Demone.

43.

Di ritorno dall'ospedale di Latina, chiamo Missiroli, e ci ritroviamo in Procura nella stanza di Caruso. Dobbiamo rifarci l'intero scenario investigativo. Non si tratta solo della mafia cinese collegata a un serial killer.

Andando a ritroso, tutta la nostra indagine è davvero una serie di scatole cinesi. Ogni volta che ne apriamo una e scopriamo una verità, dentro ce n'è un'altra, poi un'altra ancora.

Ripartiamo dai Wang, perché loro sono al centro di tutto.

Marito e moglie aprono il laboratorio tessile cinque anni fa, e fin da subito mettono in atto il principio che in affari occorre *diversificare*.

Infatti, portano avanti la normale attività del laboratorio, con la quale riforniscono i negozi d'abbigliamento cinesi a Roma, integrando le entrate con un po' di contabilità fantasiosa, e con una serie di fatture false e gonfiate emesse d'accordo con i vari negozianti, tra cui Alberto Huong. E fino a qui, siamo più o meno nella normalità.

Però intanto diversificano. E attraverso il loro laboratorio, con false assunzioni e sostituendo i documenti, i Wang organizzano un traffico di ragazze.

La complessità di questo traffico ci fa presupporre che Wang Jiang e Wang Xinxia non possano averlo gestito da soli, e che forse già dall'apertura del laboratorio qualcuno possa averli supportati.

Durante la prima SIT, quando era solo una persona informata dei fatti, Wang Xinxia ha detto che Vecchio Zhao aveva aiutato lei e suo marito.

Non abbiamo prove certe che fossero affiliati alla Luce Limpida, ma abbiamo diversi fatti concreti che li collegano all'organizzazione Tra gli altri, la Ali di Farfalla, l'azienda che forniva i tessuti al laboratorio dei Wang, tra i cui soci di minoranza figura Piccolo Zhao, o il cellulare di Abile Wang e il numero di China Unicom che si sono agganciati contemporaneamente alla cella che copre la zona dove si trova Il Cerchio Felice.

Le ragazze arrivano in Italia, transitano per il laboratorio tessile che funziona anche da centro di smistamento, e la maggior parte di loro viene immessa nel circuito della prostituzione.

La diversificazione degli affari porta notevoli guadagni ai Wang, e le numerose spedizioni di denaro, effettuate con la Express Money, lo dimostrano. Vendono i loro vestiti ai negozi, e quasi di sicuro prendono una commissione sulle ragazze dirottate nei bordelli e nei centri messaggi.

Prima, però, le ragazze più belle vengono selezionate a parte. E spariscono nel nulla.

La selezione, come ha parzialmente confermato lei stessa, viene svolta da Wang Xinxia assieme a suo marito.

Sono scelte per qualcuno di preciso.

Il Demone.

Sono le ragazze che abbiamo ritrovato sepolte nella fossa comune.

«Voi pensate che i Wang venissero pagati anche per fare questa selezione?» chiede Caruso a me e a Missiroli.

«Forse, dotto'» dice Missiroli. «Sappiamo che i due coniugi disponevano di parecchio denaro.»

«Infatti è così» confermo. «Non dimentichiamoci che continuavano a mandare grosse somme in Cina, mentre progettavano la fuga in Canada. Dovevano avere *più* soldi. Guadagnavano dal laboratorio e dal giro delle ragazze immesse nel circuito della prostituzione, ma non sarebbe bastato. Quindi, è logico credere che ricevevano un compenso anche per i "servizi extra" offerti assieme, o da Wang Jiang da solo.»

«Dopo la selezione, le ragazze venivano portate nei cinque appartamenti che avete trovato voi, e in quello a Centocelle.»

«Esatto.»

«Da chi? Dai membri dell'organizzazione, o da esterni assoldati per farlo?»

«No. Le Triadi fanno economia ogni volta che possono. Se Abile Wang era già pagato per selezionare le ragazze e per tutto il resto, allora probabilmente l'organizzazione lasciava che fosse lui a prendersi carico pure del loro trasporto.»

Magari assoldando lui stesso qualcuno che l'aiutasse.

Sono fattorini che consegnano le ragazze al Demone.

Il Demone è un serial killer. Tortura e uccide tutte le ragazze con un rituale chiamato la Morte Dei Mille Tagli.

Il rituale si prolunga per giorni, se non addirittura per settimane o ancora più a lungo, e mentre le ragazze sono prigioniere, c'è qualcuno che si occupa di loro, portandogli da magiare e da bere. Che apre e chiude le porte degli appartamenti per fare entrare e uscire il Demone.

Qi Baoxiang e le altre due ragazze lo chiamano l'Uomo delle Chiavi.

È Abile Wang.

«Ma la ragazza che avete sentito all'ospedale non l'ha riconosciuto» obietta Missiroli.

«Missiro', abbiamo trovato le chiavi a casa dei Wang» dico, «le chiavi di sicurezza erano state fatte a nome di Abile Wang, l'Uomo delle Chiavi è Abile Wang.»

«Questa faccenda delle chiavi però ancora non mi convince. Io so' sempre quello che dei cinesi non capisce niente, ma Wang si è fatto fabbricare cinque chiavi di sicurezza. Perché non sei? Perché la chiave e la serratura dell'appartamento a Centocelle erano un modello tradizionale?» chiede l'ispettore.

Caruso interviene: «Non è che devi capire i cinesi, Missiro'. Con gli anni di servizio che c'hai, quante volte ti è capitato che in un'indagine fosse tutto bello incastrato e ordinato?».

«Mai, dottore.»

«Ecco, vedi?»

«No, è giusto. Chiariamolo, questo punto» riprendo. «Tutti gli appartamenti dove sono state tenute le ragazze appartengono alla Quiet Place Real Estate. Però i nostri cinque sono affittati a Xu Xielin, mentre quello di Centocelle è affittato ad A Fei. Xu Xielin è anziano, magari a un certo punto comincia a dire che vuole trasferirsi dai parenti a Torino, e forse proprio per questo, per l'affitto del sesto appartamento, viene usato A Fei come prestanome.»

«Ok, fin qui ci sta» dice Missiroli.

«E con le chiavi, uguale. Per i cinque appartamenti intestati a Xu Xielin, data la sua età, se ne occupa Abile Wang, e si procura le serrature di sicurezza. Per l'appartamento a Centocelle, invece, lascia che se ne incarichi lo stesso A Fei.»

Gli inquilini del palazzo sapevano che l'appartamento era affittato a lui, e ciò significa che devono averlo visto andare e venire dall'edificio almeno una volta. Al contrario, all'interno dell'appartamento, le tre ragazze non l'hanno mai visto.

«Dunque, che ha fatto A Fei quando è andato nel palazzo?»

«Ha montato la serratura» risponde Missiroli.

«Esatto. Solo che A Fei è più taccagno di Abile Wang, monta una serratura tradizionale, e poi gli consegna la chiave. Per Abile Wang va bene, A Fei sta a Roma, non è un vecchio rincoglionito, in caso di necessità può rivolgersi a lui, non occorre chissà quale protezione. Si prende la chiave, e finisce lì.»

«Così ti convince, Missiro'?» chiede Caruso.

«Mi convince.»

Allora rimaniamo su Abile Wang, che non ha solo il ruolo di custodire le chiavi, aprire e chiudere le porte degli appartamenti. Ha anche il compito di gestire i movimenti delle ragazze, e di "smaltire" i loro corpi dopo che il Demone le ha torturate e uccise.

Offre il pacchetto completo.

Per svolgere queste mansioni, riteniamo che non sia stato solo, e che per tenere gli ambiti separati abbia trovato supporto fuori dalla Luce Limpida.

Di tutta questa parte, sempre se vogliamo crederle, sua moglie Wang Xinxia era all'oscuro.

È Abile Wang – aiutato da qualcuno – che sposta le ragazze negli appartamenti, che depezza i cadaveri, e infine trasporta i resti e li seppellisce nel campo incolto a Torre Spaccata.

È lui, sempre cinque anni fa, in concomitanza con l'apertura del laboratorio tessile, a consigliare l'acquisto del campo ad Alberto Huong, il giovane imprenditore con cui ha appena iniziato a lavorare e a macinare fatture false. Sa che la conversione del terreno da agricolo a edificabile è saltata, e che il progetto di Huong di costruirci un agriturismo è fallito. Sa che il campo è inutilizzato, e sa di potervi accedere indisturbato.

Il meccanismo è rodato, e funziona in tutti i suoi ingranaggi, senza intoppi.

Finché proprio Abile Wang commette uno sbaglio. Ritiene che non sia più necessario chiudere a chiave la porta della stanza dove sta Qi Baoxiang assieme alle sue due compagne.

Le tre ragazze si buttano di sotto dall'appartamento a Centocelle.

Viene avviata un'indagine, diretta da Lauricella.

A Fei è il primo a pagarne le conseguenze, e viene ammazzato.

L'appartamento viene dato alle fiamme.

L'indagine poi si arena, ma non è possibile prevederlo.

Abile Wang invia al numero di cellulare cinese la foto del campo incolto, dove si trova la fossa comune. Poi viene ucciso.

Stabiliamo la tempistica.

Abbiamo il fascicolo di Lauricella, e le carte della nostra inchiesta con le date: Qi Baoxiang e le altre due ragazze si sono buttate di sotto circa un mese e mezzo prima della rapina/omicidio.

Quarantacinque giorni prima.

La foto del campo a Torre Spaccata è stata spedita da Abile Wang cinque giorni dopo.

Quaranta giorni prima della rapina/omicidio.

Cioè, Abile Wang invia la foto *dopo* che le tre ragazze si gettano dal balcone.

Caruso guarda di nuovo le date sulle carte. «Le tre ragazze che si buttano sono l'innesco di tutto.»

44.

«Perché Abile Wang manda la foto del campo incolto?» chiede il pm. Si tormenta la punta della cravatta, che è verde scura con sopra dei pesci azzurri, come la montatura degli occhiali.

«È un messaggio, una garanzia» dice Missiroli. «"Io so delle cose, ho *fatto* delle cose, non dovete toccarmi."»

Per colpa sua, c'è stata una falla nel sistema, A Fei è già stato ammazzato, e lui si tutela mandando la foto a mo' di avvertimento, e allo stesso tempo compra i biglietti aerei per Vancouver e si prepara a fuggire con la sua famiglia.

«Però la fossa comune non è stata svuotata» dice Caruso. Adesso è a lui che qualcosa non torna. Si tormenta ancora la cravatta. «Vuol dire che il destinatario della foto non sapeva dove si trovava il campo.»

«Perché Abile Wang si è tenuto per sé il luogo preciso in cui smaltiva i cadaveri» dico. «Doveva farlo, ma a nessuno interessava *come* e *dove* lo faceva.»

E il senso dell'avvertimento è proprio questo: solo io so dove sono sepolti i resti delle ragazze. Se tentate qualcosa contro di me, posso farlo scoprire.

Un ricatto, insomma.

Ma non funziona. Anzi, provoca una reazione estrema.

In quei quaranta giorni che trascorrono tra il momento in cui Abile Wang invia la foto al numero cinese e la rapina/ omicidio, viene presa una decisione, e viene messa in atto.

Abile Wang deve morire.

La sua uccisione è una punizione per lo sbaglio che ha commesso, per le tre ragazze che si sono buttate di sotto, ma anche una risposta al suo avvertimento.

Nessuno può commettere errori.

Nessuno può permettersi di tentare di ricattarci.

Noi. La Luce Limpida.

Abile Wang muore sapendo *chi* ha ordinato la sua esecuzione.

È ancora il cellulare cinese che ce lo conferma. Il numero di China Unicom compare sia nei suoi tabulati che in quelli dei croati.

I croati compiono la rapina e uccidono Abile Wang e Profumata Wang.

Ma la bambina è un *effetto collaterale.*

Invece sua moglie, Wang Xinxia, viene risparmiata per mandare avanti l'attività del laboratorio tessile, e il traffico delle ragazze.

Forse.

Poi Suker, Smoje e Čop, i tre croati, vengono eliminati in tre momenti diversi, per togliere di mezzo potenziali testimoni.

E in ultimo, dopo che noi scopriamo la fossa comune, vengono mandati i quattro uomini a cercare di incendiare la casa dei Wang, perché non trovassimo le chiavi, e con quelle risalissimo agli appartamenti.

Io, Missiroli e Caruso ci scambiamo uno sguardo.

Ok, lo scenario investigativo l'abbiamo più o meno ricostruito per intero.

A pensarci, è una quantità enorme di cose.

La mafia cinese si è esposta molto più del solito, prendendosi rischi del tutto inusuali. Contrariamente al suo modo abituale d'agire, ha ucciso, e anche più volte. Ha fatto e sta facendo di tutto per un unico scopo.

Impedirci di arrivare all'assassino delle ragazze.

45.

Le Chinatown di Roma. Io e i miei chiediamo del Demone.

Prelevo Stefano Xian, l'interprete, dall'alberghetto in zona San Giovanni dove alloggia da quando l'abbiamo precettato per la nostra indagine, e lo porto con noi. Battiamo le zone una dopo l'altra, e giriamo tutti i posti di proprietà, gestiti o frequentati da cinesi.

Stesse tappe che ho percorso con Sofia Sun, anche se "accidentalmente" ometto di comunicarlo ai miei.

Anche quelli con cui parliamo omettono. Sono refrattari, negano. Il copione si ripete. Il Demone non esiste. Il Demone è solo una leggenda. Sì, hanno sentito di questo Demone ma non sanno chi sia, o *cosa* sia.

I cronisti ci sono arrivati con maggiore rapidità del solito, e giornali, televisioni e siti Web hanno iniziato a chiamare così il serial killer: non più "l'Intagliatore", "Mani di Forbice" o "il Macellaio", ma "il Demone".

Eppure molti fingono proprio di non sapere di cosa stiamo parlando.

Ancora, trovo solo indifferenza.

Però, che un simile atteggiamento sia così diffuso, ci dà una certezza: il Demone, quel nome, non è sconosciuto nei quartieri cinesi di Roma.

Le ragazze sparivano, nessuno le cercava, nessuno si preoccupava, perché non avevano legami qui. Ora invece sappiamo anche che circolavano voci su un assassino.

E nessuno ha fatto niente.

46.

Carmelo e Bellucci mi chiamano mentre stiamo ritornando tutti in Commissariato, silenziosi e abbacchiati. Non ci siamo più visti e sentiti dopo che ci hanno portato il rapporto del medico legale sulle ragazze nella fossa comune. Adesso sono assieme, in vivavoce, e sono in fibrillazione. Hanno fatto progressi.

Grossi progressi.

Su una brandina repertata dei cinque appartamenti, sono riusciti a isolare un'impronta digitale latente.

L'appartamento è quello a Ponte Casilino, nel quale ho condotto io la perquisizione.

Hanno comparato l'impronta con le altre già in nostro possesso, ossia con le impronte di Abile Wang, di Smoje e di Čop rilevate durante le autopsie, e infine con le impronte digitali di Wang Xinxia e di Suker prese nella traduzione in carcere.

Nessun riscontro.

Sembra una cattiva notizia, invece è buona. Perché, per esclusione, se quell'impronta sulla brandina non è di Abile Wang, di sua moglie, e nemmeno dei tre croati, allora è di qualcun altro.

E sapere *di chi non è*, ci indirizza a scoprire *di chi è*.

«Manca il meglio» dice Carmelo.

Dal materiale organico recuperato da un brandello di

corpo di una delle ragazze – nonostante fossero tutte state lavate – hanno individuato una piccolissima traccia ematica.

Sangue.

47.

Telefono a Caruso, gli riferisco dell'impronta digitale e della traccia ematica, e gli chiedo di tornare con la Scientifica per un secondo sopralluogo all'appartamento di Centocelle, da cui si sono gettate le tre ragazze.

Loro si buttano, parte subito l'inchiesta di Lauricella, chiunque abbia cercato di cancellare le tracce si è dovuto muovere più in fretta. Il fuoco è un modo sbrigativo ed efficace, ma meno accurato della pulizia con i solventi industriali operata negli altri appartamenti.

«Però quante possibilità ci sono di trovare qualcosa di utile in un posto bruciato dove comunque la Scientifica è già stata?» chiede il pm.

«Poche» ammetto.

Caruso ci riflette. Quindi si decide. Però vuole una cosa in cambio: lui mi dà il decreto di perquisizione, io vado alla Mobile.

«Perché con Lauricella c'erano loro. E perché è pure ora di risolvere certi screzi, Wu.»

«Dottore…»

«O così, o niente.»

Così.

Nelle carte che abbiamo acquisito ci sono i nomi dei mobilieri che hanno affiancato il magistrato sul caso. L'ispettore capo Corrias, il viceispettore D'Angelo, e il sovrintendente Elena Polidori.

Loro.

Non posso fare ispezioni dove sono già passati senza perlomeno avvertirli. Cortesia professionale tra colleghi.

Vado nella tana dei lupi.

Il problema è che è difficile mantenerla, la cortesia professionale, perché appena comincio a spiegare il motivo per cui sono venuto, D'Angelo e la Polidori attaccano. Accusano noi di Tor Pignattara – me, in particolare – di esserci rimessi in mezzo, come per il duplice omicidio. Alzano i toni: è scorretto, non si fa così, e non esiste che noi facciamo un secondo sopralluogo nell'appartamento senza di loro.

Io per un po' incasso, e cerco di rispondere con equilibrio. Poi basta. «Quando voi siete arrivati sulla scena dei Wang avevate *già* indagato a Centocelle» replico a muso duro. «Un cinese e sua figlia uccisi, tre ragazze che si gettano di sotto da un appartamento. Lauricella è un incapace e c'ha messo una vita a fare il collegamento, ma almeno l'ha fatto. Voi neanche quello. Che cazzo vi ci voleva per mettere assieme i due episodi?!»

Capita a tutti i poliziotti di trovare ogni tanto un procuratore svogliato e cialtrone, ma di solito, se succede, prendiamo noi l'iniziativa senza aspettare la sua imbeccata.

D'Angelo e la Polidori stanno per saltarmi di nuovo alla gola.

Ma proprio l'ispettore capo li mette a cuccia. «Potevamo fare di più e meglio, è vero.» C'è la rivalità tra i CC e la piesse, e tra le varie sezioni della polizia, ma c'è anche la solidarietà tra sbirri, e la capacità di riconoscere gli sbagli. «Adesso la smettiamo di beccarci, e aiutiamo il collega.» Corrias poi si rivolge a me. Con rispetto. «Cosa possiamo fare, dottore?»

«Voi ci siete stati dentro quell'appartamento. C'era stato un incendio, erano passati i pompieri, e sembrava un campo di battaglia. Magari non potete darmi delle dritte precise. Però voi eravate *là*. Potete dirmi le vostre impressioni.»

Corrias, D'Angelo e la Polidori, seppure in modi diversi, dicono la stessa cosa.

Il Male.

È questo che li ha colpiti.

Il Male. Come a me davanti alla fossa comune.

Loro non hanno ascoltato le parole di Qi Baoxiang, eppure lo sanno. Tutti e tre dicono che in quell'appartamento sono stati compiuti atti abominevoli, inumani, che hanno provocato dolore e paura.

Non hanno idea se ci può essere utile, e come, ma se vogliamo rimetterci a cercare, dobbiamo tenere conto di cosa accadeva tra quelle mura.

«Grazie» dico io.

«Prego, dottore» dice Corrias. Possiamo piantarla di darci contro a vicenda, ma non saremo mai grandi amici. «Adesso sta a voi.»

48.

Il giorno dopo siamo all'appartamento di Centocelle. Soltanto io, Carmelo, Bellucci, e un agente di Bellucci per le riprese video. Né Bellucci né Carmelo – che ancora se ne stava tranquillo a Bologna – erano presenti al primo sopralluogo, e possono guardare tutto con occhi nuovi.

L'ingresso dà subito sul salotto. Le pareti e i soffitti sono anneriti dalle fiamme. Il pavimento, in parquet, è bruciato rivelando in molte porzioni il cemento sottostante, ed è ricoperto da una poltiglia ormai solida, formata da cenere, detriti, e dai residui della schiuma antincendio usata dai pompieri per spegnere il rogo.

Carmelo e Bellucci guardano la devastazione. «E adesso? Da dove cominciamo?» chiede Bellucci.

«Gli esperti siete voi» gli rispondo, «ma qui il Demone torturava tre ragazze. Lui era nudo e loro erano nude. Devono esserci peli, cellule, sudore, saliva. Non lo so. Magari mentre maneggiava le sue lame s'è fatto *lui* un taglietto, e c'è del sangue *suo*.»

Carmelo individua un'area, poco distante dalla porta d'ingresso, in cui il fuoco ha consumato tutto il parquet e sciolto l'intonaco sulla parete. «Quello deve essere il punto in cui hanno appiccato l'incendio.»

Partendo da lì, Carmelo si sposta seguendo la linea delle fiamme sul soffitto, sulle altre pareti, e sul pavimento.

A tre quarti del salotto dove ci troviamo, c'è un muro divisorio. La parete ha deviato e separato le fiamme. La parte più violenta della combustione ha proseguito la sua corsa dentro due stanze che affacciano sul corridoio riducendole a buchi neri impraticabili.

Una parte meno intensa dell'incendio, invece, ha continuato in un piccolo disimpegno, e poi in un'altra stanza in fondo.

Entriamo. Io, Bellucci, e l'agente con la telecamera sempre dietro Carmelo, che segue ancora la linea delle fiamme fino a che questa non s'interrompe.

Lì dove la linea del fuoco si ferma, c'è una sorta di paravento. Lo scheletro è in metallo, e la copertura – a giudicare dai minuscoli pezzetti rimasti – doveva essere di tela plastificata. Le fiamme hanno attaccato la tela plastificata, e un attimo dopo la struttura di metallo che ha iniziato a deformarsi. Ma prima che si fondesse, devono essere intervenuti i pompieri.

«Forse l'assassino lo usava per spogliarsi, prima di torturare le ragazze» ipotizzo.

«Forse» dice Carmelo.

«Comunque, lì dietro c'è un pezzo di pavimento abbastanza integro» nota Bellucci. «Il fuoco non sembra esserci arrivato, e non è stato nemmeno troppo inzaccherato dai pompieri.»

I suoi colleghi durante il primo sopralluogo non hanno repertato il paravento, e probabilmente non hanno notato quella porzione di pavimento.

Lui e Carmelo si guardano con un guizzo negli occhi.

Anche in questa stanza il pavimento è in parquet.

Legno.

Il legno assorbe i fluidi, e trattiene le sostanze organiche.

Bellucci manda l'agente con la telecamera alla ferramenta più vicina. L'agente torna dopo venti minuti con gli attrezzi adatti.

Carmelo si inginocchia: «Ma tu guarda cosa tocca fare».
Assieme a Bellucci si mette a svellere le assi del parquet nella porzione dietro il paravento, e le prelevano per portarsele in laboratorio.

È una scommessa, e ce la giochiamo.

49.

Il passo successivo è prendere campioni per il DNA a tutti i soggetti finora "attenzionati a vario titolo nel corso dell'indagine", e prendiamo le impronte digitali di quelli tra loro a cui ancora non le abbiamo prese.

Convochiamo Vecchio Zhao, Piccolo Zhao, e gli uomini della loro organizzazione che compaiono nell'organigramma ricostruito dalle informative dello SCO e della DIA.

Escludendo il centinaio di uomini ritenuti "a disposizione" – allo stato attuale impossibili da indentificare con sicurezza – ci sono i trenta soldati. I 49. E i membri della Piramide.

Comincia una processione dentro e fuori la sede della Scientifica in via Tuscolana.

Mentre la processione prosegue e si esaurisce, i biologi e i genetisti di Bellucci stanno esaminando le assi del parquet prelevate dall'appartamento a Centocelle, in cerca di materiale biologico.

Intanto, gli specialisti iniziano a lavorare sulla dattiloscopia.

Le impronte digitali prese agli uomini dell'organizzazione, a Vecchio Zhao e a Piccolo Zhao, vengono comparate con l'impronta rilevata sotto la brandina.

Come per i tre croati, Abile Wang e Wang Xinxia, niente. Nessuna corrispondenza. *No Match*.

Preleviamo anche il DNA della signora Wang, in carcere, aspettando i risultati del laboratorio.

E prendiamo il DNA e le impronte digitali di Alberto Huong, poi lo lasciamo tornare ai suoi affari.

Ripetiamo la verifica con l'impronta sotto la brandina.
Match Found. Riscontro positivo.
L'impronta è la sua.

50.

Informo Caruso, e arrestiamo Huong.

Il pm ordina una serie di perquisizioni a casa e nei negozi del giovane imprenditore, incaricando la guardia di finanza e il maggiore Marcialis, a cui si affianca la Scientifica. Negli atti sono elencati tutti i capi d'accusa per i quali se ne stabilisce la necessità, ma lasciarne l'esecuzione alle fiamme gialle, e nello specifico a Marcialis, dovrebbe dare l'idea all'esterno – ai giornalisti, soprattutto – che il tutto sia in relazione alla questione delle fatture false.

Dopo l'esperienza dell'intervista affrettata di Lanfranchi, che ha sputtanato l'arresto di Suker, e forse ne ha causato la morte, Caruso cerca di proteggere l'inchiesta.

Contestualmente alle perquisizioni, il magistrato emette un decreto di fermo, e per gli stessi motivi di cautela lo affida sempre alla finanza.

Marcialis e i suoi vanno a prendere Huong all'Esquilino, in uno dei suoi negozi, e lo traducono a Rebibbia.

51.

E subito dopo arriva un altro risultato dalle intercettazioni.

Leonardi e Mussumeli bussano alla porta del mio ufficio.

«Dotto', uno dei cellulari ha buttato qualcosa di buono!» dice Mussumeli di slancio. Dal momento in cui il telefono di Suker si è risvegliato all'improvviso fino adesso, tutte le ore che hanno trascorso con le cuffie alle orecchie e gli occhi fissi sugli schermi dei computer non hanno prodotto nient'altro, quindi è giustamente galvanizzato.

Leonardi invece è più prudente: «*Forse* qualcosa di buono» precisa.

«Quale cellulare?» chiedo.

«Uno tra le "utenze Zhao". Un numero tra quelli in uso a... come si chiama? Aspetti un attimo...» Musso s'è segnato il nome su un post-it. «Ecco: Hu Xia.»

Hu Xia. Una delle nostre vecchie conoscenze. Il 426, il Bastone Rosso. Il membro della piramide che assieme a Xu Yi, il Guardiano del Vento, mi ha accolto al Cerchio Felice dopo che i soldati avevano tentato di impedirmi l'accesso.

«E tu perché dici che il suo numero *forse* ha buttato qualcosa di buono?» chiedo a Leo.

«Perché è più una nostra intuizione.»

«Decida lei, dottore» dice Musso.

Mi mostrano ciò che hanno.

E decido di seguire la loro intuizione.

52.

Poi, più tardi, sto tornando verso casa, e ricevo un messaggio da Sofia Sun. Mi chiede se riusciamo a vederci.

Richiamo. Lei percepisce un'esitazione nella mia voce. «Solo per parlare» dice.

Sorrido. «Di solito sono gli uomini che dicono così alle donne.»

Vado da lei. È una specie di accordo non detto: non da me, da lei.

Quando arrivo, la trovo che sta seguendo un servizio alla televisione: parlano del Demone.

«Da ciò che sappiamo dal lavoro degli inquirenti» sta dicendo un esperto invitato alla trasmissione, «questo assassino sembra agire con particolare crudeltà, con una efferatezza che non ha precedenti nella storia dei serial killer in Italia…»

Sofia Sun spegne la tv. Rimane girata di spalle.

«Come pensi che sia?» mi chiede. «Lui, il Demone. Non smetto di pensarci. Com'è, chi è?»

«I manuali di tecniche investigative e di *profiling* dicono che per catturare un serial killer bisogna identificarsi con lui. Non ho mai dato la caccia a un serial killer, è la prima volta, ma non mi interessa.»

«Non ti interessa?»

«No. Non voglio identificarmi o comprenderlo, lo voglio *prendere.*»

Sofia Sun inclina appena la testa di lato, non riesce a capire quanto sono serio. «Ho letto delle cose su Internet.»

«Quali cose?»

«La definizione di serial killer. Gli omicidi multipli distribuiti nel tempo, l'intervallo di "raffreddamento" tra uno e l'altro. Il fatto che in grande maggioranza siano uomini. La componente narcisistica. I tre segni rivelatori nell'infanzia.»

«Ce li hanno fatti studiare a Criminologia, al corso di polizia giudiziaria. Piromania, sadismo verso gli animali, enuresi. Quando continui a pisciarti a letto anche se non sei più un bambino. Si chiama la Triade di MacDonald. È curioso, no? *Un'altra* Triade.»

Sofia Sun mi osserva, cerca ancora di decifrare le mie intenzioni. «Ho letto anche che ci sono due tipi di serial killer. Organizzati e disorganizzati. E le varie motivazioni. I visionari/allucinati, i missionari, gli edonistici, i dominatori, gli angeli della morte…»

«Non mi interessa» ripeto. «Non voglio sapere che tipo di serial killer è quello che stiamo cercando, che motivazioni ha, quanto è narcisistico, o se» indico la televisione, «come dice l'esperto, è particolarmente crudele. Mi importa solo se la sua crudeltà, se ciò che fa, e come lo fa, mi aiuta a trovarlo.»

Sofia Sun tace per qualche istante. Poi chiede: «Ma lui cosa sta facendo, adesso?».

«Non lo so. So cosa non sta facendo. Non sta più uccidendo. Almeno, noi non abbiamo trovato altre vittime. È silente.»

«Perché?»

«Perché è saltato il sistema che lo riforniva di ragazze. O per qualche altra ragione che non sappiamo. O forse è solo rannicchiato nel buio, in attesa.»

Siamo seduti sul suo divano. Istintivamente, Sofia Sun mi si fa più vicina.

La bacio.

All'improvviso siamo vogliosi, affamati. Le sfilo solo i pantaloni e le mutandine, la faccio mettere a cavalcioni su di me, e le entro dentro.

Spingo.

Sofia Sun emette un verso di gola, acuto.

Le sollevo la maglia, il reggiseno, le stringo tra i denti i capezzoli.

Un altro verso, più basso, quasi un ringhio.

«Più forte» mi dice in *wenzhouhua*.

Stringo più forte con i denti, i suoi capezzoli diventano piccoli sassi duri.

Le tengo il culo con le mani.

Spingo ancora.

Lei, sopra di me, si muove veloce.

Più veloce.

Cerca la mia bocca, la sua lingua cerca la mia lingua.

Godiamo assieme, continuando a baciarci.

53.

Riprendiamo fiato, seminudi e scomposti sul divano.

Una volta può essere un errore, due volte possono essere un grande sbaglio, ma se succede tre volte sei costretto a fare i conti con te stesso e con ciò che sta accadendo. Vale per me, e vale ancora di più per Sofia Sun. Perché una donna – italiana, cinese, rossa, bianca, gialla o verde – può fare sesso con te una volta senza chiedere nulla, forse due volte, ma alla terza volta inizia a farsi delle domande.

E se una donna si fa delle domande, poi le farà a te.

Sofia Sun si stiracchia languida, e guarda di nuovo la fede al mio anulare sinistro. L'odore dei nostri corpi e dei nostri umori impregna il suo salotto. Restiamo nel perimetro dell'intimità, e continuiamo a parlarci in dialetto. «Tua moglie e tuo figlio ti mancano?» mi chiede.

«Sì, molto.»

Il pensiero di Anna e Giacomo non mi abbandona mai, e ora torna a galla, vivido. Anna che esce dalla ASL, la giornata di lavoro finita, e passa a prendere Giacomo dai suoi genitori, o dai miei nonni, da mio padre, poi lo porta a casa. Anna che bacia Giacomo, mio figlio che abbraccia sua madre, mia moglie.

Con il pensiero di Anna e Giacomo, ritorna il rimorso. La fitta straziante tra le costole.

«La ami, tua moglie?» prosegue Sofia Sun.

Cosa vuole che le risponda, che non provo più niente per Anna?

«Sì, la amo.»

E allora perché non sei con lei? Perché non sei con tuo figlio? Perché non sei con loro, e sei qui con me?

Anche queste sono domande che potrebbe farmi. Forse che *dovrebbe* farmi.

Perché stare qui con te, fare sesso con te, fare l'amore con te un po' mi guarisce. Perché sei un balsamo che volta dopo volta, un po' cura lo strappo che ho dentro.

«Sono sicura che tua moglie è molto bella» dice.

Ancora, cosa dovrei risponderle? Che è più bella di lei? Che *lei* è più bella?

«Sì, Anna è bellissima.»

«Anna?»

«Mio figlio si chiama Giacomo. Mia moglie si chiama Anna. È italiana.» Adesso le dico tutto. «Tu sei la prima donna cinese con cui sto.»

«Con cui stai?»

Le parole sono scivolose, imperfette, anche nel dialetto che condividiamo. Anziché chiarire, riportano alle domande, a quelle pronunciate a voce alta, e soprattutto a quelle mute. Soprattutto, a una: cosa siamo noi?

«Sei la prima donna cinese con cui sono andato a letto» rispondo. E so che non è sufficiente.

Sofia Sun percorre con lo sguardo il mio viso. Anche lei sembra sapere che ci troviamo su un terreno scivoloso. Basta poco per ferirsi.

Non infierisce. Al contrario, allenta la presa, scherza: «Cioè, niente occhi a mandorla e fascino esotico dell'Oriente? Hai sempre avuto solo donne italiane?».

Penso alla turista di Verona, ma me lo tengo per me. «Sì.»

«Allora dovrei prenderlo come un onore essere la tua prima donna cinese...»

«Certo.»

Sorride. Il fiore che si apre. «Sei un bastardo, Wu. Però è bello essere la prima, per te, in qualcosa.»

Mi accarezza una guancia. Poi si riabbassa il reggiseno e la maglia, si alza dal divano, e ancora nuda dalla vita in giù va al mobile bar.

Io fisso ipnotizzato lo spettacolo del suo culo in movimento. E lei è perfettamente consapevole che la sto guardando.

Ami tua moglie, e lei è bellissima, ma ti piace il mio culo, vero? Ti piace il culo della tua prima donna cinese?

Riempie due bicchieri per me e per lei. Niente liquore cinese oggi. *Single malt* scozzese, Oban.

Nel brevissimo istante in cui versa da bere, però, la sua espressione cambia. È come un interruttore che scatta. Adesso è lei distratta, con la testa altrove.

E adesso mi avventuro io in una domanda pericolosa. «A cosa stai pensando?»

Sofia Sun torna verso di me sul divano. Io mi riperdo nel dondolio delle sue anche, del bacino, catturato dal ciuffetto morbido di peli sul suo pube.

Lei mi passa un bicchiere. Mi mette un dito sotto il mento, e me lo solleva. «Non dovresti chiedere certe cose a una donna mentre non la guardi negli occhi, Wu.»

Non so se siamo sempre in quel territorio scivoloso, in cui è facile inciampare e cadere, o se ne siamo usciti.

Sofia Sun capisce, e decide di graziarmi. «Comunque, pensavo a Wang Xinxia» dice, ripassando in modo fluido dal nostro dialetto all'italiano.

Ripasso all'italiano anch'io. Siamo entrambi duplici. «Perché pensavi a lei?»

«Le ho spiegato che potevamo usare un perito di parte, prima per gli accertamenti sul materiale biologico che avete trovato sui resti di una di quelle ragazze, e dopo per il prelevamento del suo campione di DNA. Lei non ha voluto.»

Ancora una volta, si fida di me e supera il confine del patto di riservatezza tra avvocato e cliente.

«Motivo?»

Si stringe nelle spalle. «Ha detto di no, e basta.» Beve, beviamo assieme. Lei prende un secondo sorso e vuota il bicchiere. «Il Riesame ha anche rigettato la richiesta che avevo inoltrato per i domiciliari.»

«Non posso dire che mi dispiace.»

«Lo so.»

Mentre parla, con un'incredibile naturalezza, recupera i pantaloni e le mutandine, e si rimette in ordine.

Pure io mi risistemo. «E tu come ti senti?»

Il suo sguardo si offusca. «Sconfitta.»

«Non dovresti.»

«Ma un po' mi ci sento.»

«Abbiamo messo Huong in stato di fermo» dico.

Mi fissa. Ora con una concentrazione assoluta. «Credete sia lui il serial killer?»

Non rispondo.

«Non è lui» dice Sofia Sun, decisa.

«Come fai a saperlo?»

«Perché lo conosco.» Continua a fissarmi. «Siamo stati insieme per quasi tre anni.»

«E perché avete rotto?»

Adesso è lei che non risponde. «Non è lui il Demone» ripete soltanto. «Non può essere.»

«Abbiamo delle prove.»

54.

E sulla base di queste prove, tre giorni dopo il fermo – appena il sost. proc. decide di ascoltarlo a Rebibbia – io e Caruso affrontiamo Huong.

Uno: la sua impronta digitale sulla brandina repertata dall'appartamento a Ponte Casilino. Nell'appartamento sono state tenute segregate alcune delle ragazze torturate e uccise dal Demone, e poi fatte a pezzi e sepolte nella fossa comune. L'impronta digitale dimostra che il giovane imprenditore è stato lì.

Huong ha un avvocato d'ufficio. Per ora non ne ha nominato uno di sua fiducia. Ci aspettavamo che avrebbe chiesto subito a Sofia Sun di difenderlo, ma non l'ha fatto.

L'avvocato si chiama Terenzi, deve avere più o meno la mia età, sui trentacinque anni, e visto che, da quando si è iscritto alla lista dell'avvocatura d'ufficio, Huong deve essere uno dei primi clienti a poterlo pagare, sta cercando di guadagnarsi la pagnotta.

All'udienza di convalida, davanti al gip e a Caruso, che ha deciso di comparire, ha contestato non tanto il ritrovamento dell'impronta di Huong, quanto piuttosto *l'effettiva* presenza delle ragazze in quell'appartamento, così come nei restanti quattro, non dimostrata pienamente e soltanto *supposta* da una serie di indizi raccolti nel corso delle investigazioni.

E se la presenza delle ragazze nell'appartamento a Ponte

Casilino non è sicura, allora l'impronta digitale del suo assistito non necessariamente lo collega alle vittime.

Poi Terenzi ha contestato l'opportunità in sé del provvedimento di fermo, in quanto tale atto prevede il concreto pericolo di fuga della persona che ne viene fatta oggetto. Pericolo che per il suo cliente – affermato e stimato imprenditore con legami solidi nella comunità cinese come in quella italiana – non sussiste.

Huong tace.

Mieli lascia il giusto spazio alle rimostranze dell'avvocato. Però poi ribatte che, anche in mancanza di prove forensi – a causa dell'uso massiccio di detersivi e solventi – esistono altri elementi importanti di cui tenere conto. Gli oggetti femminili rinvenuti, ad esempio. La natura di quegli oggetti, associata alle ricostruzioni portate dalla pubblica accusa, che riconducono il traffico delle ragazze transitate per il laboratorio tessile dei Wang agli immobili le cui chiavi erano in possesso dello stesso Wang Jiang, è più che sufficiente per ritenere ragionevolmente certa la loro presenza negli appartamenti.

E se la loro presenza negli appartamenti è ragionevolmente certa, allora l'impronta digitale di Huong in uno di essi lo mette in rapporto alle ragazze. E a ciò che è accaduto in quel luogo, e in seguito.

Riguardo alla misura restrittiva, il gip ritiene inoltre che proprio per il suo stato di imprenditore, per la sua elevata disponibilità economica, e per i suoi numerosi contatti in Italia e all'estero, il rischio di fuga per l'imputato era da ritenersi tutt'altro che infondato.

Su richiesta di Caruso, Mieli commuta il fermo in custodia cautelare.

Huong resta dentro.

Adesso Terenzi, dopo avere atteso tre giorni che sentissimo il suo cliente, si scaglia contro Caruso e protesta *vibratamente* proprio contro il mantenimento in carcere, laddove già il fermo era da ritenersi ingiusto e inappropriato.

Il magistrato sorride. Credo apprezzi la tenacia e l'energia che ci mette l'avvocato. «Forse siamo stati severi con il suo cliente. Ma non possiamo escludere davvero che in presenza di un'ordinanza di custodia, prima dell'esecuzione, il signor Huong non avrebbe tentato di fuggire. Per di più, avvocato, il suo assistito all'udienza di convalida non ha aperto bocca. Capisce che non è un buon modo per convincerci di un nostro eventuale errore. Ho aspettato di proposito prima di tornare a sentirlo.»

E apposta non mi ha voluto con sé alla convalida, per giocarsi la partita in due momenti diversi, e tenersi da parte qualche cartuccia.

«Speravo che questo tempo servisse al signor Huong per riflettere e cambiare idea su come porsi con noi.»

Terenzi guarda il suo cliente, che fa un cenno col capo.

No, non ha cambiato idea.

Huong inizialmente si rifiuta ancora di parlare.

Ma, due: noi gli mettiamo davanti un'intercettazione.

55.

Leonardi e Mussumeli qualche giorno fa entrano nel mio ufficio, e mi dicono che una delle utenze di Hu Xia, l'uomo di Vecchio Zhao, forse ci ha dato uno sbocco. Da quella utenza, Hu Xia chiama un altro numero: (+39)333.3032082

Musso e Leo mi mostrano la registrazione della captazione. A noi risultano solo "squilli". Chiamate senza risposta.

Hu Xia chiama quel numero tre volte, a distanza di un minuto l'una dall'altra. Per tre volte la telefonata viene interrotta prima della risposta.

Sembra una sorta di codice. Un avviso.

È questa l'intuizione di Leonardi e Mussumeli, che decido di seguire.

La serie di chiamate a vuoto avviene esattamente mezz'ora dopo che la notizia del fermo di Alberto Huong è uscita sui notiziari. Meno di quattro ore da quando il giovane imprenditore è finito dentro.

Coinvolgo Missiroli e gli altri, e deduciamo che, nonostante dell'esecuzione del decreto se ne sia occupata la finanza per lasciare intendere che le accuse riguardavano le false fatturazioni, qualcuno deve essersi preoccupato.

Libero trova il gestore del numero chiamato da Hu Xia: Wind. Scaccia inoltra via mail una nostra richiesta di polizia giudiziaria per avere gli estremi dell'intestatario, e otteniamo il nome: Hongmin Ren.

La Longo e la Fresu lavorano sul nominativo, ed esce che lo avevamo già controllato nel corso della ricerca effettuata da noi del Commissariato su Vecchio Zhao, prima che io arrivassi. Immigrato di prima generazione, Hongmin Ren all'epoca risultava impiegato in una lavanderia finita poi anche nelle informative dello SCO e della DIA tra le attività riconducibili per via più o meno diretta a Vecchio Zhao.

Adesso, invece, Hongmin Ren appare come titolare di una sua sala slot sulla Casilina. Ha pagato il suo debito con l'organizzazione, e dopo gli è stato concesso di mettersi in proprio.

Per saltare il gip e sbrigarci, chiediamo a Caruso un decreto d'urgenza per intercettare anche il numero di Hongmin Ren.

Il pm – bontà sua – si mostra ancora una volta più che collaborativo, e nel giro di un'ora, a velocità da record, ce lo manda.

Giusto in tempo.

Cinque minuti dopo che l'abbiamo messo sotto captazione – meno di un'ora e mezzo dopo la serie di chiamate a vuoto – dall'utenza di Hongmin Ren viene inviato un sms a un altro numero ancora: (+39)340.855490.

È scritto in italiano.

Ripetiamo il giro. Liberati trova l'operatore: Tim. Scaccia chiede e ottiene l'intestatario: Mirko Volpi.

La Longo e la Fresu fanno le pulci anche a questo nome,

e scopriamo che Volpi ha un paio di denunce, poi ritirate, fatte dalla moglie per maltrattamenti. Gioca d'azzardo, perde, torna a casa e se la prende con la consorte. E a quanto pare il posto preferito di Volpi, per giocare e perdere, è la sala slot di Hongmin Ren.

Ancora un controllo veloce, ed esce che Volpi lavora in una cooperativa che ha l'appalto per manutenzioni varie all'interno di Rebibbia.

Altra richiesta per un decreto d'urgenza a Caruso, stavolta per intercettare Volpi. Ma di lui ci importa relativamente.

Ci interessa invece il movimento che parte da Hu Xia, passa per Hongmin Ren, poi per Volpi, e da Volpi arriva fino a Rebibbia.

Abile Wang manda la foto del campo incolto al numero di cellulare cinese. L'avvertimento.

Hu Xia teme di essere intercettato e usa Hongmin Ren e Volpi come doppio ponte per far arrivare un messaggio.

L'sms che Hongmin Ren ha mandato a Volpi dice: "Digli di stare zitto!".

Ed è su questo che interroghiamo Alberto Huong.

Il messaggio era diretto a lui, vero? Volpi glielo ha recapitato in qualche modo?

«Perché "Digli di stare zitto"?» chiede Caruso. «Perché deve tacere, Huong?»

«Che cos'ha a che fare con Hu Xia, lo *Hung Kwan*, l'incaricato della Sicurezza e della Disciplina nella Luce Limpida di Vecchio Zhao?» gli domando io.

Perché fin da subito, quando ha offerto aiuto legale per la signora Wang, si è messo in mezzo nell'indagine? È stato solo per coprire le fatture false?

E perché, subito dopo di lui, si è messo in mezzo proprio Vecchio Zhao?

Che legame c'è *davvero* tra lui, Vecchio Zhao e la sua organizzazione?

Lo stanno proteggendo?

Che legame c'è tra lui e le ragazze?

Che cosa ci faceva lui nell'appartamento a Ponte Casilino? È *lui* il serial killer?

Huong continua a non dare risposte. Dice soltanto che non è lui l'assassino.

Guarda il suo avvocato d'ufficio. Terenzi intuisce, e dopo essersi tanto sbattuto ci resta male. Infatti, poi Huong guarda me e Caruso.

Adesso vuole che chiamiamo Sofia Sun.

56.

La cerco per informarla che Huong ha chiesto di lei. La chiamo al cellulare, ma suona a vuoto e scatta la segreteria.

Tra i numeri che Sofia Sun ci ha lasciato nel momento in cui ha preso la difesa di Wang Xinxia, ci sono anche quello di casa, e del suo studio.

In studio risponde una segretaria che smista le telefonate per Sofia Sun e per altri legali nello stesso edificio. La donna mi dice che no, oggi non ha ancora visto l'avvocato Sun. E no, non ha lasciato detto niente.

«Ma ieri è venuta al lavoro?»

«Sì.»

Ieri sì, oggi no.

Provo a casa. Non risponde nessuno.

Provo di nuovo al cellulare, e di nuovo squilla a vuoto.

Vado da lei. Salgo al piano, e suono al campanello di casa sua. Niente.

Ridiscendo, trovo il portiere dello stabile, gli mostro il tesserino e mi qualifico, risalgo assieme a lui e mi faccio aprire la porta con la sua copia delle chiavi.

Entro.

Il cellulare di Sofia Sun è sul pavimento dell'ingresso.

L'appartamento è a soqquadro.

Lei è sparita.

CINQUE

Il colpevole, l'assassino

有罪
凶手

Nella bocca della serpe e nel pungiglione della vespa
non troverai veleno altrettanto micidiale
di quello che può celarsi nel cuore di un uomo.

I.

Fine marzo

Chiamo Missiroli e i miei del Commissariato, chiamo Bellucci e Carmelo, e informo Caruso.

Il magistrato dice che mi manderà subito le autorizzazioni per i tabulati completi delle celle telefoniche in zona.

Arrivano i miei.

Il divano in salotto è spostato. Un quadro si è staccato dalla parete ed è caduto a terra. Un piccolo tavolino a fianco del mobile bar è rovesciato.

La casa non è solo stata buttata all'aria, ma ci sono segni di colluttazione.

Arriva la Scientifica. Bellucci e Carmelo ci cacciano dall'appartamento di Sofia Sun per cominciare a repertare.

Parliamo con il portiere, ci dice che negli ultimi giorni è stato spesso assente dalla guardiola. Nello stabile vivono molti anziani, e lui va a ritirare le pensioni per loro, e a pagare le bollette.

«Quando è stata l'ultima volta che ha visto Sofia Sun?» domando.

Ci riflette: «Ieri mattina».

«L'ha vista rientrare ieri sera?»

«No.»

Però se il suo cellulare è nell'appartamento, significa che è rientrata.

E la segretaria che segue anche il suo studio dice che ieri è stata al lavoro.

Allora significa che è scomparsa da ieri sera.

Da meno di ventiquattr'ore.

Rimando la Longo e la Fresu in Commissariato, e le incarico di attaccare con i vari operatori e i tabulati appena Caruso ci manda i permessi.

Spedisco Liberati e Pizza a cercare nei dintorni telecamere di sorveglianza, e nel caso di sequestrare i filmati.

Io, Missiroli e Scaccia iniziamo il giro per ascoltare i vicini.

Siamo tesi, concitati, cupi.

Il tempo accelera e prende a correre più veloce.

Nessuno lo dice a voce alta, ma lo sappiamo.

Sofia Sun non è sparita e basta.

Qualcuno l'ha presa.

L'hanno portata dal Demone.

2.

Ritelefono a Caruso, mi dà l'ok, e torno da Huong, che accetta di incontrarmi appena gli faccio sapere che voglio vederlo per Sofia Sun.

Che è scomparsa.

Entrando in carcere, ripenso a cosa ci siamo detti io e lei l'ultima volta che siamo stati assieme. "Forse il Demone è solo rannicchiato nel buio, in attesa." Adesso il Demone si è svegliato, è uscito dal buio e ha colpito.

Nella saletta colloqui, siamo solo noi due. Incontro informale senza Terenzi, il suo avvocato. Il giovane imprenditore è pallido e agitato.

Mi rivolgo a lui in dialetto, e uso il tu. «So che tu e Sofia Sun stavate assieme» dico. Non aggiungo che lo so perché sono stato a letto con lei. «La ami ancora, vero?»

Huong annuisce.

«Allora devi fidarti di me. Se vuoi che la ritroviamo viva, devi parlare. Se taci, Sofia Sun morirà.»

Huong abbassa gli occhi. «È colpa mia...»

Si sente responsabile, crede che se hanno preso Sofia Sun è a causa sua.

«Perché?»

«Perché l'ho coinvolta io.»

Di proposito, quando l'abbiamo arrestato, non ha nominato Sofia Sun come suo legale. L'aveva già invischiata chiedendole di difendere Wang Xinxia, non voleva tirarla dentro ancora di più.

«Non è colpa tua, Huong.»

«Ma io...»

«Ma tu l'hai coinvolta, sì. Però è stato subito dopo che abbiamo trovato la fossa comune che è scattato qualcosa.»

Un secondo innesco.

Il primo: le tre ragazze che si gettano di sotto dall'appartamento a Centocelle.

Il secondo: la fossa, la scoperta.

Solo in seguito hanno tentato di incendiare l'appartamento dei Wang per occultare delle prove che noi avremmo potuto trovare, poi, quando Huong è stato arrestato, hanno aspettato che avvenisse l'udienza di convalida, e visto che noi sbirri non siamo andati a prenderli tutti, hanno capito che Huong non aveva detto niente. Ma volevano essere sicuri, e attraverso Volpi gli hanno recapitato a Rebibbia il loro messaggio: "Stai zitto".

E adesso hanno rapito Sofia come ulteriore incentivo a restare muto.

«Ma se tu taci, Huong, allora tutte le cose che dici su te stesso, su come vuoi essere diverso, sono solo cazzate. Allora sei davvero solo un altro cinese che piega la testa e tiene la bocca chiusa. E comunque non servirà a Sofia Sun.»

«Non puoi saperlo...»

«Sì, invece. *Lo so.* L'hanno rapita per farti pressione, per farti sperare che se continui a fare il bravo prima o poi la libereranno, e tu la rivedrai. Ma è un inganno, non succederà. L'hanno consegnata al Demone.» Sento ogni istante che passa come un colpo nello stomaco e nella testa. «Se tu non parli» ripeto «lei muore.»

Huong mi fissa.

So cosa gli passa per la testa. Sono anche io cinese, conosco la paura che si tramanda verso chi rappresenta il potere e lo Stato, e l'abitudine a tenere tutto nel chiuso della comunità. Ma se trovi la leva giusta, se offri un *motivo* ancora più forte della paura e dell'abitudine, allora anche un cinese si divincola da questa morsa.

Come Qi Baoxiang, la ragazza sopravvissuta. Lei voleva restare in Italia.

Huong vuole salvare Sofia Sun.

Huong comincia a parlare.

3.

Ammette di avere da sempre rapporti con le Triadi. Fin da quando suo padre arriva in Italia ed è un *laoban*, un "padrone", che gli trova un posto dove stare e un impiego. Cresce convinto che sia normale lavorare per rifondere il debito contratto con le Società Nere. Lui stesso, per avviare il suo primo negozio, chiede un prestito, poi lo ripaga non trattenendo per sé nessun guadagno per i primi due anni.

Ancora adesso, non riesce a liberarsi del tutto dalla mafia. «Perché la mafia è dentro lo *Guanxi*, è dentro tutta questa trama di rapporti tra noi cinesi che ti protegge e ti strangola. Lo sai anche tu, vicequestore Wu» dice. Usa anche lui il tu, e il suo accento in dialetto diventa più aspro.

«Che legami hai *precisamente* con la Luce Limpida e Vecchio Zhao?»

«Sono loro quelli che mi hanno dato i soldi per iniziare.»

«Quando abbiamo fatto la prima SIT in Commissariato mi hai detto che non hai mai voluto averci a che fare con certe cose.»

«È vero. Non ho mai voluto.»

«Però ti sei rivolto lo stesso a loro.»

«Sì.»

«E dopo?»

«Dopo, li ho ripagati, e sono andato avanti. Ho fondato la mia associazione, la A.G.I.ICI. Ho cercato di prendere le distanze.»

«Perché non ti sei deciso subito a parlare? C'era una bambina di quattro anni uccisa...»

Huong abbassa gli occhi. «Perché non volevo essere un 25.»

Il significato del 25 si lega alla tradizione dei numeri che identificano i ruoli nella Piramide delle Triadi.

Il 25 è la spia.

Ha cercato di prendere le distanze, ma non abbastanza. Alla fine, non ha voluto essere un traditore.

«È per questo che io e Sofia Sun ci siamo lasciati. Cioè, che *lei* ha lasciato me. Perché non sono stato capace di fare una scelta netta rispetto a Vecchio Zhao e alla sua organizzazione.»

«Si vergognava di te.»

Huong tiene ancora gli occhi bassi. «Sì.»

«Perché eri nell'appartamento a Ponte Casilino?»

«Mi hanno portato lì. Prima siamo andati in un locale, a bere, come se fosse una festa, e mi hanno fatto ubriacare. Poi mi hanno portato all'appartamento, e mi hanno fatto scopare questa ragazza. Stava immobile sulla brandina, con gli occhi aperti...» Sul viso di Huong passa una smorfia di disgusto per se stesso e ciò che ha fatto. «E dopo mi hanno riportato a casa.»

«Avevi detto anche che non sapevi niente delle ragazze uccise.»

Huong non replica.

«Perché l'hanno fatto?»

«Perché hanno voluto ricordarmi chi comanda.»

Cerca di darsi l'immagine di uomo d'affari pulito e onesto, e si sente italiano. Ma non è così.

È cinese, e i cinesi devono obbedire alle Triadi.

«La ragazza che ti sei scopato, aveva segni di tortura?»

«No. Non aveva nessun segno.»

«Sei sicuro?»

«Sì.»

Forse era stata appena trasferita nell'appartamento. O forse era stata preservata apposta per il giovane imprenditore.

«Hai visto Abile Wang nell'appartamento?»

«Abile Wang?» Huong sembra stupito dalla mia domanda, come se non capisse cosa c'entra il marito di Wang Xinxia. «No, non l'ho visto.»

«Come siete entrati?»

«La porta d'ingresso era aperta.»

Abile Wang può avere aperto la porta ed essersene andato. Se era l'Uomo delle Chiavi, qualcuno deve avergli dato istruzioni, e lui ha eseguito.

«Hai visto qualcun altro nell'appartamento?»

«No.»

«Altre ragazze?»

«No. Ma c'erano delle altre stanze con le porte chiuse.»

Le altre ragazze in quel momento erano in quelle stanze.

«Chi ti ha portato nell'appartamento?»

Un secondo, due secondi. «Hu Xia.»

È lo stesso che ha effettuato le chiamate a vuoto per Hongmin Ren, facendo poi arrivare, attraverso Volpi, l'avvertimento in carcere a Huong.

È il 426, il Bastone Rosso.

È l'uomo di Vecchio Zhao.

4.

Huong ripete parola per parola a Caruso ciò che ha detto a me, e tutto viene messo a verbale dal solito Donnarumma.

Nel corso della deposizione, però, Huong sottolinea che l'avvocato Sun è scomparsa mentre lui era *già* in prigione. Un cenno verso di me: «Se come dice il vicequestore Wu, Sofia Sun è stata portata dal Demone, non posso essere *io*. Non sono io il serial killer che cercate».

Il pm ribatte che può essere vero, ma è altrettanto vero che *prima* del fermo Huong può avere dato ad altri un ordine che è stato eseguito quando in effetti si trovava già a Rebibbia.

«No!» Huong stringe i pugni, e ha il viso arrossato. Tenta di dire la sua verità. «Io non farei mai del male a Sofia Sun! Non farei mai del male a nessuno! Sono stato in quell'appartamento soltanto una volta. *Una*. E solo perché mi hanno obbligato. Non ho mai incontrato nessuna delle altre ragazze che sono state uccise. Io non c'entro col vostro assassino.»

Caruso chiede a Donnarumma una serie di stampe di file Excel dal fascicolo "Huong".

I tabulati mostrano che il cellulare a lui intestato si è agganciato a due celle delle zone in cui si trovano alcuni degli altri appartamenti dove venivano tenute prigioniere le ragazze. Esquilino e Porta Maggiore.

Huong giustifica gli agganci, ha due negozi proprio in quelle zone.

«Lo sappiamo» dico.

«In quante zone di Roma sono distribuiti gli altri appartamenti?» chiede Terenzi. Ora è presente anche l'avvocato, che non ha rinunciato al mandato nonostante Huong l'avesse praticamente liquidato al termine del primo interrogatorio in carcere, e fa il suo mestiere.

«Cinque.» Le elenco.

«Allora il cellulare del mio cliente si è agganciato solamente in due zone su cinque.»

«Ma nelle celle di quelle stesse due zone compaiono anche l'utenza del signor Wang Jiang, e il numero di China Unicom» dice Caruso.

Né Huong né il suo difensore sono mai stati messi a conoscenza del dettaglio del numero cinese.

«È il numero al quale Wang Jiang ha mandato una fotografia del terreno a Torre Spaccata di proprietà del suo assistito in cui c'era la fossa comune» chiarisco. Poi fisso il giovane imprenditore. «È così che abbiamo individuato il lotto.»

Terenzi sfoglia i tabulati. Scorre le date degli agganci dei tre numeri alle celle dell'Esquilino e di Porta Maggiore. «Non c'è contemporaneità, però» rimarca. «Cioè, quando il cellulare del mio cliente si è agganciato a quelle celle, era presente solo l'utenza del signor Wang, o solo quella dell'operatore cinese. Mai tutti e tre i telefoni assieme.»

Sappiamo anche questo. Ma l'impronta digitale di Huong sulla brandina ha cambiato la prospettiva da cui valutare quelle corrispondenze.

«E comunque, la mancata contemporaneità non è determinante, avvocato» replica Caruso. «In alcune occasioni il signor Huong può non avere avuto il suo cellulare con sé. O averlo tenuto spento. O può avere rimosso la SIM e la batteria.»

«Ma perché in certi casi sarei stato così prudente, e in altri no?» chiede Huong.

«Non lo sappiamo, ce lo dica lei. Dopotutto, il fatto che il suo numero non si sia agganciato alla cella di Ponte Casilino, dimostra che quando è andato all'appartamento lei aveva preso delle precauzioni. Giusto?»

«Sì. Mi era stato detto di non portare con me il cellulare.»

«Le era *stato detto*. Non è stata una sua decisione?»

«No.»

«Perché lei è stato costretto ad andare in quell'appartamento e a fare sesso con quella ragazza.»

«Sì, è così!» Huong sta ancora tentando di difendersi con

tutte le sue forze. Fa un respiro, pensa. Poi sposta lo sguardo da Caruso a me. «Voi pensate che quel numero di China Unicom appartenga al serial killer?»

Non rispondiamo.

«Se lo pensate, e se pensate che sia *io* l'assassino, allora dovrei avere *due* cellulari.»

«Non sarebbe il primo» osserva Caruso.

Il giovane imprenditore guarda il suo avvocato, quindi di nuovo me e Caruso. «Vi siete fatti una teoria su di me, ma ci sono delle cose che non funzionano. Non sono io il Demone, non sono io l'intestatario di quel cellulare cinese, io *non ho* un secondo cellulare.»

«Ci sono altre risultanze a suo carico» continua il pm. «La sua già citata proprietà del terreno, dove venivano sepolte le ragazze uccise. I suoi rapporti con il signor Wang, o quelli che lei stesso ha ammesso con la malavita organizzata cinese. Inoltre, c'è quella sua impronta digitale che la colloca su una scena del crimine.»

Il giovane imprenditore scuote la testa. All'improvviso sembra aver perso ogni energia. «Io non sono così» dice a mezza bocca. «Non sono... *quello*.»

5.

Il nome che ci ha dato Huong: Hu Xia, l'incaricato della Sicurezza e della Disciplina.

In Procura, io, Missiroli e Caruso decidiamo come procedere. È un passaggio chiave, per la prima volta da quando nella nostra indagine è entrato Vecchio Zhao, possiamo toccare direttamente *lui* e la sua organizzazione.

Però, se arrestiamo Hu Xia, Vecchio Zhao – che forse già sospetta – avrebbe la certezza che lo stiamo puntando, e rischiamo di compromettere tutta l'indagine.

Dobbiamo muoverci rapidamente.

Caruso stende il decreto di fermo. Come per Huong, evitiamo di passare per Mieli per una ordinanza di custodia e cerchiamo di accorciare la procedura.

I minuti che trascorrono sono sempre tonfi sordi che mi rimbombano dentro. L'urgenza di ritrovare Sofia Sun mi stringe la gola.

Andiamo a prendere Hu Xia.

Vado io con Missiroli, e sulla strada recuperiamo Scaccia dal Commissariato. Sappiamo che gli uomini di Vecchio Zhao passano gran parte del loro tempo alla sede del Cerchio Felice, quando non sono impegnati nei loro traffici.

Noi lo aspettiamo fuori, in un'auto senza contrassegni.

Passa un'ora. Guardo le cifre che cambiano nell'orologio sul cruscotto. Quando Hu Xia esce, noi scendiamo dalla macchina, ci infiliamo la placca al collo, e dopo esserci qualificati gli mettiamo davanti agli occhi il decreto.

Lo ammanetto, e lo facciamo montare sull'auto.

Scaccia al volante, Missiroli di fianco, io dietro con Hu Xia.

«Cosa sai di Sofia Sun?» gli chiedo subito.

«So che è bella. Ha una bella bocca» mi risponde in *wenzhouhua*, con un sorriso lascivo. «Mi farei fare volentieri un pompino.»

Mi provoca.

Uno dei primi avvertimenti di De Marco, quando a Bologna dal Reparto Mobile mi ha portato in Questura, è stato: «Qui è diverso. Non si alzano le mani. Qui noi facciamo indagini, e quando arrestiamo qualcuno, abbiamo solo svolto il nostro lavoro. Un fermato non si tocca».

Ma in questo momento me ne frego. Colpisco Hu Xia con una gomitata alle costole. Non tanto forte da fratturargliele, abbastanza da farlo piegare in avanti.

Scaccia mi fissa dal retrovisore. Anche Missiroli mi sta guardando.

Mi calmo.

6.

Portiamo Hu Xia a Rebibbia. Si presenta il suo avvocato, un certo Attilio Bonanni, dello stesso studio legale dei Parioli, molto noto, che segue tutte le attività di Vecchio Zhao. Sessant'anni, capelli bianchi tagliati corti, completo tre pezzi di sartoria, orologio discreto ma costoso, ventiquattrore di pelle griffata. A differenza di Huong, per il Bastone Rosso niente avvocato d'ufficio, ma solo il meglio.

Lui, Bonanni, si porta avanti e inizia subito con le rimostranze nel momento stesso in cui gli viene comunicato che col gip e il pm sarò presente anch'io all'interrogatorio di garanzia. Rimarca – per quanto sia consentita – l'*irritualità* della partecipazione della polizia giudiziaria all'atto di convalida, e sostiene che questo sbilanci la procedura a danno del suo cliente. Insomma, vuol far capire che è pronto a dare battaglia appigliandosi a tutto.

Mieli ascolta la tirata con la sua solita pacatezza, quindi fa un discorso preciso a Bonanni. «I reati a carico del signor Hu sono di tale gravità che meritano una riflessione attenta sull'atteggiamento da tenere da parte sua, avvocato.»

Hu Xia è accusato di favoreggiamento e complicità nel traffico di esseri umani, per la precisione nel traffico che ha condotto le ragazze nei cinque appartamenti, e nel loro sequestro e riduzione in schiavitù.

È inoltre accusato di favoreggiamento personale in omicidio plurimo aggravato. Rischia di farsi più di vent'anni dietro le sbarre.

È lui che ha agito per recapitare il messaggio intimidatorio a Huong. E Huong ha confessato che è stato Hu a portarlo nell'appartamento a Ponte Casilino, dove noi abbiamo trovato riscontro della permanenza di alcune delle ragazze torturate e uccise dall'assassino seriale, poi fatte a pezzi e sepolte nella fossa comune.

Bonanni, vecchia volpe, capisce che è opportuno smettere con l'ostruzionismo.

All'improvviso, è tutto gentilezza e disponibilità. Si è anche premurato di convocare un traduttore di sua fiducia, un sinologo che insegna alla Sapienza.

Il professore traduce per Hu Xia.

Mieli gli fa domande su Vecchio Zhao, sulla Luce Limpida, sui coniugi Wang, su Alberto Huong, sulla rapina/omicidio, sul traffico delle ragazze.

Caruso gli chiede degli appartamenti, del Demone, e di come tutto si articolava, nello specifico.

Io invece gli chiedo ancora di Sofia Sun. Hu Xia sorride di nuovo lascivo.

Ma tace. Su tutto.

I soli ad averci detto qualcosa di significativo, fino a questo momento, sono stati Qi Baoxiang, e Alberto Huong.

Bonanni sussurra qualcosa all'orecchio di Hu Xia: in questa sede non gli è consentito non rispondere alle domande, a meno che non lo dichiari agli atti.

Allora il 426 inizia a rispondere. Però non sa, non ricorda, non c'era.

Con il suo arresto corriamo il rischio di mandare l'indagine a farsi fottere, e non stiamo ricavando niente.

Sulla faccia ha sempre quel sorriso sconcio. "Ha una bella bocca, mi farei fare un pompino."

Risento la stretta alla gola, e il fiato che mi manca.

Immagino la scena: il mio braccio che scatta simile a una frusta, la mia mano tesa di taglio in un *Fak Sao* che colpisce la bocca di Hu Xia, le sue labbra che si spaccano, i denti che si frantumano e tagliano l'interno delle guance e la lingua, il sangue che spruzza.

Lo vedo.

Prima che accada davvero, esco dalla saletta interrogatori.

7.

Commissariato. I tabulati della cella telefonica che copre la zona dell'indirizzo di Sofia Sun. Li incrociamo con gli altri già in nostro possesso, ma non ci sono utenze a noi note. Se ad agire sono stati uomini di Vecchio Zhao, o collegati in qualche modo all'organizzazione, si sono portati dei cellulari che noi non abbiamo rintracciato e non abbiamo sotto intercettazione, oppure hanno "imbavagliato" i telefoni.

Le TLC presenti nella stessa area: scorriamo i filmati, guardandoci ore di riprese, finché da una telecamera di un tabaccaio, dall'altra parte della strada rispetto al palazzo di Sofia Sun, riusciamo a isolare una sequenza decente. Si vede lei uscire dall'edificio stretta tra due uomini. Le immagini sono abbastanza nitide, però i volti dei due non si distinguono. Portano un cappello con una visiera che copre metà dei loro volti, ed è difficile stabilire persino se siano cinesi o meno.

Un particolare, però, non mi torna.

Siamo tutti stretti alla postazione della Longo, e le chiedo di riavviare la sequenza sul suo computer.

Le immagini riprendono a scorrere. Sofia Sun e i due uomini escono dal portone. Lei è in mezzo a loro. I due la tengono per le braccia. Quasi la sorreggessero. Cammina con una certa difficoltà. Non oppone resistenza, non urla.

«Perché non urla?» chiedo.

La Longo non capisce: «Come dice, dottore?».

Mi rivolgo a tutti. «Guardate le immagini. Guardate l'avvocato Sun. Due uomini si sono introdotti in casa sua, l'hanno presa e la stanno portando via. E lei non sbraccia, non tenta di liberarsi, non chiede aiuto. Perché?»

«Forse prima di portarla fuori dall'appartamento l'hanno sedata» azzarda Scaccia.

«La Scientifica ha trovato qualcosa in casa?»

Missiroli sente Carmelo e Bellucci, che ci inoltrano un rapporto preliminare via mail.

Libero e Pizza lo stampano e se lo spartiscono per studiarlo.

«Sulla porta dell'appartamento hanno trovato segni di scasso» dice Liberati.

Come per le serrature degli appartamenti dove venivano tenute le ragazze.

«Ok, adesso sappiamo come sono entrati. Poi?»

«Aspetti, dottore.» Pizzuto sfoglia una pagina del rapporto. «All'ingresso, sotto il tavolino rovesciato, hanno repertato una siringa. Da un'analisi del contenuto sono risultate tracce di Flunitrazepam.»

«È il Rohypnol» dice la Fresu.

«Appunto» ribadisce Scaccia, «l'hanno sedata.»

Sì, l'hanno sedata, presa, e portata dal Demone. E noi non abbiamo nessun indizio su dove si trova.

Qi Baoxiang ha detto che lei e le altre due ragazze sono state tenute prigioniere per tre settimane. E che quando il Demone fosse tornato, loro sarebbero morte.

Ne era certa.

Ma noi non possiamo dare per scontato che tre settimane siano davvero il limite di tempo che abbiamo a disposizione. Potrebbe essere molto meno.

Caruso mi telefona e mi informa che all'interrogatorio di garanzia, dopo che io me ne sono andato, Hu Xia ha continuato a fare la recita. Vuoti di memoria, mezze risposte, ammettere solo i dettagli non incriminanti, negare a prescindere su tutto il resto. Mieli ha disposto il proseguimento della custodia in carcere.

«E voi, Wu?»

Chiudo la chiamata: «Siamo sempre qui».

Nessuno di noi va a casa, nessuno dorme, nessuno stacca. L'urgenza non è solo mia, è di tutti.

«L'intercettazione in carcere della signora Wang?»

«Fino adesso niente, dottore» dice Missiroli.

Dal momento della scomparsa di Sofia Sun, non ha nominato un nuovo legale, e ora anche lei ha un difensore d'ufficio. Non parla con il nuovo avvocato, e non parla con nessuno in cella.

Do una manata sulla scrivania. «Cazzo!»

Missiroli, la Longo, la Fresu, Scaccia, Libero e Pizza mi stanno guardando. È chiaro che la scomparsa di Sofia Sun mi coinvolge anche per ragioni personali, ma nessuno dei miei fiata.

Missiroli mi dice solamente: «La ritroviamo, l'avvocato Sun, dottore. Stia sicuro che la ritroviamo».

8.

Andiamo nel mio ufficio. «Missiro', c'hai qualche amico alla Penitenziaria?»

«Ce l'ho, dotto', perché?»

«Voglio andare a parlare con Wang Xinxia.»

Al mio ispettore non sfugge il senso di ciò che sto dicendo. «E al magistrato questa volta non lo disturbiamo...»

«Esatto. Allora, l'amico?»

«L'assistente Rocchi. E si può fare, dotto', però lo sa com'è...»

«Lo so, Missiro'.» Gli sto chiedendo un favore davvero grosso, e ancora più grosso al suo amico. Se si scopre che abbiamo violato le procedure in questo modo, ci becchiamo una denuncia.

Il suo amico, Rocchi, mi fa rientrare a Rebibbia, alla sezione femminile, dall'ingresso riservato agli agenti di custodia. «Missiroli dice che di lei ci si può fidare. Dotto', qua oggi non c'è mai venuto.»

«E neanche ti ho mai visto, Rocchi.»

L'assistente sa che stiamo intercettando Wang Xinxia, quindi l'ha sistemata in una sala colloqui "pulita" e non in quella "ambientalizzata" con i microfoni nascosti dove la sentiamo noi e lei incontra il suo legale.

Adesso, il difensore d'ufficio. Prima, Sofia Sun.

«Sai cos'è successo all'avvocato Sun?»

Senza ragionarci, come con Huong, uso il tu. La sala colloqui "pulita" è più piccola, io e Wang Xinxia siamo più vicini, a meno di mezzo metro l'uno dall'altra. La vicinanza e il dialetto comune creano una vaga intimità.

La guardo, guardo il suo volto perfetto, la pelle liscia, e la sua bocca rossa e carnosa nonostante il tempo trascorso in cella l'abbia un po' prosciugata e piegata all'ingiù.

«So che è stata rapita.»

«Sai dove l'hanno portata?» la imploro. «Ti prego, se lo sai, dillo. Solo a me.»

È per questo che sono voluto venire senza Caruso e nessun altro. Adesso non mi importa che Wang Xinxia riveli qualcosa di rilevante ai fini dell'inchiesta, non mi importa di verbalizzare e mettere agli atti.

La imploro ancora, senza vergogna. La supplico. «Dimmi dov'è.»

Per la prima volta, e non solo per un breve momento, la maschera distante di Wang Xinxia rivela un'emozione piena. È qualcosa che si muove nei suoi occhi, un'increspatura profonda.

Pena, forse. Compassione.

«Non so dov'è Sofia Sun. Mi dispiace.»

Sta dicendo la verità.

9.

Carmelo mi chiama mentre esco dal carcere: «Sto andando con Bellucci dal magistrato. È importante, sbrigati!».

Mi sbrigo.

Lui e Bellucci mi aspettano nella stanza di Caruso.

«Abbiamo un risultato dalla traccia ematica sul brandello di corpo» dice Carmelo.

«Quello di una delle ragazze nella fossa» precisa Bellucci. Ce lo ricordiamo. «*Non* appartiene a lei. Il sangue non era suo.»

Carmelo prosegue: «Poi abbiamo isolato un campione di DNA. Però è incompleto».

«Che significa?» domanda il pm.

Significa che la traccia ematica era contaminata dai solventi. Quindi il campione di DNA è leggibile solo in parte.

«Ma se il sangue non era della ragazza, anche il DNA non è il suo» dico.

«Esatto» conferma Bellucci.

Quindi è il DNA di chi ha fatto a pezzi i corpi. O dell'assassino.

Caruso si toglie gli occhiali, e si alza. «Abbiamo qualche riscontro con gli altri campioni presi ai soggetti implicati?»

«Ce l'abbiamo, dottore» replica Carmelo, con prontezza. «Il DNA parziale indica Vecchio Zhao.»

Il DNA *di chi ha fatto a pezzi i corpi. O dell'assassino.*

«Di sicuro Vecchio Zhao non ha smembrato le ragazze» osserva il pm. Non ci crede, e non ci credo nemmeno io. «Può averlo fatto Abile Wang, o qualcun altro assieme a lui, ma non Zhao.»

«E se fosse solo stato presente mentre le ragazze venivano smembrate?» prova Bellucci.

«No» dico. «Vecchio Zhao è il 489, è la Testa del Drago, non si sarebbe mai abbassato ad assistere a una cosa del genere.» Però, se non è stato lui… «Però, se non è stato lui a smembrare le ragazze, allora è il serial killer.»

Vecchio Zhao è il Demone.

«Piano, andiamo con calma…» dice Caruso.

«Sì, piano» concorda Carmelo. Ci informa che tra le assi del parquet, prelevate dall'appartamento a Centocelle, hanno individuato un capello con bulbo. Dal bulbo, possono campionare la sequenza *completa* del DNA e compararla con quella parziale ottenuta dalla traccia ematica.

È la scommessa che ci siamo giocati facendo il secondo

sopralluogo, e portandoci via la porzione di listelli di pavimento dietro il paravento nell'ultima stanza.

Una volta eseguita la comparazione, se questa è positiva – cioè se il DNA del capello trovato nell'appartamento a Centocelle è lo stesso di quello isolato dalla traccia ematica sul brandello del corpo della ragazza – possiamo concretamente affermare di avere il codice genetico dell'assassino.

A quel punto, si può procedere con una seconda comparazione tra il DNA del serial killer e il DNA parziale che identifica Vecchio Zhao.

E avere così la certezza che è *lui* il Demone.

Però io non voglio andare con calma. «No, non possiamo aspettare gli esami, dobbiamo arrestare Vecchio Zhao, *subito*» dico. «Se è lui il Demone, ha preso Sofia Sun.»

Caruso mi guarda per un secondo, poi si rivolge a Carmelo e Bellucci: «Io e il vicequestore Wu dobbiamo discutere di qualche altro dettaglio, se volete scusarci…».

I due capiscono che non è aria, salutano e si dileguano.

Il pm torna a guardare me. «Non c'è solo lei che vuole salvare l'avvocato Sun!» Mi si mette esattamente di fronte. «Abbiamo già fermato Hu Xia, e abbiamo ottenuto *zero*. Arrestare Vecchio Zhao adesso è da stupidi. Così com'è da stupidi andare dalla signora Wang senza essere autorizzati.»

Lo ha scoperto.

«Missiroli ha tanti amici, ma qualcuno ce l'ho anche io. Una detenuta viene prelevata dalla cella e portata in sala colloqui senza che risulti alcuna richiesta da parte del difensore o dell'autorità giudiziaria. Credeva davvero che passasse inosservata questa cosa?»

«Dottore, senta, sono stato io che…»

«Non procederò contro di lei, o contro Missiroli e Rocchi, se è questo che la preoccupa. Però *me 'ntenn bbene*, Wu.» Il procuratore è arrabbiato, *molto*, e la cadenza napoletana diventa marcata. Mi si piazza di fronte, a meno di mezzo metro. «Lei mi è piaciuto subito, fin dal primo momento che è riuscito a farsi affidare quest'indagine e l'ha fregata alla Mobile. È stato furbo *co' chill' trucchètt del ping e pong* tra me e il questore. E pur io un poco ho fatto *o' furb* con lei, perché un poliziotto cinese da mostrare ai cinesi mi tornava comodo. Ma se lei fosse stato furbo e basta, non mi sarebbe piaciuto tanto. Invece da lì in poi è stato corretto con me. E io con lei sono stato un magistrato più che disponibile. È *'o vero?*»

«Vero, dottore.»

«Però lo stesso lei va con Scaccia a casa dei Wang senza avvisarmi. Trovate le chiavi e i biglietti aerei, e sorvoliamo. Anzi, v'ho pure scritto un decreto sistemato con le date, se no non si poteva mettere agli atti. Ma dopo ha la brillante idea di andare a parlare in carcere con una persona in stato di custodia cautelare. E mo non posso più sorvolare. Che cosa sta succedendo, Wu?»

Mento: «Niente, dottore».

«Niente?»

Caruso non può sapere dei miei rapporti con Sofia Sun, ma è un uomo perspicace, e deve avere intuito qualcosa. Mi soppesa a lungo con lo sguardo. «D'accordo, *niente*» dice. «Faccio finta un'altra volta di non aver saputo, e non le chiedo altro. Però adesso facciamo come dico io. Voglio aspettare il DNA del capello, e la comparazione. Voglio un risultato a prova di avvocati e periti di parte.» Negli occhi ora gli passa uno scintillio freddo. «Voglio Vecchio Zhao messo in croce per costringerlo a parlare.»

10.

Ritrovo Carmelo fuori dalla Procura. È solo. Bellucci è andato via, lui mi ha aspettato. «Ci sediamo da qualche parte?».

«Sediamoci.»

Andiamo a piazzarci su una panchina al Giardino Pietro

Lombardi, dietro piazzale Clodio. Siamo a settecento metri dal Palazzo di Giustizia, ma sembriamo lontanissimi. Nessuno ci presta attenzione.

«Allora?» gli chiedo.

Carmelo va dritto al punto: «Tu e l'avvocato».

Se Caruso e miei al Commissariato possono avere dei sospetti al riguardo, Carmelo ne è sicuro. Mi conosce meglio e da più tempo, sa più cose di me. Sostengo il suo sguardo. Adesso non mento, e non cerco neppure di negare. Taccio.

«Che cazzo, Wu! Sono contento di essere qui, e di seguire quest'indagine con te. Anche se è pesante, e mi è toccato vedere quelle ragazze nella fossa, e dopo stare con Olivieri che rimetteva assieme i pezzi. Ho mollato tutto a Bologna, ho lasciato Sandra a casa, tu hai detto "vieni" e io sono venuto. Però *chistu fatt' mi fa nisciri pazzu*. Hai preso l'incarico a Roma perché hai fatto un disastro con Anna e Giacomo, perché magari così rimettevi un po' d'ordine in testa, e invece vai a invischiarti in un'altra storia con un'altra donna. Che è pure il difensore di un'imputata.»

Caruso, prima, era arrabbiato. Carmelo oscilla tra l'incazzatura e l'affetto, come succede tra amici, quando uno è convinto che l'altro abbia fatto qualcosa di sbagliato. E non sa della turista.

«Prima che tu partissi ti ho chiesto come reagiresti se qualcuno facesse soffrire tua moglie e tuo figlio.»

«E io ti ho detto che farei soffrire lui.»

«Appunto. Io dovrei prendere a mazzate te. E se non ti ci prendo non è perché fai quel tuo Kung Fu, o cos'è, ma solo perché Anna e Giacomo sono lontani. Sicuro che ci stanno male uguale, ma almeno non ti vedono.»

Io taccio di nuovo. E anche Carmelo rimane in silenzio per qualche istante.

«Ma tu cosa vuoi nella vita?» mi domanda poi.

Resto spiazzato. Neppure Anna mi ha mai fatto questa domanda, non così diretta. Non so cosa rispondere.

«Vorrei svegliarmi una mattina e sapere chi sono.»

«Ma che significa?»

«Tu lo sai chi sei.»

«Io?»

«Tu sei siciliano. Ti sei spostato al Nord, vivi a Bologna, ma rimani un siciliano. *Lo sai*, è come una base. Poi ti piace il tuo lavoro, giochi a calcetto, soprattutto ami Sandra, i tuoi figli e i tuoi nipoti. Tu sei *questo*.»

«E allora? Tu non ami Anna e Giacomo? Pure se continui a fare fesserie?»

«Certo che li amo. Ma non basta.» Nonostante il nostro rapporto, io e Carmelo non abbiamo mai affrontato questi discorsi. È difficile. «Perché io sono sempre spaccato a metà. Non sono *intero*.»

«Solo perché sei mezzo italiano e mezzo cinese? No, guarda che tu sei intero. Sei uno stronzo tutto intero.»

«Hai ragione.»

«Se ho ragione, allora perché questa storia con l'avvocato?»

«Perché Sofia mi aiuta a unire un po' le due parti.»

«Ti aiuta a unirti a lei *a letto*.»

«Sembra una scusa, ma è vero.»

Cerco di spiegare che Sofia Sun mi fa sentire in pace. Non fingo, c'è l'attrazione fisica, c'è il piacere, ma soprattutto quando sto con lei c'è la sensazione di stare in equilibrio. Né troppo cinese, né troppo italiano. Io e basta.

È come se ogni volta imparassi un po' meglio il modo di tenere assieme i pezzi.

Carmelo mi ascolta. Non insiste, non ribatte più. Si limita a fissarmi, e annuisce. Siamo amici. Mi crede.

«Mo andiamo, devo raggiungere Bellucci. Quello si penserà che hanno rapito pure me.»

«Ok.»

Continua a fissarmi. «Comunque, per il DNA del capello facciamo l'impossibile. Te lo prometto. Anche se sei uno stronzo, la voglio ritrovare anch'io, l'avvocato.»

Ma intanto arrivano gli esiti del lavoro della Longo e della Fresu sulla Quiet Place Real Estate.

"Se qui dentro c'è qualcosa, lo tiriamo fuori." Infatti.

Le uniche operazioni che risultano effettuate dall'immobiliare sono state l'acquisto dei cinque appartamenti, e la loro messa in vendita. Questa seconda operazione risale al giorno dopo che i quattro tizi hanno cercato di bruciare la casa dei Wang. L'estremo tentativo di liberarsi di prove scomode. Tuttavia, la vendita non è andata a buon fine. Nessun altro movimento. La Quiet Place Real Estate in pratica era stata creta *ad hoc*, solo per gestire gli appartamenti.

«Ma creata da *chi*?» chiedo.

La Fresu mi mostra un diagramma sullo schermo del suo computer. Ci sono caselle e nomi, e varie linee che s'intersecano. La Quiet Place Real Estate è stata avviata a partire da un'altra immobiliare, la Europe Premium Locations, che si occupa in prevalenza di immobili di lusso in tutta Europa. La Europe Premium Locations è a sua volta una costola della Prestige Goods, che tratta a più ampio raggio beni esclusivi: gioielli, orologi, yacht, automobili, aerei privati.

E non finisce qui.

Continuando a seguire i vari fili, la Longo e la Fresu sono arrivate a un fondo di investimento. Il Black Jade Global Fund, che ha sede a Hong Kong, e ha interessi e compartecipazioni in svariati affari. Così tanti, che è impossibile mapparli tutti e accedere alla lista degli investitori.

Ma il fondo controlla un'altra società che ci fa drizzare le antenne: la LHM-Luxury Hotel Management, attiva nella gestione degli alberghi di categoria superiore. La LHM ha dato vita a sua volta alla Manila High Resort, attraverso cui possiede un grande albergo, appunto, a Manila. Il Philippines Diamond Resort.

È lo stesso albergo tra i cui soci figura Vecchio Zhao.

Bacio la Longo e la Fresu.

E torno alla carica con Caruso.

L'urgenza non smette mai di strangolarmi, però cerco di rimanere lucido. Se mi lascio vincere dal panico, affondo.

Gli elementi per iscrivere i due Zhao al registro degli indagati li abbiamo già, ma il magistrato voleva più prove. Abbiamo ottenuto il DNA parziale di Vecchio Zhao, ma non bastava. Adesso, con gli incastri tra il Manila High Resort e la Quiet Real Estate abbiamo il collegamento certo tra Vecchio Zhao e gli appartamenti dove venivano tenute le ragazze torturate e uccise dal Demone.

E se Vecchio Zhao è il Demone, Vecchio Zhao ha rapito Sofia Sun.

«Non possiamo più aspettare. Arrestiamolo!»

Caruso mi ascolta, capisce, ma ripete il suo "no". «Ritrovare l'avvocato Sun è la nostra priorità assoluta, ma non è l'unica. Dobbiamo considerare l'insieme delle cose. Ne ho parlato anche con Iorio, e pensiamo entrambi che arrestare adesso Vecchio Zhao non sia la mossa giusta.»

«Perché?»

«Perché se Vecchio Zhao è il Demone, la sua organizzazione l'ha sempre protetto. Sono già in allarme dopo che abbiamo messo dentro Hu Xia, se mettiamo dentro anche il loro capo potrebbero distruggere tutte le prove» risponde il magistrato. «E se l'avvocato Sun è nelle loro mani, la condanniamo a morte.»

Secondo Caruso e Iorio, abbiamo due possibilità.

«La prima è sempre la stessa: aspettiamo il riscontro del DNA.»

«Non ce lo abbiamo tutto questo tempo, dottore.»

Cerco di contare da quanti giorni Sofia Sun è scomparsa.

«Allora la seconda: arrestiamo tutti gli uomini di Vecchio Zhao. E Vecchio Zhao con loro. E Piccolo Zhao. Li arrestiamo per associazione a delinquere.»

«Va bene, *facciamolo*.»

«È quello che aspetto dal giorno in cui abbiamo cominciato questa indagine. Voglio smantellare l'organizzazione, e voglio farlo con gli omicidi delle ragazze *e* con il 416bis.» Il pm mi guarda. «Ma non così. Mieli è stato sempre molto collaborativo con noi, però se arrestiamo più di una decina di persone senza prove blindate, ce le rilascia. E a quel punto ce li bruciamo davvero. Dal padre al figlio e fino all'ultimo dei soldati.»

«E quindi?»

«Lo sa anche lei.»

Lo so. E l'ansia si mescola a un senso di sconforto. «Dobbiamo raccogliere ancora altre prove...»

«Mi porti qualcosa per fermarli *tutti*, Wu. Per ora, Vecchio Zhao non si tocca.»

13.

Invece no. Decido di procedere autonomamente al fermo di Vecchio Zhao.

Informo i miei.

«D'accordo, dotto', noi lo fermiamo» dice Libero, «ma dopo che succede?»

«Dopo ci pensiamo. Intanto, fermiamolo.»

Rispondo a Liberati, però mi sto rivolgendo a tutti. Fermare un indiziato senza avvertire il pm che segue l'inchiesta è un rischio alto, da cazziatone epocale, se va bene, altrimenti si va incontro a qualche sanzione. Quindi voglio chiarire che non sono obbligati. «Se non ve la sentite, agisco da solo.»

Uno scambio di occhiate tra Scaccia e Libero, tra la Fresu e la Longo, Pizza, poi Missiroli che parla per tutti: «Come dice lei, dotto'. Fermiamolo».

Fermiamolo.

Dobbiamo prendere Vecchio Zhao senza clamore, essere

veloci a farlo parlare per incastrare anche tutti i suoi uomini, ma soprattutto dobbiamo farci dire subito dov'è Sofia Sun, prima che l'organizzazione – una volta scoperto che abbiamo il *San Chu* – stabilisca che proprio lei è il problema, e scelga la soluzione più drastica.

Cioè, eliminare il problema.

14.

Studiamo il modo.

Da quando abbiamo individuato i numeri di telefono riconducibili all'organizzazione, sono stati messi tutti sotto controllo, compreso uno intestato a Vecchio Zhao, che però non ha mai portato a niente di utile. Solo una volta, ascoltiamo una telefonata da parte di uno dei suoi soldati. Lo informa che l'avvocato Bonanni è passato all'associazione a cercarlo.

Vecchio Zhao lo interrompe brusco: «Non qui, idiota!».

Non qui. Non a questo numero. A conferma che Zhao e i suoi uomini devono averne altri a disposizione che noi non siamo stati capaci di rintracciare.

Anche dopo l'arresto di Hu Xia, sull'utenza intestata a Vecchio Zhao non passano comunicazioni significative. Se Bonanni l'ha chiamato per tenerlo aggiornato sul suo *Hung Kwan*, lo ha fatto appunto su un altro cellulare.

Sul numero che noi abbiamo sotto captazione sono transitate soltanto conversazioni innocue, riguardanti la gestione del *Xingfu Quan*, l'associazione culturale, e qualche questione marginale di lavoro per la Zhao Trade Company.

Lo stesso, ci riprendiamo le registrazioni degli intercettati già tradotte da Xian, e ce le dividiamo. Le ripassiamo tutte, una per una.

Le ore scorrono. Facciamo notte, arriva l'alba.

Continuiamo a riesaminare tutte le registrazioni delle

captazioni. Per quanto irrilevanti, ci aiutano ad avere un'idea generale delle attività e degli spostamenti quotidiani di Vecchio Zhao.

Come quando si è fatto recuperare assieme a suo figlio fuori dalla Procura, viaggia sempre in auto con due sgherri sul sedile posteriore, seguito da una seconda vettura con a bordo altri soldati, e Xu Yi, il Guardiano del Vento, il responsabile della sorveglianza interna, che ha preso il posto di Hu Xia.

Le due auto, e gli uomini sulle auto, lo accompagnano ovunque e restano con lui.

Il 489 non si muove mai da solo.

Tranne quando va dal barbiere.

In una delle intercettazioni troviamo un dialogo in cui se la prende con un soldato perché, a causa di un disguido su un incontro di lavoro già fissato, è costretto a saltare il suo appuntamento con Feng Bo. E loro sanno che lui ci tiene ad andarci tutti i giorni.

Per quale motivo?

È solo perché vuole essere sempre in ordine, o c'è dell'altro?

Incrociamo gli agganci del numero di Vecchio Zhao con le celle, e individuiamo il negozio di Feng Bo, il barbiere, che si trova sulla Casilina.

Sull'uomo non ci risulta nulla di sospetto. Pare non essere nemmeno legato all'organizzazione.

Ma scopriamo qualcosa su una gentile signora cinese che abita in un appartamento proprio sopra la sua bottega. Controllando il civico, viene fuori il suo nome, Liu Yu, e noi l'abbiamo già sentito.

Era in una breve nota a proposito della vita personale di Vecchio Zhao, contenuta nel fascicolo raccolto dallo SCO e dalla DIA.

Liu Yu, quarantacinque anni, nubile, senza figli, veniva indicata come "persona molto vicina" a Vecchio Zhao, "con il quale – nonostante l'età avanzata del suddetto – si intrattiene in rapporti frequenti e intimi". Insomma, la sua amante. O l'amante preferita tra le amanti.

Non l'avevamo ancora ascoltata, perché in una postilla a quella nota i colleghi scrivevano che "si è proceduto a prendere a verbale la signora Liu Yu, pur tuttavia senza esito alcuno". La signora, infatti, è in regola con tutti i permessi, non era sospettata di alcun crimine, e non c'erano appigli per forzarla a rivelare informazioni su Vecchio Zhao.

Noi abbiamo creduto non valesse la pena fare un altro tentativo con lei. Adesso invece crediamo che quando Vecchio Zhao va dal barbiere, prima o dopo il servizio sale nell'appartamento al piano di sopra, e per questo non vuole nessuno dei suoi ad aspettarlo.

È interessante.

Forse abbiamo trovato un varco in cui infilarci.

Ci mettiamo in Sala Ascolto e sentiamo, in diretta, il cellulare di Vecchio Zhao e quelli dei suoi uomini di scorta.

Telefonate inutili. Lunghi momenti di vuoto. Alla parete della Sala Ascolto c'è un orologio, le lancette ticchettano. Altro tempo si accumula. Ancora una notte, un'alba, un giorno che trascorre.

Poi, un'altra telefonata.

Vecchio Zhao sta chiamando. Ora. È in macchina con l'autista, parla con Xu Yi che si trova sull'altra auto dietro alla loro, e gli dice di tornare al Cerchio Felice. Lui va da Feng Bo, poi rimanda indietro anche l'autista. Li aspetta tra un'ora.

Ecco il nostro varco.

Due nostre volanti in strada, Scaccia e Pizza su un'auto senza contrassegni a seguire la prima volante, e Libero e la Fresu dietro la seconda.

Missiroli resta in Sala Ascolto con Musso, Leo e Xian, e tiene il contatto tra tutti via radio e cellulari.

Io vado a prendere Vecchio Zhao, e stavolta porto la Longo con me. Arriviamo da Feng Bo, e parcheggiamo la macchina dall'altra parte della strada. Teniamo il motore acceso.

La Longo vuole agire subito. La vicesovrintendente formosa, timida e riservata, che quasi si nascondeva, sfodera la grinta. «Entriamo, dottore. Adesso» dice decisa.

«Non ancora» rispondo. «Vecchio Zhao voglio farlo *sparire*, per quanto possibile.»

Indico il negozio di Feng Bo. All'interno è visibile solo il barbiere. Non riusciamo a vedere Zhao. Potrebbe essere sul retro, in bagno. O forse è al piano di sopra con Liu Yu.

«Se entriamo, e lo andiamo a prendere, la donna parlerà. O parlerà Feng Bo» spiego. «Anche se nessuno dei due è collegato alla Luce Limpida, se portiamo via la Testa del Drago lo riferiranno. E allora sai noi cosa facciamo, Longo?»

«Aspettiamo?»

«Brava. Aspettiamo.»

Anche se l'ansia mi schiaccia, non possiamo fare altro.

La Longo, al posto di guida, tamburella nervosamente con le dita sul volante.

Metto la mia mano sulla sua, e la fermo. «Come va a casa?»

«Bene.»

«Il bambino?»

«Cresce.» Sorride. «Diventa sempre più bello.»

Penso a Giacomo, per un istante. Anche lui cresce, e io non ci sono. Ma il pensiero di mio figlio viene sopraffatto da quello di Sofia Sun prigioniera del Demone.

«Il tuo compagno, invece?»

«Con Claudio abbiamo parlato.» Non mi aveva mai detto come si chiama. «Gli ho spiegato che lo amo tanto, che è un bravo padre, ma che se continua a darmi contro perché sono una poliziotta, può prendere le sue cose e togliersi dalle palle.» Arrossisce, ma solo per un secondo. Dopo, la sua espressione torna ferma. «Perché io questo faccio.»

Sì, la mite e tranquilla Longo è cambiata.

«E lui?»

«Non ha preso le sue cose. E io sono qui adesso.»

La guardo. Ora sono io che sorrido.

Poi la radio di bordo gracchia. Dalla Sala Ascolto sentiamo Xu Yi chiamare al cellulare l'autista. Non lo trova, dov'è finito? L'altro si scusa, è andato a fare benzina. Xu Yi, spazientito, gli dice di fare in fretta. È ora di tornare a riprendere il *San Chu*.

La Longo si agita. Anche io, ma cerco di non mostrarlo.

Il margine ce lo abbiamo ancora.

Dico a Missiroli di tracciare Xu Yi, l'autista, e i soldati. Leonardi e Mussumeli avvertono l'operatore telefonico, fanno attivare il *positioning*, e il server manda ai cellulari intercettati un segnale nascosto che si ripete in un intervallo di tempo prestabilito. Ogni volta che i cellulari ricevono il messaggio, sollecitano una cella e ci danno una posizione.

Adesso i telefoni di Xu Yi e degli altri si agganciano alla cella che copre l'area che comprende via Statilia, via San Quintino e via Carlo Emanuele. Sono tre strade che portano verso piazza di Porta Maggiore. Stanno per prendere la Casilina.

Si avvicinano.

Ma Vecchio Zhao continua a non farsi vedere. Nel negozio c'è solo Feng Bo.

Il nostro margine si assottiglia.

«Non può essere sul retro» dice la Longo, «è di sopra, dalla donna.»

Sono d'accordo.

Il vicesovrintendente ci riprova: «Dobbiamo andare a prenderlo».

La placo di nuovo: «No, lo voglio *fuori* di lì».

Missiroli, alla radio, chiede direttive: «Dottore, allora?».

«Da' il via alle volanti.»

La prima volante blocca le due auto degli uomini di Vecchio Zhao all'imbocco della Casilina. I volantini fermano anche altre macchine, come copertura.

Intanto, Vecchio Zhao compare nel negozio di Feng Bo. Se è sceso dall'appartamento di Liu Yu, deve esserci un passaggio interno. Scambia due parole con il barbiere, riceve un saluto deferente, ed esce.

Ora è all'esterno.

Credeva di trovare le auto dei suoi già lì, ma non ci sono. Si guarda attorno, quindi prende il cellulare e chiama.

Sempre dalla Sala Ascolto lo sentiamo parlare con Xu Yi, gli domanda perché non sono ancora arrivati. Il Guardiano del Vento risponde che sono fermi a un posto di blocco della polizia.

«Cosa cercano?»

«Non si capisce. Stanno fermando un po' tutti. Che facciamo?»

Se decidono di reagire, con la volante ci sono Scaccia e Pizzuto. E se cercano di forzare il posto di blocco, c'è la seconda volante con l'appoggio di Libero e la Fresu.

Per fortuna, in questo caso Vecchio Zhao segue la politica delle Triadi, di non farsi notare: «Se i poliziotti vi chiedono i documenti, mostrateglieli e basta. E vedete di sbrigarvi!».

Riattacca, e si sposta di qualche passo dal negozio.

«Adesso!» dico.

La Longo fa un'inversione a U sulla carreggiata, e accosta l'auto al marciapiede, di fronte a Vecchio Zhao.

Scendiamo. Io mi posiziono tra Zhao e il negozio, così che Feng Bo, se dovesse sporgersi dalla vetrina, non possa vedere cosa accade.

Ma il barbiere non si sporge.

«Signor Zhao, deve venire con noi» dico.

La Longo apre la portiera posteriore dell'auto. Vecchio Zhao la guarda, osserva i suoi modi calmi e pacati, e si limita a un cenno affermativo con la testa.

Faccio mettere Vecchio Zhao sui sedili dietro, quindi mi sistemo a fianco. La Longo si rimette al volante, e parte.

Mi volto verso il *San Chu* e, prima in italiano, poi in cinese mandarino, e infine in dialetto, lo dichiaro in stato di fermo.

15.

La Longo guida. Vecchio Zhao, accanto a me, rimane fermo e zitto.

Chiamo Missiroli: i volantini possono smontare il posto di blocco, i nostri che sono con loro devono rientrare, ma in contemporanea deve far partire dal Commissariato due nostre auto a sirene spiegate. «Missiro', deve circolare la voce tra i giornalisti accampati fuori che *forse* c'è un arresto importante a piazza Vittorio. O quello che vuoi. Inventa.»

L'importante è che ci li togliamo di dosso per un po'.

Dopo un quarto d'ora, arriviamo al parcheggio, e i giornalisti sono scomparsi. In ogni caso, per sicurezza, io e la Longo copriamo la testa di Vecchio Zhao con la mia giacca, mentre entriamo.

Portiamo la Testa del Drago, il boss della mafia cinese, al centro di un "quartiere cinese". In sostanza, lo nascondiamo mettendolo in bella vista.

Dentro, Vecchio Zhao passa sotto lo sguardo dei miei e di tutto il Commissariato. Nessuno fiata, ma sulle facce vedo espressioni soddisfatte e orgogliose. È un momento importante. Ci siamo spaccati la schiena, ce la stiamo ancora spaccando, ma portare qui da fermato l'uomo al vertice della Luce Limpida e indiziato di punta nella nostra indagine ci ripaga. È qualcosa di concreto e tangibile.

Fotosegnalamento a Libero e Scaccia, che si prendono Vecchio Zhao e se lo portano via.

Verbale del fermo alla Fresu e a Pizzuto, con tutti i fatti fin qui raccolti, e che mettano molto bene in evidenza – come risulta dalle informative dello SCO e della DIA – i suoi frequenti viaggi a Hong Kong e Taiwan legati alla Zhao Trade Company che incrementano notevolmente il pericolo e la possibilità di fuga.

«Senza fretta, però.»

Abbiamo ventiquattr'ore prima di essere obbligati a metterlo a disposizione del magistrato, dobbiamo sfruttare e allungare al massimo il tempo in cui possiamo tenerci Vecchio Zhao. E il lavoro dev'essere accurato e ineccepibile, proprio perché ho proceduto al fermo dopo che Caruso mi aveva detto espressamente di *non* farlo.

«Non si preoccupi, ricontrolliamo tutto parola per parola» dice Pizza. Ha capito. È il Pinguino, quello con meno pelo sullo stomaco, ma pare avere metabolizzato la cosa.

La Fresu, sempre pronta a prendere iniziative, invece sembra ancora indecisa. Davvero sta imparando a distinguere quando agire, buttarsi, e nel caso fregarsene delle procedure, e quando *non* agire, fermarsi e pensare.

«Dottore, è sicuro di non farla, una telefonata al pm?»

«Sicuro.»

La mia parte cinese fa come mio padre al ristorante con il cliente che voleva l'anatra laccata. Rimando a più tardi una discussione che potrei avere ora, perché tra ora e più tardi magari cambia qualcosa e la discussione non è più necessaria. O perlomeno, forse più tardi posso affrontarla da una posizione migliore.

«Però se *tu* non sei sicura, Fresu, ti metto a fare altro. Non c'è problema, e dico sul serio.»

La solita Fresu sveglia e decisa torna a galla. «Non lo dica nemmeno, dottore.» Prende Pizzuto per un braccio e lo trascina. «Andiamo, Pizza. Sgranchisci le dita che c'è tanto da scrivere.»

Missiroli mi chiama in Sala Ascolto. La Longo viene con me.

Stiamo ancora intercettando in diretta i cellulari degli uomini di Vecchio Zhao. Stanno telefonando a raffica – tra loro, e ad altri membri dell'organizzazione – per capire dov'è finito il loro capo.

«Ha il cellulare staccato e non risponde. Perché?» chiede Hu Yi.

Perché il suo cellulare gliel'ho sequestrato io un secondo dopo averlo dichiarato in stato di fermo. Con sé aveva soltanto quello.

Uno dei soldati suggerisce che forse il *San Chu* si è incazzato per il loro ritardo a prelevarlo dal barbiere. Ha spento il cellulare e se n'è andato da solo. Che poi è quello che noi speravamo pensassero. Cioè, che prima di pensare che il loro capo era sparito, valutassero altre spiegazioni.

Xu Yi riceve una nuova chiamata da un altro soldato, che gli domanda se non è il caso di avvisare Piccolo Zhao.

«No!» Il Guardiano del Vento teme di perdere la faccia davanti al *Fu San Chu*, se gli comunicano che si sono persi suo padre.

L'altro uomo, però, gli fa presente che Vecchio Zhao potrebbe essersi già messo in contatto proprio con suo figlio.

Xu Yi rimane in silenzio qualche istante. Si sente il suo respiro e il fruscio di fondo sulla linea. «Va bene» si convince, «chiamo io Piccolo Zhao. Ma voi intanto continuate a cercare il *San Chu*.»

Perfetto.

Lascio alla Longo il cellulare di Vecchio Zhao. Dovremmo consegnarlo agli smanettoni di Bellucci, alla Scientifica, o alla Postale. Ma se lo diamo in consegna, mettiamo al corrente altri che Vecchio Zhao è stato fermato.

Invece per ora ce lo teniamo tutto per noi.

Chiedo alla vicesovrintendente di dare una sbirciatina al telefono, solo per scrupolo. Da questo cellulare di Vecchio Zhao non credo che ricaveremo niente di particolare.

Le chiedo anche di prepararmi un faldone con tutto ciò che abbiamo su di lui. Libero e Scaccia riportano Vecchio Zhao dal fotosegnalamento, e s'affacciano in Sala Ascolto. Dico di metterlo in un ufficio, vuoto. È lo stesso dove abbiamo stipato le dieci operaie del laboratorio tessile quando le abbiamo prese a verbale.

Loro vanno.

Vado anche io, e Missiroli mi segue. «Cerco l'avvocato di Zhao?»

«No.»

Il mio ispettore mi si pianta davanti, e mi guarda dritto

negli occhi. Non ha bisogno di chiedere. Non sto mettendo al corrente il magistrato, e non faccio arrivare il legale del fermato.

«Dopo. Quando te lo dico io.»

«Va bene» dice Missiroli. Nient'altro.

Entro nell'ufficio vuoto e mi sistemo davanti a Vecchio Zhao.

Siamo soli, io e lui.

16.

Vecchio Zhao chiede il suo avvocato. Vuole Bonanni, com'è ovvio.

«Stiamo compilando gli atti. Poi lo chiamiamo» rispondo vago. È una mezza menzogna, ma non mi importa.

Lui, in dialetto, pretende che l'assenza del suo avvocato venga annotata a verbale.

Io, sempre in dialetto, gli spiego che non c'è nessun verbale. Non viene annotato niente, per adesso. La nostra è solo un'amabile chiacchierata, in attesa, per l'appunto, dell'arrivo di Bonanni.

Come quando sono andato in carcere senza autorizzazione a parlare con Wang Xinxia, non resterà nessuna traccia scritta o registrata di ciò che verrà detto in questo ufficio vuoto.

Vecchio Zhao passa all'italiano, e mi sorride guardingo. «Un'amabile chiacchierata?»

Anch'io sorrido: «Certo».

«Allora sono tutto suo, vicequestore Wu.»

Vorrei chiedergli di Sofia Sun, ma non lo faccio. Mi impongo di arrivarci passo dopo passo.

Gli domando invece di Abile Wang e del giro di ragazze. Com'è possibile che lui e sua moglie abbiano fatto tutto da soli.

«Non ne ho idea» risponde Vecchio Zhao. «Ma noi cinesi sappiamo essere ingegnosi, giusto?»

Il mio cellulare inizia a vibrare per una telefonata in entrata. Non controllo neppure il numero, e lo ignoro.

«Giusto. Però mi sembra strano che lei e la sua organizzazione non foste coinvolti.»

«E perché le sembra strano?»

«Perché lei è sospettato di gestire varie attività illecite: prostituzione, tratta di clandestini, usura, estorsione, contraffazione, gioco d'azzardo…»

Mi riferisco ancora alle informative dello SCO e della DIA. L'unico "ramo d'affari" in cui lui e i suoi non sono coinvolti è il traffico di droga, solo perché su quello le Triadi devono lasciare campo libero a Cosa Nostra, 'Ndrangheta e Camorra.

Vecchio Zhao continua a sorridere, e assume un'espressione di paziente accondiscendenza. «Devo ripetermi, vicequestore Wu, ma come ho già detto quando lei e il dottor Caruso avete ascoltato me e mio figlio, queste sono solo illazioni. Sospetti, appunto. Che ricadono, in genere, su ogni cinese che abbia successo negli affari.»

Se lui continua a sorridere, continuo anche io. Gli chiedo della rapina e del duplice omicidio di Wang Jiang e Wang Fanfang. «Lei sa che noi crediamo che i tre croati siano stati mandati?»

«Sì. Devo averlo letto sui giornali.»

«È stato lei? Ha dato lei l'incarico a Suker, Smoje e Čop?»

«No.»

Il mio cellulare riprende a vibrare. Lascio che vibri.

«Abbiamo molti elementi in mano a conferma che chi ha inviato i croati voleva punire Abile Wang per un errore che aveva commesso, e perché per uscirne aveva tentato un ricatto.»

«Se Wang Jiang ha commesso un errore, e dopo ha cercato di rimediare ricattando qualcuno, è stato sciocco due volte.»

«È lei quel qualcuno?»

Vecchio Zhao non smette di sorridere, però nei suoi occhi passa un lampo di durezza che ho già visto. «La nostra chiacchierata non mi sembra così *amabile*, vicequestore Wu.»

«Se lei risponde, lo è.»

«Ma io sto rispondendo.»

«No, signor Zhao, sta giocando con me. Ha mandato lei i croati?»

Vecchio Zhao non sorride più. «No. Io non mando nessuno a fare niente.»

«Perché lei *non* comanda un'organizzazione mafiosa.»

«Precisamente.»

«E suo figlio?»

«Nessuno di noi ha a che fare con la mafia. Le ribadisco ciò che ho già detto quando ci avete convocati in Procura.»

«Abbiamo delle intercettazioni.» Non gli sto rivelando nulla di sorprendente. Già sospettavamo che *loro* temessero di essere intercettati. Adesso, se è stato preso e portato qui, Vecchio Zhao deve aver capito che abbiamo controllato i loro telefoni. «Si sentono in maniera distinta i suoi uomini che si riferiscono a lei chiamandola *San Chu*.»

«Questo non prova nulla.»

«Prova che lei, anche se continua a negarlo, è il 489. Il boss. I suoi uomini parlano di lei in questo modo.»

«Vicequestore Wu, lei sa bene che in cinese e nel nostro dialetto una singola parola ha differenti significati, e in ogni significato ci sono decine di sfumature. Quella che i miei uomini usano nei miei confronti è soltanto una formula di cortesia.»

«È stato lei a ordinare l'eliminazione di Smoje e Čop?»

«Assolutamente no.»

Il mio cellulare vibra ancora.

«C'entra qualcosa con la morte di Suker in cella a Bologna?»

«No.»

Bussano alla porta. È Missiroli, che si scusa per l'interruzione. Esco.

«Il questore ha cercato di chiamarla, dottore. Poi ha chiamato me.»

Prendo il cellulare. Tre chiamate senza risposta dal numero di Lanfranchi.

«Dice che deve andare da lui.»

Io guardo verso la porta dell'ufficio in cui è seduto Vecchio Zhao.

Missiroli ribadisce: «Subito».

17.

«Lei evita le mie telefonate, Wu.»

«C'è una giovane donna scomparsa, l'avvocato Sun, che con ogni probabilità è nelle mani del serial killer che stiamo cercando; abbiamo fermato e stiamo interrogando la persona che riteniamo essere l'assassino, e che dunque sa dove si trova l'avvocato.» Se il questore ti convoca, tu funzionario ti presenti. Ma sono furioso. «Non ho tempo per queste cazzate!»

«Avete fermato Vecchio Zhao.»

Lo sa.

«Me lo ha detto Missiroli.»

Sto per replicare, ma Lanfranchi mi anticipa. «Non se la prenda. Il suo ispettore è leale a lei al cento per cento, e ha fatto bene a dirmelo. Mi ha detto tutto. Lo avrei scoperto in ogni caso, e sarebbe stato peggio.»

Mi sarei aspettato una sfuriata, quando al termine della nostra ultima conversazione gli ho chiuso il telefono in faccia. O dopo che ho evitato le sue successive chiamate, prima di oggi. La sfuriata non è mai arrivata. Non era la calma prima della tempesta, però. Il questore *è* calmo. E la sfuriata non arriva nemmeno ora.

Lanfranchi rimane ciò che è: un animale a sangue freddo. Un animale politico. Mira a ottenere ciò che vuole senza manifestazioni eccessive. Una scenata colpisce chi la subisce, ma rischia di danneggiare anche chi la fa. Un dettaglio.

Intanto, ha ottenuto di farmi venire qui, da lui. Ha vinto la prova di forza.

Ma anche se è calmo, non ha dimenticato niente.

«In ogni caso, lei non può ignorarmi. Non può rivolgersi a me in certi modi. E non può tenere questo atteggiamento» il tono è duro e controllato, «soprattutto se mette in stato di fermo uno come Vecchio Zhao contro il parere del sostituto procuratore, e ritarda apposta di avvisare il suo legale.»

Mi fissa. «Lei può scegliere, Wu. Io posso essere un suo amico, o un suo nemico. Ma mi creda: non le piacerebbe avermi come nemico.»

«Anche lei può scegliere, signor questore» replico. Non arretro, ormai ho superato una linea e devo tenere la posizione. «Vuole che concludiamo questa indagine, che mettiamo dentro il serial killer e ritroviamo l'avvocato Sun, o vuole farmi la guerra? Nel caso, io sono pronto.»

Lanfranchi continua a fissarmi. Valuta e soppesa le opzioni. Può contrattaccare in maniera frontale. Ha il ruolo e il peso per schiacciarmi. Oppure può prendermi di lato.

Mi prende di lato. Vuole sapere perché questa volta ho deciso di agire alle spalle del pm, e contravvenendo alle sue disposizioni. «Dato che fino a ora lei e il dottor Caruso siete sempre andati d'amore e d'accordo.»

Non faccio cenno al mio rapporto con Sofia Sun. «Perché il dottor Caruso, da magistrato, guarda al disegno generale. Io, da poliziotto, guardo al particolare. Voglio l'avvocato Sun, viva.»

«Capisco» dice il questore. Adesso mi attendo che mi dica che se sarà un buco nell'acqua, mi scaricherà. Come mi ha già fatto intuire quando abbiamo organizzato l'operazione su grande scala con lo SCO e la DIA. Invece mi sorprende. «Ora, dal momento che sono venuto a conoscenza di questo fermo e della sua modalità, potrei fare diverse cose. Ma le dico cosa *non* farò, Wu. Non parlerò con il dottor Caruso. E quando inizierà a volare la merda – perché *succederà* – sosterrò che lei ha avuto il mio avallo perché ritenevo ci fossero gli estremi per una misura cautelare nei confronti di Vecchio Zhao.»

Lanfranchi mi sta appoggiando. Forse è un'altra mossa politica. O forse, siccome *anche lui* è un poliziotto, ha un sussulto da sbirro, e mi capisce.

«Torni in Commissariato. Faccia parlare Vecchio Zhao.»

18.

Torno in Commissariato, rientro nell'ufficio dove l'ho mollato con in mano il faldone su di lui che mi ha preparato la Longo, e riprendo a interrogare Vecchio Zhao. Adesso chiede il suo avvocato, ed è irremovibile.

«Lo stiamo cercando. In studio e al cellulare, ma non è reperibile.»

Continuo a mentire. Lui protesta ancora. Dopo la prima parte della nostra "amabile chiacchierata", si è fatto l'idea di essere stato fermato sulla base di sospetti infondati.

«Non potete trattenermi qui come un criminale per dei pregiudizi, o per delle informazioni distorte.»

«Non è così. Ci sono delle *prove* che ci hanno consentito di operare il fermo» dico.

Poi, prima che possa avanzare altre contestazioni, vado all'attacco. «Sei tu il Demone?» gli chiedo in dialetto.

Vecchio Zhao spalanca gli occhi. Sembra sia stupito sia divertito. «Cosa?»

«Sei *tu* il Demone?» ripeto.

«No.»

Vecchio Zhao scuote la testa e riprende quell'espressione accondiscendente. Il modo in cui mi sto rivolgendo a lui è una mancanza di rispetto, ma mi tratta con la pazienza che si riserva ai giovani indisciplinati. «Io sono un uomo anziano, vicequestore Wu. Non posso aver torturato e ucciso tante ragazze. Voi avete degli esperti in queste cose.»

«Non sto parlando di profili psicologici» apro il faldone davanti a lui, e gli mostro i rapporti della Scientifica. «Su un brandello di corpo di una delle ragazze, abbiamo trovato un campione parziale di DNA. Il *tuo* DNA.»

Vecchio Zhao reagisce come se l'avessi colpito con un pugno. Non sembra più tanto divertito, adesso. L'espressione accondiscendente sparisce. Proprio come in un *Beimo*, sono riuscito a sbilanciarlo. Scosta indietro la sedia, assorbe la botta, e tenta di pensare in fretta.

«È un campione parziale, l'ha detto lei. Deve esserci uno sbaglio.»

«Stiamo facendo una comparazione con un altro reperto. Poi avremo la conferma.»

«Vedrà che sarà un errore.»

Ora colgo un leggero tremolio nella sua voce.

«Ti hanno aiutato i tuoi uomini e Wang Jiang a smaltire i corpi delle ragazze? Tu le torturavi e le uccidevi, loro facevano a pezzi i cadaveri?»

«No, non sono io l'assassino, vicequestore Wu.»

«E questo?» Dal faldone prendo i tabulati del cellulare cinese, e glieli mostro. «È tuo questo numero?»

«No.» Il tremolio nella sua voce aumenta. «Non è mio.»

Gli elenco tutti i fatti a cui è collegato quel numero.

«Se non è tuo, di chi è?»

«Non lo so.»

«Non ti credo. Per l'ultima volta, di chi è quel numero?»

«Non lo so. Lei pensa che io abbia fatto qualcosa che non ho fatto, vicequestore Wu.»

Non lo ascolto più. «Hai preso tu Sofia Sun?»

«No.»

«Dimmi dov'è!»

«Non lo so. Io non lo so…»

Cerco ancora di contare i giorni. Sei. Ormai sono sei giorni che è prigioniera del serial killer. Se Vecchio Zhao è l'assassino, in questo momento nessuno le sta facendo del male. Però forse è sola, ferita, e soffre...

Adesso la sensazione di stare soffocando è violenta. Vedo dei puntini bianchi ai margini del mio sguardo. Il vecchio è una sagoma confusa davanti a me. Mi alzo di scatto, e mi sporgo sulla scrivania dietro la quale è seduto. «Dov'è?»

Sto per afferrarlo al collo e sollevarlo di peso. Sto per colpirlo. Voglio strappargli con le mani le parole fuori dalla bocca.

In quel momento bussano di nuovo alla porta.

Mi blocco.

Stavolta è Libero. Viene dalla Sala Ascolto.

Il numero cinese si è attivato.

19.

Dopo il lungo sonno, il cellulare cinese si è risvegliato in zona piazza Vittorio. In Sala Ascolto Leo e Musso mi mostrano la captazione. Dal numero di China Unicom parte un sms verso una delle utenze che noi abbiamo classificato come "riconducibili agli Zhao".

La lucina che abbiamo aspettato tanto finalmente si è accesa. Abbiamo il collegamento *diretto* tra il numero cinese e l'organizzazione di Vecchio Zhao.

Xian traduce l'sms: "Perché proprio adesso?".

Convoco anche gli altri.

La cronologia degli aventi suggerisce che chi ha inviato l'sms, trovando il cellulare "ufficiale" di Vecchio Zhao staccato, ha tentato di raggiungerlo su un altro numero. Senza sapere che Vecchio Zhao non aveva con sé altri cellulari.

La Longo s'inserisce, e dice che ha esaminato il telefono che abbiamo preso a Vecchio Zhao al momento del fermo, come le avevo chiesto, e che è pulito. Intonso. Come previsto.

"Perché proprio adesso?" rileggo per tutti. «Cosa significa questo messaggio?».

Nessuna idea.

«Chi lo ha inviato?» domando ancora.

«Uno dei suoi» dice Pizza.

«Sì, ma *chi*?»

Ancora nessuna idea.

«Il messaggio è partito dal *numero cinese*. Chi lo ha mandato? È fondamentale!»

Noi crediamo che il serial killer usi il cellulare cinese. E crediamo che Vecchio Zhao sia il serial killer.

Ma se Vecchio Zhao è qui, in custodia in Commissariato, *chi* usa il cellulare cinese?

«Dobbiamo scoprirlo!»

Perché se non è Vecchio Zhao il serial killer, allora Sofia Sun è ancora prigioniera del Demone.

20.

Una telefonata di mio padre, dice che deve parlarmi.

«Parla» rispondo concitato al cellulare.

«No, con Skype.»

Mi sposto nel mio ufficio, e con il vecchio scatolone che ho sulla scrivania mi collego a Skype e richiamo mio padre.

«Hai imparato in fretta» commento.

«Mi ha insegnato tuo nonno. Così adesso posso fare da solo.»

«Forte Li ti ha insegnato a usare Skype?»

«Sì.»

Nonostante tutto, mi sfugge un sorriso.

«Non dire niente.» Anche lui sta sorridendo.

Poi Silenzioso Wu mi fissa attraverso lo schermo. È informato sugli ultimi avvenimenti. «Ho sentito alla tv della scomparsa dell'avvocato cinese.»

«Sì. La stiamo cercando.» Non dico nulla di ciò che mi lega a Sofia Sun.

Silenzioso Wu non smette di fissarmi. «Forse ho qualcosa per te.»

È riuscito a rintracciare Yun Heng, il suo collega dei tempi del *Laogai*. Ci ha parlato, e nella sua attuale posizione di pezzo grosso della *Renmin jingcha*, Yun si è messo a disposizione. Mio padre mi lascia intendere che lo ha aiutato non solo in nome della loro antica amicizia, ma anche per via dei molti segreti che hanno condiviso.

Che è bene restino segreti.

Comunque, Yun Heng gli ha passato tutte le informazioni su Vecchio Zhao che è riuscito a raccogliere.

Molti dettagli ci sono anche nelle carte messe assieme dallo SCO e dalla DIA. Ma ci sono due particolari nuovi. Il primo riempie un buco che risaltava in quel materiale.

La moglie di Vecchio Zhao.

Quando lui è ancora la Testa del Drago della Luce Bianca a Hong Kong, la 14K, la Triade rivale, rapisce sua moglie Zhao Jun.

Poi la uccidono.

La donna viene a lungo torturata con la Morte Dei Mille Tagli, e muore per dissanguamento.

Come le ragazze nella nostra indagine.

Agli investigatori cinesi sembra ciò che è: la vendetta mostruosa di una fazione mafiosa verso quella avversaria.

Il secondo particolare, però, apre altri interrogativi.

Dopo il ritrovamento del cadavere, la polizia di Hong Kong riesce a risalire al luogo dove Zhao Jun è stata tenuta prigioniera. Un magazzino dismesso dalle parti del porto di Kowloon.

In quel magazzino ci sono *due* letti.

La moglie di Vecchio Zhao non era sola là dentro.

Assieme a lei è stato rapito qualcun altro.

21

Per la terza volta mi siedo di fronte a Vecchio Zhao.

Sempre in *wenzhouhua* gli chiedo del rapimento di sua moglie da parte della 14K, delle torture che ha subìto e della sua morte.

Vecchio Zhao è colpito. Sbatte le palpebre: «Lei come le sa queste cose, vicequestore Wu?».

«Le so. Tu invece cosa sai? Non trovi che ci siano molte somiglianze con le ragazze prese e uccise dal Demone?»

Vecchio Zhao non risponde.

Gli chiedo della seconda persona.

«Chi è stato rapito assieme a Zhao Jun? Chi c'era con lei?»

Vecchio Zhao di nuovo sbatte le palpebre, ma tace.

«Eri tu?»

Continua a tacere.

Gli chiedo del numero di China Unicom. Dell'sms che hanno mandato a uno dei suoi cellulari.

«"Perché proprio adesso?" Che cosa vuol dire?»

Silenzio.

«Chi ha inviato il messaggio?»

Ancora silenzio.

«Abbiamo avviato una rogatoria internazionale, e anche se tu stai zitto ci arriviamo a scoprire tutto.»

Adesso Vecchio Zhao ha gli occhi pieni di lacrime. Però non parla. Tiene il busto dritto, e le mani appoggiate sulle gambe. Sembra pietrificato.

Gliele osservo, le mani. Sono piccole, con le dita corte e tozze, e sul dorso ha qualche macchia di vecchiaia.

Alzo lo sguardo. È stato dal barbiere e dalla sua amante, e come quando lo abbiamo portato in Procura assieme a suo figlio, porta il colletto della camicia slacciato, senza cravatta.

Stavolta, però, al collo non ha il ciondolo, il medaglione con l'ideogramma della peonia.

Ripenso a quello che ci ha detto Qi Baoxiang, la ragazza sopravvissuta.

Le mani del Demone erano forti, molto forti, aveva le noc-
che dure, e le dita sembravano artigli. Al collo portava un
ciondolo con un simbolo.

E allora capisco.

22.

Corro.

Missiroli mi intercetta, e fiuta qualcosa. «Dotto', dove sta
andando?»

Il serial killer ha Sofia Sun. Forse l'ha già uccisa. Ma forse
no, forse è ancora viva. E se è viva, sta soffrendo.

Non posso più aspettare.

Cerco di oltrepassarlo. «Vado a prendere l'assassino.»

L'ispettore mi mette una mano sul petto: «E ci va da
solo? Non l'abbiamo già fatta, questa scena? Se ha in mente
qualche cazzata, ce lo deve dire. Noi stiamo con lei!».

Gli scosto la mano. «Questa volta no. Non abbiamo autorizzazioni, niente, e già vi ho esposti con Vecchio Zhao.»

Di nuovo cerco di passare, ma Missiroli mi blocca. «Con
gli altri faccia come crede, ma io vengo con lei.»

«Soprattutto tu non vieni con me. Tu resti qui e avvii tutta la procedura. Chiami Caruso, gli trasmetti il verbale del
fermo così può chiedere la ratifica al gip, ti prendi gli strilli
al posto mio, e dopo avvisi Bonanni e fai portare Zhao in
carcere. A Regina Coeli, se c'è posto, che a Rebibbia abbiamo già troppi cinesi.»

L'ispettore mi fissa.

«È un ordine, Missiro'!»

Cede. Si sposta. «Mi dice almeno dove sta andando?»

Non glielo dico. «Fatemi un controllo su eventuali altri appartamenti o locali a disposizione di Vecchio Zhao e
dell'organizzazione.»

«Lei però non crede che il killer sia lì, vero?»

Vero.

C'è solo un posto dove il Demone può tenere Sofia Sun.

23.

Corro.

Prendo un'auto di servizio senza contrassegni, attacco lampeggiante e sirena, e schiaccio sull'acceleratore.

Altra chiamata. Adesso è Carmelo. È alla Scientifica con Bellucci. «Sto avvertendo prima te del magistrato, Wu.»

Ci sono riusciti. Hanno isolato un campione di DNA dal capello che abbiamo ritrovato nell'appartamento a Centocelle, e l'hanno comparato col DNA parziale ottenuto dalla traccia ritrovata sul brandello di corpo di una delle ragazze nella fossa comune. Le due sequenze si sovrappongono. E ribaltano il risultato iniziale.

E io so già cosa sta per dirmi Carmelo.

È *questo* che ho capito di fronte a Vecchio Zhao.

«I due campioni di DNA non sono di Vecchio Zhao...»

Resto in silenzio. Carmelo continua a spiegare.

Le persone spesso mentono. Ma altrettanto spesso ci dicono la verità, a modo loro. Solo che noi non le ascoltiamo.

Ripenso a ciò che mi ha detto Piccolo Zhao le volte in cui ci siamo parlati da soli. Mi ha raccontato di sua madre morta, del legame con il padre, delle scelte, delle conseguenze.

"Le colpe dei padri ricadono sui figli, è così che si dice? Ma forse è anche il contrario. Le colpe dei figli ricadono sui padri."

La sirena urla, accelero ancora.

Non è il padre, è il figlio.

Non è Vecchio Zhao il Demone. È Piccolo Zhao.

24.

Inchiodo l'auto di servizio davanti all'associazione culturale. È questo l'unico posto dove Piccolo Zhao può avere nascosto Sofia Sun.

Un istante dopo, sento altre sirene che strillano, il rumore di motori imballati al massimo, lo stridio dei freni e delle gomme sull'asfalto, sportelli che sbattono, e arrivano i miei.

Ci sono tutti. Missiroli, Scaccia, Liberati, Pizzuto, la Longo e la Fresu. Anche se non gli ho detto dove stavo andando, Missiroli ha indovinato di nuovo.

«Ti avevo detto che non dovevate venire.»

Il mio ispettore fa un mezzo sorrisetto. «Se lei non dà retta al magistrato, dottore, noi pure possiamo non da' retta a lei.»

I miei si mettono dietro di me.

Intanto, dietro il soldato all'ingresso si schierano altri uomini di Vecchio Zhao. Tra loro ci sono anche Han Zhi, Ding Jinhui e Han Yuping, le tre nostre vecchie conoscenze. Ci sono anche i membri superstiti della Piramide dopo che abbiamo ingabbiato il Bastone Rosso e la Testa del Drago.

Zheng Ming Quiang, il Ventaglio di Carta Bianca. Li Yujiang, il Sandalo di Paglia. E poi i 438, gli Alti Consiglieri: Ng Peng, il Maestro d'Incenso. Chang Zhi, il Garante delle Alleanze. E Xu Yi, il Guardiano del Vento.

Loro sono una quindicina, noi siamo sette.

Due schieramenti contrapposti.

Stallo.

Serve una scusa per sgombrare la strada.

«Ci penso io, dotto'» dice Scaccia.

Può essere diventato più riflessivo, ma se c'è da buttarsi nella mischia, è sempre il primo.

Si mette a pochi centimetri dalla faccia di uno dei soldati, e li squadra tutti. «Ma che ve credete, che ve mettete qua così, a fa' i grossi perché siete più de noi, e noi se pijamo paura? Pensate che se famo impressiona' pe du' *china* de merda? Ce lo sanno tutti che voaltri *gialli* sète cacasotto. Dite dite, e poi chinate la testa come li cani.»

Scaccia mi lancia un'occhiata: non devo prenderla sul personale.

Io non me la prendo.

Il soldato, invece, sì.

Tira un pugno a Scaccia e lo colpisce.

Baraonda.

I miei si gettano sugli uomini di Vecchio Zhao.

Io entro al Cerchio Felice.

Da solo.

25.

Estraggo la pistola, tolgo la sicura, scarrello, e metto il colpo in canna.

Poi inizio a perlustrare l'associazione tenendo la Beretta puntata davanti a me. Avanzo lungo il corridoio, con le stampe dei monumenti cinesi più conosciuti su un lato e di quelli italiani sull'altro.

Dopo pochi passi, il mio cellulare squilla!

Cazzo!

Nel silenzio, sembra un tuono che rimbomba.

Se Piccolo Zhao lo sente, potrebbe mettersi in allarme, cercare di scappare, o fare qualunque cosa.

Stacco subito la suoneria e mi immobilizzo. Ascolto, aspetto.

Attendo ancora.

Nessun movimento, niente.

Il mio cellulare continua a ronzare.

La porta di una delle stanze affacciate al corridoio è socchiusa. Intravedo un piccolo ripostiglio con scope e strofinacci.

Mi ci chiudo dentro e rispondo.

È Caruso, Missiroli lo ha avvisato che abbiamo fermato Vecchio Zhao.

Adesso gli spiego tutto. In fretta, e a bassa voce, gli dico della mia decisione di procedere con un fermo di polizia, della telefonata partita dal numero cinese mentre Vecchio Zhao era *già* in custodia in Commissariato, e infine dei risultati sul DNA che mi ha appena comunicato Carmelo.

«Però lei, Wu, lo aveva già capito, vero?»

«Sì.»

«Come?»

Non posso perdere tempo a spiegare ancora. «Adesso non importa, dottore.»

Caruso tace per un istante: «Sì, non importa».

Poi tace di nuovo. Quando riprende a parlare, è furibondo. Al confronto, quando mi ha ripreso le altre volte, era solo un po' alterato. «Ma lei ha agito alle mie spalle, e mi ha mentito in faccia come a *'nu strunz* qualsiasi.» Il magistrato non alza i toni, ma la rabbia e l'accento napoletano che adesso gli esce senza controllo fanno assomigliare ogni parola a uno schiaffo. «Ha detto che non avrebbe toccato Vecchio Zhao, e invece l'ha fatto, contravvenendo alle mie disposizioni, che erano chiare e precise. Se lo è portato comodo da lei in Commissariato, se lo è bello che interrogato anche se non si può, ma non ha registrato niente, perché *iss è 'nu fetente, ma nunn'è fess*, e soltanto dopo ha fatto avvertire me e l'avvocato. Dico bene, vicequestore Wu?»

Io rispondo continuando a parlare sottovoce. «Sì, dottore.»

«E io già *due volte* ho fatto finta di niente per le sue iniziative. Quando è andato in carcere a parlare con la signora Wang, e prima, quando ha perquisito casa sua e del marito.»

«Ha ragione.»

«Non mi dia ragione, Wu! *Che pare che me sta sfuttenn'.*»

«E allora, dottore?»

«Allora *l'anema 'e chi t'è mmuort*!»

Caruso respira. Poi riprende. «Allora, siccome stare

incazzato mi fa male alla salute, e siccome noi a Napoli ai proverbi ci teniamo *assai*, e "non c'è due senza tre", farò finta di niente per la terza volta.» Un altro respiro. «Quindi facciamo che il fermo è stato una mia iniziativa. Anche se le nuove prove indicano che non è Vecchio Zhao il serial killer, ci sono gli altri elementi che abbiamo raccolto contro di lui, dunque basta che sistemiamo un po' il vostro verbale, e poi io lo trasmetto con le mie note aggiuntive a Mieli, assieme alla domandina per la convalida.»

«Ci sarebbe un'altra cosa, dottore.»

«Pure!»

Sempre a bassa voce, gli dico che quasi di sicuro in questo momento i miei stanno arrestando per resistenza a pubblico ufficiale gli uomini di Vecchio Zhao. Tutti.

«Ma lei, Wu, me lo fa apposta? Qua altro che due senza tre, anche senza quattro, e senza cinque.» Ancora un respiro. «E *vabbuò, jamm'*. Mo rintraccio il collega di turno, ci scambio due parole, e capiamo come fare per la richiesta per la convalida. Però lo sa anche lei che sarà quasi impossibile che venga accolta.»

«Lo so.»

«Va bene, ci penseremo poi.»

Caruso torna a zittirsi. Inizia a capire. Gli uomini di Vecchio Zhao arrestati, dove si trovano di solito, e io che quasi bisbiglio.

«Ma lei perché parla in questo modo? Dove sta, Wu?»

«In questo momento sono dentro uno sgabuzzino.»

«È all'associazione culturale?»

«Sì.»

«L'assassino è lì?»

«Sì.»

«C'è qualcuno dei suoi con lei?»

«Mi creda, dottore, lei non lo vuole sapere.»

Silenzio.

«Ok, non lo voglio sapere.»

«Lei è un grande.»

«Sì, è vero» anche al cellulare intuisco che sta sorridendo. «E sono ancora più grande perché ho i risultati della
rogatoria.»

Attese, tempi morti e dilatati, giorni interi passati su
particolari insignificanti, verifiche, altre attese, ripetere
ogni passaggio, prendere una strada, poi un'altra, tornare
indietro, ripartire. Poi a volte tutto il lavoro fatto paga in
un colpo solo, raccogli quello che hai seminato, e le cose si
incastrano.

Prima il DNA dal capello, e adesso la rogatoria.

«Quasi non ci speravo più.»

«Eh, ma è sempre perché sono napoletano, Wu. E noi
ce l'abbiamo di natura che siamo bravi a *scassa' 'e pall'*. Mi
aveva chiesto di insistere, e ho *insistito*. Col ministero e con
l'ambasciata cinese. Anche se ammetto che Iorio un po' mi
ha aiutato. *Un po'.*»

«Ma quelli che hanno detto?»

«La rogatoria è andata a buon fine. Le autorità cinesi
hanno risposto.»

Caruso ha le carte sulla sua scrivania, davanti agli occhi.

26.

Primo risultato della rogatoria: il numero (+86)186.
2717.4634 di China Unicom è intestato a Zhao Dongbo.

Piccolo Zhao.

Il cellulare cinese è suo.

Secondo: notizie su Vecchio Zhao e la Luce Bianca che
vanno a riempire altri spazi vuoti nelle informative dello
SCO e della DIA. Soprattutto, l'escalation delle tensioni tra la
Luce Bianca e la 14K, che prima del sequestro di Zhao Jun,
quando già la battaglia è passata dalle transazioni finanziarie
agli omicidi, tocca il suo apice nel momento in cui la Luce
Bianca, attraverso una sua società controllata, dà la scalata

alla Good Luck Construction & Engineering Company, una piccola impresa di costruzioni di Hong Kong

È un affare da milioni di dollari, ma quasi insignificante, se paragonato al volume di denaro che muovono le due Triadi.

Tuttavia, l'AD della Good Luck è uno dei fratelli minori del *San Chu* della 14K, e dopo l'acquisizione da parte della Luce Bianca, deve dimettersi. La Testa del Drago della 14K la prende come un affronto *personale*.

E, terzo: i verbali di polizia che descrivono in modo compiuto il rapimento e l'uccisione della moglie di Vecchio Zhao...

Ci sono numerosi dettagli che Yun Heng, il vecchio amico di mio padre, non ha saputo o voluto riferirgli.

L'altra persona che viene rapita assieme alla moglie di Vecchio Zhao è suo figlio.

È Piccolo Zhao.

Ancora lui.

All'epoca ha quattordici anni. L'età in cui a me ha detto che sua madre è morta.

Dagli interrogatori avvenuti in seguito, emerge che è stato costretto ad assistere alle torture subite dalla madre.

La Morte Dei Mille Tagli.

Ogni giorno, durante il sequestro, viene spostato assieme a Zhao Jun dalla stanza in cui dormono assieme a un'altra attigua, viene legato a una sedia e obbligato a guardare mentre i rapitori infieriscono sul corpo di lei.

Essendo un minore, però, questi interrogatori vengono secretati, e il nome "Zhao Dongbo" viene cancellato da tutti gli atti ufficiali, a eccezione di un unico rapporto di cui sono a conoscenza soltanto coloro che conducono l'indagine.

Poi, Piccolo Zhao viene restituito a Vecchio Zhao.

Suo figlio è ancora vivo.

Invece sua moglie non sopravvive alle sevizie, e dopo il decesso il suo corpo viene prima lavato e pulito con cura, poi fatto a pezzi e rinchiuso in un sacco della spazzatura.

La polizia rinviene il sacco in un cassonetto poco distante dalla sede della Good Luck Construction & Engineering Company.

Per la ricerca dei rapitori ci si concentra dunque sui membri della Triade, ma l'unico testimone, ossia Piccolo Zhao, non può riconoscere chi ha preso prigionieri lui e sua madre, perché quegli uomini indossavano un cappuccio nero che ne copriva il viso.

Nessun altro parla, né nella 14K né nella Luce Bianca.

Gli inquirenti hanno sospetti e indizi, però non hanno prove, e non riescono a chiudere il caso.

Passano tre anni.

Dopo tre anni, iniziano a sparire giovani donne tra Shanghai e Hong Kong. Gli investigatori si confrontano tra loro, quindi estendono la ricerca ad altri fatti simili, e senza avvertire i loro capi consultano anche i colleghi di Taiwan.

Tra la Repubblica Popolare di Cina e l'"isola ribelle" le relazioni sono tese e difficili fin dal 1949, quando vi si rifugiano i nazionalisti sconfitti di Chiang Kai-shek e proclamano l'indipendenza.

Ciononostante, e forse proprio per evitare ulteriori tensioni, la polizia di Taipei risponde, e informa che anche lì sono scomparse alcune ragazze.

Shanghai, Hong Kong e Taipei.

Le tre città dove si muove più di frequente Vecchio Zhao assieme a suo figlio. I loro nomi non finiscono in nessun resoconto scritto, però i due sono nel mirino di chi indaga.

Soprattutto Piccolo Zhao.

Poi?

Poi, niente.

Intanto, sono trascorsi ancora due anni, e altre ragazze continuano a scomparire. Vengono fatti tutti i collegamenti con il rapimento di Piccolo Zhao e sua madre, ma alla fine sembrano non approdare a nulla.

La guerra tra la Luce Bianca e la 14K è ancora in corso, a tutti i livelli. Non si tratta solo dello scontro tra due organizzazioni mafiose. Le Triadi in Cina stanno facendo il salto di qualità, stanno realizzando il vero obiettivo di coloro che ne fanno parte, ossia essere in tutto e per tutto imprese economiche, operare tra finanza e politica. Quella battaglia sanguinosa ormai è un'anomalia, è anacronistica, ed è destinata a finire.

Vecchio Zhao è già, di fatto, un importante uomo d'affari che comanda un impero e ha agganci vitali con lo Stato cinese.

Le indagini sulla scomparsa delle ragazze e su Piccolo Zhao, dunque, restano a livello di assunzione di notizie, senza mai essere formalizzate in un vero e proprio fascicolo d'inchiesta.

Con qualche differenza, anche noi lo abbiamo visto succedere. Missiroli e i miei adocchiano Vecchio Zhao, prima ancora del mio arrivo, solo che non vanno oltre. SCO e DIA compilano i rapporti su Vecchio Zhao, ma le parti più importanti le raccolgono soltanto *dopo* la richiesta di Caruso. Lauricella viene a parlare con noi, ma prima lascia morire d'inedia la sua indagine sulle tre ragazze buttate di sotto, e ci impiega una vita a fare due più due con la nostra.

Le indagini a volte finiscono in secca perché in buona fede non si ritiene necessario approfondire. Ma spesso è per pigrizia, per la mancanza di volontà di fare uno sforzo in più. Oppure perché, a un certo punto, diventa evidente che è *meglio* se non vanno avanti.

Esco dal ripostiglio.

«Questo è tutto» dice Caruso.

Io ricomincio a cercare.

27.

Ancora con la pistola in pugno, proseguo nel corridoio e controllo tutte le stanze dell'associazione, una per una.

Arrivo in fondo, all'ufficio di Piccolo Zhao.

All'interno è tutto uguale a quando sono venuto la prima volta. I mobili moderni, in contrapposizione con quelli dell'ufficio di suo padre, la stampa con i caratteri cinesi del *Wushu*, e la grande vetrina sulla parete di sinistra con le armi antiche delle arti marziali.

Dietro la scrivania non c'è nessuno.

Sofia Sun non c'è. E non c'è Piccolo Zhao. Non sono nemmeno qui. Forse mi sono sbagliato. Ma se mi sono sbagliato, per Sofia Sun non c'è più speranza.

All'improvviso, mi sento completamente svuotato.

Un solo pensiero mi riempie la testa: è finita.

Nient'altro.

È finita!

Ma poi riporto lo sguardo sulla vetrina delle armi, e lo vedo.

Non qualcosa che c'è. Qualcosa che *non* c'è.

Uno dei coltelli. Uno dei *Bi Shou*. Manca.

Mi accosto al mobile.

Le ferite sui corpi delle ragazze. La Morte Dei Mille Tagli. Il Demone usa le lame.

Tocco la teca di vetro, nel punto in cui manca il pugnale, e in quel momento sento un soffio d'aria.

È leggerissimo, e mi solletica la pelle sul dorso della mano.

Viene da *dietro* la vetrina.

Il macchinario spinto contro la parete, nel laboratorio tessile, per occultare il cortile fuori, e il bidone con all'interno i documenti delle ragazze e i libri contabili "paralleli". L'intercapedine sotto il tavolo della cucina dei Wang per tenerci le chiavi degli appartamenti e i biglietti aerei per Vancouver.

Scatole cinesi. Una cosa dentro l'altra. Una cosa che ne nasconde un'altra.

Sposto la teca, spingendola a fatica.

Dietro c'è una porta, a filo con la parete.

La apro, e alzo la Beretta.

Una scala conduce verso il basso.

Roma, sotto terra, è tutta scavata. Cunicoli, gallerie, catacombe, anse: c'è un'altra città sotto la città che non figura in nessuna mappa catastale. Una delle lezioni di Missiroli.

Scendo.

28.

Sotto, c'è un'altra stanza. Una camera ricavata erigendo un muro di mattoni, per isolare e separare una porzione di cunicolo. Dentro c'è soltanto un letto, una brandina identica a quelle che stavano negli appartamenti-prigione delle ragazze, e un comodino di metallo con sopra una brocca d'acqua, e alcuni flaconi di disinfettante.

Sulla brandina c'è Sofia Sun.

È nuda. Sul corpo ha i segni delle torture, numerosi lunghi tagli che disegnano linee rosse. Ha gli occhi chiusi, ed è immobile. Non si muove.

Però respira.

È viva.

Un'ondata di sollievo quasi mi travolge.

Ma dura poco.

Di fianco a lei c'è Piccolo Zhao. I suoi occhialetti sono sul bordo del comodino, quasi nascosti dietro i disinfettanti. Anche lui è nudo. È come lo ha descritto Qi Baoxiang. Magro, i muscoli appena accennati, la pelle liscia. Al collo porta il ciondolo con il simbolo della peonia, e indossa un cappuccio nero. I suoi occhi, nei fori del cappuccio, sono due pietre senza vita.

In mano tiene un coltello, un *Bi Shou*. Il filo della lama è appoggiato alla gola di Sofia.

Mi ha sentito scendere.

«Butta la pistola, Wu» dice in *wenzhouhua*. Adesso Piccolo Zhao è il Demone. La sua voce è cambiata. Più roca e dura. Fa un cenno verso Sofia Sun. «Gettala, o le taglio la gola.»

«No» tengo la pistola puntata.

466

Piccolo Zhao mi fissa e non dice più nulla.

Attacca.

Scatta in avanti, e tira un fendente con il coltello.

Reagisco d'istinto. Miro e sparo.

Però colpire un soggetto che si sposta rapidamente è difficile. E Piccolo Zhao si sposta molto rapidamente.

Il mio proiettile lo sfiora soltanto, lacera la stoffa del cappuccio nero. Mentre lui completa l'arco del suo fendente.

Il *Bi Shou* affonda nella carne del mio avambraccio destro, e incoccia di punta contro l'osso. Poi Piccolo Zhao tira indietro il coltello, la lama apre i muscoli, recide tutto ciò che incontra nella sua corsa.

Grido.

Il dolore è accecante.

La pistola mi cade di mano.

Il movimento di Piccolo Zhao è stato perfetto. Con un'unica azione mi ha disarmato e ferito. Non è un dilettante nelle arti marziali, come sosteneva. È esperto, preparato e forte. Su se stesso mi ha detto la verità, e non ho saputo ascoltarlo. Su questo, invece, mi ha ingannato. Ho intravisto le sue capacità quando ci siamo allenati assieme, le ho *sentite*, ma poi è riuscito a distrarmi, e ho ignorato ciò che avevo percepito.

Piccolo Zhao attacca ancora. Dirige la lama del *Bi Shou* in diagonale verso il mio collo.

Vuole uccidermi.

Lo comprendo con una folgorazione. È un fatto limpido e elementare.

Lotto per non morire.

Reagisco di nuovo d'istinto, gli percuoto il gomito con un *Pak Sao* potente, e devio l'affondo.

Piccolo Zhao si blocca. Ha avvertito la botta. I nervi dell'articolazione friggono. Scrolla la mano, apre e chiude le dita. Poi riporta il coltello davanti a sé, e si mette di tre quarti, in guardia.

Anche io mi metto in posizione. Braccia alzate a coprire

il viso e il torace. Il braccio destro è pesante. La ferita all'avambraccio è lunga, profonda, sanguina molto, e sto perdendo sensibilità.

Piccolo Zhao torna a gettarsi in avanti con una stoccata dritta.

Io riesco a intercettarla con un *Fook Sao* con la mano sinistra, poi gli ruoto il braccio e cerco di applicare una leva di *Chin Na* per slogargli la spalla e fargli lasciare il pugnale. *Shun Shui Tui Zhou*, Spingi la Barca a Seguire la Corrente. Ma il mio braccio destro non funziona bene e non riesco a chiudere la presa.

Piccolo Zhao si libera. E mi si scaglia contro di nuovo con altri fendenti a ripetizione. Io controllo il primo con un *Wu Sao* e il secondo con un *Tan Sao*, il terzo con un *Fook Sao*, evito il quarto e il quinto, ma non sono in grado di usare le tecniche di difesa in modo offensivo, e arretro.

Non posso continuare così. Sta riducendo la distanza tra me e la parete alle mie spalle, presto non avrò più spazio per contenere le sue sciabolate, e non sento più il braccio destro.

Devo fare qualcosa.

Piccolo Zhao porta ancora un affondo, e io calcio la sua gamba avanzata.

Lo colpisco sulla coscia, e lui perde l'equilibrio.

Tiro un altro calcio cercando il suo ginocchio, per spaccarlo, ma lui è bravo, capisce le mie intenzioni, recupera la postura e si protegge.

Contemporaneamente, tenta un'altra stoccata.

Io devio di nuovo il colpo, stavolta con un *Bong Sao* violento che sferro sempre col braccio sinistro, e con la stessa mano afferro il suo braccio con un *Lap Sao* e lo tiro verso di me.

Subito dopo calcio. In basso. Centro la sua caviglia mentre l'inerzia del *Lap Sao* ancora lo proietta in avanti, e l'articolazione si piega e spezza.

Fa male.

Adesso è Piccolo Zhao che urla.

Zoppica.

E io affondo. Spingo con le gambe, ruoto le anche e il busto caricando tutto il mio peso, e lo colpisco con una gomitata al volto, sulla mascella.

Piccolo Zhao va giù.

Mi butto sopra di lui, e sempre con il sinistro continuo a colpirlo. Pugni rapidi e potenti al viso, agli zigomi, al naso, al collo, alle tempie, alle costole, al plesso solare.

Tutti punti vitali.

Lui voleva uccidere me, e io adesso sto per uccidere lui.

Sto per ammazzarlo, lo so.

Ma mi fermo.

Non perché sono un poliziotto. Non perché è un reato, è contro la legge.

Ma perché se lo faccio, se lo ammazzo, non posso vivere con questa ombra dentro.

Non posso tornare da Anna e Giacomo.

Mi rimetto in piedi e lascio Piccolo Zhao a terra.

Vado da Sofia Sun, e nonostante il braccio inutilizzabile, la sollevo dalla brandina, e la stringo a me.

Lei apre gli occhi.

Ce l'ho fatta. L'ho salvata.

Ma ciò che ha subìto è inconcepibile.

Sofia Sun mi guarda. A poco a poco mi mette a fuoco.

Piange.

Io la porto fuori.

SEI

La fine

结束

Il panno che cade nell'inchiostro rosso diventa rosso,
il panno che cade nell'inchiostro nero diventa nero.

1.

Ancora fine marzo

Poi tutto quello che riesco a fare è chiamare Missiroli che assieme agli altri sta ancora sbrogliando il caos con gli uomini di Vecchio Zhao.

Il mio ispettore dà ordine di portarli tutti al Commissariato, e resta con me, da solo.

Io crollo, tenendo ancora stretta con un braccio Sofia Sun.

Missiroli chiama il 118.

«Alla fine c'è riuscito a fa' anche questa cazzata, eh, dotto'...» Mi guarda, sembra aver compreso.

Scende di sotto, trova Piccolo Zhao semisvenuto e ferito dopo la lotta con me, lo ammanetta, e lo dichiara in arresto in flagranza di reato. Arrivano due ambulanze, con l'auto medica al seguito, triage, valutazione della gravità dei casi, e la prima ambulanza porta Sofia Sun a sirene spiegate all'ospedale più vicino, il San Giovanni.

Piccolo Zhao, invece, si riprende. Oltre alla caviglia, probabilmente ha anche il naso fratturato per i miei pugni, uno zigomo incrinato, e qualche costola danneggiata. Su una tempia, in corrispondenza dell'osso parietale, ha uno squarcio slabbrato e una contusione evidente. Un largo ematoma gli copre il collo e la gola. Nonostante le lesioni, però, rifiuta il ricovero.

Un medico e i paramedici gli prestano le prime cure, e lo rattoppano sul posto.

Missiroli chiama Caruso.

Il medico passa a me, mi attacca una flebo di fisiologica, inietta un antiemorragico, e avvolge la ferita al braccio con un bendaggio compressivo provvisorio per fermare il sanguinamento.

Sto tremando.

Arriva Caruso e parla con Missiroli, che lo ragguaglia su tutto. Il sost. proc. ha sentito un quarto d'ora fa il collega di turno. Si chiama Donati, gli è appena toccato prendersi carico degli arresti di tutti gli uomini di Vecchio Zhao, e per sua sfortuna s'è fatto convincere a fare richiesta al gip per il mantenimento del provvedimento cautelare in carcere. Però assieme si sono poi consultati con Capobianco e hanno convenuto che siccome tutto si riconduce alla sua indagine, sarà Caruso a procedere sia per i membri dell'organizzazione che per Piccolo Zhao. Donati scansa con agilità l'impiccio, e si ritira in buon ordine: «Ti lascio ai tuoi cinesi».

Quindi, Caruso chiede a Missiroli che il nostro verbale arrivi a lui. E appena rientra in Procura prepara un decreto di sequestro per il Cerchio Felice e tutto ciò che contiene.

Missiroli, intanto, fa venire la Scientifica, e Bellucci e Carmelo assieme ad alcuni tecnici entrano all'associazione, scendono nella stanza sotto l'ufficio di Piccolo Zhao, e iniziano a repertare.

Prima, però, Carmelo viene da me.

«Stai bene, sì?»

Il tremore si sta placando. «Sì.»

«Meglio. Perché se ti facevi accoppare poi *cummia t'a dovevi viriri.*»

Poi anche il pm viene da me. Il medico ha finito di applicarmi le bende al braccio, e stanno per caricarmi sulla seconda ambulanza.

Nemmeno io voglio andare, e tento di protestare, ma il magistrato fa un cenno al dottore. «Non lo stia a sentire. *Ac-*

cattatevelo, e basta». Poi a me: «E lei, Wu, la finisca di fare l'eroe. O il cretino».

Visto che ha rifiutato il ricovero, Missiroli si porta Piccolo Zhao in Commissariato, per gli atti con la notifica dei capi d'accusa a suo carico: sequestro di persona, lesioni aggravate, tentato omicidio ai danni miei e di Sofia Sun.

Dopo, la prigione.

Caruso rivolge lo sguardo a Piccolo Zhao, alle sue mani strette nelle manette, mentre il mio ispettore lo fa montare in macchina.

Io seguo il suo sguardo. «Lo abbiamo preso, dottore.»

«*Lei* lo ha preso, Wu.»

Il pm mi si mette di fianco, e si accende una sigaretta. Missiroli sembra avere capito, ma Missiroli è uno sbirro. Caruso, no. «Prima le ho detto che non volevo saperlo. Invece *voglio* saperlo.» Una tirata, soffia fuori il fumo. «Ha cercato e affrontato l'assassino da solo. Perché?»

Resto in silenzio per un istante.

«La verità?»

«Sì.»

«La verità è che non lo so neanche io.»

Ripenso a ciò che è accaduto nella camera ricavata dal cunicolo. Per la prima volta nella mia vita ho lottato per non essere ucciso, potevo morire, potevo ammazzare qualcuno.

Ho rischiato di non rivedere Anna e Giacomo.

«Doveva finire in questo modo.»

Caruso non dice nulla. Il medico mi fa caricare sull'ambulanza. Il portellone posteriore si chiude.

Io chiudo gli occhi.

2.

Ospedale San Giovanni dell'Addolorata. Portano anche me qui. Pronto Soccorso, altra sacca di fisiologica per reidratarmi, RX al braccio, prelievo, emocromo, emoglobina bassa, ho perso molto sangue, trasfusione.

Un'infermiera mi sistema la mano sinistra, con cui ho colpito ripetutamente Piccolo Zhao. Le nocche sono rosse, spellate e gonfie, e anche le dita.

Poi devo aspettare il chirurgo che copre il turno.

Aspetto.

Chiedo di vedere Sofia Sun, ma non me lo permettono.

Continuo ad aspettare.

Quando il chirurgo si presenta, non so quante ore sono passate. Mi visita e valuta la ferita. Il coltello di Piccolo Zhao è entrato perpendicolarmente, e dopo ha tagliato in verticale, dall'alto verso il basso. Prima ha perforato la vena basilica, e ha scheggiato l'osso, l'ulna. Poi ha lacerato i muscoli e altri vasi sanguigni, e ha tranciato nervi e tendini.

«Un discreto pasticcio» commenta il chirurgo. «Però lei ha avuto culo. Non si sa come, ma l'arteria brachiale non è stata toccata.»

Non so se uno che è stato accoltellato da un serial killer può dire di aver avuto culo, però non replico. Chiedo di nuovo di vedere Sofia Sun, il chirurgo dice che me lo posso scordare.

Mi tolgono manette, tesserino e pistola, mi spogliano, mi infilano un camicione, e mi portano in sala operatoria, anestesia locale, e il chirurgo si mette al lavoro: ignora l'osso scheggiato, che quello s'aggiusta da solo, chiude la vena bucata, riattacca gli altri vasi sanguigni spaccati, rimette insieme i tendini e i nervi troncati, e mi ricuce i muscoli. Sessanta punti.

Finito l'intervento, ancora intontito e con l'avambraccio avvolto in un bendaggio rigido, mi mettono in una stanza con due vecchi. Uno tossisce, si lamenta, e sembra che stia per morire. L'altro sembra già morto.

Il chirurgo torna a controllarmi. L'operazione è riuscita, e potrò recuperare la piena funzionalità del braccio. Però tra prognosi e riabilitazione mi prescrive sessanta giorni di riposo. Un giorno per ogni punto.

E vuole tenermi in osservazione almeno per una notte, così da verificare il decorso post-operatorio.

Rifiuto, e con la mano *sinistra* firmo le dimissioni volontarie.

Il chirurgo non ha tempo da dedicare a qualcuno che non vuole essere curato, e se ne va.

Inizio a rivestirmi.

Ho già indosso la camicia e la giacca, ma sotto sono ancora in mutande, e nella stanza entrano Missiroli e Caruso.

3.

Mi guardano, e ridacchiano tutti e due.

«Volevamo vedere se le avevano amputato il braccio, Wu» dice Caruso.

«Invece ce l'ha ancora attaccato» dice Missiroli.

Ridacchiano ancora.

«Siete venuti per starmi a fissare mentre sono in mutande e sfottermi?»

No.

Sono venuti a informarmi che, al momento dell'arresto, Missiroli ha trovato addosso a Piccolo Zhao un cellulare, e che su quel cellulare c'era la SIM con il numero di China Unicom.

Riprendo a vestirmi e mi infilo i pantaloni. «Inchiodiamolo!»

«Guardi, dotto', che abbiamo incrociato il chirurgo, entrando» dice l'ispettore.

«Le ha dato sessanta giorni di riposo» aggiunge Caruso.

Mi infilo le scarpe. «Non ci penso proprio. Voglio Piccolo Zhao.»

Adesso mi aspetto che il pm e l'ispettore mi dicano di stare buono, che non devo fare sciocchezze, che bisogna seguire le prescrizioni del medico.

Invece, si guardano tra loro.

«Bene» dice Caruso. «Perché Piccolo Zhao vuole solo lei.»

4.

Mi spiegano: Piccolo Zhao vuole parlare soltanto con me. Lo dice subito, appena i miei lo portano a Rebibbia.

I colleghi della Penitenziaria sono riusciti, su nostra richiesta, a trovargli un buco. Vecchio Zhao l'abbiamo piazzato a Regina Coeli, e non vogliamo che il figlio stia vicino al padre. Gli altri uomini di Vecchio Zhao che abbiamo prelevato al Cerchio Felice, in attesa dell'interrogatorio di garanzia, sono stati anche loro infilati a Regina Coeli, mentre a Rebibbia ci sono ancora Wang Xinxia, Alberto Huong e Hu Xia, il Bastone Rosso.

Abbiamo sparso cinesi ovunque.

Fuori, la metà dei cinesi di Roma sta protestando contro i nostri arresti. L'altra metà assiste e non si schiera. Ci sono manifestazioni pubbliche. In particolare, scendono in strada e in piazza per Vecchio Zhao. Altri imprenditori cinesi, altre associazioni come la A.G.I.ICI., ma pure alcune di imprenditori italiani con le quali in una maniera o nell'altra Vecchio Zhao ha trattato. Ci tacciano di razzismo, dicono che abbiamo voluto attaccare uno stimato e importante uomo d'affari solo perché è cinese, e in quanto tale poco gradito all'establishment che noi rappresentiamo. Quasi tutti i quotidiani online in lingua cinese letti in Italia scrivono che io, poliziotto cinese, sono stato usato come paravento per cercare di affossare Vecchio Zhao, e che in cambio ne avrei tratto dei vantaggi per la mia carriera. Un traditore. Un venduto.

Un gruppo politico di estrema sinistra presenta addirittura un'interrogazione parlamentare.

La previsione di Lanfranchi. La merda che vola.

478

Il questore, chiamato in causa, fa ciò che mi aveva detto: ci difende pubblicamente. *Mi* difende.

Intanto, Piccolo Zhao si accomoda in cella e sta zitto.

Il pm trasmette il verbale d'arresto al gip, e presenzia assieme a lui all'udienza di convalida.

Piccolo Zhao si presenta con un suo legale di fiducia. Non è Bonanni, l'avvocatone che difende suo padre, Hu Xia, e gli altri membri dell'organizzazione. Si chiama Davide Shen, è cinese di origine e italiano di seconda generazione, come Sofia Sun, e per quanto ne sappiamo noi, di solito, non tratta con i mafiosi.

Dalle informazioni in nostro possesso, Piccolo Zhao aveva già cercato di coinvolgere Shen in alcune iniziative dell'associazione culturale, ma l'avvocato aveva sentito puzza di Triadi e aveva declinato l'invito.

Però pure Shen deve campare, e anche se di base è uno che difende i buoni, ora è ingolosito dalla notorietà e dai possibili guadagni futuri, dal momento che il suo cliente è la notizia che apre tutti i telegiornali e sta in testa alle prime pagine dei giornali e dei siti di informazione.

Il serial killer. Il Demone.

Mieli e Caruso contestano a Piccolo Zhao i reati relativi al suo arresto in flagranza, e cioè il sequestro di Sofia Sun, le successive lesioni fisiche aggravate, e il tentato duplice omicidio.

A questi si aggiungono le altre imputazioni che pendono sulla sua testa – concorso in traffico di esseri umani, concorso in occultamento e distruzione di cadavere, sequestro, violenza aggravata, riduzione in schiavitù e omicidio plurimo – e il pm esibisce i fatti a supporto delle sue tesi accusatorie.

Il cellulare con la scheda del numero cinese trovato in suo possesso. Quello stesso numero (+86)186.2717.4634 che dai tabulati lo colloca in tutte le zone dove sono situati gli appartamenti/prigione nei quali venivano tenute le ragazze.

I suoi rapporti – per mezzo dell'azienda fornitrice di tessuti, la Ali di Farfalla di cui è socio di minoranza – con il laboratorio tessile dei Wang dal quale sono transitate tutte le ragazze uccise. E, di conseguenza, i suoi rapporti con Wang Jiang, Abile Wang, che è stato riconosciuto da una testimone che non viene nominata, e cioè Qi Baoxiang, come l'Uomo delle Chiave, colui che era materialmente incaricato di gestire la segregazione delle ragazze, e che in seguito ne ha smaltito i corpi nella fossa comune a Torre Spaccata.

Il suo coinvolgimento nel sequestro di sua madre, ciò che è accaduto a lei e a lui, determina un *modus operandi*.

L'attenzione delle autorità cinesi nei suoi confronti riguardo a delitti del tutto identici a quelli avvenuti in Italia.

Il suo DNA estratto dal capello ritrovato nell'appartamento a Centocelle combacia con il DNA isolato sul brandello di corpo di una delle ragazze nella fossa.

Piccolo Zhao non collabora.

Dice ancora che vuole parlare solo con me.

«Soltanto io e il vicequestore Wu. Solo noi due.»

Piccolo Zhao viene riportato dietro le sbarre.

Mieli se ne va, Shen se ne va.

Caruso rimane solo. Riflette.

Quindi chiama Missiroli, vengono in ospedale e mi trovano in giacca, camicia e mutande.

«Allora è pronto, Wu?» chiede adesso il sost. proc.

Mi riprendo manette, tesserino e pistola. «Pronto.»

Caruso e Missiroli mi portano a Rebibbia.

Poi loro due vanno a prendersi qualcosa al bar dei tossici.

Io entro nella saletta interrogatori dove c'è Piccolo Zhao.

5.

Io e lui.

Piccolo Zhao si alza. Come me, porta ancora addosso i segni della lotta.

La caviglia che gli ho spaccato con il mio calcio è ingessata. Ha rifiutato il ricovero, ma deve essere passato per il centro medico del carcere. Due cerotti contenitivi coprono il naso, che effettivamente sembra fratturato, e lo zigomo incrinato. Un livido blu e viola gli si allarga su tutta la faccia. Sulla tempia ha dei punti che gli chiudono la lacerazione che gli ho provocato.

Per quanto e come l'ho colpito, dovrebbe essere immobile in un letto d'ospedale, attaccato a dei tubi. Invece, il giovane uomo schivo con gli occhialetti senza montatura che diceva di essere solo un appassionato della teoria delle arti marziali, ha dimostrato una capacità straordinaria di recupero dalle lesioni fisiche, che si ottiene solo con un allenamento sfibrante di anni.

Piccolo Zhao mi osserva. Si è rimesso gli occhialini, gli scivolano, li riposiziona sul naso, e accenna a un sorriso di scuse. Quasi gli dispiacesse avermi obbligato a occuparmi ancora di lui.

Devo ammettere con me stesso che continua a piacermi e ora faccio fatica a conciliare ciò che provo con ciò che *so* che ha fatto. Le ragazze rapite, torturate e uccise. Sofia Sun.

«Ti ringrazio per essere venuto, vicequestore Wu» dice in *wenzhouhua*. Abbiamo combattuto corpo a corpo per vivere o morire, abbiamo infranto una barriera, e continuiamo a darci del *tu*. La voce gratta, e respira male. I pugni che ha preso alla gola devono avere intaccato laringe e faringe.

«Tu mi hai voluto qui, e io ho voluto esserci.»

Però, prima che prosegua, gli chiedo una promessa. Altrimenti, me ne vado. Qualunque cosa dirà a me adesso, poi la ripeterà a verbale davanti al pm.

Promette che lo farà.

Io gli credo.

Poi Piccolo Zhao confessa.

6.

«Ho ucciso la prima ragazza a diciassette anni, tre anni dopo il rapimento.»

Conferma il contenuto della rogatoria.

Non c'è un evento scatenante. Nessun fatto specifico che lo porta ad agire. «È stato come un rigurgito. Qualcosa che avevo dentro che è uscito fuori.»

Vede una ragazza in un bar karaoke a Shanghai, la città in cui si trova in quel periodo assieme a Vecchio Zhao. Lei è bellissima, e quando esce dal locale lui la segue. La ragazza si inoltra in un vicolo deserto, forse una scorciatoia per tornare a casa, lui la stordisce e la porta in un appartamento che suo padre gli ha messo a disposizione.

Piccolo Zhao replica in ogni particolare il rapimento e l'uccisione di sua madre: il cappuccio sulla testa, che ricava da un pezzo di stoffa nera, le lame, la Morte Dei Mille Tagli, le ferite disinfettate, il corpo lavato e ripulito e poi fatto a pezzi e chiuso in un sacco della spazzatura.

L'unica differenza tra ciò che ha vissuto e ciò che fa, è che lui il sacco della spazzatura con dentro i pezzi della ragazza lo getta in una grande discarica alla periferia della città, tra tonnellate di altri rifiuti.

Continua a prendere e uccidere ragazze dai diciassette ai diciannove anni, fino a quando suo padre lo porta via.

È quello il vero motivo per cui Vecchio Zhao decide di venire in Italia, e lo porta con sé.

Il conflitto tra la Luce Bianca e la 14K è ancora nel pieno della fase più cruenta, e la Luce Bianca sta avendo la peggio, ma suo padre avrebbe potuto gestire la situazione rimanendo in Cina. Una sera, però, si presentano a casa di Vecchio Zhao un uomo del governo e un funzionario di polizia. Suo padre è convinto che vogliano discutere della guerra tra le Triadi.

Invece, i due vogliono parlare di suo figlio.

Il funzionario è lo stesso che si è occupato del rapimento di Zhao Jun e Piccolo Zhao, e ora prende parte alle investigazioni che riguardano la scomparsa di molte giovani donne.

Fino a quel momento, per i due anni in cui sono continuate le sparizioni, nessuna delle ragazze è mai stata ritrovata. Quattro giorni prima, però, in una discarica a Hong Kong un macchinario si è inceppato mentre smistava un carico di spazzatura. Un sacco nero si è lacerato. Dentro, c'erano i pezzi del corpo di una donna. Il profilo corrisponde a quello delle ragazze svanite nel nulla.

Quattro giorni prima Vecchio Zhao e suo figlio erano a Hong Kong.

Tutte le ragazze sono scomparse da luoghi in cui è stata accertata la sua presenza e quella di Piccolo Zhao.

Il funzionario di polizia mette in chiaro con Vecchio Zhao che a parte la concomitanza non ci sono altri riscontri che colleghino lui e il figlio alla sorte di quelle ragazze.

O meglio, non ci sono evidenze *decisive* che coinvolgano Piccolo Zhao.

Per ora.

L'uomo del governo interviene, e sottolinea che sono venuti da Vecchio Zhao solamente per le analogie tra la morte della ragazza nella discarica e ciò che è accaduto a sua moglie e a suo figlio.

E Vecchio Zhao deve considerare quell'incontro come una visita di cortesia. Loro comprendono perfettamente il suo dramma, e quali strascichi può avere lasciato in suo figlio ciò a cui ha assistito, e che ha subìto.

Anche Vecchio Zhao comprende perfettamente.

Il significato di quella visita di cortesia è chiaro: deve risolvere il "problema", prima che le autorità siano costrette a intervenire.

Vecchio Zhao decide che la cosa migliore è portare il suo "problema" altrove.

Tre settimane dopo, lui e il figlio partono per l'Italia.

«Ma io ricomincio a uccidere anche in Italia, pochi mesi dopo che siamo arrivati.»

Prende, rapisce, e tortura fino alla morte una ragazza bellissima che sta in un bordello cinese. Il bordello è nell'orbita della Luce Limpida appena costituita da suo padre, e la donna che lo gestisce va a riferire della scomparsa della ragazza.

Per la prima volta Vecchio Zhao cerca di affrontare il discorso con suo figlio. Chiama ciò che fa "la sua malattia", come se si trattasse di un'influenza, di un raffreddore passeggero.

Piccolo Zhao replica dicendo che non crede che guarirà mai da quella malattia.

Allora, di nuovo, occorre trovare una soluzione. Non possono fuggire ancora. E non possono permettersi che Piccolo Zhao per una qualunque ragione torni a essere inquadrato nel radar della polizia. È il *Fu San Chu*, il Vicario del Capo, e va tutelato a ogni costo.

Vecchio Zhao arriva alla conclusione che l'unico modo per proteggere suo figlio è che lui stesso, con la sua organizzazione, gli procuri le ragazze – giovani donne di cui nessuno avrebbe chiesto conto, nemmeno la mammana di un bordello – e poi lo aiuti a disfarsene nella maniera più sicura possibile, per evitare errori o casualità come quella che ha portato alla scoperta del sacco della spazzatura con dentro i pezzi di corpo nella discarica a Hong Kong.

Devono mettere a punto *un sistema*.

«Ma quando la Ali di Farfalla ha preso gli accordi per fornire i tessuti al laboratorio dei Wang abbiamo capito che potevamo cominciare da lì.»

Piccolo Zhao ha detto la verità quando ha affermato che non è stato lui a seguire la trattativa tra l'azienda e il laboratorio, ma è comunque in quell'occasione che incontra Abile Wang. E lo indica a suo padre.

Vecchio Zhao conosce già i Wang, è stato lui a prestare loro il capitale per avviare l'attività.

Suo padre parla con Abile Wang e Wang Xinxia.

Poi, un uomo dell'organizzazione va da Piccolo Zhao, gli

consegna un cellulare con una scheda telefonica cinese, e gli dice che d'ora in avanti non avrà più bisogno di trovarsi da solo ciò di cui ha bisogno. Potrà scegliere tra un'ampia "offerta", senza *disturbare* nessuno.

Vecchio Zhao e la Luce Limpida hanno organizzato il traffico con i Wang: le ragazze arrivano al laboratorio figurando come operaie, le più belle vengono selezionate per lui, che a sua volta sceglie quelle che preferisce, e quelle "scartate" vengono rivendute ai centri massaggi e agli altri bordelli in giro per l'Italia.

Tutti ci guadagnano. Wang Jiang e sua moglie vengono retribuiti per il servizio che offrono attraverso il loro laboratorio tessile, l'organizzazione incassa il denaro per le ragazze che cede al circuito della prostituzione lasciando ancora ai Wang una percentuale, e Piccolo Zhao ha le sue vittime a disposizione.

È ciò che avevamo ipotizzato: un meccanismo mafioso che produceva profitto e al tempo stesso copriva e favoriva azioni intime, personali.

«Noi cinesi siamo così, lo sai vicequestore Wu. Siamo *pratici*. Abbiamo unito l'utile al dilettevole.»

In più – in cambio di un compenso extra, una sorta di *benefit* – ad Abile Wang viene assegnato il ruolo di Uomo delle Chiavi, per gli appartamenti dove sono tenute segregate le ragazze. È lui che si occupa della "logistica", nel senso più ampio. È lui che le sposta dal laboratorio, ed è sempre lui che si occupa di smembrare, trasportare e seppellire i corpi. Paga a sua volta qualcuno, estraneo all'organizzazione, perché lo aiuti e dimentichi in fretta.

«Chi lo aiutava? Sai i nomi?»

«No.»

Non fa domande, per lui è sufficiente che ci sia chi si occupa di certi aspetti concreti.

Abile Wang trova il campo incolto a Torre Spaccata tramite Alberto Huong.

Abile Wang trova altri luoghi.

Ci sono stati altri come Wang Jiang e Wang Xinxia, che hanno fatto le stesse cose. In contemporanea e dopo.

Soprattutto, ci sono state tante, tantissime altre ragazze.

«E negli appartamenti che abbiamo individuato noi? Ce n'erano altre anche lì che poi sono state trasferite?»

«Sì.»

Anche questo combacia con la nostra ricostruzione dei fatti.

«Forse» aggiunge.

«Forse?»

«Ho perso il conto.»

Ha perso il conto. «Dove sono adesso?»

«Non lo so.»

Sono solo dispiaciuto, come tutti, per quelle povere ragazze. Nessuno merita una fine così.

Non è vero. Non gli dispiace.

Non sa quante sono in totale le fosse comuni, e quante ragazze erano ancora prigioniere. Non sa quante ne ha uccise.

Non gli importa.

7.

Di nuovo mi sorride, però adesso è una sfida.

Gli chiedo del numero cinese.

«Con il numero di China Unicom tenevi i contatti con Abile Wang.»

«Sì.»

«Ma hai chiamato anche Suker, Smoje e Čop?»

«Sì, una volta, tutti e tre.»

Le singole telefonate in entrata che abbiamo individuato sulle loro utenze.

«Sei stato tu a commissionare l'omicidio di Abile Wang?»

«No.»

«Chi è stato? Chi ha mandato i croati?»

«Mio padre.»

Vecchio Zhao. È stato lui.

Quando Piccolo Zhao sa che la decisione è già stata presa, chiede che Wang Xinxia e Profumata Wang non vengano toccate.

Wang Jiang ha mandato quella foto del campo incolto dove si trovava la fossa comune, ha cercato di rimediare a un suo sbaglio con un ricatto, e deve morire. Ma Vecchio Zhao rassicura suo figlio. L'esecuzione di Abile Wang, camuffata da rapina, deve essere un avviso per sua moglie, che deve continuare a far arrivare in Italia le ragazze, e stare zitta.

Nessun altro deve andarci di mezzo.

Non va così.

«Se non sei il mandante, allora perché *tu* hai chiamato i croati?»

«Ancora mio padre. Prima ha fatto parlare Li Yujiang e Chang Zhi con loro.» Il Sandalo di Paglia, il portavoce, e il Garante delle Alleanze. «Dovevano sapere che qualunque comunicazione o richiesta avessero ricevuto veniva direttamente da lui. Ma poi, al momento opportuno, ha voluto che fossi io a dare l'ordine.»

Quindi, Abile Wang riceveva le chiamate di Piccolo Zhao dal numero cinese, e lo ha anche incontrato. Però quando abbiamo creduto, dal posizionamento degli agganci alle celle telefoniche, che avesse incontrato il mandante del suo stesso omicidio, ci siamo sbagliati. Chiaramente Wang Jiang ha più volte incontrato anche Vecchio Zhao, ma comunque abbiamo commesso un errore d'interpretazione.

«Perché tuo padre ha fatto chiamare te?»

Piccolo Zhao fa una risatina. Poi stringe le labbra. «Voleva che mi assumessi almeno questa responsabilità.»

«Tuo padre conosceva già Suker, Smoje e Čop?»

«Non credo. Ma di sicuro conosceva qualcuno che conosceva qualcun altro che li conosceva. Amicizie, legami.»

«E dopo Abile Wang, anche i croati devono essere eliminati perché sono dei testimoni.»

«Sì.»

«Chi lo ha deciso?»

«Sempre lui.»

Sempre Vecchio Zhao.

«Chi ha incaricato delle uccisioni?»

«Non lo so. Non me lo ha detto. Mio padre è il 489, vicequestore Wu. È la Testa del Drago. Decide lui cosa fare o non fare» stringe di nuovo le labbra, «decide *tutto*.»

«E tu perché hai deciso di inviargli un sms usando il cellulare con la scheda cinese?»

«Perché era sparito. Non sapevano che l'avevate fermato voi. Se avesse ricevuto un messaggio da quel numero, avrebbe capito che era importante.»

«Ma perché *quel* messaggio? "Perché proprio adesso?"»

«Credevo che dopo tutti questi anni mio padre avesse deciso di lasciarmi al mio destino. E forse lo avrei capito.»

8.

Piccolo Zhao si risistema gli occhialetti senza montatura sul naso. Nel farlo, sfiora il cerotto che copre lo zigomo incrinato, e non riesce a trattenere una smorfia di dolore.

«Perché hai voluto allenarti con me?» gli chiedo.

«Volevo "testarti". Ormai lo hai visto, pratico il Kung Fu fin da bambino, e c'era la possibilità che a un certo punto ci trovassimo di fronte, uno contro l'altro, in uno scontro vero.»

«Non una possibilità. Tu lo hai *voluto*. Mi hai indirizzato, a modo tuo.»

«Sì, forse. Ma in ogni caso è successo. E io volevo sapere che avversario saresti stato.»

«E se allenandomi con te avessi capito che mentivi sulle tue abilità nelle arti marziali, e magari anche altro? Se avessi capito *prima* chi eri?»

488

«Ma tu lo sapevi, vicequestore Wu. Sono stato io a dirti chi sono.»

Sì. Lui me lo ha detto, e io lo sapevo.

«E alla fine è stato bello combattere con te. Un po'… cruento, forse. Ma bello. Io sono forte. Però tu sei più forte di me.»

Lo fisso: «Volevi uccidermi davvero?».

Ancora si sistema gli occhiali. Ancora quell'espressione schiva, gentile. «No, non volevo. Ma in quel momento era necessario. Dovevo completare ciò che avevo iniziato.»

Torturare Sofia Sun fino alla morte.

9.

Torniamo ai fatti.

«Come c'è finito il tuo DNA su un brandello di corpo di una delle ragazze sepolte nella fossa comune?»

L'altro campione preso dal capello nell'appartamento a Centocelle è semplice da spiegare. Lui era lì.

«Mi sono tagliato. Inconvenienti che capitano quando maneggi lame affilate. Un taglietto.»

E una singola minuscola goccia di sangue deve essere sfuggita a chi ha ripulito quel corpo.

Si tocca un dito, il polpastrello. «È stato per il DNA che sei arrivato a me?»

Gli ripeto gli elementi indiziari che ha già esposto il pm durante l'udienza di convalida.

«No, a me interessa come ci sei arrivato tu, vicequestore Wu.»

Ora è lui che mi fissa. La somiglianza con suo padre, con Vecchio Zhao. La posa del corpo così simile.

Caruso mi ha fatto la stessa domanda, ma in quel momento non potevo spiegare. Adesso posso. E in un certo senso Piccolo Zhao ha il diritto di sapere.

«Quello.» Indico il ciondolo che ha ancora al collo. «Sapevamo che il Demone portava un medaglione con il simbolo della peonia. Lo abbiamo visto addosso a tuo padre, ma quando l'ho fermato non lo aveva. E sapevamo che il Demone aveva le mani dure, nodose» gli afferro una mano, «le tue sembrano artigli.»

Piccolo Zhao la ritira. «Chi vi ha detto queste cose?»

Non sa che una delle tre ragazze che si sono gettate di sotto è sopravvissuta. Non sa di Qi Baoxiang.

E io non rispondo.

Ora si tocca il ciondolo. «Era di mia madre. Quando i rapitori mi hanno liberato, me lo hanno lasciato perché lo consegnassi a mio padre. E io l'ho fatto, gliel'ho consegnato, e lui lo porta come una reliquia.» La voce si fa più profonda. Rabbia. «Ma non è degno di indossarlo. Così ogni tanto glielo prendo.»

Quando uccide.

Quanto possiamo conoscere davvero un'altra persona, chi può sapere cosa spinge qualcuno a compiere certe azioni?

Parlava di Abile Wang, della possibilità che fosse il serial killer, ma intanto parlava di sé.

Silenzio.

«Mentre ero prigioniero con mia madre... Ho visto tutto, sai, vicequestore Wu?»

Sì, lo so. C'era nei rapporti arrivati in seguito alla rogatoria. So che cosa è successo.

«L'hanno tagliata. Un po' alla volta, lentamente. Si fermavano, la curavano, e poi ricominciavano. Altri tagli. Tagli su tutto il corpo, tanti, tantissimi tagli. Io ho tagliato le ragazze che ho preso. I rapitori non hanno stuprato mia madre. Io non ho stuprato nessuna ragazza.»

Il suo sguardo si perde.

Ha quattordici anni, è legato a una sedia, ed è costretto a osservare la sofferenza di sua madre. È impotente.

Poi fa un salto in avanti, ed è lui a infliggere la stessa sofferenza.

«Il Demone. Perché ti facevi chiamare così dalle ragazze?»

È tentato di chiedermi anche come posso sapere che è stato lui a usare quel nome. Ma non lo fa.

«Perché è così che chiamavo i rapitori, tra me e me, nella mia testa. I Demoni.»

Tocca ancora il ciondolo. «Zhao Jun ascoltava l'opera classica cinese. Mentre la tagliavano, per cercare di non spaventarmi troppo, canticchiava le arie delle opere.» Di nuovo silenzio. «Mia madre era bellissima.»

Anche mia madre era bellissima.

Piccolo Zhao solleva il viso e gli occhi verso l'alto, e posso vedere una lacrima che gli bagna le ciglia.

Adesso sono io che vedo il ragazzino che era: sensibile, introverso, che impara le arti marziali, ma impaurito e impotente mentre assiste alle torture su sua madre. Mentre anche lui, in quel modo, viene torturato. Vedo il dolore che gli entra dentro e strappa via tutto ciò che ha di buono e pulito.

E subito dopo sono di nuovo davanti alla fossa comune, ai brandelli dei corpi delle ragazze, con in bocca un sapore dolciastro e nauseante, e l'aria satura di un odore che fa pensare a un frutto marcio che brulica di insetti.

Forse è questo il Male, l'entità che sopravvive. Un parassita che passa da una persona a un'altra. Qualcuno compie un atto malvagio, e il Male si impossessa di chi ha subito quell'atto.

«Mia madre non doveva morire. Non doveva soffrire. Io non dovevo soffrire. Non è giusto.»

No, non lo è. Provo pena per lui.

Piccolo Zhao si asciuga l'unica lacrima. Il ragazzino non c'è più, c'è soltanto l'adulto. Torna a fissarmi con un'espressione torbida.

«Ogni volta che ho preso, torturato e ucciso una di quelle ragazze, ho cercato di salvare mia madre. E me stesso.»

Chi subisce il Male, compie il Male, e allo stesso tempo cerca disperatamente di liberarsene.

Ma il Male rimane.

E rimane l'odio, che ora gli deforma il viso. «È colpa di mio padre se mia madre è morta. È colpa *sua*. Posso dirvi tutto quello che volete su Vecchio Zhao.»

Anche mia madre è morta a causa di mio padre, e anch'io l'ho odiato.

Però ho smesso.

Io non sono come Piccolo Zhao.

Forse sono solo stato più fortunato. Non ho patito ciò che ha patito lui.

Però questo non lo assolve. Non provo più pena per lui. Non mi piace più.

Non riesce a pronunciare neppure una parola di rimorso per le ragazze. Per le sue vittime.

O per Sofia Sun.

O per Profumata Wang.

Abile Wang doveva essere ammazzato, sua moglie e sua figlia no. Piccolo Zhao si era raccomandato che a loro non succedesse niente. Ma adesso nemmeno si ricorda di Wang Fanfang. Non si ricorda di una bambina di quattro anni morta, colpita da sette proiettili calibro .7,65.

Mi alzo. Lui sembra stupito: «Non ho finito».

«Ma io sì. Io ho finito.»

Gli ricordo la sua promessa. Deve continuare davanti al magistrato. Annuisce.

Chi subisce il Male, compie il Male. Chi viene preso dai Demoni diventa un Demone.

Piccolo Zhao è il Demone.

Me ne vado.

SETTE

I fili sciolti, i fili riannodati

断开的线
又结成线

Quando arrivi all'ultima pagina, chiudi il libro.

1.

Aprile

L'inchiesta va avanti.

Viene rivista la posizione di Alberto Huong. È stato in uno degli appartamenti dove erano segregate le ragazze, e ha fatto sesso con una di loro, ma lo ha fatto sotto costrizione. Tutto ciò che è stato sequestrato a casa sua e nei suoi negozi è passato al vaglio della finanza e della Scientifica senza esito.

Caruso, che in un primo momento aveva ritenuto di chiedere al gip la conferma del provvedimento restrittivo, visto il coinvolgimento del giovane imprenditore nella vicenda, alla luce di quanto emerso in seguito ne domanda invece la revoca, e Huong viene rilasciato.

Deve affrontare la parte fiscale delle indagini, quella relativa alle false fatturazioni emesse d'accordo con i Wang, ma Imbriani, l'altro pm della DDA a cui è stato affidato questo troncone, non ha ancora deciso come procedere nei suoi confronti, se richiedere il rinvio a giudizio, o limitarsi a patteggiare con il suo avvocato, con Terenzi, per una multa salata.

Appena gli riconsegnano i suoi effetti personali, e il cellulare, Huong mi chiama.

E mi chiede di Sofia Sun.

2.

Piccolo Zhao mantiene la promessa che mi ha fatto. Assieme a Shen, il suo avvocato, parla con Caruso rilasciando dichiarazioni spontanee, e ripete tutto ciò che ha detto a me.

A suo carico – oltre alle prove che abbiamo raccolto, e all'arresto in flagranza – c'è quindi la sua stessa ammissione di colpa.

Poi c'è la denuncia di Qi Baoxiang.

Avendola firmata, lei è diventata in automatico *parte lesa*, ma quando si arriverà a processo, Caruso farà tutto ciò che è in suo potere perché la sua identità rimanga secretata. Noi, come le avevo assicurato durante l'incontro in ospedale, l'aiuteremo a regolarizzarsi in Italia, e la tuteleremo. Sarà affidata al Servizio centrale di Protezione che si premurerà di allontanarla il più possibile da Roma e dotarla di nuove generalità.

La sua denuncia è contro ignoti, però la sua testimonianza può dare un'idea esatta al giudice e ai giurati del modo in cui operava l'organizzazione, e di ciò che accadeva alle ragazze che finivano nella loro rete. Quindi, gli uomini di Vecchio Zhao potrebbero cercare di scoprire chi ha osato violare la regola del silenzio.

Dall'interno o dall'esterno della galera, la Triade può arrivare a qualunque informazione.

Abbiamo già chiesto tanto a Qi Baoxiang. Ma le chiediamo ancora di più.

Torno da lei all'ospedale di Latina, assieme alla Fresu, sperando che una presenza femminile e il carattere deciso dell'ispettore la tranquillizzino.

Quando le abbiamo mostrato le foto dei componenti della Luce Limpida, Qi Baoxiang non ha saputo identificare nessuno.

Adesso le facciamo vedere altre fotografie di Piccolo Zhao, scattate in carcere. Foto di *dettagli*. Le sue mani.

Qi Baoxiang guarda il mio braccio con la fasciatura rigida.

Non vuole sapere come mi sono procurato la ferita. Vuole solo sapere se mi ha fatto male.

«Sì» rispondo io.

Mi fissa e annuisce. Ho patito una piccolissima parte di quello che ha patito lei.

Guarda la Fresu. Poi guarda le foto delle mani. E le riconosce. «Sì, sono le sue. Sono le mani del Demone.»

Ora, sulla denuncia contro ignoti, possiamo scrivere un nome: Zhao Dongbo.

Se a un certo punto Piccolo Zhao dovesse decidere di ritrattare, ci sarebbe in ogni caso una delle sue vittime che gli punta il dito contro.

Ma Piccolo Zhao non fa marcia indietro. Anzi, alla sua confessione aggiunge particolari precisi su suo padre, sulla Luce Limpida, cita fatti, episodi, dà riscontri, allarga e completa lo schema.

3.

Bonanni, l'avvocatone dei Parioli, presenta immediatamente domanda per l'annullamento della custodia cautelare di Vecchio Zhao. Sostiene che una delle ragioni primarie del fermo che poi ha condotto alla carcerazione, e cioè la nostra convinzione che il suo assistito fosse il serial killer, è venuta meno. E a supporto della sua memoria difensiva porta le prove del DNA che smentiscono categoricamente questa ipotesi, e il successivo arresto di suo figlio Zhao Dongbo per quella stessa imputazione.

Il gip accoglie la domanda. Vecchio Zhao esce di prigione.

Ma Caruso prepara un nuovo decreto di fermo sulla base delle dichiarazioni di Piccolo Zhao.

Quindi, appena Vecchio Zhao mette piede fuori da Regina Coeli lo riportiamo dentro.

Piccolo Zhao lo accusa di avere ideato e organizzato, con la complicità dei Wang, il traffico di ragazze attraverso il quale lui poteva scegliere le sue vittime. Lo accusa di essere il mandante della rapina/omicidio in cui sono stati uccisi Wang Jiang e sua figlia Wang Fanfang, e dell'eliminazione di coloro che ne sono stati gli autori materiali, ossia Suker e Smoje, e del loro socio Čop.

Vecchio Zhao deve rispondere di traffico di esseri umani, favoreggiamento dell'immigrazione clandestina e della prostituzione, concorso in rapimento, violenza aggravata, vilipendio, distruzione e occultamento di cadavere, e concorso in omicidio plurimo per tutte le ragazze. Sono più o meno gli stessi addebiti per i quali Wang Xinxia è ancora in cella.

L'uomo al vertice della Triade e una piccola donna all'apparenza insignificante condividono gli stessi peccati.

Ma per Vecchio Zhao si configurano anche l'istigazione a delinquere per le morti di Abile Wang, di Profumata Wang, e il concorso in sequestro, violenza e tentato omicidio per Sofia Sun.

L'interrogazione parlamentare viene ritirata in gran fretta. Le proteste della comunità cinese si spengono. I quotidiani online iniziano ad assumere toni differenti sulla vicenda.

Posso dirvi tutto quello che volete su Vecchio Zhao.

Piccolo Zhao rivela inoltre ogni cosa sui rapporti tra suo padre e le Teste di Serpente, tra il Drago con la Testa e con la Coda e il Drago senza Testa e senza Coda, e tra la Luce Bianca in Cina e la Luce Limpida in Italia.

Illustra come dietro la bella facciata dell'associazione culturale il Cerchio Felice funzioni da punto di contatto tra tutte le bande criminali cinesi della regione.

E se le informative dello SCO e della DIA ne avevano fatto un abbozzo, lui traccia il disegno complessivo delle attività legali e illegali della Luce Limpida, e sulle connessioni tra le une e le altre.

L'odio non si è placato. La sua confessione è anche una vendetta. Davanti a Caruso, Piccolo Zhao accenna ancora una volta al ciondolo che porta al collo, il medaglione con l'ideogramma della peonia appartenuto a Zhao Jun. «Mio padre lo indossava come se fosse sacro. Dopo poco che siamo arrivati qui, però, ha iniziato a frequentare altre donne, e si è trovato una specie di amante fissa. La vedeva quando andava dal barbiere. Credeva che non avessi capito, ma io sapevo. Ho visto mia madre torturata fino alla morte, *lui* avrebbe dovuto morire al posto suo, e invece andava da quella puttana.»

4.

Piccolo Zhao elenca i nomi di tutti i negozianti e imprenditori che pagano il pizzo all'organizzazione, e noi li portiamo in Commissariato per sentirli come persone informate dei fatti. In un primo momento, tacciono. Ma noi continuiamo con le SIT fino allo sfinimento, e alla fine raccogliamo qualche ammissione che mettiamo a verbale.

Da parte degli uomini della Luce Limpida, affinché gli imprenditori e i negozianti pagassero il loro "contributo", c'è stata coercizione e intimidazione.

Sono le due circostanze per le quali sussiste l'estorsione.

Poi Piccolo Zhao ci fa trovare numerose sale da gioco e bar con all'interno macchinette truccate, e ci fa trovare i documenti che dimostrano che gli esercizi sono riconducibili a suo padre, attraverso vari prestanome, e che le slot-machine venivano noleggiate da una società a sua volta nell'orbita di Vecchio Zhao. Mettiamo sotto torchio i prestanome, e anche con loro ci scontriamo con il solito mutismo inscalfibile. Ma se si trovano braccati dalla polizia che li bersaglia di domande, significa che qualcun altro ha *già* parlato. Quindi, alcuni restano con la bocca chiusa mentre altri cominciano a dirci qualcosa. Raccontano di minacce e ricatti da parte dell'organizzazione perché si prendessero in carico le sale slot e i bar, e affittassero le macchinette solo da quella ditta "amica".

Caruso fa presente a Shen che, per sua stessa affermazione, il suo cliente era parte di una struttura criminale, ne conosceva ogni aspetto, e ne ha usufruito per compiere i suoi delitti, e che tutto questo ricade nel 416bis.

L'avvocato guarda Piccolo Zhao, che non batte ciglio. E non smette di parlare.

Caruso ascrive a suo carico anche l'associazione a delinquere di stampo mafioso. Quindi fa lo stesso per suo padre. Finalmente possiamo perseguire Vecchio Zhao per mafia.

La vendetta di Piccolo Zhao si sta compiendo.

Vecchio Zhao viene ascoltato nell'interrogatorio di garanzia.

Suo figlio ritiene che sua madre sia morta a causa sua, e forse lui stesso si sente responsabile. Sapeva che cos'era diventato, ma non lo ha fermato. Al contrario, lo ha aiutato, e lo ha sempre protetto.

Adesso non ammette nulla, ma neppure nega.

5.

Però rimane il resto dell'organizzazione. Gli uomini di Vecchio Zhao sono dentro con la nostra accusa, traballante, di resistenza aggravata a pubblico ufficiale. Arriva il giorno dell'udienza di convalida, e sempre Bonanni fa fuoco e fiamme per farli rilasciare.

Mieli valuta l'insussistenza del reato per il quale abbiamo proceduto agli arresti, e come pensavamo decide per la scarcerazione immediata.

Sui componenti della Luce Limpida però gravano anche le rivelazioni di Piccolo Zhao e la denuncia di Qi Baoxiang.

Caruso però si confronta con noi, e sceglie di non richiedere una OCCC. Non per il momento, almeno. Li vogliamo fuori. Poi va da Mieli, e sulla base di questi elementi chiede la proroga dell'autorizzazione a intercettare tutte le "utenze Zhao", e un decreto per un'ambientale nelle loro abitazioni e automobili.

Il gip concede entrambe le cose. Noi riusciamo a piazzare le cimici nelle case e nelle macchine.

È un azzardo.

Se erano tutti attenti e circospetti *prima* di essere arrestati, a maggior ragione dovrebbero esserlo *dopo*.

Invece, l'azzardo funziona.

Gli uomini parlano.

Hanno perso Vecchio Zhao e Piccolo Zhao, il *San Chu* e il *Fu San Chu*, il capo e il vice. Sono scossi, confusi, non hanno una guida. Abbandonano ogni prudenza. Parlano, e si scambiano accuse a vicenda. Soprattutto, tra i membri della Piramide.

Chang Zhi, il Garante delle Alleanze protesta con Ng Peng. Il *Sinfung*, il Maestro d'Incenso è il custode della tradizione e responsabile della sicurezza interna al gruppo, e avrebbe dovuto porre un freno a ciò che stava accadendo. Ng Peng ribatte a Chang Zhi che anche lui, il *Mengzheng*, avrebbe dovuto esercitare la sua funzione diplomatica non solo *fuori* ma anche *dentro* alle loro stanze per impedire il disastro. Allora Chang Zhi si rifà su Li Yujiang, perché il *Cho Hai* come "ministro degli Esteri" è anche colui che si è occupato di tutti i documenti forniti alle ragazze passate dal laboratorio tessile, ed è proprio da quelli che la nostra inchiesta ha cominciato a risalire a loro. Tutti se la prendono con Xu Yi, il *Sinfung*, il Guardiano del Vento che non ha saputo sostituire Hu Xia, ma ancora di più si accaniscono contro lo stesso Hu Xia, perché forse la nostra scoperta dei documenti era un danno che potevano arginare, ma lui poi si è fatto incastrare. È stato il primo, è stato il sassolino che è rotolato a valle e ha provocato la valanga.

Per Hu Xia, Bonanni non ha potuto fare niente. Mieli

l'ha già ascoltato nell'udienza di convalida, e rimane un gradito ospite di Rebibbia.

Proprio perché non può sentirli, gli altri suoi sodali gli rivolgono ogni genere di insulto.

Cao ni zu zhong shi ba dai, "che si fottano i suoi antenati fino alla diciottesima generazione", *jiao ni sheng haizi mai pigu yan*, "che i suoi figli possano nascere con il buco del culo chiuso". È un *er bai wu*, un 250, un inutile buono a nulla, con il numero che si riferisce a una leggenda che dice che più di duemila anni fa, quando un importante ufficiale governativo venne ucciso, l'imperatore finse di apprezzare quel gesto e promise una ricompensa di 1000 *liang* d'oro. Si presentarono in quattro per ritirare 250 *liang* a testa, ma quando giunsero a palazzo, anziché premiarli, l'imperatore li fece giustiziare dimostrando la loro scarsa intelligenza. È un *ben dan*, un "uovo", uno sciocco, perché per una ragione che nemmeno i miei nonni mi hanno saputo spiegare, in tutti i dialetti cinesi la parola "uovo" ha una connotazione spregiativa. È un *er bi*, un "doppia vagina", un fottuto idiota. E adesso se ne sta in galera a *da feiji*, a "colpire l'aeroplano", cioè a farsi le seghe.

Ma oltre a prendersela l'uno con l'altro, e con il Bastone Rosso, continuano a telefonarsi e a discutere della Luce Limpida, delle sue ramificazioni, della sua struttura, del suo funzionamento. Hanno perso il controllo. Tutto marciava come un orologio, poi si è inceppato. Parlano di Vecchio Zhao, di come il 489 li ha costretti a stare dietro a quel pazzo debosciato di Piccolo Zhao, e di come la follia di suo figlio ha contagiato l'intera organizzazione, simile a un virus che infetta un organismo vivente.

Il più loquace è Zheng Ming Quiang, il Ventaglio di Carta Bianca. Il *Pak Tsz Sin*, il contabile, il tesoriere, che parla degli affari e degli interessi economici della Triade. Il business. E si lascia andare a lunghi piagnistei perché potevano vivere in grande prosperità, felici e sereni, e invece tutto è andato in malora.

Noi ascoltiamo e registriamo.

E mentre loro parlano, e noi prendiamo nota, continuiamo a esaminare le carte prelevate dal Cerchio Felice, e i pc.

Bellucci mi chiama. I suoi hanno trovato un "file fantasma" in uno dei computer.

Mi passano il file, che è scritto in cinese con a fianco la traslitterazione in *pinyin*, lo traduco, e per essere certo al cento per cento lo passo anche a Xian.

Il file contiene una serie di codici composti da lettere e numeri. Sono gli identificativi – IBAN, SWIFT, BIC – di vari conti correnti sparsi in diversi paradisi fiscali: Lussemburgo, Andorra, Gibilterra, Isola di Man, Isole Marshall e Bahamas.

È il tesoro della Luce Limpida.

Abbiamo quello che ci serve, ma aspettiamo qualche giorno. Manca ancora una cosa.

6.

Torniamo alle ragazze. Quello che ci manca è una parte dell'insieme che Qi Baoxiang non ha saputo riscostruire, e Piccolo Zhao ha detto di non conoscere. Chi aiutava Abile Wang a spostare le ragazze, e a "smaltire" i loro cadaveri.

Poi parte una chiamata di Chang Zhi, il Garante delle Alleanze. Chiama da un'utenza che non abbiamo sotto captazione, ma con l'ambientale in casa sua la sentiamo lo stesso.

Contatta una rosticceria cinese, e ordina del cibo. Può semplicemente volere farsi portare involtini primavera e maiale agrodolce per cena. Oppure si tratta di qualcos'altro.

Mando un'auto in borghese con sopra Libero e Pizza davanti all'abitazione di Chang Zhi. Aspettano. E non vedono arrivare nessun fattorino dalla rosticceria con del cibo.

Si tratta di qualcos'altro.

Controlliamo.

La rosticceria si chiama Mr. Chow, e il numero compare nei tabulati di Abile Wang, ma noi l'avevamo ignorato.

Indaghiamo più a fondo.

Con Caruso otteniamo dal gip il decreto per acquisire i tabulati e intercettare il telefono della rosticceria, e per effettuare un'altra ambientale.

In Sala Ascolto, con Musso, Leo e Xian sempre in cuffia, sentiamo il titolare, Chow Weiguo – Mr. Chow – parlare dal fisso e di persona con alcuni ragazzi. Dice che lui non vuole saperne più niente, non vuole grane, e loro devono trovarsi un altro posto dove sbrigare le loro faccende.

Dal tabulato della rosticceria risaliamo ai loro numeri, intercettiamo pure quelli, e li identifichiamo: nomi e cognomi.

Sono un gruppo di undici ragazzi, età compresa tra i diciassette e i ventitré anni. Sono gli stessi che hanno presenziato al funerale di Wang Jiang e Wang Fanfang mescolati tra la folla che reggeva le candele a piazza Vittorio. Tra questi, ci sono i tre che mi hanno affrontato sotto il portico. Cresta Gialla, Cresta Rossa e Cresta Verde.

Sono Lanterne Blu.

Il messaggio inviato da Chang Zhi attraverso l'ordine di cibo alla rosticceria è: "Non fate parte dell'organizzazione, ma l'organizzazione sa tutto".

Devono cucirsi la bocca.

Ma sono giovani, sono criminali di basso rango, e sono spaventati da ciò che sta accadendo. Il 489 e suo figlio sono stati presi dagli sbirri. Anche loro sono disorientati. Anche loro parlano troppo.

E noi scopriamo che era tramite il numero della rosticceria che Abile Wang li contattava.

Scopriamo che erano loro a trasportare le ragazze dal laboratorio tessile agli appartamenti.

Scopriamo che erano sempre loro ad aiutare Abile Wang a smembrarle e seppellirle.

Si sono prestati sperando di essere poi affiliati alla Triade.

Sono loro i fattorini. Sono loro i macellai.

Li arrestiamo.

La mattina dopo, all'alba, Caruso notifica il 416bis a Hu Xia, mentre noi bussiamo alla porta delle case degli appartenenti alla Luce Limpida, con una ordinanza di custodia che alle altre accuse aggiunge quella di "associazione mafiosa", e li riportiamo in galera.

Vanno a raggiungere Vecchio Zhao e Piccolo Zhao.

L'organizzazione è finita.

7.

Wang Xinxia. Lei è sempre dentro.

E anche se adesso l'organizzazione sta cedendo, lei continua a tacere. Teme che se parlasse potrebbe fare la stessa fine di Suker a Bologna.

Noi però abbiamo sempre attiva l'intercettazione nella sua cella e nella saletta interrogatori, che usa per incontrare il suo avvocato d'ufficio. E dopo tutti questi mesi di silenzio assoluto, si lascia sfuggire qualcosa con una sua nuova compagna di cella. Un'altra donna cinese.

Questa donna non è assieme a Wang Xinxia per caso. È stata arrestata e incarcerata da pochi giorni a seguito di un'altra inchiesta. È accusata di aver venduto il suo bambino appena nato a una ricca coppia, sempre cinese, che non poteva avere figli.

Caruso lo viene a sapere e ottiene che la donna sia trasferita.

Un altro azzardo. E anche questa volta ci va fatta bene.

Tra le due donne nasce una discussione. Wang Xinxia dice disgustata che non capisce come una madre possa vendere il suo stesso figlio. L'altra donna, che sembra informata su alcuni aspetti della nostra indagine, ribatte dura a Wang Xinxia che lei vendeva ragazze ai bordelli. Non è tanto diverso.

Wang Xinxia risponde che invece è diverso. Lei non avrebbe mai venduto sua figlia. L'unica persona al mondo di cui le importava davvero. Profumata Wang non doveva morire. Le cose non dovevano andare in quel modo...

Dalla Sala Ascolto sentiamo Wang Xinxia emettere un singhiozzo. Uno soltanto.

Suo marito era uno stupido. Aveva commesso uno sbaglio, ma anziché implorare perdono aveva sfidato persone troppo potenti.

E dopo voleva che fuggissero tutti e tre assieme. Spedivano sempre i soldi in Cina, e intanto lui preparava il viaggio.

Lei no, lei non voleva scappare. Non voleva rinunciare a tutto ciò che avevano qui, in Italia, a Roma.

Qualcuno era venuto a parlarle. Le era stato detto che Wang Jiang doveva rendere conto dei suoi errori e dell'arroganza che aveva dimostrato, e a lei era stato offerto di continuare a gestire il suo laboratorio tessile e tutto il resto.

Lei aveva detto sì.

Poi però quella notte suo marito ha preso in braccio Wang Fanfang.

E quegli uomini hanno sparato.

Di colpo, Wang Xinxia tace di nuovo.

Noi non volevamo crederci. Volevamo sperare che non fosse così.

Invece *lei sapeva*.

Era stata avvertita della rapina, che in realtà sarebbe stata un'esecuzione. A sua figlia non doveva succedere niente. Lei era d'accordo.

In Sala Ascolto siamo raggelati.

Passiamo tutta l'intercettazione tradotta a Caruso. Il pm si abbandona contro lo schienale della poltrona, come se avesse ricevuto un pugno in faccia. Pure lui non voleva crederci.

Ora a Wang Xinxia attribuisce anche il concorso in omicidio doloso per Wang Jiang, e per Wang Fanfang.

Lascio trascorrere qualche giorno, poi torno a Rebibbia da Wang Xinxia.

Nonostante tutto, è una madre che ha perso la sua bambina. Le porto un fiore. Bianco. Il colore del lutto in Cina. È da parte mia e di tutto il Commissariato.

Lei guarda il fiore e guarda me. «Questo perché, vicequestore Wu?»

«È per Profumata Wang» le dico soltanto.

Nessuno di noi l'ha dimenticata.

La maschera di Wang Xinxia va in frantumi. Il suo viso bellissimo si contorce per il dolore.

«Grazie» dice.

Prende il fiore, e scoppia a piangere.

8.

Ma ci sono anche risposte che non troviamo.

Dopo aver letto le trascrizioni dell'intercettazione, anche Caruso va da Wang Xinxia. Vuole chiarezza sui moventi che l'hanno spinta a prendere certe decisioni prima, e a tenere sempre quell'atteggiamento distaccato poi. Prova a sondarla anche con qualche altra domanda sul *resto* del loro denaro. Alla compagna di carcere ha detto che spedivano i soldi in Cina per poi fuggire, ma non ha detto *come*, con quali altri soldi.

Lei, però, non dà spiegazioni. Su nulla. Ha avuto un crollo, ma come ogni altra volta che ha lasciato intravedere qualcosa di sé, ha subito tirato su i muri.

Si è rimessa la maschera.

Al magistrato dice soltanto che ha messo il fiore che le ho portato in un vaso con dell'acqua, nella sua cella. «I signori poliziotti sono stati molto gentili.»

«Sì, è vero, sono stati gentili.»

Caruso s'arrende, e se ne va.

Wang Xinxia è sempre stata lontana e insondabile, e lo rimane fino alla fine.

Non sappiamo se non ha mai voluto dare il suo contributo all'indagine perché temeva le conseguenze, o per qualche ragione che a noi sfugge.

Non sappiamo se *davvero* c'è un malloppo che lei e suo marito hanno nascosto in una banca clandestina cinese. Siamo riusciti a trovare il tesoro della Triade, ma non quel denaro e la banca.

Non sappiamo se anche ora Wang Xinxia tace su questo perché quei soldi le hanno portato soltanto dolore, e vuole dimenticarli. O se invece è perché spera prima o poi di essere scarcerata e riprenderseli.

L'ipotesi non ci convince, spesso è sembrato che non lottasse poi così tanto per difendersi e uscire di galera, ma non possiamo esserne certi.

E non sappiamo perché non si è battuta per se stessa. Se il motivo è che come tanti cinesi è abituata a considerare inutile andare contro le autorità e la legge, oppure se la ragione – ancora una volta come Vecchio Zhao – è che si sente in colpa per la morte di Profumata Wang. O se una vita fuori dalla prigione senza sua figlia è una vita che non vuole.

Non abbiamo nulla di certo, neppure sugli esecutori degli omicidi dei due croati a Roma, e sull'assassinio di Suker in cella a Bologna.

Nelle captazioni degli uomini dell'organizzazione, negli scambi di accuse tra loro, i croati vengono citati un paio di volte e da ciò che si dicono sospettiamo che a eliminare Smoje e Čop siano stati due soldati, i nostri cari Ding Jinhui e Han Yuping, assieme a Hu Xia. Ma sospettiamo e basta. Non ci sono evidenze sicure.

Per quanto riguarda Suker, abbiamo ancora meno. Se da Roma sono partiti degli ordini verso Bologna, sono passati per dei canali che non riusciamo a rintracciare. Stiamo ancora tentando di capire se ci sono state connivenze da parte della Penitenziaria della Dozza, se e chi è stato pagato e comprato, se hanno permesso a qualcuno di entrare in carcere e inscenare il suicidio, o se addirittura non sia stato un agente corrotto a farlo.

Può essere che, prima o poi, qualcosa di più concreto su tutti e tre venga fuori.

Caruso continua a interrogare Piccolo Zhao e a chiedergli della presenza di altre fosse comuni, quanti sono e chi sono gli altri soggetti come Abile Wang e Wang Xinxia che hanno svolto per lui le stesse mansioni, quante sono davvero le ragazze che ha torturato e ucciso, se c'erano altre ragazze negli appartamenti, e dove sono ora.

Piccolo Zhao non cambia mai versione. Non lo sa, non lo ha mai voluto sapere, non ha tenuto il conto.

Il pm interroga anche Vecchio Zhao e i suoi uomini, rivolge a loro le stesse domande, ma non ne ricava niente. Qualunque ammissione li danneggerebbe ulteriormente.

Noi facciamo altre ricerche ma non otteniamo riscontri.

Forse non sapremo mai quanto è più vasto l'orrore.

Io ricevo una chiamata Skype dai miei nonni.

«*Sunzi*, nipotino» mi saluta Bellissima Li.

Rimango un po' distante dallo schermo del computer in modo che non notino i segni del mio combattimento con Piccolo Zhao, e tengo il mio braccio con la fasciatura rigida fuori dall'inquadratura della webcam per non farli agitare.

«Volevamo parlare con te» dice Forte Li.

Poi mi fanno una richiesta.

Quando chiudo la chiamata, decido che è arrivato il momento di tornare a Bologna.

9.

I saluti.

Per primo, Lanfranchi. È lui che nel bene e nel male mi ha portato a Roma. Glielo devo.

Il questore sta tenendo un'altra conferenza stampa. I cronisti presenti sono eccitati quasi fino all'orgasmo. L'arresto del Demone, l'avvocato Sofia Sun liberata dal serial killer, la Luce Limpida, la Triade sgominata. Lanfranchi elogia l'operato delle forze dell'ordine, della magistratura, degli inquirenti tutti. Non cita mai se stesso, ma tessendo lui quelle lodi si prende una parte dei meriti. Terminato l'incontro con i giornalisti, il questore mi concede dieci minuti.

Gli comunico la mia decisione.

«E il ministero?»

«Ho già fatto, signor questore.»

Subito dopo la chiamata Skype con i nonni vado dal medico dell'ufficio sanitario della Questura che legge il referto del chirurgo del San Giovanni con i sessanta giorni di prognosi, mi visita, controlla lo stato del braccio e della mano – e sì, seppure con grande fatica riesco a muoverli – mi applica un'altra fasciatura rigida, aggiunge altri trenta giorni alla prognosi, e mi certifica un congedo straordinario per ragioni di salute, a seguito della ferita riportata per cause di servizio.

Lo stesso ufficio sanitario della Questura dà avviso al ministero del congedo di novanta giorni, allegando il certificato e tutti i referti clinici.

«Insomma, vuole andarsene nel momento della massima gloria.»

«A me non importa. Quello che conta è che abbiamo chiuso l'indagine.»

«Sì, certo. Certo. Si prenda il suo congedo. Però la rivoglio a Roma presto.» Fa una pausa. Sa cosa sto pensando. «Non è per me. Glielo dico ancora, Wu. E glielo dico chiaramente, così capisce: lei è uno sbirro coi controcazzi, e ci serve qui.»

Non sta recitando. Non del tutto, almeno.

Vuole che torni perché sono un buon poliziotto, *e* per le sue ragioni politiche. Lo sappiamo entrambi. Lui ha usato me e io, quando ho dovuto, ho usato lui. Anche ora non cambia nulla. Tra me il signor questore il rapporto rimane ambiguo e sospeso.

Riceve una telefonata sul cellulare, e risponde. Ha l'intera città e tre milioni di persone di cui occuparsi. Mi rivolge un breve cenno della testa come commiato.

Poi, Carmelo.

Che appena gli dico del congedo un po' s'incazza. È venuto a Roma per aiutarmi, ma lui adesso rimane incastrato qui perché con Bellucci stanno ancora esaminando i vari reperti organici presi al Cerchio Felice, e sotto, nella stanza segreta di Piccolo Zhao. Utili o meno, vanno vagliati e catalogati. Non sarà una cosa lunga, appena Carmelo avrà finito le analisi che sta seguendo di persona, lascerà il resto del lavoro a Bellucci e ai suoi.

Ma intanto, io vado e lui resta.

«Lo sai perché torno a Bologna, no?»

«Sì, lo so.» Almeno in parte Carmelo lo sa. Sorride. «E giusto per questo forse ti perdono. Forse.» Mi abbraccia.

Il tenente Chen mi chiama. Ha saputo che mi allontano da Roma. Ci incontriamo, così saluto anche lui. Ci vediamo fuori dalla Scuola allievi carabinieri, a Prati.

«Stai formando le nuove leve dell'Arma?»

«Dobbiamo essere sempre un passo avanti a voi della piesse.»

«Be', tu sarai contento che senza di me resti l'unico sceriffo cinese in città.»

«Sono contento, infatti. Però mi mancherai.»

«Non ci credo.»

«Credici. Per essere un poliziotto, non sei così male.»

«Lo dice anche il questore. Tutti gentili adesso che me ne vado.»

«È il *sollievo*, Wu. Perché per un po' ti togli dalle palle.»

Un saluto veloce pure ad Alessandro. Sul tetto del palazzo dei suoi, alla Garbatella, dove ci alleniamo di solito.

«E quindi te ne torni su?»

«Sì.»

Alessandro guarda il mio braccio e la fasciatura rigida. «Non è che è 'na scusa perché tutte le volte che c'alleniamo te gonfio?»

«Guarda che anche con un braccio solo ti butto giù.»

«Sì, come no…» sorride.

Di fronte vedo le finestre del mio appartamento. Poco più in là, a sinistra, comincia la salita che porta verso i Lotti, e c'è il parco Cavallo Pazzo. Solo in questo quartiere potevano intitolare un giardino pubblico a un capo indiano. Torno a Bologna, ma la Garbatella è stata un pezzo di casa mia a Roma. È un pezzo di casa mia.

Vado da Caruso. Anche a lui dico della mia partenza. Non fa obiezioni. Prima che io debba testimoniare al processo, passeranno altri mesi, se non di più.

Il pm è sepolto dalle carte. Approfitta della mia visita per staccare. I suoi soliti gesti. Apre la finestra, e si accende una sigaretta. Occhiali e cravatta colorati, come sempre. Occhiali fucsia e cravatta verde chiaro. Un abbinamento eccentrico ed elegante. Come lui.

Una boccata di fumo.

«Le faccio i miei auguri. Per Bologna.»

Non dice altro. Non serve.

Gli porgo la mano. «È stato un onore lavorare con lei, dottore.»

«Eh, *mo' nun esageramm'*.» Ride. Poi mi squadra, esattamente come la prima volta che m'ha incontrato. «*Statev' bbene*, Wu.»

Mi stringe la mano. Forte.

Porto i miei al bar trattoria a largo dei Savorgnan, alla Certosa. Bonelli è chiuso per turno, abbiamo una scusa per provare un posto nuovo.

Anche questa volta ci spostiamo a piedi, e attraversiamo una porzione del quartiere.

La gente vede passare il nostro piccolo gruppo di poliziotti, e tutti ci dicono qualcosa. Italiani, stranieri, bianchi, neri, marroncini, gialli. Non c'è ostilità verso *le guardie*. Tra chi ci viene incontro, alcuni li abbiamo anche arrestati. Sono quelli che ci vogliono più bene.

«Tutta polizia fa vacanza, finalmente noi ladri può lavorare in santa pace.»

«Ahó, se state a veni' tutti assieme per portamme al gabbio, fateme avverti' la mia signora che s'è sposata a uno importante e nun ce lo sa.»

«Godetevi 'sta bella passeggiata, signori agenti, e che il Signore v'accompagni.»

Questa è Tor Pignattara. *Torpigna.* È l'altro pezzo di casa mia, a Roma.

Al bar trattoria il proprietario e sua moglie ci trattano come principi, e il pesce che ci portano in tavola è delizioso.

Avrei dovuto dire del mio congedo appena l'ufficio medico della Questura ha dato il via alla pratica.

Lo dico adesso, ufficialmente.

In mia assenza, il comando del Commissariato sarà affidato al sostituto commissario Artibani. In questi mesi l'avrò visto sì e no tre volte, se n'è sempre rimasto imboscato all'Ufficio stranieri, e dubito che in ogni caso uscirà spesso da lì. Ovviamente, come prima del mio arrivo, a mandare avanti la baracca sarà Missiroli.

I miei non hanno bisogno di conoscere i motivi che mi spingono a tornare a Bologna, li accettano e basta. Ma ci restano male. E alla delusione reagiscono come sempre da sbirri: fanno battute. Si scatenano.

Parte Scaccia. «Capito, il dottore? Fa tanto il gran maestro de Kung Fu, e poi se mette in malattia pe un tajetto.»

Libero lo segue a ruota: «No, ma dice che quell'altro cinese, er fijo der boss, lo ha pestato bene bene».

Missiroli: «Ma lasciate che vada, sai quanti ne troviamo, meglio».

Pizza: «Eh, ma poi *torna*».

La Fresu: «Questo è il fatto, non che va, ma che torna».

La Longo: «Ma poi siamo proprio sicuri che torna? Non è che ci fa lo scherzetto?».

La Fresu: «Torna, torna. Ma quando gli ricapita una squadra come noi?».

Sì. Quando mi ricapita.

Continuano a fare i cazzoni. Missiroli, Scaccia, Libero, Pizza, la Longo e la Fresu.

Sono una grande squadra.

E io sono orgoglioso di loro.

10.

Prima di tornare a Bologna, comunque, devo stendere l'informativa finale da consegnare a Caruso. È l'atto più complesso, che spetta a chi ha diretto un'indagine di polizia. L'informativa deve contenere tutti gli elementi di prova a carico dei singoli indagati, ed essere completata con i materiali prodotti nel corso dell'investigazione.

Normalmente occorrono settimane intere per preparare un'informativa finale. Per noi, forse potrebbero servire anche un paio di mesi.

La nostra inchiesta infatti si articola attorno a tre nuclei: Abile Wang, Wang Xinxia, il Laboratorio Tessile – Piccolo Zhao, il serial killer, il Demone – Vecchio Zhao, la Luce Limpida, l'organizzazione criminale.

Quindi, oltre a raccogliere il materiale probatorio, con il quale il pm andrà a processo, il documento mira a dimostrare come i *tre* nuclei dell'indagine siano *uno solo*.

Cioè, vogliamo dimostrare che la funzione di copertura del laboratorio tessile, e tutto ciò che hanno svolto Wang Jiang e sua moglie, è stato causa dell'uccisione dello stesso Abile Wang e di sua figlia Wang Fanfang, perché si collegava all'attività mafiosa della Luce Limpida e che questa, a sua volta, era correlata e ha favorito i crimini del serial killer.

Al momento, Wang Xinxia è dietro le sbarre. E soprattutto, dietro le sbarre ci sono l'assassino, il capomafia, e gli uomini della sua organizzazione.

È quello che ha voluto Caruso con tutte le sue forze. È quello che abbiamo voluto anche io e i miei uomini del Commissariato.

Adesso il sost. proc. vuole tenere tutti dentro.

11.

Io, però, non ce li ho un mese o due per preparare l'informativa.

Quindi scarico la patata bollente a Missiroli. Gli do la buona notizia mentre stiamo tornando, sempre a piedi, da largo dei Savorgnan al Commissariato. Io e lui più avanti, gli altri più indietro.

Missiroli non fa esattamente i salti di gioia. «Dotto', no. Questa cosa no. Qua se tratta de scrive la Bibbia con tutti i Vangeli.»

«Missiro', calmo. Puoi chiedere una mano alla Longo e alla Fresu. A me basta che mi fai il grosso, una bozza, poi me la mandi, la rivedo, la correggo, e firmo.»

«Dotto', detto senza poesia: lei me lo sta a mette in quel posto.»

«Però dopo ti faccio le coccole, Missiro'.»

«Dotto', posso il *tu*?»

«Certo. Potevi pure prima.»

«Allora, se posso, ma vedi d'anna' affanculo.»

Missiroli si prende la patata bollente.

Mi fermo, e anche lui. Gli altri ci passano avanti, e restiamo da soli all'incrocio tra via Rovetti e via Carlo della Rocca. Dove c'è la casa dei Wang. Dove sono morti Abile e Profumata Wang.

«Missiro', posso io adesso?»

«Cosa?»

«Volevo ringraziarti. Non l'avevo ancora fatto. Grazie. Per tutto.»

«Dotto', pure io c'è una cosa che non ti ho detto. Tu c'hai una qualità che ho visto poche volte. C'hai un cuore grande. Tu quest'indagine non l'hai portata in fondo perché è il lavoro nostro, perché è dovere, ma perché c'hai cuore.»

Io non dico niente.

Sentiamo delle voci alterate, e ci voltiamo. Sono tre uomini cinesi, fuori dal ristorante cinese Fuhai, stanno scaricando da un camioncino delle casse di birra cinese, e stanno discutendo in un misto di dialetto e cinese mandarino su chi deve portarle dentro.

Io li guardo, Missiroli li guarda, poi guarda me.

«Dotto', noi prima stavamo giocando. Torna, eh! Che in questo quartiere ci sono troppi cinesi, e io i cinesi mica li capisco.»

12.

Vado a trovare Sofia Sun in ospedale.

I medici che la seguono, per il rispetto della privacy, all'inizio non vogliono darmi notizie, ma con molta pazienza cinese, alla fine li convinco, e mi fanno un resoconto della situazione.

I tagli, col tempo e con i farmaci, si rimargineranno. E con interventi mirati di chirurgia plastica, le cicatrici possono essere in parte cancellate.

Non tutte, però.

«Dipende da lei. È stata segnata. Fuori e dentro» dice una dottoressa. «E lo sarà per sempre. Non dimentichi però che le persone hanno capacità straordinarie di ripresa anche dai traumi peggiori. E la signora Sun è una donna forte.»

Forse allora il danno non è del tutto irreparabile.

Nella sua stanza, distesa a letto e con una flebo attaccata

al braccio, la *signora Sun* sembra quasi una bambina. Mi sente entrare, si volta, e mi vede. «Sei venuto.»

«Sì, certo.»

Abbozza un sorriso. Adesso però non assomiglia più a un fiore che sboccia. È stata intrappolata da sola con il Demone per sei giorni.

Adesso quel suo accenno di sorriso assomiglia piuttosto a un lumicino che tenta di bucare le tenebre.

«Come stai?» le chiedo. La domanda più stupida.

Il suo viso bello, irregolare, con il naso troppo grande e gli occhi troppo distanti, è intatto. Piccolo Zhao non aveva ancora cominciato a tagliarle la faccia. Come con Qi Bao xiang.

Io però ho visto il suo corpo nudo sulla brandina nella stanza sotto al Cerchio Felice. Il disegno delle linee rosse aperte nella carne.

«Bene. Starò bene. Tu mi hai salvata. Mi hai trovata e mi hai salvata.» La sua voce è debole e stanca.

Ha violato il patto con la sua cliente, con Wang Xinxia, per darmi certe informazioni, perché voleva che io andassi avanti con l'indagine e scoprissi chi aveva massacrato quelle ragazze, di cui non importava niente a nessuno.

Voleva che lo fermassi. Si è confidata, si è *fidata* di me.

E io non l'ho tradita. Ma poi l'ho tradita lo stesso. Non sono riuscito a impedire che Piccolo Zhao la prendesse.

«Tu come stai?» mi chiede. Lei lo chiede a me.

E ora la tradisco di nuovo. Alzo il braccio con la fasciatura rigida. Mi nascondo dietro il braccio fasciato. «Vado in convalescenza.»

Sofia Sun mi guarda. «Vai via?»

«Sì. Per un periodo.»

«Quando?»

«Tra qualche giorno.»

Mi guarda ancora. Mi domando se nonostante quello che sembrava, dopo che siamo stati a letto, si aspettasse qualcosa da me.

Non lo so. E non so cosa siamo stati assieme. Ma non abbiamo solo scopato. È stato molto più di questo.

Stare con lei e l'inchiesta sono le due cose che un po' hanno riavvicinato le mie due parti divise. Io, poliziotto italiano e cinese, che indago a fondo, come non avevo mai fatto, su un pezzo di mondo cinese in Italia.

E lei, la mia prima donna cinese. È un regalo prezioso che mi ha fatto.

Mi sento una merda, ma non posso farci niente. Lei ha attraversato l'inferno, e io me ne vado.

«Dove vai?»

Sfioro la fede all'anulare sinistro. «Bologna.»

Bologna è dove ci sono mia moglie e mio figlio. Sofia Sun continua a guardarmi. «Fai bene.»

Poi abbassa gli occhi. Non mi guarda più.

Esco dalla stanza.

Fuori, in corridoio, incrocio Alberto Huong che sta arrivando.

Spero che alla fine riesca a risolvere i suoi strascichi giudiziari, e spero che sia venuto per restare. Spero che possa aiutare Sofia Sun a guarire. Spero che lei, con lui, possa essere felice.

Lo saluto con uno sguardo.

Adesso posso partire.

Il nuovo inizio

新的开始

Ciò che il bruco chiama fine del mondo,
il resto del mondo chiama farfalla.

Una settimana dopo

Bologna.

Passo al Giardino dell'Imperatore, da mio padre. Lui dà un paio di istruzioni secche in cucina e alle cameriere in sala, e ci mettiamo nel nostro spazio fuori, dietro il cortiletto con i tavoli, dove di solito facciamo *Chi Sao.*

Ma stavolta niente *Ving Tsun.*

Mi parla subito dell'inchiesta. Ha seguito ogni parola che è stata detta o scritta in televisione e sui giornali.

«L'avete preso. Quello che ammazzava le ragazze. *L'hai* preso.»

«Sì. E quello che tu hai fatto per me è stato importante: le informazioni che sei riuscito ad avere da Yun Heng.»

Silenzioso Wu si schernisce: «Io non ho fatto niente. Avete fatto tutto voi, *tu*» ripete. Poi s'adombra. «Ti hanno attaccato, la nostra gente ti ha dato contro.»

Gliel'ha insegnato sempre Forte Li, e si è letto anche i quotidiani cinesi online quando mi davano del venduto e del traditore.

«Dopo hanno smesso.»

«È questo che temevo quando hai voluto fare il poliziotto.»

«Lo so. Adesso lo so.»

«Ma tu l'indagine l'hai risolta.»

«Sono testardo.»

«Già.»

«Da qualcuno avrò preso.»

521

«Non so da chi.»

Tutti e due sorridiamo. Silenzioso Wu gira appena il viso dall'altra parte: «Ti voglio bene».

Non riesce mai a dirmelo, adesso ci riesce. Non so se potrò mai perdonarlo del tutto, per la morte di mia madre, ma possiamo fare pace. Possiamo scacciare i nostri spiriti maligni, e tenerci soltanto il nostro amore per Luminosa Wu.

«Anch'io ti voglio bene.»

Mio padre torna a voltarsi verso di me, e mi mette una mano sulla spalla, come quando vincevo nei *Beimo*.

Stiamo in silenzio. Lui guarda verso la cucina e la sala. Una cameriera sta litigando con il cuoco su un'ordinazione sbagliata. «Vado, se no questi mi mandano in rovina il ristorante.»

«Sì.»

Silenzioso Wu tiene ancora per un momento la mano sulla mia spalla, poi rientra.

A casa dei miei, dai nonni. Baci, abbracci e qualche lacrima. Un po' di apprensione per il mio braccio fasciato che vedono solo ora. Forte Li e Bellissima Li mi ripetono le stesse cose che mi hanno detto via Skype.

Vogliono tornare in Cina. A Wenzhou, a Caoping.

Sono anziani, vogliono rivedere i parenti, i fratelli e le sorelle e gli altri nipoti che sono là. Come quasi tutti i cinesi emigrati all'estero, vogliono tornare a morire nel posto dove sono nati.

Ne hanno già discusso con Silenzioso Wu.

«A me non ha detto niente.»

«Tuo padre non smentisce mai il suo nome» dice Forte Li.

«È d'accordo» aggiunge Bellissima Li. «Sentiremo la mancanza di quell'orso. E sono sicura che anche noi gli mancheremo. Ma lui sa cosa significa lasciare la propria terra e le proprie radici.»

«Voi siete sicuri?»

«Siamo sicuri.»

«E Giacomo? Siete disposti a non vedere più il vostro nipotino?»

«Perché non dovremmo vederlo più?» domanda Forte Li. «Non abbiamo intenzione di morire proprio subito. Quando ci saremo sistemati, ci piacerebbe molto che Giacomo venisse a trovarci. Magari con sua madre.»

«Il bambino non è mai stato in Cina. Potrebbe conoscere il Paese d'origine di una parte della sua famiglia» dice Li Meyu. «Così magari cresce con meno confusione in testa di te.»

E mi rifanno la stessa richiesta.

Io prendo il coraggio, rompo il nostro patto mai dichiarato e chiamo Anna. Le dico che vorrei vederla. Vorrei vedere lei e Giacomo. «Sono passati più di tre mesi.»

Anna tace. Temo che riagganci.

Invece, risponde: «Ok. Ma non oggi, è troppo tardi. E neanche domani, che ho giornata piena al lavoro. Dopodomani, martedì. Alle quattro vado a prendere Giacomo all'asilo».

Martedì alle quattro in punto sono in via Parisio, sotto casa. Anna arriva in un quarto d'ora, parcheggia la sua macchina, e scende con Giacomo. Appena li vedo, il cuore mi scoppia per la felicità.

Giacomo si stacca da Anna, mi corre incontro e mi si getta tra le braccia.

«Papà.»

Mando giù il magone. «*Erzi*, figlio mio.»

Anna ci raggiunge. Le tette tonde e il culo tondo sono sempre al loro posto, e io sento una fitta violenta di desiderio.

«Ciao, Wu.»

Per lei sono sempre e solo *Wu*. I dispiaceri che le ho causato hanno scavato qualche ruga attorno alla sua bocca. Sembra più piccola, e la sua energia sfavillante si è ritirata più in profondità.

Mi soppesa con un unico sguardo. Di nuovo, il mio braccio fasciato. «Ho letto che ti ha ferito. Il serial killer.»

È come se sapesse ogni cosa.

Sofia Sun sapeva, Anna sa. Le donne sanno tutto.

«Non è niente. Devo solo stare a riposo.»

Giacomo mi guarda dal basso: «Papà, resti?».

Non rispondo. Guardo Anna.

Anna dice a Giacomo di andare a giocare un po' in cortile attorno a casa. Lei arriva subito. Anche se ha solo cinque anni, mio figlio intuisce che è meglio fare come dice la mamma, senza protestare, e fila via.

Anna mi fissa. «Resti?»

«No. Non ancora. Sono tornato perché voglio sistemare le cose. Ma c'è qualcos'altro che devo fare, prima.»

Le dico che ho parlato con Bellissima Li e Forte Li. Le dico quello che mi hanno detto. E cosa mi hanno chiesto.

«Mi hanno chiesto di accompagnarli.»

«E tu?»

«Ho detto di sì.»

Ho i novanta giorni di congedo a disposizione. La mia spaccatura, dentro, un po' si sta richiudendo, e sento – so – che devo andare.

Anna, come tutte le volte, capisce. «Va bene, Wu, fa' questa cosa, va' in Cina. Sei cinese, almeno una volta vorrai andarci, no?» La luce in fondo ai suoi occhi nocciola è sempre ironica, calda e viva. E lei è ancora incredibilmente intensa. «Va', vai via. E dopo torna. Torna da noi.»

Ringraziamenti

Scrivere un romanzo, si pensa, è un lavoro solitario. E lo è. Chi scrive è solo con la sua storia, con i suoi personaggi, e con tutte le decisioni da prendere. Ma allo stesso tempo è anche un lavoro corale, condiviso, nel quale tanti entrano e portano il loro contributo prezioso.

Ecco, in più di quattro anni tra ricerche e scrittura, sono tantissime le persone che sono entrate dentro questo romanzo, e lo hanno cambiato, plasmato e costruito assieme a me.

In qualche modo, questa storia appartiene anche a loro.

Innazitutto, grazie a Sandrone Dazieri e Giancarlo De Cataldo. Sono stati loro i primi, in due momenti diversi ma vicini, a spingermi perché mi rimettessi a scrivere narrativa. Entrambi hanno usato più o meno la stessa frase. Qualcosa tipo: «Cotti, scrivi un cazzo di romanzo!». Sono stati convincenti.

Poi, grazie ai tanti poliziotti e carabinieri che hanno seguito l'indagine dentro il romanzo come se fosse reale, e che assieme a Luca Wu hanno risolto il caso.

Alcuni tra questi sono anche amici e scrittori, e hanno avuto una sensibilità speciale nel darmi risposte perfettamente in equilibrio tra l'esattezza quasi maniacale delle procedure di polizia e le esigenze narrative.

Ovviamente, se ci sono imprecisioni nella descrizione di queste procedure, sono tutte da attribuire a me.

Tra gli amici poliziotti-scrittori, il grazie più grande va a Marco de Franchi. Ha risposto letteralmente a centinaia di mie mail con altrettante domande. È stato sempre presente. E di più, ha fatto sua la storia e i personaggi contribuendo a rendere ogni cosa vera. Mi ha ospitato assieme ai suoi colleghi negli uffici della Squadra Mobile di Livorno, e mi ha consentito di vivere in diretta il lavoro della polizia. Quindi, grazie anche al dirigente e a tutti i mobilieri di Livorno, che mi hanno accolto come uno di loro. Ma, ancora, grazie soprattutto a Marco. L'ispettore Missiroli, senza dubbio, è lui.

Subito dopo, grazie a Carmelo Pecora. Da ex ispettore capo di polizia Scientifica mi ha assistito come sempre per tutto ciò che riguarda la parte forense della storia. E come se non bastasse, è di nuovo entrato direttamente dentro il romanzo per indagare assieme a Luca Wu. Wu è fortunato ad averlo come amico. Anche io.

Grazie a Simona Mammano per avermi aiutato a districare il passaggio (per me difficile) di competenze tra Procura ordinaria e DDA. Le colleghe donne di Wu debbono molto alla passione di Simona come poliziotta e alle sue qualità umane.

Grazie a Roberto Riccardi che in una lunga chiacchierata ha messo a mia disposizione il suo talento di scrittore e la sua esperienza sul campo come colonnello dell'Arma.

Grazie al vicequestore aggiunto Rosella Matarazzo, e ai suoi colleghi Mauro Scaglione e Antonio Grillo.

Grazie all'ispettore Gianni Ciotti, al quale sono debitore di un'altra storia da scrivere.

Grazie al tenente dei carabinieri Dino Cheng che è riuscito a farmi capire cosa significa essere un italiano di origine taiwanese che presta servizio nelle forze dell'ordine.

E grazie al sostituto procuratore Filippo Santangelo. Anche lui non solo ha trovato il tempo per rispondere alle mie domande, ma a un certo punto ha fatto di più, ed è diventato un personaggio della storia.

Per scrivere questo romanzo mi sono documentato, oltre che incontrando persone, leggendo diversi libri. In particolare: *Mafia cinese o made in China?* – Sara Pezzolo, Giovanni

Manfrellotti, Società Editrice Fiorentina. *Lanterna Nostra* – Chiara Caprì, Navarra Editore. *I boss di Chinatown* – Giampiero Rossi, Simone Spina, Editore Melampo.

Un grazie speciale, però, devo dirlo a Francesco Sisci, uno dei più importanti sinologi italiani. È stato lui a spiegarmi la natura delle Triadi, e a farmi addentrare nel mondo complesso e articolato della comunità cinese in Italia.

Anche su questo, qualunque inesattezza o forzatura per motivi drammaturgici è solo responsabilità mia.

Ci tengo inoltre a sottolineare che se in questa storia emergono in special modo le attività criminali legate alla realtà cinese è perché appunto si tratta di una *storia criminale*. Spero di avere evidenziato a sufficienza nella narrazione come ci sia molto altro, e di avere smentito molti stereotipi che riguardano i cinesi che vivono in Italia e i cittadini italiani di origine cinese.

Comunque, il mio ringraziamento particolare a Francesco viene da una sua intuizione geniale che ha cambiato radicalmente tutto. Quando lui mi ha detto: «Un poliziotto italiano non potrebbe mai indagare su dei cinesi» io ho sentito quel *clic* dentro la testa che ogni scrittore conosce. Senza di lui, non ci sarebbe Luca Wu. Senza Luca Wu, non ci sarebbe questo romanzo.

Grazie a Romano de Marco e Marilù Oliva che mi hanno portato da Loredana Rotundo, la mia agente.

E grazie a Loredana. Quando le ho mandato le prime duecento pagine del romanzo, lei mi ha risposto esattamente come tutti gli scrittori sognano.

Io ho fatto una scommessa, con questo romanzo. Lei ha fatto una scommessa prendendo me. Adesso vediamo di vincerle, queste scommesse.

Grazie agli amici, che mi hanno ascoltato, incoraggiato, spinto, e anche ospitato. Grazie a Marcello Olivieri, il primo che mi ha chiamato mezz'ora dopo che avevo scritto "Fine" in fondo al file. Grazie a Igor Artibani, *Compa'*, a Luca Poldelmego con il quale si realizza il miracolo dell'amicizia tra un romanista e un laziale. Grazie a Andrea Santini, e grazie a Riccardo Corazza, amico vero da sempre. Grazie a Deborah per le nostre chiacchierate alla Garbatella. Grazie a Isotta per così tante ragioni che è impossibile elencarle. L'ultima è che assieme a Gabriele mi ha dato alloggio e fatto sentire a casa quando più ne avevo bisogno, e grazie a Adriano, *sunzi*, nipote e piccolo uomo meraviglioso.

Grazie alla Ving Tsun Kung Fu Association Europe di Philipp Bayer. Lui ha avuto l'onore di incrociare le braccia con Wong Shun Leung. Io ho avuto l'onore di incrociare le braccia con lui.

Grazie a Alessandro Agostini, che mi ha allenato e che – pure lui – è finito dentro il romanzo ad allenarsi con Luca Wu.

Grazie a Enrico Ferretti, capace come pochi altri di spiegare il *Ving Tsun*.

Per fortuna la capacità nelle arti marziali di Luca Wu assomiglia molto più alla loro che non alla mia.

Grazie a Raffaele Di Micco, Riccardo di Micco e Hilde Giusti, il mio team di specialisti medici.

E infine, grazie a Barbara. Ha sopportato questo tizio che si alzava alle cinque di mattina per scrivere, che alle dieci di sera crollava addormentato sul divano, e che in tutte le ore in mezzo era da un'altra parte, a Roma, tra la Garbatella e Tor Pignattara, a fare indagini. Brindiamo ai nostri nocciolini duri. Un Pignoletto e un'acqua tonica.

谢谢
Xièxiè

A.C.

nero

Nella stessa collana

SIAE | DALLA PARTE DI CHI CREA

Aut. MM - 90 - 2018

004367

Questo volume è stato stampato presso ELCOGRAF S.p.A.
nel mese di agosto 2018
Stabilimento – Cles (TN)
Stampato in Italia